Franzen / Von der Existenzialontologie zur Seinsgeschichte

MONOGRAPHIEN ZUR PHILOSOPHISCHEN FORSCHUNG
begründet von Georgi Schischkoff

Band 132

Von der Existenzialontologie zur Seinsgeschichte

Eine Untersuchung über die Entwicklung
der Philosophie Martin Heideggers

Winfried Franzen

1975

Verlag Anton Hain · Meisenheim am Glan

© 1975 Verlag Anton Hain KG — Meisenheim am Glan
Herstellung: Verlag Anton Hain KG — Meisenheim am Glan
Printed in Germany
ISBN   3-445-01251-2

Für

Marianna

Vorwort

Die vorliegende Arbeit wurde im Sommersemester 1972 vom Fachbereich 08 Geschichtswissenschaften der Justus Liebig-Universität in Giessen als Dissertation angenommen. Das Manuskript wurde Anfang 1972 abgeschlossen. Lediglich der Abschnitt 1.2.1 wurde teilweise überarbeitet; ansonsten wurden nur geringfügige Änderungen vorgenommen.

Mein Dank gilt vor allem Herrn Prof. Dr. Ludger Oeing-Hanhoff, der diese Arbeit angeregt und mit seinem Rat begleitet hat. Für manche Anregungen in Gesprächen, Diskussionen und Kolloquien danke ich auch den anderen Mitgliedern des Zentrums für Philosophie und Grundlagen der Wissenschaft (früher: Seminar für Philosophie) der Justus Liebig-Universität, insbesondere meinem Freund Dr. Peter Probst.

Diese Arbeit wäre nicht zustandegekommen ohne die langjährige großzügige materielle und verständnisvolle ideelle Unterstützung meines Studiums durch meine Eltern, denen ich an dieser Stelle meinen besonderen Dank aussprechen möchte.

Giessen, im August 1974

Winfried Franzen

Inhalt

Einleitung

Heideggers Philosophie ist noch zu Lebzeiten ihres Urhebers geschichtlich geworden. Mit dem Abstand von bald einem halben Jahrhundert läßt sich über ‚Sein und Zeit‘, mit geringerem über Heideggers späteres Denken ein historisch orientiertes Urteil fällen. Nennenswerte Versuche in dieser Richtung gibt es spätestens seit den ersten Jahren nach dem 2. Weltkrieg, vor allem seit den – inzwischen schon klassisch zu nennenden – Heidegger-Interpretationen von Max Müller, Karl Löwith und Walter Schulz[1]. Die Folgezeit brachte eine wahre Flut von Arbeiten über Heidegger[2]. Dem, der sich des näheren mit ihnen beschäftigt, fällt folgendes auf:

Während diejenige Literatur, die sich mehr oder weniger affirmativ bis apologetisch zu Heideggers Philosophie verhält, eine ganze Reihe von umfangreichen systematischen Darstellungen und Interpretationen hervorgebracht hat[3], gibt es dergleichen im Bereich der kritischen Heidegger-Literatur so gut wie überhaupt nicht. Hier beschränkte man sich auf kleinere Aufsätze oder Essays[4], auf einzelne Kapitel in Büchern, die einem umfassenderen Thema gewidmet waren[5], oder auf Darstellungen bestimmter historischer oder systematischer Teilaspekte des Heideggerschen Denkens[6]. Von dieser Situation geht die hier vorgelegte Untersuchung aus: in ihr soll der Versuch gemacht werden, Heideggers Philosophie *insgesamt* – d. h. natürlich: ihre Grundzüge, nicht alle ihre Einzelheiten – von einer *kritischen* Position her darzustellen, zu interpretieren und, auf dieser Grundlage, Stellung zu ihr zu beziehen. Dabei geht es vor allem um die *Entwicklung* dieser Philosophie von ‚Sein und Zeit‘ bis zu den zuletzt erschienenen Schriften und insbesondere um die Frage, wie sich das frühe und das spätere Denken Heideggers zueinander verhalten.

Das Motiv für diesen Versuch entspringt der Einsicht, daß die Kritik irgendeiner Position – in diesem Falle einer philosophischen – sich nicht damit begnügen darf, schnelle Urteile zu fällen, sondern sich auf Detailarbeit einlassen muß. Insbesondere hat bei einer Sache, die so umstritten ist wie die Philosophie Heideggers, die Befragung der Texte ständig im Vordergrund zu stehen.

Erster Teil

Heideggers frühe Philosophie

1.1 Zur Vorgeschichte von ‚Sein und Zeit‘

Eine Darstellung der ersten beiden Jahrzehnte Heideggerschen Philosophierens — also etwa von 1907 bis 1927[7] — ist zum gegenwärtigen
Zeitpunkt aus Mangel an Material (Vorlesungen, Briefen etc.) kaum möglich[8]. Dennoch hat die Heidegger-Literatur bereits wichtige Details
erschlossen, von denen hier einiges angedeutet wird[9].

Der entscheidende Anstoß für die Entwicklung des Heideggerschen
Denkens bis zu SuZ scheint zunächst die mehr oder weniger gleichzeitige
Auseinandersetzung mit der klassischen, besonders der antiken — ferner der
mittelalterlichen — Ontologie auf der einen Seite sowie der christlichen,
besonders der urchristlichen Glaubenserfahrung auf der anderen Seite
gewesen zu sein. Zum einen nämlich machte das Eindringen in die Bestimmungen zumal der aristotelischen Ontologie deren ungelöste Probleme
und d. h. deren Grenzen sichtbar. Wenn etwa bei Brentano von der „mannigfachen Bedeutung des Seienden bei Aristoteles“ gesprochen wurde[10],
so stellte sich Heidegger die Frage: „Welches ist die alle mannigfachen
Bedeutungen durchherrschende einfache, einheitliche Bestimmung von
Sein?“ Und weiter: „Was heißt denn Sein? Inwiefern. . . entfaltet sich das
Sein des Seienden in die von Aristoteles stets nur festgestellten, in ihrer
gemeinsamen Herkunft unbestimmt gelassenen vier Weisen?“ (so Heidegger rückblickend in BaR XI; vgl. Mein Weg in die Phänomenologie, in
SD 81).

Auf der anderen Seite brachte die Aneignung ursprünglicher christlicher Glaubenserfahrung Heidegger an den Standort, von dem her die
antike und weiterhin die gesamte abendländische Philosophie in ihrer
ontologisch-metaphysischen Tradition in Frage gestellt werden konnte.
Denn die kairologischen, eine innere Geschichtlichkeit enthüllenden
Bestimmungen, wie sie besonders bei Paulus aufweisbar sind[11], und die vor
allem von Augustinus und dem jungen Luther herausgestellten Charaktere
eines nur vom nicht objektivierbaren Vollzug, nicht aber von seinen Inhalten her faßbaren faktischen Lebens[12] ermöglichten die Relativierung des
antiken und d. h. abendländischen Verständnisses von Sein als purer Vorhandenheit und von Zeit als rein chronologischer Jetztfolge[13].

So ergab sich die Notwendigkeit jener Wiederholung der Seinsfrage,
die durchzuführen Heidegger in SuZ sich zum Ziel setzte.

Sosehr freilich die Konfrontation von griechischem Seinsverständnis und christlicher Glaubenserfahrung die Keimzelle von SuZ gewesen sein dürfte, sowenig sind doch damit die Impulse, die das Heideggersche Denken ‚auf den Weg brachten', schon erschöpft. Vielmehr ist fast die ganze Breite des philosophischen und ‚weltanschaulichen' Panoramas der letzten Jahrzehnte des 19. und der ersten des 20. Jahrhunderts zu berücksichtigen. Zu nennen ist natürlich an erster Stelle die Phänomenologie, die Heidegger zunächst literarisch — vor allem an Hand der ‚Logischen Untersuchungen'[14] — ab 1916 dann im persönlichen Umgang mit Husserl sich aneignete. Ihr Verfahren bot sich nicht nur als Methode zur Erhellung der Charaktere des faktischen Lebens an, sondern ermöglichte zugleich auch einen — im Sinne Heideggers — ursprünglicheren Zugang zu den klassischen Texten der abendländischen Philosophie (vor allem zu Aristoteles). Darüberhinaus wiesen bestimmte Probleme und Aporien zumal der ‚Logischen Untersuchungen' Husserls auf die Seinsfrage hin[15], und zwar offensichtlich so intensiv, daß schließlich in SuZ Phänomenologie und Ontologie zur „phänomenologischen Ontologie" (SuZ 38; vgl. 35, 37) verbunden werden konnten[16].

Indessen verschrieb sich SuZ nicht nur der phänomenologischen, sondern genauso auch der hermeneutischen Methode[17]. Die hiermit angesprochenen Inpulse für sein Denken hat Heidegger in SuZ ausdrücklich erwähnt: die Analytik des Daseins sei entschlossen, „den Geist des Grafen Yorck zu pflegen, um dem Werke Diltheys zu dienen" (SuZ 404). Von Dilthey bezog Heidegger die ‚Axiome' einer hermeneutischen Theorie, um sie zum einen für seine existenziale Analytik fruchtbar zu machen und so mit der phänomenologischen Methode zu verquicken, und um sie zum anderen inhaltlich zu einer existenzialen Theorie des Verstehens weiterzuführen bzw. zu radikalisieren[18]. Yorcks Ansätze zu einer Theorie der Geschichtlichkeit gehören zu den wichtigsten Anregungen für Heideggers Explikation der Zeitlichkeit und der Geschichtlichkeit des Daseins[19]. Wie ansatzweise schon bei Yorck[20] verbanden sich auch bei Heidegger die Grundbestimmungen christlicher Glaubenserfahrung mit denen ursprünglichen Geschichtsverständnisses im Sinne Heideggers. Nur wurden dann im Laufe der Entwicklung zu SuZ hin jene Bestimmungen ihres spezifischen religiös-theologischen Gehaltes entkleidet und rein existenzial-anthropologisch bzw. fundamentalontologisch verwendet. Heideggers Denken wurde so, seinem Selbstverständnis nach, a-theologisch, zuweilen sogar anti-theologisch, bewahrte aber Strukturen, die solchen in der Theologie analog blieben[21].

Weiteres wäre anzuführen. Transzendentalphilosophisches Denken, in neukantiansicher Ausprägung zunächst, dann beim mittleren Husserl, hat Ansatz und Durchführung von SuZ entscheidend mitbestimmt.

Wiederum über die Theologie gewann Heidegger Zugang zum spekulativen Denken der deutschen idealistischen Philosophie[22]. Mit dem Hinweis auf die „große Aufgabe einer prinzipiellen Auseinandersetzung mit dem ... gewaltigsten System einer historischen Weltanschauung..., mit Hegel" hatte Heidegger schon seine Habilitationschrift abgeschlossen (Duns Scotus 241). Auch von hier aus also eröffnete sich ihm die Dimension des Geschichtlichen.

Indessen zeigt sich gerade in einigen Ausführungen der Habilitationsschrift ansatzweise schon jene Zweideutigkeit, die ein Jahrzehnt später in SuZ hervortrat, wo die Geschichte zum Existenzial der Geschichtlichkeit formalisiert wurde. In den auf Hegel hinweisenden Schlußbemerkungen der Duns-Scotus-Arbeit hieß es, der lebendige Geist sei „wesensmäßig historischer Geist" und nur zu begreifen, „wenn die ganze Fülle seiner Leistungen, d. h. seine Geschichte in ihm aufgehoben wird" (238). Im Gegensatz dazu hatte Heidegger im Vorwort derselben Arbeit von der „Konstanz der Menschennatur" gesprochen, welche das Sich-durchhalten des philosophischen Geistes und seiner Probleme bedinge (4). Zur Philosophie — so fuhr Heidegger fort — habe deren Geschichte nur solange einen Wesensbezug, als diese „sich in die reine philosophische Systematik" projiziert habe (5). Solche Widersprüchlichkeiten bzw. Zweideutigkeiten in der Behandlung des Geschichtsproblems sollten sowohl SuZ als auch das spätere Denken Heideggers durchziehen.

Im übrigen vermittelt die Habilitationsschrift, betrachtet man sie rückblickend aus der Perspektive von SuZ, noch manchen weiteren Aufschluß über die Motive, die zur Existenzialontologie hinführten[23]. So wandte sich Heidegger beispielsweise schon 1916 gegen die Verabsolutierung der Logik: nur aus einem translogischen Zusammenhang heraus könnten die logischen Probleme im wahren Lichte erscheinen (vgl. 235). Was hier vom Logischen gesagt ist, wird später in SuZ aufs Theoretische überhaupt ausgedehnt[24]. Auch über die Dimension, zu der hin das Logische transzendiert werden müsse, wurden in der Habilitationsschrift einige Andeutungen gemacht: „Die Philosophie kann ihre eigentliche Optik, die Metaphysik, auf die Dauer nicht entbehren" (235); es stelle sich die „Aufgabe einer letzten metaphysisch-theologischen Deutung des Bewußtseins" (ebd.). Damit schloß sich Heidegger den Bemühungen um eine ‚Auferstehung der Metaphysik' an[25], die seit den Anfängen des 20. Jahrhunderts unternommen wurden[26].

Die ‚metaphysische Dimension' wurde Heidegger u. a. durch die Schriften des Windelband- und Rickert-Schülers Emil Lask vermittelt[27], dessen Heidegger nicht nur im Vorwort seiner Habilitationsschrift gedachte (Lask war 1915 gefallen), sondern auf den er auch mehrfach aus sachlichen Gründen verwies[28]. Heidegger sah Lasks Bedeutung darin, daß dieser von den rein logischen Strukturproblemen zu den metaphysischen Problemen fortgetrieben wurde (vgl. Duns Scotus 236 f.)[29].

Wie sich die Tendenz zur Metaphysik inhaltlich artikulieren sollte, war gleichfalls in der Duns-Scotus-Arbeit — wenn auch nur sehr vorsichtig — angedeutet: das Kategorienproblem, so Heidegger gegen Schluß seiner Untersuchung, sei nur durch „die Hineinstellung ... in das Urteils- und *Subjekts*problem" zu fassen (230, Hervorhebung von mir). Was sich hier noch relativ beiläufig anhört, ist in Wirklichkeit die Keimzelle jener Position der transzendental-existenzialen Subjektivität, die Heidegger dann in SuZ einnehmen sollte.

Darüberhinaus sollte das Subjektsproblem in der Philosophie nicht nur inhaltlich, sondern auch für ihren *Vollzug* geltend gemacht werden. Zum Zeugen dafür wurde nicht nur Emil Lask, dem Heidegger „schöpferisches Gestalten der Probleme aus dem starken persönlichen Erlebnis" bescheinigte (Duns Scotus Vorwort), sondern auch Nietzsche angerufen: „Dieses Bestimmtsein aller Philosophie vom Subjekt her hat Nietzsche in seiner unerbittlich herben Denkart ... auf die bekannte Formel gebracht vom ‚Trieb, der philosophiert'." (4)[30] Die Radikalisierung der hier — allerdings wiederum nur sehr vorsichtig — angedeuteten Tendenzen ergab später jene Grundhaltung, die man den ‚Existenzialismus' von SuZ zu nennen berechtigt ist, nämlich den Drang zum subjektiv-individuellen eigentlichen Lebensvollzug im allgemeinen und Philosophievollzug im besonderen[31]. Den Anstoß dazu gaben, z. T. mehr als zwei Jahrzehnte vorher, außer der schon erwähnten Aneignung radikaler christlicher Glaubenserfahrung, vor allem die damals aktuellen Denker und Dichter, bei denen Gefährdung, Rettung und Erneuerung eigentlicher Existenz im Vordergrund standen: außer Nietzsche insbesondere Kierkegaard, Dostojewski, Rilke, Trakl[33]. Zeitgeschichtliche Phänomene wie die Jugendbewegung[33] und der Expressionismus (besonders der literarische)[34], die die Zerrissenheit einer in Krieg und Katastrophe treibenden Gesellschaft widerspiegelten, gehören gleichfalls mit zum Terrain, aus dem Heideggers Philosophie einen großen Teil ihrer Substanz zog. Daß diese Tendenzen sich nach der geschichtlichen Katastrophe des 1. Weltkriegs und in den desolaten Zuständen der ersten Jahre der Weimarer Republik auch hinsichtlich der Heideggerschen Position verstärkten, bedarf keiner näheren Erklärung. In Heideggers Habilitationsschrift war, noch sehr maßvoll, von der Philosophie gesagt worden, sie sei nicht bloß Kulturwert und wissenschaftliche Materie, sondern schöpfe aus den Tiefen und der Lebensfülle der lebendigen Persönlichkeit Gehalt und Wertanspruch (vgl. Duns Scotus 4). Ein weitaus radikalerer Ton klingt aus Briefen, die Heidegger fünf Jahre später an Karl Löwith schreibt[35]. Es geht mir — so Heidegger 1920 — um das, „was ich in der heutigen faktischen Umsturzsituation ‚notwendig' erfahre, ohne Seitenblick darauf, ob daraus eine ‚Kultur' wird oder eine Beschleunigung des Untergangs"[36]. Im Jahre danach heißt es: „Ich mache . . . was ich muß und was ich für nötig halte und mache es so, wie ich es kann — ich frisiere meine philosophische Arbeit nicht auf Kulturaufgaben für ein allgemeines Heute . . . Ich arbeite aus meinem ‚ich bin' und meiner . . . faktischen Herkunft. Mit dieser Faktizität wütet das Existieren." Diese verzweifelt-entschlossene Esoterik wird sich später — z. T. durch philosophische Fachterminologie verbrämt — massiv in SuZ (und im WiM) niederschlagen[37].

Nicht nur im Bereich der akademischen Philosophie, sondern genauso oder vielleicht noch mehr in weiten Kreisen innerhalb und außerhalb der Universitäten hat SuZ eine außerordentliche, vermutlich von keinem zweiten philosophischen Buch dieses Jahrhunderts übertroffene Wirkung erzielt. Worauf beruht sie?

In SuZ war Verschiedenes, z. T. Gegensätzliches miteinander zu einer Einheit verschmolzen, die auf den ersten Blick bruchlos schien[38]. Die wesentlichsten Motive aus der Vorgeschichte von SuZ wurden im vorigen angeführt. Phänomenologie verband sich mit Hermeneutik und Weltanschauungsphilosophie[39], Transzendentalphilosophie mit neuer Ontologie und Metaphysik, ‚nüchterne' aristotelisch-scholastische Tradition mit neuem affektiv geladenen Existenzdenken, Idealismus mit verborgenem Pragmatismus, christliche Glaubenserfahrung mit anti-theologischem Autonomieanspruch. Es wurde jedoch nicht etwa einfachhin ‚für jeden etwas' geboten. Mag der gehobene Eklektizismus von SuZ die große Wirkung nicht weniger als den ambivalenten Charakter dieses Werkes erklären — entscheidender dürfte gewesen sein, daß ‚Fachphilosophen' wie ‚interessierte Laien' hier vereint fanden, was sich sonst meist in der Isolation präsentierte. Methoden- und Disziplinbarrieren wurden eingerissen; was man vorher ohne inneren Zusammenhang nebeneinanderher betrieben hatte, das schien jetzt aus demselben einzigen Horizont her sich zu einem Ganzen zu organisieren[40]. Sowohl dem Sichverzetteln der akademischen Philosophie als auch der Zerrissenheit der Gesellschaft wurde, wie es schien, eine Befriedigung oder gar Rettung verheißende Einheit — sei es der Philosophie, sei es des Lebens — vorgehalten. Originalität können längst nicht alle Bestandteile des Denkens von SuZ für sich beanspruchen, originell und einmalig aber — und daher für viele faszinierend — war die Synthese.

Bemerkungen wie die vorstehenden dispensieren freilich nicht von der *sachlichen* Analyse der *Inhalte* des Heideggerschen Denkens.

1.2 Seinsfrage

Im folgenden ist von Heideggers Hauptwerk ‚Sein und Zeit' die Rede[41]. Viele Interpreten der letzten zwei bis zweieinhalb Jahrzehnte konnten sich dem Einfluß der Selbstdeutung des späten Heidegger (besonders im Brief über den Humanismus) nicht entziehen und glaubten, die Grundbestimmungen und -tendenzen des späteren Heideggerschen Denkens rückwirkend in diejenigen von SuZ hineininterpretieren zu müssen. Diesem Verfahren wird hier eine Absage erteilt; stattdessen soll jeweils von dem ausgegangen werden, was der Text von 1927 hergibt. Ferner müssen zunächst (!) die aus dem fragmentarischen Charakter von SuZ sich ergebenden Fragen ausgeklammert bleiben: der geplante 3. Abschnitt des ersten Teils und der ganze zweite Teil von SuZ sind bekanntlich nicht mehr erschienen. Was darin gestanden und nicht gestanden hätte, wenn SuZ vollendet worden wäre, ist an späterer Stelle zu klären. Zunächst aber können hier, übrigens schon aus methodischen Gründen, nur die beiden 1927 veröffentlichten Abschnitte I und II des ersten Teiles ins Auge gefaßt werden, ohne Rücksicht darauf, ob und ggf. in welchem Maße deren Ergebnisse vom geplanten dritten Abschnitt ‚Zeit und Sein' des ersten Teiles oder auch vom zweiten Teil modifiziert, relativiert oder gar ‚aufgehoben' worden wären[42].

1.2.1 Wiederholung der Seinsfrage[43]

In SuZ wollte Heidegger die Seinsfrage wiederholen (vgl. den Titel von § 1). Diese Feststellung war lange Zeit nicht so selbstverständlich, wie sie angesichts der Einleitung (und der Vorbemerkung) zu SuZ hätte sein müssen. Zumindest die ersten zwei Jahrzehnte der Wirkungsgeschichte von SuZ sind dadurch gekennzeichnet, daß man durchweg über der Analytik des Daseins, die mehr oder weniger als existenzialistische Anthropologie aufgefaßt wurde, das Ziel vergaß, dem sie dienen sollte[44]. Erst nach dem 2. Weltkrieg, als ein besserer Einblick in die Entwicklung der Heideggerschen Philosophie seit 1930, d. h. ins seinsgeschichtliche Denken, möglich wurde, und vor allem seit dem Erscheinen des Humanismus-Briefes, in dem Heidegger sein frühes Werk selbst deutete (und umdeutete), kam wieder mehr zum Bewußtsein, daß SuZ in erster Linie und erklärtermaßen der Aufklärung des Sinnes von Sein dienen wollte[45]. Dennoch bereitete es weiterhin — und bereitet es bis heute — Schwierigkeiten, die Verbindung von Ontologie und Existenzanalyse nachzuvollziehen: die in der Einleitung von SuZ (vgl. bes. 8 ff. und 15 ff.) gegebene mehr methodische

Begründung für den Ansatz der Fundamentalontologie als *Daseinsanalytik* war zwar zumindest plausibel, änderte jedoch wenig an dem Befremden darüber, daß die Probleme von Eigentlichchkeit und Uneigentlichkeit, von Angst und Sorge, Gewissen, Tod und Entschlossenheit ausgerechnet im Dienste der Seinsfrage gestellt wurden.

Allerdings ist zurecht bemerkt worden, daß zwar nicht die ontologische Absicht, wohl dagegen der *Titel* ‚Seinsfrage' die atmosphärische Assoziation zum Hamletschen ‚Sein oder Nichtsein' geradezu erzwang und damit — beabsichtigt oder nicht — genau auf jene Not des Existierenkönnens anspielte, zu deren Austrag dann die Daseinsanalytik Eigentlichkeit und Entschlossenheit, Gewissenhaben-wollen und Vorlaufen-in-den-Tod aufbot[46]. Es bleibt aber die Aufgabe nachzuweisen, daß auch inhaltlich das ontologische *und* das existenzialanalytische Unternehmen derselben Intention entspringen.

Nach dem Sinn von Sein fragen setzt den Verdacht voraus, dieser sei gefährdet oder verlorengegangen. Zwar bestimmte Heidegger ‚Sinn' als „Woraufhin des Entwurfs, aus dem her etwas als etwas verständlich wird" (151, vgl. 324 f.), aber das schließt zumindest nicht aus, daß auch die andere Bedeutung dieses Terminus, wie sie etwa in der Frage nach dem ‚Sinn des Lebens' gegeben ist, — ‚Sinn' also als Zweck, Ziel, Wert, Bestimmung, als das ‚Wozu' — im Bemühen um den Sinn von Sein mitklang[47].

Wenn Heidegger eine Wiederholung der seit Platon und Aristoteles verstummten (vgl. 2) Seinsfrage für notwendig hielt, so behauptete er damit nicht, es sei überhaupt kein Sinn von Sein auffindbar. Vielmehr ging er davon aus, daß der gegenwärtig und schon sei langem vorherrschende Sinn von Sein verborgen sei und daher ans Licht gebracht werden müsse. Das war die *eine* Intention von SuZ. Die andere und wichtigere aber bestand in dem Versuch, den gegenwärtig und seit langem herrschenden Seinssinn zu destruieren und durch einen neuen zu ersetzen. Jener Seinssinn wurde vor mehr als zwei Jahrtausenden von den Griechen, besonders von Platon und Aristoteles, inauguriert (vgl. hierzu und zum folgenden SuZ 25 f.). Sie gewannen zwar — so Heidegger'— das Verständnis von Sein aus der Zeit (25), jedoch „ohne jedes ausdrückliche Wissen um den dabei fungierenden Leitfaden, ohne Kenntnis oder gar Verständnis der fundamentalen ontologischen Funktion der Zeit" (26). Vielmehr wurde die Zeit als selbst „ein Seiendes unter anderem Seienden genommen" (ebd.). Sein wurde als usia bzw. parusia, als Anwesenheit begriffen (25) und so nur aus einem der drei Zeitmodi, nämlich aus der Gegenwart, verstanden. Fortan, von den Griechen über die mittelalterliche Philosophie, Descartes, Kant und Hegel bis heute, beherrschte und beherrscht die aus der Interpretation des Seins als Anwesenheit folgende Ontologie der Vorhandenheit nicht nur das Verständnis der Dinge dieser Welt, sondern – was verhängnisvoller ist – auch das des Menschen selbst.

Heideggers SuZ ist der Versuch eines Protestes gegen die Folgen: gegen die Selbstverabsolutierung der wissenschaftlichen Zivilisation[48]. Was nämlich Heideggger, mit verengtem Blick aufs ‚rein Philosophische‘, als Ursprung der Vorhandenheitsontologie bestimmt, gehört in jenen Prozeß, der mit der abkürzenden Formel ‚Vom Mythos zum Logos‘[49] treffend (wenn auch immer noch in geistesgeschichtlicher Beschränkung) gekennzeichnet ist. Gemeint ist die in der ‚griechischen Aufklärung‘ sich vollziehende Emanzipation aus dem magisch-mythischen Weltbild zugunsten verstandes-mäßig-vernünftiger Erkenntnis und Bewältigung von Welt und Umwelt[50].

Daß sich diese Entwicklung philosophisch als Ontologie der Vorhandenheit artikulierte, liegt auf der Hand. Rationale Erkenntnis und rationales Handeln setzen voraus, daß der Fluß der Erscheinungen fürs Denken zum Stehen gebracht wird und in der Veränderung ein Bleibendes ausgemacht werden kann, welches als Beständiges für die Vernunft greifbar ist. Die Naturdinge sind erkennbar, wenn sie identifizierbar sind, d. h. wenn sie als vorhandene, als anwesend-vorliegende gedacht werden[51]. Die Grundsätze der Vorhandenheitsontologie sind der Ausdruck und zugleich eine der Voraussetzungen der in Griechenland aufkommenden abendländischen Wissenschaft.

Heideggers SuZ aber ist in einem Augenblick geschrieben, als die erste der großen Weltkatastrophen das Vertrauen in die Folgen eben dieses bei den Griechen anhebenden Prozesses mehr als je zuvor erschüttert hatte. Heideggers Kritik an der traditionellen Ontologie ist nur zu begreifen auf dem Hintergrund eines Zeitalters, das die Wissenschaft in der Form der exakten Einzelwissenschaften verabsolutiert, die Technik zum unkontrollierten Moloch gemacht und den Menschen zum bloßen Funktionsträger des Zivilisationsprozesses abgewertet hatte[52]. Die existenziale Analytik setzte sich zum Ziel, das Sein des Menschen den Fängen der ihn degradierenden Vorhandenheitsontologie zu entreißen; genau in diesem Sinne war sie mit dem Unternehmen einer Kritik der bisherigen Ontologie und dem Versuch einer neuen unmittelbar identisch.

Die Frage nach dem Sein entsprang bei Heidegger also dem Bemühen, jene verhängnisvolle Entwicklung durch Aufweis und Aneignung eines neuen und anderen, eines ursprünglicheren Seinssinns zu überwinden. So gesehen ist die Fundamentalontologie in der Tat Theorie und Kritik des gegenwärtigen Zeitalters[53]. Das eine wie das andere ist sie allerdings in höchst problematischer Weise.

Im Einzelnen wird darüber noch in späteren Kapiteln zu reden sein. Vorerst muß aber noch weiter geklärt werden, wieso Heideggers Zivilisations- und Zeit-Kritik sich gerade ontologisch formuliert.

In SuZ war durchaus die alte Formalbestimmung der Philosophie erfüllt, wonach diese sich mit dem befaßt, was ist, d. h. mit der Wirklichkeit. Heidegger suchte nach den Wurzeln, dem gegenwärtigen Zustand und der Überwindung einer bestimmten Wirklichkeit. Daß sich ein solches Unternehmen als Frage nach dem *Sein* verstand, wäre ohne weiteres verständlich, wenn mit dem ‚Sein' eben dies gemeint gewesen wäre: die Gesamtheit dessen, was ist, die ganze Wirklichkeit. Genau das meinte Heidegger in SuZ mit dem Begriff des Seins aber gerade nicht. ‚Sein' bedeutete in SuZ nicht ‚alles, was ist' oder ‚Gesamtheit des Seienden', sondern „das, was Seiendes als Seiendes bestimmt" (6). In den im Kant-Buch gegebenen Erläuterungen zur Intention von SuZ hieß es in ähnlicher Weise: „In der Frage, was das Seiende als solches sei, ist nach dem gefragt, was überhaupt das Seiende zum Seienden bestimmt. Wir nennen es das Sein des Seienden und die Frage nach ihm die Seinsfrage. Sie forscht nach dem, was das Seiende als solches bestimmt." (KPM 201)

Folgerichtig war in SuZ immer – possessivisch – vom Sein *des* (bzw. *eines*) *Seienden* oder vom Seienden in *seinem* Sein die Rede[54]. Die Vermutung liegt nahe, Sein sei hier also, thomistisch gesprochen, als principium formale verstanden[55], als selbst nicht mehr seiender Grund (principium quo) des Seienden[56].

Es scheint freilich, daß diese Deutungsmöglichkeit mit anderen von Heidegger dem Sein zugewiesenen Bestimmungen nicht ohne weiteres in Einklang zu bringen ist. Bevor darauf (weiter unten in diesem Kapitel) näher eingegangen wird, soll jedoch diese Interpretationsmöglichkeit aus heuristischen Gründen noch einen Augenblick festgehalten werden. Die Auffassung von Sein als principium formale würde – oder könnte jedenfalls – bedeuten, daß der Heideggersche Seinsbegriff durchaus in gewisse Grundbestimmungen traditioneller Ontologie paßt. In diesem Falle würde es naheliegen, weiter zu fragen, welchem der beiden von der thomistischen Metaphysik angesetzten Formalprinzipien[57] des ens das Heideggersche ‚Sein' am ehesten entspricht: dem esse oder der essentia. Wenn überhaupt einem, dann doch wohl dem esse – sollte man erwarten. Aber einige Textstellen lassen dies als gar nicht so eindeutig erscheinen, z. B.: „Sein liegt im Daß- und Sosein, in Realität, Vorhandenheit, Bestand, Geltung, Dasein, im ‚es gibt'." (SuZ 7) Zumindest das Sosein gehört aber doch wohl eindeutig auf die Seite der essentia. In WdG spricht Heidegger dann sogar vom Sein als von der „Seinsverfassung: Was- und Wiesein" (14). Wird so das Sein nicht geradezu mit der essentia identifiziert?[58] Und wie muß man eine Stelle verstehen, wo von „Sein und Seinsstruktur" die Rede ist (SuZ 38, auch 36, dann 147)? Ist damit gemeint: *einerseits* Sein (esse), *andererseits* Seinsstruktur (essentia)'? Oder aber: ‚Sein, *das heißt*

Seinsstruktur'? Ausdrücke wie ‚Seinsstruktur', ‚Daseinsstruktur', ‚Wesensstruktur' oder auch ‚Struktur' überhaupt werden in SuZ bereits sehr häufig
gebraucht[59], und zwar meistens – wenn auch nicht immer – so, daß sie im
Grunde als Ersatzwörter für ‚Sein' fungieren. Es scheint demnach, daß es
Heidegger in der Tat hauptsächlich ums Wassein oder Sosein zu tun ist,
wenn er nach dem Sein fragt. Andererseits jedoch rechnet Heidegger an
einer bereits zitierten Stelle zum Sein gerade auch das Daß-sein, das
Dasein[60], das ‚es gibt' (SuZ 27). Erst recht verwirrend wird die Situation,
wenn Heidegger das Sein des Daseins im ersten Zugriff zu bestimmen
versucht. Die „Wesensbestimmung dieses Seienden" – heißt es in der Einleitung – kann „nicht durch Angabe eines sachhaltigen Was vollzogen
werden" (SuZ 12). Das würde in thomistischer Teminologie besagen: die
essentia ist im Falle des Daseins kein Was- oder Sosein. Aber was sonst?
„Das Was-sein (essentia) dieses Seienden [des Daseins] muß, sofern überhaupt davon gesprochen werden kann, aus seinem Sein (existentia) begriffen werden". „Alles So-sein dieses Seienden ist primär Sein. Daher drückt
der Titel ‚Dasein', mit dem wir dieses Seiende bezeichnen, nicht sein Was
aus, wie Tisch, Haus, Baum, sondern das Sein." (SuZ 42) Hier interessiert
vorerst nur der Heideggersche *Sprachgebrauch* von ‚Sein'; d. h. von Interesse ist hier im Augenblick nicht so sehr das Inhaltliche, daß Heidegger das
Wesen des Daseins in seine Existenz setzt[61]. Vielmehr soll hier das Augen-
merk vorerst auf Heideggers Terminologie gerichtet werden; diese ist
nämlich deshalb auffallend, weil hier, im Gegensatz zu den früher zitierten
Stellen, das ‚Sein' terminologisch (!) nun gerade nicht das So- oder Was-
sein miteinschließt, geschweige denn mit ihm identisch ist. ‚Was-sein' ist
eines, ‚Sein' (terminologisch) ein anderes (wenn auch sachlich-inhaltlich
im Falle des Daseins das Wassein im Sein liegen soll). Diese Stellen würden
also eine Parallelisierung zwischen Heideggerschem Sein und thomisti-
schem Esse nahelegen, im Gegensatz zu jenen anderen oben zitierten, die
eher eine Gleichsetzung von Sein und essentia als für die Interpretation
geraten erscheinen ließen. Immerhin läßt sich bereits hier feststellen: für
den Leser, der angesichts des fragmentarischen Charakters von SuZ und
das heißt: angesichts der Tatsache, daß die Seinsfrage in SuZ letztlich
unbeantwortet blieb, darauf angewiesen ist, sich – zunächst einmal – an
dem in den veröffentlichten Teilen von SuZ vorliegenden Sprachgebrauch
zu orientieren, ergeben sich schon im Bereich der ‚Formalien' beträchtliche Verständnisschwierigkeiten[62].

Nun könnte man einwenden, es sei nicht angemessen, Heideggers
Ansatz zur Seinsfrage mit der scholastischen oder thomistischen Elle zu
messen. Indessen: es ist ja Heidegger selbst, der den Anspruch erhebt, jene
alte (und inzwischen vergessene) Frage nach dem Sein wieder aufzuneh-
men. Und es ist auch Heidegger selbst, der jene Unterscheidungen –

Wesen, Sein, Sosein, Wassein, Daßsein etc. – wieder aufgreift und durchaus *von ihnen Gebrauch macht.*

Aber könnte man nicht vielleicht den sachlich-inhaltlichen Aussagen in SuZ sich zuwenden und die Unklarheiten, Zweideutigkeiten, ja Widersprüchlichkeiten im Bereich des formalen Seinsbegriffs übergehen? Das wäre, wie mir scheint, nur möglich, wenn in jenen Unklarheiten nicht ein grundsätzliches Problem von SuZ sich andeutete, das Problem nämlich, ob es tatsächlich sinnvoll war, die konkreten inhaltlichen Fragen, die Heidegger stellte – etwa die nach der Möglichkeit eigentlicher Existenz inmitten einer verdinglichten und entfremdeten Welt –, ausgerechnet unter das abstrakteste Problem der abendländischen Philosophie, das des Seins, zu subsumieren bzw. mit ihm zu verquicken. Könnte es nicht sein, daß jene Ungereimtheiten im Sprachgebrauch von ‚Sein' bereits Indizien für die Fraglichkeit oder gar Unmöglichkeit eines solchen Unterfangens sind?

Ähnliche Überlegungen ergeben sich auch, wenn man noch einen weiteren Aspekt des Heideggerschen Seinsbegriffs ins Auge faßt. Wenn Heidegger von der Frage nach dem Sein (vgl. den Titel von § 1) oder nach dem Sinn von Sein (vgl. den Titel der Einleitung) spricht, so ist dabei doch offensichtlich vorausgesetzt, daß es wirklich um *das* Sein geht, will sagen: daß das Sein *eines* ist. Aber um was für eine Einheit handelt es sich dabei? Dieses bereits seit Aristoteles und dann besonders in der Scholastik klassische Problem der Ontologie hat Heidegger selbst am Anfang der Einleitung zu SuZ erwähnt (vgl. SuZ 3, auch noch 93). Dabei hat er sich – wie man wohl interpretieren darf – durchaus die Meinung zu eigen gemacht, daß es sich bei der Einheit des Seins jedenfalls nicht um eine solche der Gattung handelt (vgl. 3). Darüberhinaus erwähnt er die Möglichkeit einer Einheit der Analogie, wie sie erstmals von Aristoteles ins Auge gefaßt worden sei (vgl. ebd.); dieser habe damit zwar – so heißt es – „das Problem des Seins auf eine grundsätzlich neue Basis gestellt", jedoch „das Dunkel dieser kategorialen Zusammenhänge" (ebd.) genauso wenig gelichtet wie später die Scholastik und andere Philosophien (vgl. ebd.). Aus diesen Andeutungen ist nun nicht klar zu entnehmen, ob Heidegger selbst für seinen Begriff von Sein die Möglichkeit der Einheit der Analogie in Anspruch nehmen will[63]. Man bleibt zunächst also nur auf die negative Feststellung angewiesen, daß es sich bei der Einheit des Seins nicht um eine Einheit der Gattung handelt. Hier empfiehlt es sich dann wieder, auf Heideggers Sprachgebrauch zu achten. Wenn das Sein keine Gattung ist, dann dürfte eigentlich auch nicht von verschiedenen *Arten* des Seins gesprochen werden. Genau das geschieht aber in SuZ ständig. Und zwar gibt es, Heidegger zufolge, vor allem die „Seinsarten" der Vorhandenheit (z. B. 42, 54, 99), der Zuhandenheit (= Seinsart des Zeugs) (z. B. 68 f., 71) und der Existenz (= Seinsart des Daseins) (z. B. 71, 85). Freilich kann man sich nicht ganz sicher sein, ob der Ausdruck ‚(Seins-) Art‘ hier tatsächlich im Sinne der Prädikabilien, also im Sinne von ‚species‘ gemeint ist[64]. Vielleicht sollte man eher etwas wie ‚Art und Weise‘ assoziieren, zumal manchmal auch tatsächlich von „Seinsweise" die Rede ist[65]. Die Schwierigkeiten werden dadurch allerdings kaum vermindert, geschweige denn beseitigt.

Wie verhält es sich — so ist zu fragen — mit *dem* Sein (und das heißt doch wohl: mit dem *einen* Sein), wenn es verschiedene Arten oder Weisen des Seins gibt? Artikuliert sich das Sein oder der Sinn von Sein je verschieden nach der jeweiligen Seinsart? Worin besteht aber dann die Einheit des Seins und seines Sinnes, wenn nicht in seiner Allgemeinheit, und das heißt ja doch wohl auch: Abstraktheit gegenüber den ‚speziellen‘ Seinsarten?

Diese Probleme verschärfen sich noch, wenn man Heideggers Kennzeichnung des Seins als desjenigen, „was Seiendes als Seiendes bestimmt"[66], hinzunimmt. Gibt es zu jedem Seienden ein ‚eigenes‘ Sein, durch welches es bestimmt wird? Oder gehört zumindest zu jeder *Art* von Seiendem (etwa: Vorhandenem, Zuhandenem, Dasein) auch eine ‚spezielle‘ Art von Sein? Oder aber ist es zwar das eine und selbe Sein, das jedoch auf je verschiedene Weise Bestimmungsgrund für die verschiedenen Arten von Seiendem ist? Wie ist aber dann das Verhältnis zwischen der Einheit und Selbigkeit des Seins einerseits und seinen verschiedenen Arten oder Weisen andererseits zu denken?

Es ist nicht zu sehen, wie auf diese und ähnliche Fragen eine Antwort aufgrund des Textes von SuZ zu finden sein soll[67]. Dies liegt z. T. sicherlich daran, daß Heidegger in SuZ ‚seine‘ Seinsfrage letztlich nicht beantwortet hat. Ein weiterer und vielleicht der tiefere Grund dafür (und möglicherweise gerade der Grund dafür, *daß* die Seinsfrage nicht beantwortet werden konnte) ist aber darin zu sehen, daß diese Frage überhaupt *in dieser Weise* und *in diesem Zusammenhang* gestellt wurde.

Daß es nicht unsinnig ist, von verschiedenen Arten oder **Weisen** des Seins zu reden, kann zwar zunächst einmal zugestanden werden — schließlich gibt es ja auch verschiedene Arten des Laufens, des Spielens, des Schreibens usf.[68]. Aber muß man dann nicht auch die Konsequenz ziehen, das Sein nun eben doch als das gegenüber seinen Arten und Weisen Allgemeine anzusetzen? Daraus würde folgen, daß der Begriff des Seins auch das gegenüber den Seinsarten dem Inhalt nach weniger Bestimmte ist. Zwar mag es — um dasselbe mit anderen Worten noch einmal zu sagen — sinnvoll sein, den Unterschied der verschiedenen Regionen des Seienden als einen der Seinsweise zu deklarieren, aber *das* Sein ist dann und bleibt dann doch gerade das gegenüber jenen verschiedenen Weisen Allgemeine und Abstrakte, wodurch es gerade möglich wird, den Begriff ‚Sein‘ so universell zu verwenden, d. h. im Falle eines jeden Seienden vom Sein zu sprechen, trotz des Unterschieds der Regionen des Seienden hinsichtlich ihrer Seinsweise.

Wenn Heidegger zu Beginn von SuZ das von der Tradition ausgebildete „Dogma", ‚Sein' sei der leerste und allgemeinste Begriff (vgl. SuZ 2), mehr oder weniger desavouiert (vgl. auch § 1 insgesamt), so ist in diesem Fall vielleicht doch die in jenem ‚Dogma' enthaltene Einsicht umgekehrt gegenüber den Heideggerschen Verunklärungen zu verteidigen[69]. Bleibt dann die Seinsfrage in Wirklichkeit nicht doch eine sehr abstrakte Frage, nicht — wie Heidegger vermeint — die konkreteste (vgl. SuZ 9)? Ist die Frage nach dem Sinn von Sein, so wie Heidegger sie stellt — und zwar, wie man im Text und noch mehr zwischen den Zeilen lesen kann, doch wohl in der Erwartung stellt, daß als Antwort auf diese Frage eine ganze Fülle von Sinn und Inhalt resultiert — ist also eine solche und in dieser Weise gestellte Frage angesichts der Leere des Begriffs ‚Sein' letztlich nicht doch verfehlt?[70] Die hier gegen die Heideggersche Fassung des Seinsproblems vorgebrachten Bedenken lassen sich vielleicht zu der Frage zusammenfassen, ob denn das Insistieren auf der Seinsfrage als der vorgeblich konkretesten überhaupt die wahren Intentionen der in SuZ vertretenen Philosophie abdeckt. Walter Böcker etwa vertritt die Meinung, daß es Heidegger in SuZ faktisch gar nicht so sehr ums Sein geht. Es sei vielmehr „deutlich, daß [in SuZ] das Problem der Welt von der allergrößten Bedeutung ist . . . daß es eben dieses Problem ist, welches eigentlich im Mittelpunkt des Heideggerschen Denkens steht. . ."[71] Mit diesem Problem habe sich das des Seins nur deshalb verquickt, weil Heidegger „das Wesen des Logischen mißdeutet" habe[72], indem er es mit dem Theoretischen insgesamt identifizierte[73]. In ähnlicher Weise könnte man vielleicht sagen, daß, was sich bei Heidegger ‚offiziell' als Seinsfrage formulierte, im Grunde die Frage nach der Wirklichkeit[74], dem menschlichen Leben, der Geschichte u. a. m. war und daß sich der Seinsbegriff eher zufällig — z. B. aufgrund der philosophischen Biographie Heideggers — in diese Problematik hineindrängte.

Eine pointierte Bemerkung Odo Marquards mag dazu dienen, die Überlegungen dieses Abschnitts zum Abschluß zu bringen: „. . . die Formulierung der ‚ontologischen Differenz' " — so Marquard einmal beiläufig — „war in ihren Intentionen durchschaubarer, als sie noch ein Yorck-von Wartenburg-Zitat war"[75]. Gemeint ist die in SuZ (401) zitierte Bemerkung des Grafen Yorck, derzufolge „die gesamte psycho-physische Gegebenheit nicht *ist*, sondern lebt"[76]. Auf der gleichen Ebene liegt auch Yorcks Betonung der „generischen Differenz zwischen Ontischem und Historischem"[77]. In der Tat bringen die Yorckschen Entgegensetzungen (Sein — Leben, Ontisches — Historisches) klarer und weniger mißverständlich das zum Ausdruck, worauf es auch Heidegger ankam: nämlich den Unterschied zwischen dem Bereich gegenständlichen Seins einerseits und

demjenigen menschlicher Existenz und Geschichte andererseits herauszuarbeiten und insbesondere die Eigenständigkeit des zweiten gegenüber
dem ersten hervorzukehren. Vielleicht könnte man sagen, daß Heidegger
im Sinne terminologischer Plausibilität (um die geht es hier zunächst
primär) besser beraten gewesen wäre, wenn er für die in SuZ vertretene
Philosophie nicht so sehr beansprucht hätte, eine neue Ontologie, sondern
vielmehr etwas anderes als Ontologie zu sein.

Die vorstehenden Überlegungen verstehen sich als Beitrag zu der oft
gestellten Frage, warum (bzw. als Erläuterung der oft getroffenen Feststellung, daß) in SuZ und bis heute unklar geblieben sei, was Heidegger denn
‚mit dem Sein meine'. Es ist vielleicht nicht ganz überflüssig festzustellen,
daß SuZ der Unklarheit dessen, was mit dem Sein gemeint war, vermutlich
einen nicht geringen Teil seiner Wirkung verdankte. Der Jargon (im Sinne
von Adorno), der von den Tiefen und Abgründen des Seins redet, ist ein
gewiß nicht ganz **illegitimer** Abkömmling auch des Heideggerschen Seinsbegriffs (freilich nicht nur des Heideggerschen).

1.2.2 Phänomenologie[78]

SuZ verstand sich selbst als Phänomenologie[79] und wurde auch von
den Zeitgenossen größtenteils als solche verstanden[80]. Zurecht oder zu-
unrecht? Die Anwort hängt z. T. davon ab, wie weit oder wie eng man
den Begriff ‚Phänomenologie' faßt. Nimmt man ihn in einem relativ
weiten Sinne, so besteht der Anspruch von SuZ, Phänomenologie zu sein,
zweifellos zurecht. Um das zu erläutern, muß kurz gefragt werden, welchem Bedürfnis und welchen Motiven die Phänomenologie entsprang[81].

Intention und Programm der Phänomenologie reagierten auf bestimmte geschichtliche und insbesondere philosophiegeschichtliche Ent-
wicklungen des 19. Jahrhunderts. Husserl kämpfte gegen die Verabsolutierung der naturwissenschaftlichen Vernunft[82], die sich zunächst in den
Einzelwissenschaften, dann aber auch in der Philosophie selbst etabliert
hatte. Problematisch war dies insbesondere da, wo der naturwissenschaft-
liche Zugriff auch diejenigen Bereiche nicht mehr verschonte, die bislang
noch weitgehend als Domäne der Philosophie gegolten hatten, aus Husserls
Perspektive außer der Logik in erster Linie die Psychologie. Diese war
spätestens seit einem halben Jahrhundert[83] dazu übergegangen, ihren
Gegenstand, das ‚Psychische', mit exaktwissenschaftlichen Methoden zu
erforschen. Gegen diese „Naturalisierung des Bewußtseins"[84] legte Husserl
Protest ein: die experimentelle Psychologie könne zwar in gewissen Grenzen wertvolle Ergebnisse erzielen, jedoch zur Aufklärung dessen, was das

Psychische wirklich sei und welche Strukturen es aufweise, nur sehr mittelbar beitragen[85]. Als Alternative zur „Naturwissenschaft vom Bewußtsein" forderte Husserl daher eine „Phänomenologie des Bewußtseins"[86]. Sie sollte das Psychische erforschen in „immanentem Schauen"[87] – statt in exaktwissenschaftlichem Vorgehen –, durch „Wesensanalyse"[88] – statt durch Messung –, in „direktem" Zugriff[89] – statt durch Zwischenschaltung von Meß- und Experimentierapparaturen –, „intuitiv"[90] – statt diskursiv. Husserl versuchte so, der Verdinglichung des Bewußtseins zu entkommen[91]. Die Akte, Erlebnisse und Inhalte des Bewußtseins – so Husserl – sind in ihrem Wesen nur dann zu erfassen, wenn sie so genommen werden, wie sie im Bewußtsein selbst gegeben sind. Dies meint die Losung ‚Zu den Sachen selbst'[92]. Die Selbstgegebenheit der Phänomene wird aber von der exakten Wissenschaft gerade übersprungen.

Mit der Absage an die Naturalisierung des Bewußtseins wollte Husserl nun allerdings nicht den Anspruch auf Wissenschaftlichkeit und Objektivität überhaupt preisgeben. Im Gegenteil: durch Phänomenologie sollte Philosophie allererst zur „strengen Wissenschaft" werden. Daher wies Husserl – genauso unzweideutig wie den Naturalismus – auch den Relativismus und Skeptizismus von Weltanschauungsphilosophie und Historizismus zurück[93]. Ihnen warf er vor, den Anspruch auf wissenschaftliche Verbindlichkeit und Objektivität zugunsten eines resignierten „Tiefsinns"[94] aufgegeben zu haben. Zu *dieser* Gefährdung der Philosophie durch Selbstaufgabe ihres Vernunftanspruchs wollte die Phänomenologie fast in demselben Maße Alternative sein wie zur Verabsolutierung naturwissenschaftlicher Vernunft.

Die Phänomenologie war also eine Reaktion auf die Krise der wissenschaftlichen Vernunft um die Jahrhundertwende[95]. Die Losung ‚Zu den Sachen selbst' mußte ausgegeben werden, weil es galt, zu einer durch Verwissenschaftlichung degenerierten Wirklichkeit neuen, ursprünglicheren und unmittelbaren Zugang zu gewinnen. Genau in diesem Sinne ist auch Heideggers SuZ Phänomenologie. „Zugangsart zu dem..., was Thema der Ontologie werden soll" (SuZ 35) ist die Phänomenologie nicht in einem äußerlichen Sinne. Vielmehr ist der Ursprung der Heideggerschen Seinsfrage identisch mit dem Motiv für die Wahl von deren „Behandlungsart" (27). Denn die Frage nach dem Sinn von Sein intendiert Kritik der Vorhandheitsontologie. Diese ist Grundlage der abendländischen Wissenschaft. Nach dem Sinn von Sein fragen, einen neuen Seinssinn suchen – das bedeutet: die einseitige Auslegung des Seins als Vorhandenheit revidieren, bedeutet demnach auch: die Verabsolutierung der modernen Wissenschaften in Frage stellen. Eben das wollte bereits die Phänomenologie bei Husserl. In diesem Sinne beruft auf ihn sich das Unternehmen, welches „phänomenologische Ontologie" sein will (38), mit vollem Recht.

Doch zugleich knüpft sich daran, daß Phänomenologie nun phänomenologische *Ontologie* wird, die Frage, ob SuZ auch in einem *engeren*
Sinne Phänomenologie bleibt. Die Antwort darauf macht einige terminologische Analysen der Begriffe ‚Ontologie' und ‚Phänomenologie' im Husserlschen und Heideggerschen Sprachgebrauch nötig.

Unter ‚Ontologie' verstand Husserl dasselbe wie unter ‚eidetischer
Wissenschaft'[96]. Diese wurde aber in ihrer Gesamtheit im Zuge der Reduktionen eingeklammert[97], d. h.: Ontologie, in der Epoché ausgeschaltet,
gehörte gerade nicht zur Phänomenologie. Den tieferen Grund dafür sieht
O. Pöggeler in folgendem: „Da [bei Husserl] das Sein als Vorhandensein
bestimmt bleibt, das transzendentale Ich aber nicht Seiendes, niemals nur
Vorhandenes ist, kann Husserl die transzendentale Phänomenologie nicht
Ontologie nennen."[98] Diese Erklärung ist sicherlich zutreffend; Heidegger
selbst wies nämlich in SuZ dem Sinne nach darauf hin, daß Husserl (übrigens ebenso wie Scheler[99]) das Sein des transzendentalen Ich nicht als
Vorhandenheit gefaßt habe (vgl. 47 f.)[100], was eben impliziert, daß er,
Husserl, die Theorie des transzendentalen Ich nicht ‚Ontologie' nennen
konnte, da diese bei Husserl stets ‚Sein als Vorhandensein' voraussetzte.

Bei Heidegger selbst dagegen bedeutete ‚Ontologie' als Fundamentalontologie: Frage nach dem Sinn von Sein, und d. h.: Infragestellung des
bisher vorherrschenden Seinssinns der Vorhandenheit. Bis dahin war Husserl — in Heideggerscher Sicht — nicht vorgedrungen; nur im Negativen
nahm er die Grundthese von Heideggers existenzialer Analytik vorweg,
wonach das Sein des Daseins nicht nach Analogie des Vorhandenseins
verstanden werden darf[101]. Zur positiven Bestimmung dieses Seins und
damit zur Frage nach dem Sinn von Sein überhaupt stieß er nicht vor.

Nun läßt sich sagen, warum und in welcher Richtung Heidegger in
SuZ die Bestimmung der Husserlschen Phänomenologie — diese jetzt in
einem engeren Sinne genommen — verließ bzw. überschritt. Die Frage
nach dem Sinn von Sein problematisierte, was bei Husserl als Unterschied
von Bewußtseinsimmanenz und -transzendenz vorausgesetzt und kaum
weiter hinterfragt wurde. Infolgedessen mußte die Husserlsche Trennung
zwischen denjenigen Wissenschaften, die auf der Bewußtseinstranszendenz
ihrer Gegenstände beruhen, also allen Natur- und Geistes- sowie allen
eidetischen Wissenschaften einerseits[102] und der von der Bewußtseinsimmanenz ihrer ‚Gegenstände' ausgehenden Phänomenologie andererseits
verschwinden; positiv ausgedrückt: Phänomenologie konnte Ontologie
werden.

Diese Beziehung muß gesehen werden, wenn — mit Recht — gesagt
wird, in Heideggers Phänomenologieverständnis sei die Husserlsche Theorie der Reduktionen, d. h. die phänomenologische Epoché, fallengelassen
worden oder, was dasselbe besagt, bei Heidegger bedeute ‚Phänomenolo-

gie' nicht mehr wie bei Husserl „Wesenslehre des transzendental gereinigten Bewußtseins"[103]. Von hier aus wird begreifbar, was man als Heideggersche Radikalisierung der Phänomenologie bezeichnen kann: aus der Husserlschen Wesensanalyse des reinen Bewußtseins wurde eine ‚Hermeneutik der Faktizität'[104]. Als Fundamentalwissenschaft konnte nicht mehr die vom reinen Bewußtsein, sondern nur die vom faktisch existierenden Dasein fungieren[105].

Erst nach diesen Bemerkungen ist es möglich, Heideggers eigene Bestimmung von ‚Phänomen' und ‚Phänomenologie' (in der Einleitung zu SuZ) nachzuvollziehen. Formal bestimmte Heidegger ‚Phänomen' als das „Sich-an-ihm-selbst-zeigende" (28), entsprechend ‚Phänomenologie' als: „das, was sich zeigt, so wie es sich von ihm selbst her zeigt, von ihm selbst her sehen lassen" (34). Darin liegt solange kein Unterschied zu Husserl, wie von der materialen Bestimmung des Gegenstandes der Phänomenologie abgesehen wird. Diese wurde nun bei Heidegger folgendermaßen vorgenommen:

Gegenstand einer ausdrücklichen phänomenologischen Aufweisung ist „offenbar solches, was sich zunächst und zumeist gerade *nicht* zeigt, was gegenüber dem, was sich zunächst und zumeist zeigt, verborgen ist. . ." (35). Das aber ist „das Sein des Seienden" (ebd.). Während Seiendes sich zunächst und zumeist zeigt, bleibt Sein zunächst und zumeist verborgen und verstellt. Wenn Seiendes als Gegenstand der Phänomenologie gilt, dann liegt ein „vulgärer Phänomenbegriff" vor (31, 35). Demgegenüber ist der „*phänomenologische* Phänomenbegriff" (31, 35) erst dann gesichert, wenn ‚Phänomen', als das Sichzeigende, meint: „das Sein des Seienden, seinen Sinn, seine Modifikationen und Derivate" (35).

Der Unterschied zwischen vulgärem und phänomenologischem Phänomenbegriff setzt also den Gegensatz von Seinsvergessenheit und — neu gestellter bzw. wiederholter — Seinsfrage voraus. Demnach ist Heideggers Verständnis von Phänomenologie nur nachzuvollziehen auf dem Hintergrund seiner These, Sein sei in Vergessenheit geraten und die Frage nach dem Sinn von Sein müsse neu gestellt werden. Gegenüber dem Husserlschen enthält Heideggers Phänomenbegriff das Neue, daß das Sichzeigende allererst von Verstellung und Verbergung befreit werden müsse, um überhaupt sich zeigen zu können. Genau diese Modifikation erklärt vermutlich auch, warum Phänomenologie hermeneutisch wird[106]. Denn formal läßt sich Auslegung gleichfalls als Befreiung von Verschleierung, Verdunklung, Verstellung etc. begreifen. D. h. also: genau dann, wenn als Gegenstand der Phänomenologie dasjenige gilt, was sich zunächst und zumeist gerade nicht zeigt, muß die Phänomenologie zur Auslegung greifen[107].

Die Ausgangsfrage dieses Abschnittes läßt sich zusammenfassend so beantworten:

Wenn Motiv, Intention und Bestimmung der Phänomenologie so aufgefaßt werden wie bei Husserl, dann ist SuZ nur in einem weiteren Sinne Phänomenologie, nicht aber im engeren; ob es sich zurecht ‚Phänomenologie' nennen durfte, ist dann nur eine terminologische Frage[108].

Sachlich dagegen müßte noch untersucht werden, ob SuZ, insofern es sich ‚Phänomenologie' nannte, den Schwierigkeiten und Antinomien der Husserlschen entkommen konnte[109]. Dazu bedarf es jedoch der inhaltlichen Analyse der einzelnen Komplexe der Existenzialanalytik, in der sich ja die Phänomenologie realisieren mußte. An dieser Stelle soll nur vorgreifend ein Gesichtspunkt geltend gemacht werden. Der entschiedenste Einwand gegen Husserls Phänomenologie bleibt der ihrer Geschichtslosigkeit[110]. Der Wesenswissenschaft, als welche die Phänomenologie auftrat, blieb die geschichtliche Vermitteltheit ihrer Gegenstände verschlossen. Aus diesem Grunde war sie prinzipiell unfähig zu leisten, was ihre Intention war: Alternative zur exaktwissenschaftlichen Vernunft zu sein. Heidegger nun scheint diesen grundsätzlichen Mangel der Husserlschen Phänomenologie überwunden zu haben[111]. Hat er es wirklich?

Es ist das Verdienst der Heideggerschen Philosophie, den Transzendentalismus in der Phänomenologie (und anderswo) dorthin gebracht zu haben, wo statt eines bloßen ‚reinen Ich' das faktische Subjekt wieder in den Blick rücken konnte[112]. Dieses sollte in der existenzialen Analytik in der Tat als durch Zeitlichkeit und Geschichtlichkeit bestimmtes herausgestellt werden. Nur: welcher Art war und welchen Sinn hatte diese Geschichtlichkeit? Daran hängt alles in der Beurteilung der Heideggerschen Phänomenologie. Ein späterer Abschnitt dieser Untersuchung[113] soll zeigen, daß es zumindest problematisch ist, ob die in SuZ freigelegte Geschichtlichkeit sich zurecht als solche bezeichnete.

Nehmen wir hier aber einmal hypothetisch an, Geschichtlichkeit sei bei Heidegger zutreffend charakterisiert: hätte nicht daraus die Konsequenz sich ergeben müssen, den Titel ‚Phänomenologie' überhaupt fallen zu lassen?[114] Die Sachen selbst, zu denen vorgedrungen werden sollte, wurden von Husserl durchweg als konstante Strukturen und Formen begriffen; dem geschichtlichen Denken wurde eine deutliche Absage erteilt. Ist diese bewußte Ungeschichtlichkeit durch Heideggers *phänomenologischen* Phänomenbegriff überwunden? Wenn in SuZ die Maxime ‚Zu den Sachen selbst' dahingehend modifiziert wurde, daß die ‚Sache selbst', das Sichzeigende, jeweils von Verstellung und Verbergung allererst befreit werden müsse, so wurde dadurch zwar gegenüber Husserl ein wesentliches und positives neues Moment in den Phänomen- und Phänomenologie-Begriff eingeführt. Änderte das jedoch irgendetwas im Grundsätzlichen? Wurde an der Intention, die Sachen selbst „in direkter Aufweisung und direkter Ausweisung" (SuZ 35) zugänglich zu machen, nicht auch weiterhin festgehalten? Blieb nicht auch die *hermeneutische* Phänomenologie, wie schon vorher die transzendentale, Wissenschaft von konstanten, ungeschichtlichen Strukturen? Bedeutete vielleicht dann der Titel ‚Phänomenologie' — wie auch ‚Ontologie' — in einem zusätzlichen Sinne eine zutreffende Selbstcharakterisierung von SuZ? Wie gesagt: hier kann nur vorgreifend in Frage gestellt werden, was erst an den Inhalten der existenzialen Analytik zu entscheiden ist.

1.2.3 Begriff des Seins

Über die Problematik des Heideggerschen Seinsbegriffs wurde bereits oben gesprochen. Hier ist nun des näheren zu fragen, was der eigentümliche Ansatz von SuZ bedeutete und was für Konsequenzen er hatte, der Ansatz nämlich, demzufolge Fundamentalontologie nur als Existenzialanalyse möglich sein sollte.

1.2.3.1 Fundamentalontologie als Existenzialanalyse

Rein von der terminologischen Bedeutung her war mit den Titeln ‚Daseinsanalytik' und ‚Fundamentalontologie' zunächst keineswegs dasselbe gemeint[115]. Die Daseinsanalytik erfüllte das Programm einer — mit Husserl zu reden — bestimmten ‚regionalen Ontologie'. Fundamentalontologie dagegen war gedacht als Theorie dessen, was alle Ontologie erst ermöglicht (vgl. SuZ 10 f.), als Antwort auf die Frage nach dem Sinn von Sein. Innerhalb der logisch-formalen Hierarchie der Disziplinen stand also die Fundamentalontologie gegenüber der Daseinsanalytik auf einer höheren (nämlich auf der höchsten) Stufe[116]. Inhaltlich jedoch fielen beide zusammen. Dies hatte Heidegger in der Einleitung zu SuZ in mehreren Schritten zu begründen versucht.

Den Ausgangspunkt bildete zunächst „die formale Struktur der Frage nach dem Sein" (5). Es ergab sich als das Gefragte: das Sein, als das Erfragte: der Sinn von Sein (vgl. 6), und, da Sein immer Sein von Seiendem besagt, „als das Befragte ... das Seiende selbst" (ebd.). Nun hätte man denken können: wenn nach dem Sein überhaupt gefragt wird, dann muß entsprechend auch das Seiende überhaupt, d. h. das Seiende ‚in seiner vollen Breite' und ohne Eingrenzung, befragt werden. Thema — so könnte man denken — muß Seiendes als solches, nicht aber ein bestimmtes Seiendes sein.

Heidegger ging jedoch von vorneherein anders vor: nicht Seiendes überhaupt, sondern ein bestimmtes Seiendes sei zu befragen. Liegt nicht schon darin eine der Aporien von SuZ, die die Vollendung dieses Unternehmens verhinderten? War nicht schon durch den Ansatz der Fundamentalontologie die Frage nach dem Sein *überhaupt* aufgegeben zugunsten derjenigen nach dem Sein eines einzelnen Seienden? Oder anders gefragt: hatte nicht schon der — wie es zunächst scheint — rein methodische Ansatz von SuZ für die Beantwortung der Seinsfrage eine durchaus *inhaltliche* und überdies grundsätzliche Vorentscheidung getroffen, dadurch nämlich, daß die Auskunft darüber, was denn Sein eigentlich und was sein Sinn sei, einem Seienden mehr zugebilligt wurde als allen anderen? Denn nur dann besteht die Notwendigkeit und auch die Möglichkeit, aus dem Seienden überhaupt ein einzelnes als das in der Seinsfrage zu Befragende auszuwählen, wenn zuvor schon ausgemacht ist, daß das Sein *eines* Seienden im eigentlicheren Sinne ‚Sein' heißen darf als das Sein alles anderen Seienden.

Dieselben Überlegungen ergeben sich, wenn derjenige Absatz der Einleitung von SuZ betrachtet wird, in dem Heidegger als das zu befragende (einzelne) Seiende erstmals das Dasein, also das Seiende ‚Mensch' bestimmt (vgl. 7, 9—27). Die Struktur der Seinsfrage ist Ausgangspunkt. Deren Modi (Hinsehen auf, Verstehen von, etc.; vgl. 7) erweisen sich als Seinsmodi desjenigen Seienden, als welches der Fragende selbst ist (vgl. ebd.) „Ausarbeitung der Seinsfrage besagt demnach: Durchsichtigmachen eines Seienden — des fragenden — in seinem Sein" (ebd.). Wieso „*demnach*"? Diese Schlußfolgerung gilt nur unter der (an dieser Stelle der Einleitung freilich noch nicht ausgesprochenen) Voraussetzung, daß beim Sein des fragenden Seienden die Entscheidung über den Sinn von Sein *überhaupt* liegt[117].

Fundamentalontologie als „existenziale Analytik des Daseins" (13) oder, anders ausgedrückt, Frage nach dem Sein überhaupt als Frage nach dem Sein eines bestimmten Seienden — dieser Ansatz war nur möglich, insofern dem Dasein ein prinzipieller Vorrang vor allem anderen Seienden zugebilligt wurde. Dies wurde in SuZ wenige Seiten später allerdings tatsächlich ausdrücklich festgestellt. Im § 4 („Der ontische Vorrang der Seinsfrage", es hätte auch heißen können „. . . des Seinsfragenden") wurde explizit gesagt: „Das Dasein selbst ist überdies vor anderem Seienden ausgezeichnet" (11), nämlich dadurch, daß es sich zu seinem Sein verhält, daß „es je sein Sein als seiniges zu sein hat" (12).

Für die fundamentalontologische Frage ist nun ein bestimmtes Moment innerhalb der als „Existenz" bezeichneten (12) Seinsweise des Daseins wichtig, nämlich das Seinsverständnis (vgl. 12 f., vorher 5 f.): Dasein versteht Sein, sowohl sein eigenes (vgl. 12) als auch dasjenige „alles nicht daseinsmäßigen Seienden" (13). D. h.: Dasein versteht Sein überhaupt. Darin liegt der eigentliche Grund, warum „die Fundamentalontologie . . . in der existenzialen Analytik des Daseins gesucht werden [muß]" (13). Wiederum muß darauf hingewiesen werden, daß dieses letzte Argument nicht ohne weiteres, sondern nur unter einer bestimmten Prämisse plausibel ist: nur dann hat, in der Frage nach dem Sein, das seinsverstehende Seiende (Dasein) einen absoluten Vorrang, wenn das Seinsverständnis eine konstitutive Funktion fürs Sein selbst hat. Sein *überhaupt* kann auf dem Wege einer existenzialen Analytik nur dann in den Blick kommen, wenn ausgemacht ist, daß das Sein eines einzelnen Seienden, des Daseins, Sein überhaupt konstituiert.

Dies war allerdings *die* Grundvoraussetzung von SuZ. Nicht ergab sich aus einem methodischen Ansatz eine bestimmte Blickrichtung und aus dieser dann das phänomenologisch-hermeneutisch-analytische Resultat, Sein werde durch Dasein konstituiert; vielmehr implizierte umgekehrt die Voraussetzung der Konstitution von Sein durch Dasein den Ansatz der Fundamentalontologie als existenziale Analytik.

Dasein konstituiert Sein – daß dies in SuZ dem Sinne nach gedacht, ja daß es die Grundvoraussetzung von SuZ war, läßt sich, wie mir scheint, kaum bezweifeln, wenn anders der Befund des Textes darüber Auskunft zu geben hat, was gemeint war. Gleichwohl ist bezweifelt worden, daß Seinsverständnis und Seinsentwurf in SuZ im Sinne von Seinskonstitution aufzufassen seien. Heidegger selbst hat im Rahmen seiner späteren Selbstinterpretation die Auffassung von Seinsverständnis und -entwurf, wie sie auch hier vertreten wird, zurückgewiesen. „Versteht man den in ‚Sein und Zeit' genannten ‚Entwurf' als ein vorstellendes Setzen, dann nimmt man ihn als Leistung der Subjektivität und denkt ihn nicht so, wie ‚das Seinsverständnis' im Bereich der existenzialen Analytik des ‚In-der-Welt-Seins' allein gedacht werden kann, nämlich als der ekstatische Bezug zur Lichtung des Seins." (Hum 17). Damit wird vom späten Heidegger jede Interpretation von SuZ im Sinne eines Konstituierungsverhältnisses des Daseins zum Sein abgelehnt[118].

Mir scheint, daß Heideggers Selbstdeutung hier wie auch in anderen Fällen zurückgewiesen werden muß, weil sie unzulässigerweise den Eindruck erwecken will, auch in SuZ sei im Grunde bereits ‚seinsgeschichtlich' gedacht worden. Es ist daher nötig, auf die mit den Begriffen ‚Seinsentwurf' und ‚Seinsverständnis' genannten Probleme doch etwas ausführlicher einzugehen[119].

1.2.3.2 Seinskonstitution

Der eindeutigste Beleg für die hier vertretene Auffassung ist Heideggers ausdrückliche Rede von der „Abhängigkeit des Seins, nicht des Seienden, von Seinsverständnis" (SuZ 212). Ferner hieß es: „Allerdings nur solange Dasein *ist,* das heißt die ontische Möglichkeit von Seinsverständnis, ‚gibt es' Sein." (ebd.) Und: „Sein aber ‚ist' nur im Verstehen des Seienden, zu dessen Sein so etwas wie Seinsverständnis gehört." (183)

Diese primären Belege lassen sich durch sekundäre ergänzen. ‚Wahrheit' wird in SuZ als gleichursprünglich mit ‚Sein' gedacht (vgl. 230). Dann lassen sich gewisse grundsätzliche Bestimmungen der Wahrheit aufs Sein übertragen[120]. Die folgenden Sätze erscheinen mithin auch als Beleg für die hier vertretene Deutung von ‚Seinsverständnis': „Wahrheit gibt es nur, sofern und solange Dasein ist." (226) „Vordem Dasein überhaupt nicht war und nachdem Dasein überhaupt nicht mehr sein wird, war keine Wahrheit und wird keine sein. . ." (ebd.). „Sein — nicht Seiendes — ‚gibt es' nur, sofern Wahrheit ist. Und sie ist nur, sofern und solange Dasein ist." (230)[221]

Es zeigt sich also mit wünschenswerter Klarheit: in SuZ fungiert Dasein als das, was Sein konstituiert. Mit Analogie zu Kant formuliert: Die Bedingungen der Möglichkeit von Sein liegen im Dasein.

Es bleibt noch zu fragen, wie diese Seinskonstitution des näheren bestimmt wird. Sie ist die Leistung der spezifischen Verfassung des Daseins als Existenz. Mit dem Titel ‚Existenz' war in SuZ gemeint, daß „die Wesensbestimmung dieses Seienden [sc. des Daseins] nicht durch Angabe eines sachhaltigen Was vollzogen werden kann, sondern vielmehr darin liegt, daß es je sein Sein als seiniges zu sein hat. . ." (12). Das Dasein war definiert als „Seiendes, das sich in seinem Sein zu seinem Sein verhält" (52; vgl. 12, 43, 123, 133). Diese noch relativ abstrakte Bestimmung der Grundverfassung des Daseins konkretisierte sich im Laufe der existenzialen Analyse, und zwar — was die hier diskutierte Frage angeht — vor allem durch die Strukturmomente des Verstehens und des Entwurfs (bzw. Entwerfendseins) (vgl. u. a. § 31). „Das Verstehen ist, als Entwerfen, die Seinsart des Daseins, in der es seine Möglichkeiten als Möglichkeiten ist." (145) „Entwurf [ist] das erschließende Sein zu seinem Seinkönnen." (221; vgl. 222, 262, 277, 336.) Dasein entwirft sich auf sein Seinkönnen — das besagt: es entwirft sich „auf ein Worumwillen" (145). Dieses ist natürlich nicht leere Möglichkeit, sondern als In-der-Welt-sein des Daseins. „Die jeweilige Ganzheit des Umwillen eines Daseins" wird „durch dieses selbst vor es selbst gebracht" (WdG 39). Das impliziert: das Verstehen „entwirft das Sein des Daseins auf sein Worumwillen ebenso ursprünglich wie auf die Bedeutsamkeit seiner jeweiligen Welt" (SuZ 145).

Genau diese Struktur ist nun die Voraussetzung für die seinskonstituierende Leistung des Daseins. „In der Erschlossenheit *seines* Seins auf das Worumwillen in eins mit der auf die Bedeutsamkeit (Welt) liegt erschlossenheit von Sein *überhaupt.*" (147, Hervorhebung von mir.) „Im Entwerfen auf Möglichkeiten ist schon Seinsverständnis vorweggenommen. Sein ist im Entwurf verstanden..." (ebd.)

Aber darf die Erschlossenheit bzw. das Verständnis von Sein als dessen Konstitution interpretiert werden? Daran kann, wie mir scheint, kein Zweifel bestehen, wenn man erstens an die schon angeführten Stellen sich erinnert, die von der Abhängigkeit des Seins (also nicht nur des Seins*verständnisses!*) vom Dasein sprachen, und wenn man zweitens noch folgenden Satz hinzunimmt: „Seiend hat es [das Dasein] sich je schon auf bestimmte Möglichkeiten seiner Existenz entworfen und in solchen Entwürfen vorontologisch so etwas wie Existenz und Sein mitentworfen." (315) Einige Seiten später wird nochmals vom „allem *Sein* von Seiendem zugrundeliegenden Seinsverständnis" gesprochen (325). Wohlgemerkt: Seinsverstehen liegt dem *Sein selbst* zugrunde, will sagen: dieses wird durch jenes konstituiert.

Die Position von SuZ erweist sich also als ein Transzendentalismus von besonderer Art[122]. Er ließe sich, wiederum mit Analogie zu Kant, auf die Formel bringen: ‚Die Bedingungen der Möglichkeit von Seinsverständnis sind zugleich die Bedingungen der Möglichkeit von Sein.'

Allerdings, so legitim es auch ist, SuZ in die Tradition neuzeitlichen transzendentalphilosophischen Denkens einzuordnen, so darf andererseits nicht übersehen werden, in welchem Maße sich die Theorie der transzendentalen Subjektivität beim frühen Heidegger von derjenigen der klassischen Transzendentalphilosophie und der transzendentalen Phänomenologie Husserls absetzte. Sie tat es erstens methodisch, indem sie sich hermeneutisch und phänomenologisch konkretisierte. Sie tat es aber zweitens vor allem inhaltlich, indem sie die Beschränkung aufs Bewußtsein überhaupt, aufs reine Ich überwand, um sich der faktischen Existenz zuzuwenden. Eben darin liegt eine der Hauptleistungen von SuZ. Zwar: so rein, wie Heidegger es in der Polemik darstellt (vgl. z. B. SuZ 229), war das Bewußtsein in der transzendentalphilosophischen Tradition gewiß nicht, jedenfalls nicht durchgehend; und außerdem war Heidegger, auch innerhalb der ‚idealistischen' Tradition, sicher nicht der erste, der gegenüber den transzendentalphilosophischen Abstraktionen die Konkretheit von Existenz und Leben einklagte. Dennoch ist ihm das Verdienst nicht abzustreiten, mit bis dato wohl kaum gekannter Eindringlichkeit sowie mit einer die bisherigen transzendentalphilosophischen Schranken sprengenden Begrifflichkeit zur Geltung gebracht zu haben, was in weiten Bereichen der Philosophie, zumal im Neukantianismus und in der Phänomenologie, vergessen oder verdrängt worden war.

Es bleibt aber noch ein Einwand zu erörtern, ohne dessen Zurückweisung die hier vorgelegte Deutung von SuZ als einer ‚Transzendentalphilosophie auf existenzialer Basis‘ nicht aufrechterhalten werden könnte. Er würde etwa so lauten: ‚Es ist unzulässig, innerhalb der existenzialen Analyse nur das eine Moment herauszustellen, wonach Dasein als entwerfendes bestimmt ist, das andere jedoch, wonach es gleichursprünglich als geworfenes angesetzt wird, zu verschweigen.‘ Bezüglich der Frage der Seinskonstitution würde dieser Einwand besagen: ‚Sein wird nicht nur vom Dasein, sofern dieses entwerfend ist, *konstituiert*, sondern ist zugleich oder noch mehr dem Dasein *vorgegeben*, insofern dieses geworfen ist.‘

Ungefähr in dieser Weise hat Heidegger wiederum selbst in seiner späteren Selbstdeutung argumentiert: „Überdies ist der Entwurf wesenhaft geworfener. Das Werfende im Entwerfen ist nicht der Mensch, sondern das Sein selbst..." (Hum 25) „Das Da-sein selbst aber west als das ‚geworfene‘. Es west im Wurf des Seins als des schickend Geschicklichen." (ebd. 16) „Der Mensch ist ... vom Sein selbst in die Wahrheit des Seins ‚geworfen‘ ..." (ebd. 19) „Dieser Ruf [des Seins] kommt als der Wurf, dem die Geworfenheit des Da-seins entstammt." (29)

Auch hier wird wieder, wie mir scheint, die Grundtendenz von SuZ durch Heideggers spätere Selbstdeutung verfälscht. Im *seinsgeschichtlichen* Denken kommt der Geworfenheit zwar in der Tat ein Vorrang zu; beide, Geworfenheit *und* Entwurf, entstammen dem schlechthin vorgegebenen Sein. Nicht jedoch in SuZ. Entwurf und Geworfenheit — oder Verstehen und Befindlichkeit, oder Existenzialität und Faktizität, oder Sich-vorwegsein und Schon-sein-in — galten dort als komplementäre Momente einer einheitlichen Struktur.

Was besagte ‚Geworfenheit‘ des näheren? Jedenfalls nicht, daß das Dasein durch irgendwen oder durch irgendwas geworfen wäre. Die Frage nach einem (bzw. dem) Werfer, zuweilen von theologischer Seite aus an SuZ herangetragen, war der existenzialen Analyse unangemessen, hätte sie doch eine ontische, nicht eine ontologische, Auskunft verlangt. Der Titel ‚Geworfenheit‘ sollte weder die ontische Herkunft des Daseins bezeichnen, noch besagte er, daß das Seiende Mensch zu irgendeinem Zeitpunkt angefangen habe zu sein. Vielmehr sollte er das „Daß es ist" des Daseins ausdrücken (SuZ 135) und „die Faktizität der Überantwortung andeuten" (ebd.). Wenn also das Sein nicht der Werfer der Geworfenheit ist, ist es dann vielleicht dasjenige, *wohinein* das Dasein je geworfen ist? Dafür liefert der Text von SuZ meines Wissens keinen einzigen Beleg. Im Gegenteil: es läßt sich zumindest indirekt zeigen, daß die ‚Komplementarität‘

von Entwurf und Geworfenheit nicht auch eine solche von Seinsentwurf und Geworfenheit ins Sein impliziert.

Erstens. Daß Geworfenheit eine solche *ins Sein* ist, ist schon deshalb unmöglich, weil es, wie Heidegger öfter betont, Sein nur gibt, wenn, sofern und solange Dasein ist. Zweitens. Welchen Sinn hatte dann das Moment der Geworfenheit? Es verhinderte, daß die existenziale Analyse wieder in jene Abstraktionen der überkommenen Transzendentalphilosophie zurückfiel, die es gerade hinter sich lassen wollte. Das Dasein ist geworfen – das bedeutete: der Entwurf ist konkreter, ist nicht bloß Hervorgang des Anderen aus dem leeren Setzen des Selbst. ‚Geworfenheit‘ war die Absage ans reine Ich, ans Bewußtsein überhaupt, an die Vorstellung einer Konstitution von Sein, Wahrheit, Welt gleichsam ex nihilo.

Natürlich ist dadurch die Konstitutionsleistung des Daseins eingeschränkt; aufgehoben ist sie jedoch keinswegs. Im Gegenteil: die Möglichkeiten zu sein *sind* erst wahrhaft, wenn das Dasein sie entwerfend ergriffen hat. Sein überhaupt ist erst dann, wenn das Dasein, sich auf sein Sein und damit überhaupt Sein entwerfend, seine Geworfenheit übernommen hat. Die Vorgegebenheit – wenn man denn eine solche ansetzen will – ist erst im Entwurf aktualisiert.

Drittens. Warum heißt in SuZ die *Gesamt*struktur des Daseins „Existenz“ (vgl. 12, 13, 42), obwohl *innerhalb* dieser Struktur Existenzialität *und* Faktizität als komplementäre Momente angesetzt werden? Doch wohl deshalb, weil dem Entwurfcharakter des Daseins der eindeutige Vorrang vor der Geworfenheit zukommt. Erst innerhalb des grundsätzlichen Ansatzes des Entwerfendseins tritt eine gewisse ‚Dialektik‘ von Entwurf und Geworfenheit auf.

Viertens. Schließlich wird der Vorrang des Entwurfs am Ende der existenzialen Analyse bestätigt. Bei der Freilegung der Zeitlichkeit zeigt sich nämlich: „Die Gewesenheit entspringt in gewisser Weise der Zukunft.“ (329) Diese hat „in der ekstatischen Einheit ... der Zeitlichkeit einen Vorrang“ (ebd.). „Das primäre Phänomen der ursprünglichen und eigentlichen Zeitlichkeit ist die Zukunft.“ (ebd.; vgl. 331.) Die Ekstasen der Zeitlichkeit entsprechen aber den im Laufe der Analyse freigelegten Momenten der Seinsverfassung des Daseins. Der Zukunft sind Entwurf, Existenzialität, Verstehen, Sichvorweg-sein, der Gewesenheit sind Geworfenheit, Faktizität, Befindlichkeit, Schon-sein-in zugeordnet (vgl. etwa § 68 a) und b))[123]. Daraus ergibt sich: wie die Zukunft so sind auch Entwuf und Sich-vorweg-sein die primären Phänomene, aus denen – wie die Gewesenheit aus der Zukunft – Geworfenheit und Schon-sein-in „in gewisser Weise“ erst entspringen[124].

Schließlich sei nochmals wiederholt, daß der ganze Ansatz von SuZ unbegreiflich bleibt ohne die Voraussetzung eines Begriffes von Sein, welches durch Dasein konstituiert ist (vgl. den vorigen Abschnitt). Daß die Fundamentalontologie als existenziale Analytik durchgeführt wurde, bleibt vielleicht der eindeutigste Beleg für die hier vertretene Interpretation von SuZ als eines ‚Existenzialtranszendentalismus'[125].

1.3 Existenziale Analytik

Wenn die Heidegger-Deutung jahrelang in SuZ vorrangig eine existenziale oder existenzialistische Anthropologie gesehen hat, so lag darin sicherlich eine gewisse Einseitigkeit. Andererseits jedoch muß man sagen: für die Tatsache, daß in SuZ die Explikation der Seinsfrage fast ausschließlich der Einleitung vorbehalten war und daher nur ein knappes Zehntel des gesamten Textes ausmachte, und dafür, daß infolgedessen die existenziale Analytik eindeutig im Vordergrund stand, gibt es gute Gründe. Solange gilt, daß ein *bestimmtes* Seiendes Sein *überhaupt* konstituiert, ist die Seinsfrage mit der Analyse des seinskontituierenden Seienden weitgehend identisch. Die Hauptkomplexe dieser Analytik sind im folgenden zu diskutieren.

1.3.1 Alltäglichkeit

Der 1. Abschnitt von SuZ war der „vorbereitenden Fundamentalanalyse des Daseins" vorbehalten (41). Deren Gegenstand wurde des näheren so bestimmt: „Das Dasein soll im Ausgang der Analyse gerade nicht in der Differenz eines bestimmten Existierens interpretiert, sondern in seinem indifferenten Zunächst und Zumeist aufgedeckt werden." (43) Den Gesamtzusammenhang der entsprechenden Phänomene nannte Heidegger „Alltäglichkeit" (ebd.) oder auch „Durchschnittlichkeit" (ebd.). Deren Freilegung schien ihm umso nötiger, als sie „immer wieder in der Explikation des Daseins übersprungen" wurde und wird (ebd.). Und zwar sah Heidegger – wie sich aus den weiteren Analysen ergibt (vgl. bes. die §§ 13, 19–21, 33, 43, 44) – den Grund dafür, daß die Seinsweise der durchschnittlichen Alltäglichkeit immer wieder übersehen wird, darin, daß sie durch einen aus ihr selbst allererst entsprungenen, abkünftigen Modus verdeckt wird, nämlich durch den des theoretischen Verhaltens, insbesondere durch dessen ‚markanteste' Form, die Wissenschaft. Die Vorrangstellung oder gar Absolutsetzung theoretischer Existenz verhinderte und verhindert die genuine Einsicht in das Sein des Menschen, welches zunächst und zumeist – und das heißt hier: ursprünglich – durch vor- bzw. nicht-theoretische Verhaltungen gekennzeichnet ist.

Wenn Heidegger diesen grundsätzlichen Mangel bisheriger Philosophie und Wissenschaft vom Menschen herausstellte und ihn zu überwinden trachtete, so war damit das Problem der Lebenswelt aufgeworfen. Zwar ist ‚Lebenswelt‘ kein Heideggerscher Terminus; sachlich jedoch erfüllte der erste Abschnitt von SuZ das Programm einer Phänomenologie der Lebenswelt, d. h. einer Freilegung der (noch) nicht aufs wissenschaftlich-theoretische ‚Weltbild‘ reduzierten Welt und der noch nicht vorrangig als theoretisch-wissenschaftlich begriffenen menschlichen Existenz[126]. Nichts anderes war übrigens gemeint, wenn Heidegger die „Ausarbeitung der Idee eines ‚natürlichen Weltbegriffs‘ “ als ein Desiderat bezeichnete, „das seit langem die Philosophie beunruhigt, bei dessen Erfüllung sie aber immer wieder versagt“ (SuZ 52)[127].

Vielleicht liegt die größte Bedeutung von SuZ eben darin, daß hier die Frage nach der ‚Lebenswelt‘ konsequent gestellt wird, konsequenter jedenfalls als irgendwo sonst in der bisherigen Philosophie (zumindest der akademischen). Denn als Programm stellt eine Theorie der Lebenswelt sicherlich einen von mehreren möglichen Wegen dar, die Entfremdung von Wissenschaft und Leben zu begreifen. Philosophie als Vermittlung zwischen beiden – dies stand im Bereich der Möglichkeiten einer Phänomenologie des alltäglichen Lebens[128]. Es ist nun freilich zu prüfen, welche konkreten Ergebnisse die Analysen des 1. Abschnittes von SuZ anzubieten hatten. Dabei handelt es sich im wesentlichen um zwei Komplexe, nämlich erstens um das Sein des Daseins im Bezug zum nicht-daseinsmäßigen Seienden (Problem der ‚Umwelt‘, der Lebenswelt im engeren Sinne) und zweitens um das Verhältnis des Daseins zum Seienden von gleicher Seinsart (Problem des Mitseins und des Selbstseins).

1.3.1.1 Zuhandenheit und Vorhandenheit

Die beiden Termini ‚Zuhandenheit‘ und ‚Vorhandenheit‘ bezeichnen die Differenz von Lebenswelt auf der einen und ‚Theoriewelt‘ (speziell: ‚Wissenschaftswelt‘) auf der anderen Seite. Zuhandenheit gilt als die Seinsart des der Lebenswelt zugehörigen Seienden, Vorhandenheit als diejenige des in der ‚Theoriewelt‘ vorkommenden Seienden[129]. Wie verhalten sich beide zueinander?

„Zuhandenheit ist die onologisch-kategoriale Bestimmung von Seiendem, wie es ‚an sich‘ ist“ (SuŻ 71). Dieser Satz enthält die Quintessenz der Heideggerschen Lebenswelttheorie. Gemeint ist: nur insofern Seiendes Zuhandenseiendes ist, ist es Seiendes ‚an sich‘. D. h. zugleich: Seiendes, welches *nicht* die Seinsart von Zuhandenheit hat, ist nicht Seiendes, wie es an sich ist. Daraus ergibt sich — in Analogie zum gerade zitierten Satz —: Vorhandenheit ist die ontologisch-kategoriale Bestimmung von Seiendem, wie es *nicht* an sich ist (oder: wie es an sich *nicht* ist).

‚Seiendes, wie es an sich ist' — das kann nur heißen: wie es unverdeckt und unverstellt, wie es in unvoreingenommener Betrachtung, wie es wahrhaft und eigentlich ist. Wahrhaft und eigentlich seiend ist das Zuhandene, nicht wahrhaft und uneigentlich seiend das Vorhandene[130]. Damit wird der Ontologie der Vorhandenheit — und das ist Heidegger zufolge im Grunde die gesamte bisherige Ontologie — wie im Bereich des Seienden ‚Mensch' so auch in demjenigen alles anderen Seienden prinzipiell das Recht bestritten. Vorhandenheitsontologie ist falsche Ontologie, da sie statt des Seienden, wie es an sich ist, das Seiende, wie es an sich nicht ist, betrachtet. Es bedarf einer neuen Ontologie, die für den Bereich des nicht-daseinsmäßigen Seienden die Zuhandenheit als Seinsart des Seienden bestimmt, wie es wahrhaft ist.

Es ist Heidegger gelungen, das Lebensweltproblem ins ontologische Gewand zu kleiden. Man mag dies für sachgerecht halten oder nicht, jedenfalls erscheint das Lebensweltproblem auf diese Weise nicht als irgendein isoliertes Spezialproblem irgendeiner philosophischen Disziplin, sondern als mit zur prinzipiellsten Frage gehörig, als welche die Seinsfrage gilt. Darin liegt eine erhebliche Aufwertung dieser Problematik.

Lebenswelttheorie bedeutet also in SuZ: Nachweis des ontologischen Vorranges der Zuhandenheit. Auf die Darstellung der Einzelheiten dieser Theorie (In-sein, Weltlichkeit, Zeug, Bewandtnisganzheit, Verweisung, Bedeutsamkeit, Um-zu, etc.) kann und muß hier verzichtet werden. Stattdessen ist zu fragen: erstens, was leistet Heideggers Lebenswelttheorie, zweitens, was leistet sie nicht, was verschweigt sie, was verfehlt sie?

Heidegger ist es gelungen, Theorie und Wissenschaft als menschliche Verhaltungen durch die Frage nach ihrer Herkunft zu problematisieren. Weder ist die Theorie noch ist deren Korrelat, die ‚Theoriewelt', weder ist die Wissenschaft noch ist deren Korrelat, die ‚Wissenschaftswelt', eine selbstverständliche Gegebenheit. Sie verdanken sich einem anderen, welches sie als Modi seiner selbst konstituiert. Die theoretisch-wissenschaftliche Weltsicht ist weder die einzig mögliche noch gar die allein maßgebliche. Über das, was wahrhaft ist, entscheiden nicht in erster Linie Theorie und Wissenschaft, sondern das alltägliche, ‚normale', vortheoretisch-vorwissenschaftliche Leben: die Praxis[131]. Die Gesamtheit der — jeweiligen — praktischen Bezüge ist es, innerhalb derer das Dasein Seiendem begegnet, mit ihm umgeht, es besorgt und es so erfährt, wie es an sich ist: als zu Beschaffendes, zu Handhabendes, Herzustellendes usf., kurz: als Zeug. Diese Welt unreflektierter Praxis ist derjenigen der Theorie schlechthin vorgeordnet. Das heißt aber keineswegs, daß die existenziale Analyse einer abstrakten Trennung von Theorie und Praxis das Wort reden würde. Diese Trennung soll im Gegenteil überwunden werden, dadurch nämlich, daß die Theorie an der Praxis, der sie entstammt, wieder festgemacht wird. Die vorgebliche Eigenständigkeit der Theorie wird als Fiktion entlarvt. Theorie und Praxis sind nicht gleichberechtigt, ontologisch gesprochen: nicht gleichursprünglich; vielmehr ist die Praxis das Primäre, die Theorie ein Sekundäres.

Des näheren erweist sich das Entspringen der Theorie aus der Praxis als ein ‚Ausblendungs'-Phänomen: Theorie, d. h. das Nur-noch-hinsehen, Nur-noch-betrachten, Nur-noch-‚objektiv'-untersuchen, ist das, was übrigbleibt, wenn die praktischen Bezüge, wenn Besorgen, Umgehen mit, Hantieren mit, Herstellen usf. ausgeblendet — oder, mit einem Husserlschen Ausdruck, eingeklammert — sind. Theorie ist die Folge einer ,,Defizienz des besorgenden Zutunhabens mit der Welt" (SuZ 61). Sie ist, gemessen an der ‚Totalität' des Praktischen, ein ‚Nur noch . . .' Gleichwohl ist auch sie ein Modus des In-der-Welt-seins, nur eben ein entsprungener, fundierter, abkünftiger. Theorie hat gegenüber der Praxis den Charakter des Speziellen. Während Zuhandenheit die Seinsart des Seienden ist, wie es an sich ist, ist Vorhandenheit gleichsam spezialisiertes Sein, Sein in bestimmter, eben ‚rein theoretischer' Sicht. *Rein* theoretisch allerdings nur, wenn das Resultat des Entspringens vom Entspringen selbst — und dem Woraus des Entspringens — getrennt und isoliert wird. Eben das ist ja der Vorwurf, den die existenziale Analytik einer Philosophie macht — nämlich der abendländischen —, die Theorie und Wissenschaft für nicht weiter hinterfragbare Selbstgegebenheiten und entsprechend Vorhandenheit für Sein schlechthin hält. Wo aber Theorie als von der Praxis getrennt und unabhängig sich setzen will, vergißt sie ihre eigene Herkunft und Möglichkeitsbedingung. Demgegenüber stellt Heidegger die Frage nach den Wissenschaften und nach der Theorie überhaupt im Horizont des Theorie-Praxis-Problems.

Des näheren waren die Alltäglichkeitsanalysen von SuZ das notwendige und längst fällige Korrektiv zur Wissenschaftsphilosophie des einschlägigen Neukantianismus und zur Husserlschen Phänomenologie, die trotz ihres Einspruchs gegen die Absolutheitsansprüche der empirisch-exakten Wissenschaften immer noch auf der Vorrangigkeit von Theorie überhaupt beharrte und so, gegen eine bestimmte Form von Theorie nur eine andere geltend machend, Theorie als solche auf Praxis hin zu transzendieren nicht imstande war. Prinzipiell kann also dem lebenswelttheoretischen Ansatz in SuZ das Verdienst nicht bestritten werden, in der philosophischen Situation der 20er Jahre gewisse Problemfixierungen aufgerissen und so die Erschließung philosophischen Neulands mit ermöglicht zu haben.

Zu fragen ist nun, wieweit in SuZ selbst die damit gebotene philosophische ‚Chance' wahrgenommen wurde, wieweit also — übers Grundsätzliche hinaus — konkrete Fortschritte zur Erfassung der Lebenswelt und ihrer Bezüge zum theoretischen Verhalten und zur Wissenschaft erzielt wurden.

Wie also sah die von Heidegger analytisch beschriebene Lebenswelt aus? Anders gefragt: was war das für eine Lebenswelt?

Sie war zum ersten und vor allem ungeschichtlich. Wie die gesamte existenziale Analytik so war auch die Lebenswelttheorie des 1. Abschnittes von SuZ durch den Mangel an historischer Perspektive gekennzeichnet. Die Fiktion von im Grunde genommen konstanten lebensweltlichen Strukturen — und seien sie auch noch so formal gemeint — verifiziert in der Tat den Verdacht, daß die Fundamentalontologie, in deren Rahmen sie freigelegt wurden, so weit von jener Bedeutung der Ontologie nicht entfernt war, derzufolge sie Theorie dessen sein will, was ist und bleibt, Theorie des Immer-Seienden. Damit aber versperrte sie sich, was die Lebensweltproblematik angeht, den Zugang zu derjenigen inhaltlichen Konkretheit, auf die die *prinzipielle* Problemstellung Hoffnung gemacht hatte bzw. hätte machen können. Denn Reflexion auf die geschichtliche Herkunft dessen, was gegenwärtig zu konstatieren ist, ist gerade innerhalb einer Theorie der Lebenswelt unumgänglich. Auch die gegen Ende von SuZ herausgestellte Geschichtlichkeit erlaubte keine Korrektur des unhistorischen Ansatzes, so daß sich dieser etwa als bloß vorläufig herausgestellt hätte. Erstens nämlich wurde jene Struktur der Geschichtlichkeit kaum auf die Alltäglichkeitsanalyse zurückbezogen, jedenfalls nicht so, daß letztere durch die historische Perspektive relativiert worden wäre; und zweitens war die existenziale Geschichtlichkeit weit davon entfernt, sich selbst und im Gefolge dann auch die Resultate der Phänomenologie der Lebenswelt historisch konkretisieren zu können.

Gegen die hier vorgebrachte Kritik ist folgender Einwand denkbar: zwar müsse sich jede Lebenswelttheorie am Ende auf konkrete Geschichte einlassen, es sei aber nichtsdestoweniger möglich und legitim, zunächst einmal eine Art lebensweltlicher Bestandsaufnahme zu machen, in der es darum gehe, Strukturen gegenwärtiger Lebenswelt herauszuarbeiten, und die nur scheinbar, weil nur vorläufig, ungeschichtlich aussehe. Dieser Einwand trifft nicht. Zum einen müßte selbst ein solcher — gewissermaßen synchronistischer — Ansatz sich seines Status' als einer bloßen Bestandsaufnahme zum Zweck des Einstiegs und damit seiner Vorläufigkeit in diesem Sinne bewußt sein. Dieses Bewußtsein ist aber in den Analysen von SuZ nirgendwo zum Ausdruck gebracht[132]. Zum zweiten dürfte auch eine solche Bestandsaufnahme ihre Resultate nicht — sei's implizit, sei's explizit — für Feststellungen über konstante, unveränderliche Strukturen ausgeben. Genau das geschieht aber in SuZ ständig, freilich mehr verschwiegen als ausgesprochen. Drittens schließlich wäre zu fragen, ob denn Heideggers Analysen wirklich als eine Bestandsaufnahme *gegenwärtiger* (bzw. zeitgenössischer) Lebenswelt gelten können?

Daran ist mit Recht gezweifelt worden[133]. Die in SuZ beschriebene Lebenswelt ist nicht — oder ist jedenfalls nur zum geringen Teil — als die des 20. Jahrhunderts zu identifizieren. Sie gehört mehr oder weniger der Vergangenheit an. Die Leitbilder der Heideggerschen Analysen von Umwelt, Zeug, Zuhandenheit etc. sind die Lebensverhältnisse von Handwerkern und Bauern der vorindustriellen Kultur[134]. Das ergibt sich keineswegs nur aus den von Heidegger herangezogenen Beispielen (Hammer, Hobel, Nadel, etc.; vgl. besonders SuZ 69 f., auch 84), obwohl deren Auswahl gewiß nicht zufällig, sondern eher symptomatisch ist[135]. Wichtiger ist aber, daß Heideggers Analysen von Bewandtnisganzheit, Zeug und Verweisungszusammenhang usf. nur dort stichhaltig sind, wo es sich um einfache, leicht durchschaubare und übersichtliche Verhältnisse handelt[136].

Es sind also keineswegs *rein formale* Strukturen von Lebenswelt *überhaupt*, die Heidegger herausarbeitet, Strukturen, von denen sich sagen ließe, sie seien allen — material noch so verschiedenen — Lebenswelten gemeinsam. Vielmehr steht eine bestimmte und, wie gesagt, überwiegend vergangene Lebenswelt im Blick. Nur für diese (und ggf. für ihre historischen Vorgänger) gilt ohne weiteres, daß sich das Sein von Zuhandenem im Hantieren, Gebrauchen, Herstellen etc. erschließt, oder besser: daß Seiendes so, wie es an sich ist, vorrangig in seinem Charakter als Zuhandenes entdeckt wird. Die Möglichkeit der Selbstenthüllung des Zeugs ist gebunden an eine ursprüngliche, noch unzerstörte Einheit von Person und Gegenstand, konkret etwa von Produzentem und Produkt[137], wie sie beispielsweise im einfachen handwerklichen Herstellen vorliegt. Hier ist Bewandtnisganzheit, ist Verweisungszusammenhang in der Tat je schon gegeben.

Anders jedoch in einer Lebenswelt, die durch Technik und Industrie, Spezialisierung und Arbeitsteilung, also durch z. T. äußerst komplizierte Zusammenhänge geprägt ist. Die Maschine etwa ist nicht mehr einfachhin Werkzeug, ist im Grunde überhaupt nicht mehr Zeug. Was sie ‚an sich‘ ist, enthüllt sich dem, der mit ihr umgeht, keineswegs ‚von selbst‘[138]. Zwar ist auch sie primär etwas Zuhandenes, aber *diese* Zuhandenheit ist weit davon entfernt, ein unmittelbares ‚Sein bei . . .‘ zu implizieren. Der Verweisungszusammenhang zwischen dem Produzenten, Verteiler, Verwalter, Konsumenten, Käufer etc. ist weitgehend anonym und enthüllt sich jedenfalls den an ihm Beteiligten so gut wie gar nicht durchs schlichte ‚Sein bei Zuhandenem‘.

Die hier gegebenen Hinweise bedürfen keiner detaillierten Ausführung, handelt es sich doch um die seit langem diskutierten Probleme der arbeitsteiligen Gesellschaft, der Entfremdung von Arbeiter und Arbeit bzw. Arbeitsprodukt, der Orientierungslosigkeit des Einzelnen in einer bis zur Undurchschaubarkeit kompliziert gewordenen Welt. *Diese* Welt jedenfalls ist es kaum, die in Heideggers Analysen ins Auge gefaßt wird. Der Schluß liegt nahe, daß sie es auch nicht sein *soll.* Ob man Heidegger *bewußte* Apotheose des ‚einfachen Lebens‘, will sagen der vorindustriellen, primär bäuerlich-handwerklich geprägten Lebenswelt und Lebensweise unterstellen kann, ist dabei vielleicht nicht einmal so wichtig[139]. Wichtig aber ist die Feststellung, daß die Inhalte seiner Lebenswelttheorie faktisch genau darauf hinauslaufen. Das oben herausgestellte Verdienst von SuZ, nämlich das Lebensweltproblem in aller Schärfe formuliert zu haben, wird dadurch zwar nicht hinfällig, aber doch erheblich diskreditiert.

In zweifachem Sinne also ist Heideggers Lebenswelttheorie ungeschichtlich: zum einen, weil sie die jeweiligen geschichtlichen Bedingtheiten von Lebenswelt ignoriert, zum anderen, weil sie überdies Strukturen vergangener Lebenswelt beschreibt, um sie als solche von Lebenswelt überhaupt auszugeben. Dadurch aber gerät die Intention, durch Rückgang auf die vortheoretisch-vorwissenschaftliche Welt auch die theoretisch-wissenschaftliche selbst am Ende besser zu begreifen, in große Schwierigkeiten.

Eine der Hauptabsichten von SuZ lag darin zu zeigen: Praxis ist ursprünglicher als Theorie, Besorgen ursprünglicher als Erkennen (vgl. 13, bes. 61 f.), verstehende, umsichtig besorgende Auslegung ursprünglicher als nur noch hinsehende Aussage (vgl. § 23, bes. 157 f.), hermeneutisches Als ursprünglicher als apophantisches (vgl. 158) etc. Vorhandenheit geht aus Zuhandenheit hervor und ist ihr gegenüber ein abgeleitetes Phänomen. Bei all diesen ‚Abkünftigkeiten‘ ist zu fragen: erstens, was heißt denn hier Ursprünglichkeit? und zweitens: wird nicht das ganze Problem immer nur von der einen Seite aus angegangen?

‚Ursprünglichkeit‘ wird in SuZ durchweg ontologisch verstanden[140]. Das Hervorgehen von Theorie und Wissenschaft erklärt sich aus invarianten (existenzial-) ontologischen Möglichkeiten. Damit ist die historische Bedingtheit des Entstehens von Theorie und Wissenschaft ignoriert. In Wirklichkeit sind Sein zu Zuhandenem und Sein zu Vorhandenem, besorgender Umgang und bloßes Hinsehen gerade nicht Möglichkeiten, die je schon bestehen, d. h. immer schon bestanden haben. Es gibt sie erst in einer bestimmten (obzwar vielleicht chronologisch nicht genau fixierbaren) historischen Epoche. Theorie und Wissenschaft sind in der Antike entstanden und wurden in der griechischen Philosophie erstmals begrifflich reflektiert. Erst an diesem historischen Punkt wurde die Einheit von Mensch und Umwelt, das unmittelbare Sein bei Zuhandenem, aufgebrochen zugunsten eines distanzierten Sich-verhaltens zur Welt. Und was hier erst in Ansätzen sich anbahnte, bedurfte einer bald zweitausendjährigen Entwicklung, um zu dem zu werden, was die neuzeitliche, was gar die moderne Wissenschaft ist.

Auch ein die Heideggerschen Analysen verteidigender Einwand: zumindest *seit* es Theorie und Wissenschaft historisch gebe, könne man sie als *eine* Möglichkeit des Verhaltens zu Seiendem von der *anderen* Möglichkeit des praktischen Umgangs mit Seiendem unterscheiden – auch dieser Einwand besteht nur sehr abstrakt genommen zurecht. Die heutige Lebenswelt ist nämlich von der Theorie- bzw. Wissenschaftswelt gar nicht mehr exakt zu trennen; zur Lebenswelt jedes Einzelnen – und erst recht jeder Gesellschaft – gehört heute eben nicht mehr nur zuhandenes Zeug, sondern Wissenschaft selbst[141]. Der Umgang mit ihr, der ja keineswegs auf den Berufswissenschaftler beschränkt ist, ist heute mindestens genauso ‚ursprünglich' wie etwa der mit einfachem Zeug. Besser gesagt: die prinzipielle (nicht die graduelle) Unterscheidung zwischen dem einen und dem anderen ist weitgehend hinfällig geworden.

Heidegger analysiert das Verhältnis von Theorie und Praxis nur nach der einen Seite; er beschreibt nur, in welcher Weise Theorie aus Praxis hervorgeht und sich von ihr absetzt. Die andere Seite, nämlich die Rückbezogenheit der Theorie auf die Praxis, bleibt vollkommen außerhalb des Gesichtskreises. Die Wissenschaften als die ausgeprägteste Form von Theorie sind aber längst, und zwar wiederum aufgrund von historischen Prozessen, weit davon entfernt, nur noch bloße Theorie zu sein[142]. Darüber im *allgemeinen* noch zu reden, ist nicht erst heute überflüssig geworden[143]. ‚Die Frage nach der Technik' jedenfalls wird erst vom späten Heidegger – von dem allerdings mit umso größerer Insistenz – gestellt; in SuZ kommt sie nicht vor[144]. Gerade sie aber hätte eine der Grundvoraussetzungen von SuZ, nämlich die prinzipiell eindeutige Unterscheidbarkeit von Vorhandenheit und Zuhandenheit als problematisch erwiesen.

Heideggers Analysen laufen im Effekt, wenn man nämlich nach ihren Implikationen fragt, auf eine schließlich doch abstrakte Trennung von Lebenswelt einerseits und Theorie- und Wissenschaftswelt andererseits hinaus[145]. Heidegger trennt, was nur als wechselseitige Rückbezüglichkeit begriffen werden kann.

Lebenswelttheorie ist da sinnvoll, wo sie die Scheinautonomie von Theorie und Wissenschaft ins Wanken bringt. Die Möglichkeit dazu war in SuZ gegeben. Die Verwirklichung jedoch scheiterte im Versuch, nun – umgekehrt – die Lebenswelt ihrerseits abstrakt-isoliert anzusetzen. Damit war das Problem der Wissenschaft letztlich genauso wenig gelöst, wie die Theorie der Lebenswelt selbst unzulänglich blieb[146].

1.3.1.2 Mit-sein und Man

Zum Programm einer Theorie der Lebenswelt — faßt man diese in einem ziemlich weiten Sinne — gehört nicht nur die Frage, wie sich der Mensch vortheoretisch-vorwissenschaftlich zu den Dingen verhält, sondern auch die, wie die Beziehungen zwischen Menschen und Menschen aussehen. Es handelt sich dabei um die (nach Ansatz und Blickrichtung unterschiedlich formulierbaren) Problem der Intersubjektivität oder des gesellschaftlichen Seins. Sie wurden in der Alltäglichkeitsanalyse von SuZ gleichfalls thematisiert. Der Frage, in welcher Weise dem Dasein Seiendes von nicht-daseinsmäßiger Seinsart primär ‚gegeben‘ ist, wurde die andere zur Seite gestellt, wie es, das Dasein, zu Seiendem von gleicher, also ebenfalls daseinsmäßiger Seinsart sich verhält.

Man mag der Ansicht sein (einer Ansicht übrigens, der sich diese Untersuchung durchaus anschließt), daß die Philosophie Heideggers, die frühe wie die späte, der gesellschaftlichen Bedingtheit menschlicher Existenz nicht gerecht wird. Das darf jedoch nicht zu der falschen Feststellung verleiten, in SuZ sei noch nicht einmal die *Frage* nach dem gesellschaftlichen Sein aufgeworfen worden. Vielmehr lag das Erstaunliche gerade darin, daß in einer Untersuchung, die der Wiederholung der *Seinsfrage* gewidmet war, auch so etwas wie Gesellschaft — zwar nicht terminologisch, aber der Sache nach — ‚vorkam‘. Die Fundamentalontologie enthielt ein Stück Sozialphilosophie. Die Frage nach der Subjektivität war im 1. Abschnitt von SuZ zunächst von derjenigen nach ‚dem Gesellschaftlichen‘ noch nicht getrennt: das alltägliche Selbstsein — so hieß es dem Sinne nach (vgl. bes. § 27) — liegt im Man, also im Kollektiv. Das Problem des Verhältnisses von Individuum und Gesellschaft war also in SuZ keineswegs ausgeklammert. Und es stellte sich nicht etwa nur im Rahmen einer speziellen Disziplin, sondern gehörte mit in die ‚erste Philosophie‘, als welche sich die Fundamentalontologie verstand.

SuZ eröffnete also auch in diesem Bereich neue Möglichkeiten. Die philosophische ‚Chance‘, sich aufs Gesellschaftliche konkret einzulassen, bestand bzw. hätte bestanden. Sie wurde ohne Zweifel vertan. Wie und warum, ist im folgenden zu klären.

Die in SuZ versuchte Phänomenologie des Mit-seins und des Selbstseins wollte die transzendentalphilosophische — und übrigens auch die psychologische — Ansetzung eines isolierten Subjekts als Fiktion erweisen. „Die Klärung des In-der-Welt-seins zeigte, daß nicht zunächst ‚ist‘ und auch nie gegeben ist ein bloßes Subjekt ohne Welt." (116) Als nächstes galt es zu zeigen, daß „am Ende ebensowenig ein isoliertes Ich gegeben [ist] ohne die Anderen" (ebd.).

Der je schon entdeckten Umwelt entspricht eine je schon erschlossene Mitwelt (vgl. 188); d. h. so wie nicht-daseinsmäßiges Seiendes ist auch Seiendes von der Seinsart des Daseins selbst vorgängig immer schon gegeben. Die Beziehung des Subjekts zu den anderen braucht nicht erst hergestellt zu werden, weil sie bereits ‚von vornherein' besteht.

Heidegger wandte sich so ein weiteres Mal gegen gewisse Problemfixierungen, wie sie sich in der Psychologie (besonders der sogenannten geisteswissenschaftlichen), in der Phänomenologie und in jeder Art von Transzendentalphilosophie, die am Ende aufs reine Bewußtsein rekurriert, eingebürgert hatten[147]. Seine Kritik hatte den Charakter einer Auflösung von Scheinproblemen. Die Aporie des Fremdseelischen (vgl. etwa 124)[148] löst sich in dem Augenblick auf, wo sie nicht mehr als psychologisches, erkenntnistheoretisches oder auch hermeneutisches, jedenfalls also als rein theoretisches Problem, besser: wo sie nicht mehr als Problem der Theorie begriffen wird. Über die theoretische Frage, wie das einzelne Subjekt bzw. dessen Bewußtsein denn ‚zum' anderen bzw. dessen Bewußtsein gelangen könne, hat der Mensch im alltäglichen, vortheoretischen Leben immer schon entschieden, besser: er braucht darüber gar nicht erst zu entscheiden, weil er immer schon beim Anderen ist. Er ist es aufgrund seiner Praxis. Schon bei der Zeuganalyse hatte Heidegger darauf hingewiesen, daß im Umgang mit Zuhandenem zugleich auch „Seiendes von der Seinsart des Daseins" begegnet (vgl. 70 f.; hier speziell: das hergestellte Werk verweist „auf den Träger und Benutzer"). Bei der Analyse des Mitseins wird nun näher ausgeführt, daß und wie im Zeugzusammenhang die Anderen mitbegegnen (vgl. 118; insgesamt: § 26, S. 117 ff.). Es zeigt sich dabei: die Kategorie der Vorhandenheit, d. h. der Sinn von Sein, den die abendländische Philosophie verabsolutiert hat, ist ungeeignet, nicht nur um das An-sich-sein der Dinge, sondern auch um so etwas wie Intersubjektivität zu bestimmen. Die Anderen, das sind ursprünglich nicht die auch noch Mit-Vorhandenen (vgl. 118), sondern die Mit-Daseienden, Mit-Besorgenden, In-der-Fürsorge-Stehenden (vgl. 218, 121 ff.). Die in der Umweltanalyse herausgestellte Struktur der Bedeutsamkeit wird damit ergänzt und erweitert: „Diese mit dem Mitsein vorgängig konstituierte Erschlossenheit der Anderen macht demnach auch die Bedeutsamkeit, d. h. die Weltlichkeit mit aus . . ." (123).

Bis zu diesem Punkte ist Heideggers Analyse gewissermaßen ‚neutral', also rein deskriptiv. Bis zu diesem Punkte ist sie zugleich auch kaum anzufechten. Im Gegenteil: gegenüber einem Großteil der zeitgenössischen bürgerlichen Philosophie[149], die kaum einen Begriff vom gesellschaftlichen Sein, der diesen Namen verdient hätte, zu erarbeiten in der Lage war, gelang es Heidegger, ein wesentliches Moment von Gesellschaftlichkeit, nämlich deren Bezug zu gegenständlicher Praxis, herauszustellen und — sei's auch mit existenzialontologischen Mitteln — terminologisch scharf zu formulieren[150].

So jedenfalls könnte man zunächst denken. Indessen tat die Analyse in SuZ mit der sich anschließenden Theorie des ‚Man‘[151] einen Schritt, der dasjenige, was man Heideggers Sozialtheorie nennen kann, in einem ganz anderen Lichte erscheinen läßt.

Im 4. Kapitel (des 1. Abschnitts) ging es nicht nur ums Mitsein, sondern zugleich auch ums Selbstsein (vgl. 113). Einigen grundsätzlichen Überlegungen zur „Frage nach dem Wer des Daseins" (114, § 25) folgte die Analyse des Mitseins, von der im vorigen die Rede war. Im Anschluß daran wurde das Problem des Selbstseins wieder aufgenommen, und zwar, dem Programm des ganzen 1. Abschnittes entsprechend, als Frage nach dem alltäglichen Selbstsein (vgl. 126). Die Antwort war eindeutig: das alltägliche Selbstsein ist gerade *nicht* Selbstsein. „Zunächst ‚bin‘ nicht ‚ich‘ im Sinne des eigenen Selbst, sondern die Anderen in der Weise des Man." (129) Das aber bedeutet den Verlust der „echten Seinsmöglichkeiten" (174), es bedeutet „Unselbständigkeit und Uneigentlichkeit" (128); das „Man-selbst" ist der Gegensatz zum „eigentlichen, das heißt eigens ergriffenen Selbst" (129). Dasein in der Weise des Man ist Verfallenheit (vgl. 175 ff.)[152]. D. h.: das alltägliche gesellschaftliche Sein verhindert eigentliches Selbstsein. Die Gesellschaft ist das Unechte und darum Schlimme.

Daß die einschlägigen Kapitel von SuZ in der Tat genau das meinen, läßt sich nicht bezweifeln. Hier zumindest zeigt sich ganz klar, daß die existenziale Analytik auch schon in ihrer „vorbereitenden" Phase (vgl. die Überschrift des 1. Abschnittes S. 41) keineswegs nur ‚neutral‘ und formal ist und daß sie keineswegs, wie sie behauptet, nur eine „rein ontologische Absicht" hat (167). Wenn Heidegger glaubt, darauf hinweisen zu müssen, daß die Interpretation des Man „von einer moralisierenden Kritik des alltäglichen Daseins ... weit entfernt" sei (ebd.) und daß der Begriff des ‚Verfallens‘ „keine negative Bewertung" ausdrücke (175)[153], so ist darin der vergebliche Versuch zu sehen, eine Deutung zu dementieren, die der Wortlaut des Textes unwiderleglich aufzwingt[154]:

„Das Dasein steht als alltägliches Miteinandersein in der *Botmäßigkeit* der anderen." (126) „ ... die anderen haben ihm *das Sein abgenommen*" (ebd., Hervorhebung von mir)[155]. Das eigene Dasein wird völlig in die Seinsart der anderen *aufgelöst* (vgl. ebd.). Das Man entfaltet seine „*Diktatur*" (ebd.); es „wacht über jede sich vordrängende Ausnahme" (127); „jeder Vorrang wird geräuschlos *niedergehalten*" (ebd.). „*Alles Ursprüngliche* ist über Nacht als längst bekannt *geglättet*. Alles Erkämpfte wird handlich. Jedes Geheimnis *verliert seine Kraft*." (ebd.) Das Man bewirkt „die *Einebnung* aller Seinsmöglichkeiten" (ebd., Hervorhebung von Heidegger) und führt zum „*Nichteingehen* ,auf die Sachen' " (ebd.); es ist „unempfindlich" „gegen alle Unterschiede des Niveaus und der Echtheit" (ebd.) und „*verdunkelt* alles" (ebd.). Wo das Dasein „auf Entscheidung drängt", hat sich das Man „immer schon *davongeschlichen*" (ebd.); es nimmt dem Dasein die Verantwortlichkeit ab (vgl. ebd.). Mit „dieser Seinsentlastung" kommt das Man der „Tendenz zum Leichtnehmen und Leichtmachen" entgegen (127 f.)[156]. Die Weise, wie das Man redet, ist Gerede (§ 35): „man versteht nicht so sehr das beredete Seiende, sondern man hört schon nur auf das Geredete als solches" (168); der „primäre Seinsbezug zum beredeten Seienden" geht verloren (ebd.), mit ihm „Echtheit und Sachgemäßheit der Rede" (ebd.). Dieses bloße „Weiter- und Nachreden" führt zur Bodenlosigkeit (ebd.); das Geschriebene wird zum „Geschreibe" (168 f.). Der Neugier (§ 36) geht es nicht darum, „das Gesehene zu verstehen, das heißt in ein Sein zu ihm zu kommen", sondern nur ums Sehen; „sie sucht das Neue nur, um von ihm erneut zu Neuem abzuspringen" (172). Neugier impliziert „Unverweilen", „Zerstreuung" (ebd.) und „*Aufenthaltlosigkeit*" (173). Daraus entspringt die „*Zweideutigkeit*" (§ 37). Die „Beruhigung im uneigentlichen Sein . . . treibt in die *Hemmungslosigkeit des* ,Betriebs' " (177) und „treibt das Dasein einer *Entfremdung* zu, in der sich ihm das eigenste Seinkönnen verbirgt" (178).

Es ist, wie gesagt, nicht zu bezweifeln, daß in solchen – und in vielen ähnlichen – Wendungen eine ganz eindeutige Abwertung ausgesprochen ist. Zu klären ist nur, wogegen sich diese Disqualifizierung des näheren richtet. Gegen das Gesellschaftliche überhaupt? Oder nur gegen bestimmte Aspekte einer bestimmten Gesellschaft?

In der Theorie des Man werden offensichtlich gewisse Grundzüge der modernen Massengesellschaft beschrieben und zugleich kritisiert. Heidegger artikuliert das Unbehagen an einer Gesellschaft, in der die Lebensverhältnisse und das Bewußtsein jedes Einzelnen in zunehmendem Maße von großen ,Kollektiven', also von gesellschaftlichen, politischen, wirtschaftlichen, kulturellen Gruppierungen bestimmt sind. Die Theorie des Man läßt sich so als ein Stück Zivilisations- oder (im weitesten Sinne) Kulturkritik verstehen. Deren hervorstechendes Kennzeichen ist der generelle und prinzipielle Charakter der Negation: Heideggers Denunzierung der modernen Gesellschaft ist total und pauschal. Denn beschrieben wird *das* Man schlechthin – nicht ein bestimmtes oder gewisse Aspekte eines bestimmten.

Die seit dem Ende des 18. Jahrhunderts entstandene moderne Industriegesellschaft wird so insgesamt auf die Seite der Uneigentlichkeit geschlagen, weil sie echte Selbstverwirklichung ausschließe. Aus Heideggers Existenzialanalyse spricht das Ressentiment dessen, der als Verfall bedauert, was an Bedingungen individueller und gesellschaftlicher Existenz historisch, in den letzten beiden Jahrhunderten, entstanden ist. Die Theorie des Man paßt somit genau zur vorausgegangenen Apologie der Zuhandenheit, welche Zustände einfachen Lebens voraussetzt. L. Rosenmayr stellt daher zurecht fest, daß sich Heideggers Analyse des Man aus dem Beharrenwollen bei vorindustriellen Gesellschaftsstrukturen erkläre[157]. Was sich im Denken des späten Heidegger mit voller Deutlichkeit artikulieren sollte, war auch schon in SuZ greifbar. Bereits Heideggers frühes Denken enthält einen starken antizivilisatorischen Affekt[158].

Die Theorie des Man verbucht auf der negativen Seite, was als gesellschaftlicher Fortschritt der modernen Industriegesellschaft anzuerkennen wäre — freilich mehr ausdrücklich als unausdrücklich: die Dinge beim Namen zu nennen, scheut sich die Existenzialontologie. Gleichwohl liegt, was sie an Implikationen enthält, auf der Hand: ihre ablehnende Haltung gegenüber der industriellen Produktionsweise[159]; gegenüber der Massendemokratie und der zentralen Funktion der Öffentlichkeit; gegenüber intensiver und extensiver Information und Kommunikation, um nur einige Punkte zu nennen. Natürlich ist nicht zu bestreiten, daß Heideggers Analyse — faßt man sie entgegen ihrem eigenen Selbstverständnis als Gesellschaftskritik auf — auch gewisse negative Seiten der ‚bestehenden Verhältnisse' trifft, Momente der modernen Gesellschaft, die zweifellos der massiven Kritik bedürfen. So ist in der Theorie des Man etwa die Gefahr bezeichnet, daß die moderne Gesellschaft die Entfaltung der Persönlichkeit, die durch ökonomischen Fortschritt und Abbau sozialer Schranken zu fördern sie gerade in der Lage ist, in der Tat ihrerseits partiell zu hintertreiben droht; bezeichnet ist das legitime Unbehagen an der Anonymität der Instanzen, an politischem ‚Meinungsterror', an gewissen Erscheinungen etwa im Bereich der Massenmedien, die in der Tat einer ‚Diktatur der Öffentlichkeit' (allerdings: welcher Öffentlichkeit?) nahezukommen scheinen[160]; polemisiert wird schließlich gegen kulturelle Betriebsamkeit, gegen das vorbehaltlose Sicheinlassen auf das, was gerade ‚in Mode' ist.

Aber all das, was doch wohl konkret — politisch, ökonomisch, kulturell etc. — beim Namen zu nennen wäre, wird zur existenzialen Struktur verflüchtigt. Von der Möglichkeit, nach den realen Ursachen dessen zu fragen, was zurecht kritisiert wird, wird in SuZ kein Gebrauch gemacht. Dadurch wird die Theorie des Man am Ende auch da noch problematisch, wo sie, im gesellschaftskritischen Sinne, Richtiges trifft. Denn von dem, was sie mit Recht als das Schlechte moniert, gehört doch wohl längst nicht alles zu den Imponderabilien der modernen Gesellschaft; vieles wäre vielmehr aufhebbar im historischen Prozeß der Weiterentwicklung und fortschreitenden Veränderung eben dieser Gesellschaft[161]. Wenn irgendetwas, so hätte Gesellschaftskritik das zu zeigen. Statt pauschal die Gesellschaft zu denunzieren, wäre es vonnöten, die Bedingungen zu untersuchen, die den Titel ‚Massengesellschaft' immer noch als das erscheinen lassen, was er nicht zu sein brauchte: ein Schimpfwort.

Konkret Politisches und Gesellschaftliches ist in SuZ nur präsent als etwas, worauf hintergründig, nämlich zu Zwecken phänomenologischer Plausibilität, angespielt wird. Seiner eigenen Sachhaltigkeit ist es damit entkleidet. Differenzierung zwischen dem positiv Erreichten einerseits und dem bestehenden — aber nur historisch aufzuhebenden — Negativen andererseits entfällt. Der komplizierte Zusammenhang, der moderne Gesellschaft heißt, schrumpft zum Existenzial zusammen. Der Protest gegen eine bestimmte Gesellschaft artikulierte sich bei Heidegger als Disqualifizierung von Gesellschaft schlechthin.

Damit reihte sich SuZ in eine Tradition bürgerlich-akademischer Philosophie ein, die tief ins 19. Jahrhundert zurückreicht. Von denjenigen Philosophien, denen Heidegger unmittelbar verpflichtet war, ist hier vor allem die Lebensphilosophie zu nennen mit ihrer zuweilen nur unterschwelligen, oft aber auch erklärten antigesellschaftlichen Position[162]. Auf diese Zusammenhänge näher einzugehen, ist hier nicht möglich, im übrigen aber auch wohl nicht nötig, hat doch die historische Forschung nach dem 2. Weltkrieg ein einigermaßen klares Bild von ihnen vermittelt[163]. Zu zeigen war nur, daß Heidegger — denjenigen Möglichkeiten zum trotz, die sein Ansatz bei der Analyse des Mitseins hätte eröffnen können — die Reihe der das Gesellschaftliche vermeidenden und denunzierenden Philosophien und Weltanschauungen fortsetzte und darüberhinaus deren wesentliche Züge auf den ontologischen Begriff brachte. Die Existenzialontologie mit ihren „apriorischen Perfekten" (SuZ 85) war, so scheint es, bestens geeignet, gleichsam ‚ein für alle Mal' zu formulieren, was ihre Vorgänger zwar unverkennbar gemeint, aber meist weniger deutlich — und mit geringerem Geschick — gesagt hatten.

1.3.2 Eigentlichkeit

Der 2. Abschnitt (des ersten Teils) von SuZ ging davon aus, daß die bisherige existenziale Analyse, nämlich die (im 1. Abschnitt geleistete) „ontologische Charakteristik des Daseins qua Sorge" (231), „den Anspruch auf Ursprünglichkeit nicht erheben" könne (233). Um „das Ganze des thematischen Seienden [sc. des Daseins]" (232) und die „*Einheit* der zugehörigen und möglichen Strukturmomente" (ebd.) zu gewinnen, müsse — so Heidegger — das „eigentliche Seinkönnen" des Daseins oder das „Sein des Daseins in seiner möglichen Eigentlichkeit" ans Licht gebracht werden (233). Der zweite Abschnitt von SuZ enthält also die ‚positive' Theorie der Eigentlichkeit[164].

Zunächst wäre zu fragen, ob er damit die Antithese zum ersten Abschnitt ist[165]. Das wäre er nur, wenn dieser erste Abschnitt eindeutig als Theorie der Uneigentlichkeit aufgefaßt werden könnte. Warum das nicht möglich ist, dürfte die bisherige Interpretation gezeigt haben. Im § 9 von SuZ wurde als Thema des 1. Abschnitts das „indifferente Zunächst und Zumeist" bestimmt, also „die alltägliche Indifferenz" und „Durchschnittlichkeit" (43). Diese ist als *solche* keineswegs mit der Uneigentlichkeit identisch. (Auch die betreffende Textstelle deutet ja nichts dergleichen an.) Vielmehr weist der Ausdruck ‚Indifferenz' darauf hin, daß die Analyse sich zunächst ‚neutral' verhalten und im Bereich *vor* jener Differenz zwischen Eigentlichkeit und Uneigentlichkeit bewegen soll[166]. Genau das tat sie dann auch in den ersten drei Kapiteln des 1. Abschnitts. Die Theorie der Zuhandenheit, die dort entwickelt wurde, behandelte das Dasein in seinem alltäglichen Sein zu den ‚Dingen'; *diese* Alltäglichkeit hatte mit Uneigentlichkeit nichts zu tun und wurde auch nirgends als solche gekennzeichnet. Der Gegenbegriff zu ihr war nicht der der Eigentlichkeit, sondern der des — nicht-alltäglichen — abkünftigen theoretisch-wissenschaftlichen Verhaltens zum Seienden[167]. Zu diesen ersten drei Kapiteln des 1. Abschnitts ist der (gesamte) 2. Abschnitt also *keine* Antithese. Um die Alltäglichkeit im Bereich des nicht-daseinsmäßigen Seienden braucht sich die Eigentlichkeit sozusagen nicht zu kümmern, sie muß sie vielleicht hinter sich lassen oder sich über sie erheben; aber sie braucht sie nicht, als ein ihr Entgegengesetztes, zu destruieren. Anders ausgedrückt: durchs alltägliche Sichverhalten zu den *Dingen* wird Eigentlichkeit (zwar nicht gewährleistet, aber jedenfalls auch) nicht gefährdet und schon gar nicht verhindert. Das wird sie einzig und allein durch die Alltäglichkeit im Verhalten zum Seienden von ebenfalls daseinsmäßiger Seinsart, also im Verhalten zu sich selbst und zu den anderen. Erst in dem Augenblick, wo sich die existenziale Analyse *diesem* Bereich zuwendet, verliert die Alltäglichkeit den Charakter der ‚neutralen' Indifferenz: in der Theorie des Man gerät sie zur ausdrücklichen und ausgesprochenen Uneigentlichkeit[168].

Das zeigt sich schon in der Verwendung der Begriffe ‚Eigentlichkeit' und ‚Uneigentlichkeit'. Sie kommen, wenn man von der Exposition (1. Kap. des 1. Abschnittes) und von wenigen anderen Stellen absieht (wo sie nur vorgreifend und ohne bestimmten Inhalt verwendet werden), innerhalb der Theorie des alltäglichen Seins zu den Dingen (1. bis 3. Kap.) nicht vor. Was ‚Uneigentlichkeit' — und als Gegensatz dazu ‚Eigentlichkeit' — bedeutet, wird erst im § 27 („Das alltägliche Selbstsein und das Man") gesagt: „Man ist in der Weise der Unselbständigkeit und Uneigentlichkeit." (128) „Das Selbst des alltäglichen Daseins ist das *Man-selbst*, das wir von dem *eigentlichen,* das heißt eigens ergriffenen *Selbst* unterscheiden." (129) ‚Man' und ‚Uneigentlichkeit' sind also so gut wie identisch (in vielleicht geringerem Maße übrigens auch ,Verfallen' und ,Uneigentlich-keit'[169]).

Daraus ergibt sich: wenn nur bestimmte Teile der Analysen des 1. Abschnitts (nämlich Passagen des 4. und 5. Kapitels: §§ 27 sowie 35—38[170]) unter dem Titel ,Uneigentlichkeit' stehen, so kann folglich der 2. Abschnitt auch nur als Antithese zu eben diesen Teilen, nicht aber als eine zum 1. Abschnitt insgesamt gelten. Inhaltlich besagt das: Eigentlich-keit ist präzise die Antithese zum Man und das heißt zur Gesellschaftlich-keit. Dieser Befund ist im folgenden durch näheres Eingehen auf die Analy-sen des 2. Abschnitts zu bestätigen.

Wenn Gesellschaftlichkeit als solche im Effekt mit Uneigentlichkeit gleichgesetzt wird, dann kann es Eigentlichkeit nur in der radikalen Ver-einzelung geben. In der Tat: schon im Vorgriff auf die Theorie der Eigent-lichkeit, nämlich in der Analyse des Angstphänomens, wurde von Heideg-ger festgestellt: „Die Angst vereinzelt das Dasein auf sein eigenstes In-der-Welt-sein." (187) „Die Angst vereinzelt und erschließt das Dasein als ,solus ipse'." (188) „Die Vereinzelung holt das Dasein aus seinem Verfallen zu-rück." (191) Folgerichtig sprach Heidegger daher ganz offen von einem „existenzialen ,Solipsismus' " (188)[171]. Dieser durchzieht die gesamte zweite Phase der existenzialen Analytik, vor allem deren Grundlegung im 1. Kapitel (des 2. Abschnitts). Dessen Kernparagraph 53 enthält die Vokabeln ,Vereinzelung', ,vereinzeln' etc. in auffälliger Häufung (vgl. 263, 264, 265, 266).

Daß, nach der Depravierung des Gesellschaftlichen als des Uneigent-lichen, die Eigentlichkeitstheorie beim Todesproblem ansetzt, ist geradezu unausweichlich, und zwar nicht nur, wie es nach den Ausführungen der einleitenden Paragraphen des 2. Abschnitts zunächst scheinen könnte, aus methodischen, sondern vor allem aus sachlichen Gründen. Wo Subjektivi-tät meint, nur fern von der Gesellschaft bzw. nur gegen sie sich verwirk-lichen zu können, bleibt ihr als Instanz für wahres Existieren einzig noch die letzte: der Tod. Er gewährleistet, wie die existenziale Analytik jeden-falls meint, daß das Dasein sein kann, was es sein will: radikal vereinzeltes solus ipse. Denn während „zu den Seinsmöglichkeiten des Miteinander-seins [und, so müßte man ergänzen, zu den Seinsnotwendigkeiten des alltäglich-uneigentlichen Miteinanderseins] in der Welt . . . die *Vertretbar-keit* des einen Daseins durch ein anderes" gehört (239), „scheitert diese Vertretungsmöglichkeit völlig, wenn es um die Vertretung der Seinsmög-lichkeit geht, die das Zu-Ende-kommen des Daseins ausmacht . . ." (240). Der beliebigen Austauschbarkeit im gesellschaftlichen Bereich kann das Subjekt nur entrinnen durch ,Konzentration' aufs eigene Sterben; denn „keiner kann dem Anderen sein Sterben abnehmen" (ebd.). „Im ,Enden' . . . gibt es wesensmäßig keine Vertretung." (ebd.)

So wird das Sein zum Tode samt allem, was daraus entspringt (Gewissen-haben-wollen, Entschlossenheit, etc.), zur letzten Bastion, hinter die sich das Ich, auf der Flucht vorm Gesellschaftlichen, glaubt retten zu können. Ein konsequenterer Subjektivismus — im Sinne von Solipsismus — läßt sich in der Tat kaum denken als derjenige es ist, der die angefochtene Identität des Ich mit sich selbst nur noch durchs Vorlaufen-in-den-Tod gewährleistet sieht[172].

Die Eigentlichkeit, um die es im 2. Abschnitt von SuZ geht, ist im Wortsinn zu nehmen: als die Seinsweise, in der das Dasein ganz sich selbst gehört, nur sich selbst ‚zu eigen‘ ist. So wird etwa vom Tod gesagt, er sei die „eigenste . . . Möglichkeit des Daseins" (259), die nämlich, die es sich, unbeirrt vom Man, selbst vorgibt. Die Rede von der „eigensten Möglichkeit" oder vom „eigensten Seinkönnen" durchzieht massiv alle Hauptphasen der Eigentlichkeitstheorie[173].

Oben wurde bereits gesagt, daß Eigentlichkeit die Antithese zum Man ist. Diese Feststellung ist für die Interpretation von SuZ äußerst wichtig. Wo immer die Eigentlichkeitsphänomene herausgestellt werden, geschieht dies in meist ausdrücklicher, zuweilen auch unausdrücklicher Entgegensetzung zu den korrelativen Verfalls- bzw. Uneigentlichkeitsmodi. Dafür einige Beispiele.

Das Man verhindert ein eigentliches Sein zum Tode. „Wenn je dem Gerede die Zweideutigkeit eignet, dann dieser Rede vom Tode [sc. ‚man stirbt‘]" (253). „Mit solcher Zweideutigkeit setzt sich das Dasein in den Stand, sich hinsichtlich eines ausgezeichneten Seinkönnens im Man zu verlieren. Das Man . . . steigert die Versuchung, das eigenste Sein zum Tode sich zu verdecken." (ebd.) „Das Man besorgt dergestalt eine ständige Beruhigung über den Tod" (ebd.) und „läßt den Mut zur Angst vor dem Tode nicht aufkommen" (254). „Das alltäglich verfallende Ausweichen vor ihm [dem Tod] ist ein uneigentliches Sein zum Tode." (259)[174] Eigentliches Sein zum Tode ist daher nur in der radikalen Vereinzelung möglich: „Das Vorlaufen [in den Tod] läßt das Dasein verstehen, daß es das Seinkönnen, darin es schlechthin um sein eigenstes Sein geht, einzig von ihm selbst her zu übernehmen hat. Der Tod beansprucht dieses [das Dasein] als einzelnes." (263; vgl. § 53 insgesamt) Die Antithetik von Man und Eigentlichkeit artikuliert sich schließlich am schärfsten, wenn Heidegger „die Charakteristik des existenzial entworfenen eigentlichen Seins zum Tode" (266) zusammenfaßt: „Das Vorlaufen enthüllt dem Dasein die Verlorenheit in das Man-selbst und bringt es vor die Möglichkeit, auf die besorgende Fürsorge primär ungestützt, es selbst zu sein, selbst aber in der leidenschaftlichen, von den Illusionen des Man gelösten, faktischen, ihrer selbst gewissen und sich ängstenden Freiheit zum Tode." (ebd., der ganze Satz bei Heidegger hervorgehoben.)

Dieselbe Entgegensetzung weist die Analyse des Phänomens des Gewissens auf (§§ 54—58). Im Verfallsmodus des Man herrscht das „wahllose
Mitgenommenwerden von Niemand, wodurch sich das Dasein in die
Uneigentlichkeit verstrickt"; es „kann nur dergestalt rückgängig gemacht
werden, daß sich das Dasein eigens aus der Verlorenheit in das Man
zurückholt zu ihm selbst" (268). Zu sich selbst aber findet das Dasein im
Ruf des Gewissens (vgl. 271). In ihm „sinkt das Man in sich zusammen"
(273) und wird „in die Bedeutungslosigkeit" gestoßen (ebd.). Dem Gerede
des Man setzt das Gewissen „Schweigen" und „Verschwiegenheit" entgegen (ebd.). „Das Gewissen ruft das Selbst des Daseins auf aus der Verlorenheit in das Man." (274; vgl. 277.)

Ähnlich werden ‚Schuldigsein' (vgl. etwa 287) und ‚Entschlossenheit'
(vgl. etwa 299) bestimmt; auch in ihnen und durch sie soll das Dasein der
Verlorenheit ins Man entrissen werden.

Es kann also nicht bezweifelt werden, daß der frühe Heidegger einen
radikalen Subjektivismus vertritt: gegen die moderne Gesellschaft, die
insgesamt der Negation verfällt und überdies, unterm Begriff des Man, zur
Gesellschaft überhaupt ontologisiert wird, hilft nur noch die Flucht in den
vermeintlich unangefochtenen Bezirk des ‚solus ipse'. Er allein gewährleistet Ursprünglichkeit, Wahrheit und Echtheit, er allein auch Totalität.
Die Ganzheitsemphase zu Beginn des 2. Abschnitts, die zunächst als
ein vorwiegend methodisches Problem verbrämt erscheint oder jedenfalls als ein solches eingeführt wird (vgl. § 45), ergibt sich direkt aus
der Grundposition der Eigentlichkeitstheorie. Im ersten Abschnitt wurde
‚Ganzheit' immer auf die existenziale *Struktur* bezogen (vgl. bes. § 39,
etwa S. 180: „Das In-der-Welt-sein ist eine ursprünglich und ständig *ganze*
Struktur"; S. 181 sprach Heidegger von der „Ganzheit des aufgezeigten
Sturkturganzen"). ‚Ganzheit' bedeutete dort soviel wie: (vorläufige) Voll-
ständigkeit der Analyse, mehr aber noch: Einheit der Momente, die not-
wendigerweise zunächst sukzessiv herausgestellt werden mußten. Zu
Beginn des 2. Abschnitts jedoch „wandelt sich" − wie P. Fürstennau bemerkt hat − „die leitende Ganzheitsidee"[175]. Sie zielt jetzt nicht mehr auf
die Struktur, sondern aufs Dasein selbst, nämlich auf das „eigentliche
Ganzseinkönnen des Daseins" (SuZ 234). ‚Ganzheit' bedeutet nun
„daseinsmäßige Ganzheit" (235) und bezieht sich ausschließlich auf das
Existieren des Einzelnen in seiner zeitlichen Erstrecktheit.

Eine solche Ganzheit nun konnte kaum den Sinn von ‚Totalität'
haben. Dazu − nämlich zu einer Totalität im Sinne der Einheit und
Gesamtheit der Bezüge, in die der Mensch gerade auch als Subjektivität
verflochten ist − dazu hatte sich bereits der zweite Komplex der Alltäglichkeitsanalyse (im 1. Abschnitt) den Zugang verbaut. Solche Totalität
war in der Theorie des Man generell als schlechte verworfen worden. Als

eigentliches sollte sich das Dasein aus seinen realen Bezügen herausholen und in die Vereinzelung hineinkonzentrieren[176]. Der Ganzheitsbegriff, der allein übrig blieb, ist zum Minimalbegriff geschrumpft. Ganzsein bedeutet nur noch: ‚Zu-Ende-sein' und als Vollzug: ‚Zum-Ende-sich-verhalten'. Die Einheit, die darin garantiert sein soll, ist dann letztlich reduziert auf die leere Intensität, mit der sich das Ich in seiner Erstrecktheit zwischen Anfang und Ende als Selbst durchhält[177].

Die Eigentlichkeitstheorie von SuZ gehört, als extremes Beispiel, zu denjenigen Positionen innerhalb der Geschichte des 19. und 20. Jahrhunderts, welche dem Problem der Dialektik von Subjektivität und Gesellschaftlichkeit durch dessen Halbierung beizukommen versuchten[178]. Bewahrung und Rettung der Subjektivität — das ist, in dieser Allgemeinheit, sicherlich ein legitimes und notwendiges Bemühen[179]. SuZ wollte dazu einen Beitrag leisten. Die Gefährdung des Subjekts in der modernen Gesellschaft hat Heidegger zwar abstrakt und pauschal, aber immerhin mit großer Eindringlichkeit zum Ausdruck gebracht und damit wesentliche Momente des Bewußtseins seiner Zeit artikuliert. Die große Wirkung von SuZ ist dafür überzeugender Beleg.

Zu kritisieren ist an der existenzialen Analytik nicht das Bedürfnis nach Subjektivität schlechthin, sondern das nach monadischer, nicht der Versuch, Subjektivität überhaupt zu retten, sondern nur der, in die isolierte und inhaltslose zu fliehen. Die kompromißlose Antithetik — statt konkrete Dialektik — von Individuum und Gesellschaft verschließt sich der Einsicht, daß Subjektivität ohne Gesellschaftlichkeit leer und ohnmächtig bleibt. So verhindert denn der „Aufbruch in die Illusion"[180] schließlich auch die Konsequenzen, die da zu ziehen wären, wo die *bestehende* Gesellschaft tatsächlich sich anschickt, Subjektivität zu liquidieren. Sie tut es aber nie und nirgends als Gesellschaft *überhaupt*, sondern immer als bestimmte, historisch entstandene und historisch zu überwindende. Wo sie repressiv gegenüber dem Einzelnen sich gebärdet, da tut sie es aufgrund realer Faktoren, etwa konkreter Interessen. Diese wären zu analysieren. Die Heideggersche Eigentlichkeitstheorie indessen zielt auf abstrakte Subjektivität und dient damit faktisch der Hintertreibung von konkreter. Statt für eine vernünftige Gesellschaft einzutreten, sucht sie das Heil fern von jeglicher und kommt so schließlich — sicherlich ungewollt — denen entgegen, die an der Aufrechterhaltung der unvernünftigen interessiert sind[181].

1.3.3 Zeitlichkeit und Geschichtlichkeit

Mit dem Titel ‚Sein und Zeit' spielte Heidegger auf einen der traditionsreichsten Gegensätze abendländischer Philosophie an. Wer ‚Sein' sagt, vertritt die Position, daß die wahre Wirklichkeit im konstanten, unveränderlichen Immerseienden besteht; wer ‚Zeit' sagt, begreift eben diese Wirklichkeit als jeweils in Zeit und Geschichte sich konstituierende, und demnach als entstehende und vergehende. Wer nun – statt exklusiv von ‚Sein' *oder* ‚Zeit' – inklusiv von ‚Sein *und* Zeit' spricht, hält offensichtlich beide Positionen für miteinander vereinbar: die Zeit ist keine Alternative zum Sein; vielmehr ist das Sein selbst zeitlich.

Das war im Grunde tatsächlich die These von SuZ. Auf den ersten Blick schien Heidegger damit eine konsequente und radikale Wende zum Problem der Geschichte zu vollziehen. Eine solche Wendung war innerhalb der deutschen akademischen Philosophie längst überfällig, hatte diese doch zum großen Teil unhistorische oder gar antihistorische Positionen bezogen. Das gilt insbesondere für Phänomenologie und Neukantianismus[182]. In SuZ nun befaßten sich die letzten vier Kapitel mit Zeitlichkeit und Geschichtlichkeit. Wurde damit die Dimension des Geschichtlichen zurückgewonnen? War – mit einer Formulierung O. Marquards – ,,die – bessere – Wiederkehr des Geschichtsproblems'' tatsächlich die Intention von SuZ?[183]

Im bisherigen Verlauf der vorliegenden Untersuchung habe ich mehrfach versucht zu zeigen, daß die existenziale Analytik im Grunde ungeschichtlich angesetzt war und ungeschichtlich durchgeführt wurde. Dem widerspricht nur scheinbar, daß Heidegger gegen Schluß der Analyse in SuZ explizit eine Theorie der Geschichtlichkeit entwickelt. Denn diese Geschichtlichkeit ist nur dem Namen nach eine. Statt einen Beitrag zur Wiedergewinnung des Geschichtsproblems zu leisten, fördert sie dessen weitere Verdrängung. Das soll im folgenden nachgewiesen werden[184].

Im 3. Kapitel des 2. Abschnittes von SuZ erreichte die existenziale Analytik ihr eigentliches Ziel: die Zeitlichkeit (= ,,die eigentliche Zeit'', vgl. 329 et passim) erweist sich als der letzte Sinn alles dessen, was bisher an existenzialen Strukturen herausgestellt wurde (vgl. besonders § 65). Deren drei Hauptmomente, nämlich Sich-vorweg-sein (Existenzialität), Schon-sein-in (Faktizität) und Sein-bei (Verfallen) werden den drei Modi – oder, wie Heidegger sie dann nennt, den drei ,,Ekstasen'' (329) – der Zeitlichkeit, nämlich der Zukunft, der Gewesenheit und der Gegenwart, zugeordnet (vgl. i. e. L. 327, 328), und zwar so, daß diese als letzte Ermöglichung für jene fungieren: ,,Das Sich-vorweg gründet in der Zukunft. Das Schon-sein-in. . . bekundet in sich die Gewesenheit. Das Sein-bei. . . wird ermöglicht im Gegenwärtigen.'' (327) Es ist nun wichtig festzustellen, daß die Explikation der Zeitlichkeit sich direkt aus der Theorie der Eigentlichkeit ergibt. Die Zukunft nämlich erweist sich als Sinn und Ermöglichungsgrund der vorlaufenden Entschlossenheit, mit der und in der das Dasein als eigentliches zum Tode ist (vgl. 325). Die Zukunft aber ist „das primäre Phänomen der ursprünglichen Zeitlichkeit" (329); sie hat innerhalb der einheitlichen Struktur den Vorrang vor den anderen Ekstasen (vgl. ebd.). Die Gewesenheit wird gekennzeichnet als etwas, was der Zukunft „entspringt", die Gegenwart als etwas, was die Zukunft „aus sich entläßt" (326). Wenn also die Zukunft zum einen als die vorlaufende Entschlossenheit des Seins-zum-Tode identifiziert und wenn sie zum anderen als das primäre Phänomen der Zeitlichkeit herausgestellt wird, dann erweist sich die Theorie der Zeitlichkeit als direkte Verlängerung – bzw. als nachträgliche Fundierung – der Analyse des Todes. Zwar werden darüberhinaus der Zeitlichkeitsstruktur noch weitere Momente hinzugefügt, wie sich ja auch aus dem Phänomen des Todes weitere Phänomene ergeben. Aber die Quintessenz der Zeitlichkeitstheorie besteht gerade darin, daß sie aus dem spezifischen Ansatz des Todesproblems folgt. Als *letzt*fundierende Struktur des Daseins kann die Zeitlichkeit, wie Heidegger sie faßt, nur bezeichnet werden, weil fürs eigentliche Existieren der Tod als letzte Instanz fungiert.

Diesen Zusammenhang muß man sehen, wenn man fragt, was die Theorie der Zeitlichkeit in SuZ denn effektiv leistet. Handelt es sich bei dem, was Heidegger als „eigentliche Zeit" bezeichnet, wirklich um eine gegenüber der ‚normalen' – von Heidegger „vulgär" genannten (vgl. bes. § 81) – Zeitauffassung und -erfahrung ‚ursprünglichere', sachgerechtere Bestimmung der Zeit? Das muß bezweifelt werden. Der Eindruck drängt sich auf, daß die im § 65 freigelegte Zeitlichkeit nur noch wenig mit dem zu tun hat, was man üblicherweise – sei's ‚im Leben', sei's in der Wissenschaft – unter ‚Zeit' versteht[185]. Das Kernstück der Zeitlichkeitstheorie (§ 65) ist denn auch weder analytisch noch phänomenologisch aufgewiesen. Die drei Ekstasen der Zeitlichkeit werden vielmehr eingeführt durch verbale Identifikation mit den zuvor herausgestellten, letztlich aus der Todesanalyse sich ergebenden existenzialen Bestimmungen. Der Satz, in dem erstmals von ‚Zukunft' die Rede ist, hat fast definitorischen Charakter, und zwar ohne dabei Ergebnis oder Ausgangspunkt einer ‚Befragung der Phänomene' zu sein: „Das die ausgezeichnete Möglichkeit aushaltende, in ihr sich auf sich *Zukommen*lassen ist das ursprüngliche Phänomen der *Zukunft*." (325)[186]

Was in SuZ ‚Zeitlichkeit' genannt wird, erweist sich bei näherem Hinsehen als eine weitgehend bloß konstruierte, mit einer gewissen Dialektik ausgestattete Dreierstruktur, deren Stellen nicht durch wirkliche Zeitphänomene, sondern durch die Hauptmomente eines seinerseits auf Minimalinhalte reduzierten Ideals eigentlicher Existenz besetzt sind. Heidegger erhebt den Anspruch, daß sein Begriff von Zeit dem normalen, der die Zeit als das ‚Nacheinander‘ versteht, überlegen sei. Aber die Theorie, die die sen Anspruch erfüllen soll, ist im Grunde gar nicht mehr eine Theorie der *Zeit*.

Von der wirklichen Zeit ist erst da wieder die Rede, wo Heidegger von den — wie er meint — ‚abgeleiteten‘ Phänomenen und vom ‚vulgären‘ Zeitbegriff redet (vgl. bes. das 6. Kap.). Hier besinnt sich die Untersuchung, statt sich aufs bloße Konstruieren von formalen Strukturen zu beschränken, auch wieder auf ihren Vorsatz, sich an den Phänomenen zu orientieren. Nur werden diese Phänomene, mit deren Beschreibung Heidegger zweifellos Richtiges trifft, als abkünftig, uneigentlich und vulgär qualifiziert und durch die Behauptung, sie seien nicht die wahre Zeit, *als* Zeitphänomene entwertet. Überspitzt formuliert: bei Heidegger wird das ‚normale‘ Verständnis von Zeit, welches angeblich nicht die *wahre* Zeit treffen soll, ersetzt durch ein anderes, das gar nicht mehr die *Zeit* trifft[187].

Wie steht es dann mit der Theorie der Geschichtlichkeit, die Heidegger im 5. Kapitel des 2. Abschnitts von SuZ entwickelt?

Zunächst ist festzustellen, daß sie fast den Charakter eines Anhängsels oder eines Nachtrags hat, durch den zwar gewisse Modifikationen und Ergänzungen vorgenommen werden, der aber demjenigen, was innerhalb der Theorie der Zeitlichkeit im 4. Kapitel gesagt wurde, kaum etwas qualitativ Neues hinzufügt[188]. Eigentliches Ziel der Daseinsanalytik ist die Zeitlichkeit, nicht die Geschichtlichkeit. Diese wird zu einem Sekundären, zu einem bloßen Ableitungsmodus jener[189]. Das bestätigt das Selbstverständnis des Kapitels über die Geschichtlichkeit: ,,Der existenziale Entwurf der Geschichtlichkeit des Daseins bringt nur zur Enthüllung, was eingehüllt in der Zeitigung der Zeitlichkeit schon liegt.“ (376) ,,So erweist sich im Grunde die Interpretation der Geschichtlichkeit des Daseins nur als eine konkretere Ausarbeitung der Zeitlichkeit.“ (382) Das Ergebnis des 5. Kapitels faßt Heidegger dann auch folgerichtig so zusammen: ,,Geschichtlichkeit als Seinsverfassung der Existenz ist ‚im Grunde‘ Zeitlichkeit.“ (404) Der Sinn dieses ‚im Grunde‘ war zuvor als ‚Ermöglichung‘ bestimmt worden: ,,Nur eigentliche Zeitlichkeit, die zugleich endlich ist, macht so etwas wie Schicksal, das heißt eigentliche Geschichtlichkeit möglich.“ (385)

Der Hauptunterschied zwischen Geschichtlichkeit und Zeitlichkeit scheint darin zu liegen, daß in dieser das Zukünftigsein (also die Existenzialität) den eindeutigen Vorrang hat, während in jener mehr das Gewesensein (also die Faktizität) überwiegt (vgl. 379 ff.). *Zeitlich* ist das Dasein primär als Sein-zum-Tode, *geschichtlich* ist es vor allem als ,,gebürtiges“ (374). Dieses kann es aber nur sein, weil es zuvor jenes ist. Die Entschlossenheit (des Vorlaufens-in-den-Tod) ermöglicht allererst, daß das Dasein auf sich zurückkommt, seine Geworfenheit übernimmt (385), sich dem Ererbten und dem Schicksal überliefert (384) und so auf die Möglichkeiten des dagewesenen Daseins, sie wiederholend, zurückkommt (385; vgl. insgesamt auch 390 f.).

Was also ist mit dem Terminus ‚Geschichtlichkeit' in SuZ bezeichnet? Bezeichnet ist mit ihm — kaum anders als mit dem der ‚Zeitlichkeit' — die Seinsweise des Daseins, insofern dieses eigentlich ist, nämlich ist als ein „Seiendes, das wesenhaft in seinem Sein *zukünftig* ist, so daß es frei für seinen Tod an ihm zerschellend auf sein faktisches Da sich zurückwerfen lassen kann", ein Seiendes, „das als zukünftiges gleichursprünglich *gewesend* ist" und als solches „sich selbst die ererbte Möglichkeit überliefernd, die eigene Geworfenheit übernehmen und augenblicklich sein [kann] für ‚seine Zeit' " (385). ‚Geschichtlichkeit' ist demnach der Name für die innere Geschehensstruktur einer bestimmten Seinsweise des Daseins.

Bietet dieser Begriff der Geschichtlichkeit Ansätze, um das, was Geschichte real ist, zu erfassen? Kann SuZ Ausgangspunkt einer Geschichtsphilosophie sein?

Mit Recht, so scheint mir, haben kritische Interpreten der Heideggerschen Philosophie dergleichen verneint. Geschichtlichkeit wird bei Heidegger zur invarianten, d. h. ihrerseits ungeschichtlich-zeitlosen Formalstruktur ontologisiert[190]. Ihre existenzialanalytische ‚Domestizierung' hätte kaum besser gelingen können: die Verlegung der Geschichte ins ‚Innere' — und zwar in das Innere eines aufs private Sein-zum-Tode reduzierten, monadischen Subjekts — hält die reale, ‚nur' äußere Geschichte als ein vermeintlich Sekundäres in sicherem Abstand von sich fern[191]. Das Dasein, von dem behauptet wird, es sei geschichtlich, braucht sich von der wirklichen, in Handlungen und Ereignissen sich objektivierenden Geschichte nicht anfechten zu lassen. Im Gegenteil: es zielt auf eine „*Entgegenwärtigung* des Heute" (391) und distanziert sich so vom Man, welches in „uneigentlich geschichtlicher Existenz" „das Moderne" sucht (ebd.)[192].

Was Heidegger in aller Kürze (nämlich auf nicht einmal fünf Seiten) über die „Welt-Geschichte" sagt (vgl. § 75, S. 387—392), hat schon dem Wortgebrauch und erst recht dem Gehalt nach wenig mit der wirklichen Weltgeschichte zu tun. Der Terminus ‚Welt-Geschichte' bedeutet „das Geschehen von Welt in ihrer wesenhaften, existenten Einheit mit dem Dasein" (389) und zugleich „das innerweltliche ‚Geschehen' des Zuhandenen und Vorhandenen" (ebd.). Darin erschöpft sich die Bestimmung von ‚Welt-Geschichte', eine Bestimmung, die doch wohl nur als minimal und völlig unzureichend bezeichnet werden kann[193], selbst unter der Voraussetzung, daß hier nur ein Ansatz geliefert werden soll.

Überdies muß es sich diese Minimalgeschichte sogar noch gefallen lassen, auf die Seite des Uneigentlichen geschlagen zu werden: „Die Verlorenheit in das Man und an das Welt-Geschichtliche enthüllte sich früher als Flucht vor dem Tode." (390) Eine solche Feststellung scheint wohl deshalb noch nötig zu sein, weil aus dem Begriff des ‚Welt-Geschichtlichen' derjenige von Intersubjektivität und Gesellschaft, gar der von Politik, doch nicht ganz zu eliminieren war; so mußte denn *diese* Geschichte als Modus der Verfallenheit denunziert und ins Reich des Unwahren verbannt werden. Darin lag die Konsequenz einer Philosophie, der Gesellschaft schlechthin als Antithese zu Subjektivität galt: die wirkliche Geschichte, die sich immer nur in gesellschaftlichen Kontexten ereignet und die niemals bloße Individuen – und schon gar nicht die ‚eigentlichen' –, sondern immer konkrete Gesellschaften zu ihrem Subjekt hat, mußte der Existenzialontologie als nichtig erscheinen.

Im Resümee läßt sich sagen:

So ungeschichtlich wie die Absicht auf Ontologie, und sei's auch auf eine fundamentale, wie die phänomenologische, und sei's auch eine verursprünglichte, Methode, so ungeschichtlich wie der existenzialanalytische Ansatz und seine auf die Wesensverfassung des Menschen und darum – den Dementis[184] zum trotz – auf Anthropologie abzielende Durchführung – so ungeschichtlich war dann schließlich auch die ‚Geschichtlichkeit' selbst, die gegen Ende von SuZ expliziert wurde. ‚Geschichtlichkeit' – das war in SuZ ein Argument nicht *für*, sondern *gegen* die Geschichte[195].

1.3.4 Der gescheiterte Subjektivismus

Heidegger hat das Unternehmen, das er unter den Titel ‚Sein und Zeit' stellte, nicht zu Ende geführt. Der 3. Abschnitt des 2. Teils, der den Titel ‚Zeit und Sein' tragen sollte (vgl. 39), ist nicht mehr erschienen[196]. Über das, was er, Heideggers Plänen zufolge, enthalten sollte (bzw. enthalten hätte, wenn er erschienen wäre), gibt es manche Spekulationen, die z. T. auf einige Andeutungen in Heideggers späteren Schriften (besonders im Humanismus-Brief), z. T. auch auf ‚Intim-Informationen' von Heidegger-Schülern (zumeist ‚der ersten Stunde') zurückgehen[197]. Diesen wie jenen gegenüber ist interpretatorische Vorsicht angebracht, diesen: weil sie nicht nachprüfbar sind, jenen: weil sie zumindest teilweise der Intention einer verfälschenden Umdeutung entspringen. Solange die Frage nach dem 3. Abschnitt nicht biographisch und historisch-philologisch geklärt werden kann, sind Spekulationen zu vermeiden. Stattdessen kann nur versucht werden, aus dem Text von SuZ selbst, wie er in den beiden erschienenen

Abschnitten vorliegt, Folgerungen bezüglich des nicht erschienenen 3. Abschnitts zu ziehen[198].

Die Hauptfrage bei solchen Überlegungen lautet: Hätte die Umkehrung, die im Abschnitt ‚Zeit und Seit' zweifellos erfolgen sollte, genau jenen Sinn gehabt, den die tatsächlich — nur nicht mehr im Rahmen von SuZ — vollzogene ‚Kehre' des Heideggerschen Denkens dann hatte? In gewisser Weise scheint der spätere Heidegger dergleichen andeuten zu wollen[199]. Wenn dem so wäre, dann müßte allerdings die Diskussion um diese ‚Kehre' — d. h. um den Umschlag vom frühen zum späteren Ansatz des Heideggerschen Denkens — weitgehend gegenstandslos werden. Mir scheint jedoch, daß zwischen jener für SuZ geplanten (aber nicht vollzogenen) Umkehrung einerseits und der in der Tat *nach* SuZ erfolgten ‚Kehre' andererseits genau unterschieden werden muß.

Worin also hätte die Umkehrung *innerhalb* von SuZ bestanden? Der Titel für die gesamte 1. Hälfte von SuZ (vgl. 41) enthielt zwei Programme: erstens „die Interpretation des Daseins auf die Zeitlichkeit"; diese erfolgte im ersten und zweiten Abschnitt; zweitens „die Explikation der Zeit als des transzendentalen Horizontes der Frage nach dem Sein"; diese sollte doch wohl im 3. Abschnitt durchgeführt werden und dabei zugleich, wie von Herrmann richtig vermutet[200], die Herausarbeitung der Temporalität des Seins (vgl. SuZ 19) enthalten. Dem 3. Abschnitt wäre demnach die Erreichung des Zieles der Untersuchung, nämlich die Explikation des Sinnes von Sein vorbehalten gewesen.

Ist der Sinn der fraglichen Umkehrung nun etwa durch die Umstellung der Titeltermini: ‚Sein und Zeit' — ‚Zeit und Sein' gekennzeichnet? Dies scheint mir schon deshalb fraglich zu sein, weil der 3. Abschnitt ja seinerseits noch innerhalb bzw. unter dem Oberbegriff dessen gestanden hätte, was als Ganzes ‚Sein und Zeit' hieß. Präziser läßt sich die Umkehrung durch das Verhältnis zwischen dem 2. und dem 3. Abschnitt erfassen: ‚Dasein und Zeitlichkeit' (231) — ‚Zeit und Sein'. Das besagt: während vorher, im (1. und) 2. Abschnitt, das Dasein *auf* die Zeitlichkeit *hin* interpretiert wurde, sollte im 3. Abschnitt das Sein *aus* der Zeit *her* expliziert werden. Das tertium comparationis der für SuZ geplanten Umkehrung war also die Zeitlichkeit bzw. Zeit[201].

Diese Umkehrung nun hätte in gewissem Sinne eine zweite impliziert, die vermutlich auch im Rahmen des 3. Abschnitts durchgeführt werden sollte. Sie wurde notwendig durch die Bedingungen des hermeneutischen Zirkels, in den die existenziale Analytik — und zwar bewußt und mit voller Absicht — von Anfang an eingetreten war. Sie mußte nämlich in gewisser Weise voraussetzen, was sie allererst an ihrem Ende freilegen wollte und konnte: um das Sein des Daseins zu analysieren, bedurfte es eines mehr oder weniger unausdrücklichen Vorbegriffs des Sinnes von Sein, zu dessen

Klärung die Analytik des Daseins aber gerade durchgeführt wurde (vgl. SuZ 7. f., ferner 152 f.). Solange also dieser Sinn von Sein nicht zureichend geklärt war, mußte auch die existenziale Analyse *selbst* noch vorläufig bleiben, und zwar nicht nur aufgrund ihres bezüglich der Seinsfrage bloß vorbereitenden Charakters, sondern auch hinsichtlich ihrer eigenen Inhalte und Ergebnisse. Denn erst vom geklärten Sinn von Sein her konnte auch das Sein des Daseins endgültig geklärt werden (vgl. etwa 436). Im 3. Abschnitt hätte also das Dasein *vom Sein her* expliziert werden müssen, statt, wie im 1. und 2. Abschnitt, *auf das Sein hin.* Eine solche Umkehrung war zweifellos auch geplant. Heidegger sprach von der Notwendigkeit einer „Wiederholung" der existenzial-zeitlichen Analyse „im Rahmen der grundsätzlichen Diskussion des Seinsbegriffs" (333)[202]. Die entsprechende Umkehrung des 3. Abschnitts wäre dann eine solche der *einen* Blickrichtung: ‚vom Dasein zum Sein' in die *andere:* ‚vom Sein zum Dasein' gewesen.

‚Vom Sein zum Dasein' — mit dieser Abkürzung läßt sich nun allerdings auch diejenige Perspektive kennzeichnen, die mit der um 1930 tatsächlich vollzogenen ‚Kehre' erreicht wurde: das Sein wird im späteren Denken Heideggers zur obersten, autonomen, alles bedingenden Instanz erhoben, deren Weisungen und Schickungen der Mensch nur zu entsprechen hat[203]. War auch *das* schon für den 3. Abschnitt von SuZ vorgesehen?

Was die für SuZ geplante Wiederholung im einzelnen gebracht hätte, läßt sich natürlich nicht sagen[204]. Sagen läßt sich jedoch, was sie wohl grundsätzlich nicht gebracht hätte. Nach dem Text der beiden veröffentlichten Abschnitte zu urteilen, hätte sie vermutlich keine prinzipielle Änderung im Begriff des Seins gebracht, also keine Änderung hinsichtlich der Bestimmung, derzufolge Sein primär als vom Dasein entworfenes, abhängiges, konstituiertes verstanden wurde[205]. So klar und definitiv sind die entsprechenden Aussagen in (den ersten beiden Abschnitten von) SuZ, daß von Herrmann mit vollem Recht feststellen kann: die Wende, die im Abschnitt ‚Zeit und Sein' erfolgt wäre, „sollte auf dem Boden des sich nicht mitverwandelnden transzendentalen Ansatzes geschehen"[206]. Erst das spätere Denken Heideggers hat diesen Ansatz aufgegeben, indem es die ‚Rollen' von Dasein und Sein gleichsam vertauschte. *Diese* ‚Kehre' war für SuZ jedoch noch nicht geplant[207]. Umgekehrt gesagt: die für SuZ geplante Umkehrung oder Wende hätte, wenn sie vollzogen worden wäre, anders ausgesehen als die damals noch nicht geplante, später aber in der Tat erfolgte ‚Kehre' vom frühen zum späteren Heideggerschen Denken.

Es bleibt nun aber zu fragen: *Warum* eigentlich mißlang die Vollendung des Unternehmens von SuZ? Warum ist der 3. Abschnitt nicht mehr erschienen? Liegen die Gründe dafür vielleicht im spezifischen Ansatz der Fundamentalontologie als Daseinsanalytik?

Oben[208] habe ich zu zeigen versucht, daß der Ansatz der Seinsfrage beim Dasein, also bei einem bestimmten Seienden, nur deshalb legitim war, weil gerade diesem Seienden die Funktion von Seinskontitution zugebilligt wurde. Der Weg zum Sinn von Sein konnte nur deshalb übers Seinsverständnis laufen, weil das gesuchte Sein als vom seinsverstehenden und -entwerfenden Dasein abhängig galt. Dieses Verhältnis von Dasein und Sein läßt sich, wie oben bereits gesagt wurde, auf die Formel bringen: Die Bedingungen der Möglichkeit von *Seinsverständnis* sind zugleich die Bedingungen der Möglichkeit von *Sein überhaupt.*

Wenn es sich aber so verhält, ist dann die ontologische Aufgabe nicht in dem Augenblick gelöst, wo die Struktur des seinsverstehenden und -entwerfenden Daseins aufgeklärt ist? In der Tat, wenn man den Seinsbegriff von SuZ ‚beim Worte nimmt‘, so muß man zu dem Schluß kommen: die Fundamentalontologie hätte ihre Aufgabe in dem Augenblick als gelöst ansehen müssen, in dem die Existenzialanalyse zu Ende gebracht war. Denn wenn, mit der Struktur des Daseins, die Bedingungen der Möglichkeit von Seinsverständnis geklärt waren, so auch diejenigen der Möglichkeit von Sein überhaupt. Ein weiterer Abschnitt hätte nur noch *ausdrücklich* machen können, was in den beiden ersten *grundsätzlich* schon gesagt war.

In gewisser Weise erscheint also das Ausbleiben des Abschnitts ‚Zeit und Sein‘ als konsequent oder zumindest plausibel. Warum aber war dann dieser Abschnitt überhaupt *geplant*?

Das Unternehmen, das unter dem Titel ‚Sein und Zeit‘ stand, war — wie ich oben zu zeigen versuchte[209] — nicht nur einfachhin die Wiederholung der Seinsfrage. Vielmehr stand hinter der Frage nach dem Sinn — besser: nach einem neuen Sinn — von Sein die Suche nach einer Alternative zu jener historischen Entwicklung, deren Ergebnis die moderne, verwissenschaftlichte Welt und die hochzivilisierte Massengesellschaft sind. Widerstand gegen sie, gar Rettung vor ihr, verhieß ein Sinn von Sein, der nicht mehr nur am Zeitmodus der Gegenwart, sondern an der ‚Dreieinheit‘ der Zeit und vor allem an der ‚Zu-kunft‘ sich orientierte. Diesen formalen Rahmen auszufüllen, hätte es sicherlich mehrere Möglichkeiten gegeben. Heidegger schlug in SuZ einen Weg ein, der die gesamte Pflicht und Last im Suchen nach der Alternative der Subjektivität des Einzelnen aufbürdete. Das genaue Korrelat dazu ist der — auf den ersten Blick primär methodische oder jedenfalls methodisch motivierte — Ansatz beim Dasein, und zwar einem durch Jemeinigkeit bestimmten. Im weiteren Verlauf der existenzialen Analyse schrumpfte diese Subjektivität mehr und mehr auf einen minimalen Bestand zusammen. Den Mangel an Inhalten und Bezügen konnte das monadisch vereinzelte Subjekt nur schlecht durch die Intensität kompensieren, mit der es sich auf seine Zukunft, will sagen aufs Sein-zum-Tode konzentrierte. Aus dieser Situation resultierte dann schließlich eine nicht zu überwindende Kluft zwischen dem Anspruch und der Wirklichkeit von SuZ, zwischen dem fundamentalontologischen Anspruch nämlich, der die rettende Alternative nur durch totale Neubesinnung, d. h. nur durch eine auf den Sinn von Sein, glaubte finden zu können, und der existenzialanalytischen Wirklichkeit, welche gegen Verdinglichung und Entfremdung nur noch die aufs eigene Ende bezogene Subjektivität, im Grunde also fast nichts mehr, ins Feld zu führen wußte. Der genaue Ausdruck eben dieses Dilemmas ist das Ausbleiben des 3. Abschnitts (des 1. Teiles) von SuZ.

Vom Problem der Zeit her gesehen, stellt sich dieser Sachverhalt so dar:

Der 3. Abschnitt war *geplant*, weil die Fundamentalontologie hoffte, durch die Explikation einer − gegenüber der normal-vulgären − ursprünglichen Zeit den Horizont für den gesuchten neuen Seinssinn bereitzustellen; er *blieb aus*, weil die Zeitlichkeit, die als Ergebnis am Schluß der Analyse stand, als von so dürftigem Inhalt sich erwies, daß mit ihr für den neuen Seinssinn nicht viel auszurichten war. Die Formalstruktur einer in die vereinzelte Innerlichkeit verbannten Zeitlichkeit und der von ihr her sich ergebende Sinn von Sein konnten dem ‚herrschenden‘ Zeitverständnis und entsprechend dem ‚herrschenden‘ Sinn von Sein, konnten also der bedrohlichen Vorhandenheit nichts anhaben. Als das − im unmittelbaren Wortsinn − *stillschweigende* Eingeständnis dieser Ohnmacht muß das Ausbleiben des Abschnitts ‚Zeit und Sein‘ gewertet werden.

Das Unternehmen von SuZ war gescheitert, weil es der Illusion nachlief, vor Vorhandenheit und Verdinglichung, Verwissenschaftlichung und Vermassung, vor Zivilisation und Gesellschaft durch Rückzug aufs pure Ich sich retten zu können. Die Tatsache, daß SuZ Fragment blieb, erweist sich so als Indiz für die Unfähigkeit des Subjekts, die Bedingungen des Fortbestandes eben dieser seiner Subjektivität gleichsam ‚im Alleingang‘ und nur auf sich selbst gestellt zu sichern[210].

Zweiter Teil

Der Übergang von der Existenzialontologie zur Theorie der Seinsgeschichte

Der in SuZ unternommene Versuch, Fundamentalontologie als Existenzialanalyse zu betreiben, scheiterte, bevor er zu Ende gebracht war. Das Mißlingen des einen Ansatzes zur Seinsfrage machte einen anderen, neuartigen Versuch nötig. Eben darin liegt der Ursprung der ‚Kehre' des Heideggerschen Denkens.

Der neue Ansatz wird um 1930 greifbar. Die daraus sich entwickelnde Philosophie, die hier – in problematischer Abkürzung – einfach die des ‚späteren' oder des ‚späten' Heidegger genannt wird[1], läßt sich, wiederum abkürzend, aber durchaus dem Usus der Heidegger-Literatur folgend, als ‚seinsgeschichtliches Denken' charakterisieren.

Trotz einiger Datierungs-Schwierigkeiten kann als gesichert gelten, daß die Kehre etwa um 1930 einsetzte[2]. Zwischen dem Erscheinen von SuZ und dem Jahre 1930 liegt also eine Art ‚Latenzzeit'. Denn das Kant-Buch von 1929 steht nicht nur zeitlich, sondern auch sachlich noch ganz im Gefolge von SuZ[3]. Dasselbe gilt, vielleicht mit gewissen Einschränkungen, auch von der Freiburger Antrittsvorlesung ‚Was ist Metaphysik?' und der Abhandlung ‚Vom Wesen des Grundes'[4].

Rückblickend hat Heidegger selbst angedeutet, daß das Jahr 1930 eine gewisse Zäsur in der Entwicklung seiner Philosophie darstellt. Im Vorwort zum ersten Nietzsche-Band ist von dem „Denkweg" die Rede, „den ich seit 1930 . . . gegangen bin" (N I, 10). Weiter heißt es: „Denn die zwei kleinen . . . Vorträge ‚Platons Lehre von der Wahrheit' (1942) und ‚Vom Wesen der Wahrheit' (1943) sind bereits in den Jahren 1930/31 entstanden." (ebd.)[5] Daraus und aus dem weiteren Zusammenhang geht hervor, daß diese beiden Vorträge als die in erster Linie relevanten Übergangsschriften zu gelten haben. Die Heidegger-Literatur hat sich dieser Auffassung zurecht weitgehend angeschlossen[6]. Im folgenden ist zu zeigen, worin sich das Heideggersche Denken in bzw. nach der Kehre von SuZ absetzt und welche neue Position es bezieht.

2.1 ‚Vom Wesen der Wahrheit'

Literarisch greifbar artikuliert sich der neue Ansatz des Heideggerschen Denkens erstmals — soweit sich darüber heute urteilen läßt — in dem
Vortrag von 1930, der dem Wahrheitsproblem gilt. Die Seinsfrage steht
dabei zwar etwas im Hintergrund, bleibt aber schon deshalb zentral, weil
auch das spätere Denken Heideggers — wie schon das frühe — von einer
Art ‚Konvertibilität' von Sein und Wahrheit ausgeht[7].

Bereits in SuZ war dem Wahrheitsproblem ein wichtiges Teilkapital
gewidmet (§ 44 a—c). Für die Interpretation empfiehlt sich daher eine
Konfrontation dieses Kapitels mit dem Vortrag ‚Vom Wesen der Wahrheit'[8].

Frühes und späteres Heideggersches Denken *kommen* darin *überein,*
daß sie beide um eine Radikalisierung des Wahrheitsproblems bemüht sind.
Gegenüber der Verabsolutierung der Aussagewahrheit (prädikativen Wahrheit, Satzwahrheit) soll eine ursprünglichere Wahrheit freigelegt werden,
die so etwas wie Aussagewahrheit allererst ermöglicht (vgl. SuZ § 44 a, b,
auch schon vorher § 33; im Prinzip gleich WdG 12 ff.; dann WW 6 ff.).
Frühes und spätes Heideggersches Denken *unterscheiden sich* durch die
Art und Weise, *wie* in ihnen jeweils die Wahrheitsfrage ‚verursprünglicht'
wird.

In SuZ wird ein — dort auch sonst häufig geübtes — Verfahren angewendet: das Wahrheitsproblem wird, wie andere Probleme auch[9], an der
existenzialen Struktur des Daseins ‚festgemacht'. Diese war an dem Punkt,
wo Heidegger das Wahrheitsproblem anging (§ 44), bereits in einem ersten
Durchgang enthüllt worden, nämlich als durch Verstehen, Befindlichkeit
und Verfallen konstituierte Sorge. Von dieser Grundlage aus ergibt sich
zunächst, daß der herkömmliche Wahrheitsbegriff, demzufolge die Aussage (das Urteil) der Ort der Wahrheit und die Übereinstimmung von
Urteil und Gegenstand ihr Wesen ist (vgl. SuZ 214, insgesamt § 43 a),
abkünftig ist (vgl. § 43 b). Es zeigt sich nämlich, daß der primäre Sinn des
Wahrseins einer Aussage nicht darin liegt, daß sie mit der Sache überein-
stimmt, sondern darin, daß sie das Seiende, um das es geht, „entdeckt"
(217 ff.). Solches „Entdeckend-sein" (219) der Aussage ist aber nur möglich, weil das *Dasein selbst* entdeckend ist (vgl. 220), und zwar aufgrund
seines In-der-Welt-seins, spezieller: aufgrund seiner Erschlossenheit (vgl.
220 f.). Es zeigt sich also: „Primär ‚wahr', das heißt entdeckend ist das
Dasein." (220) Daraus folgt: „Wahrheit ‚gibt es' nur, sofern und solange
Dasein ist." (226; vgl. das Folgende und 230). „Alle Wahrheit ist gemäß
deren wesenhafter daseinsmäßiger Seinsart relativ auf das Dasein." (227)

Dieser Wahrheitsbegriff ist also eindeutig ein transzendentaler. Die Möglichkeitsbedingungen von Wahrheit liegen im Subjekt. Das Wahrsein und Entdeckend-sein des Daseins läßt sich interpretieren als Wahrheitskonstitution durchs Subjekt[10]. Durch ein Subjekt allerdings, das nicht mehr primär theoretisches ist, nicht mehr bloß Erkenntnis- oder Bewußtseinssubjekt; vielmehr hat Heidegger das Wahrheitsproblem aus seiner erkenntnis- bzw. wissenschaftstheoretischen Isolation befreit und in den Kontext menschlicher Lebenswelt gestellt. Die Vorstellung einer primär anzusetzenden Kluft zwischen Subjekt und Objekt, Erkenntnis und Sache, Aussage und Gegenstand wurde als Fiktion und damit die überkommene Version des Wahrheitsproblems als zu eng erwiesen. Tugendhat kann mit Recht feststellen, daß „der Wahrheitsbegriff bei Heidegger über das Theoretische hinaus auf alles Verhalten des Daseins erweitert" wurde[11]. So gesehen konnte Heideggers Wahrheitstheorie zum potentiellen Ausgangspunkt für eine Überwindung sowohl der idealistischen Reduzierung von Subjektivität auf Bewußtsein als auch der szientistischen Subjektlosigkeit von Wissenschaft werden[12].

Auf der anderen Seite jedoch enthält der Wahrheitsbegriff von SuZ explizit und implizit soviel Problematisches, daß dadurch wieder in Frage gestellt wird, was er positiv leistet. Zunächst ist, wiederum mit Tugendhat, daran zu zweifeln, ob denn „ein dergestalt entschränkter Wahrheitsbegriff überhaupt noch dem entspricht, was wir unter ‚Wahrheit' zu verstehen gewohnt sind"[13]. Indem nämlich die – allem, was üblicherweise ‚Wahrheit' heißt, vorausliegende – Erschlossenheit ihrerseits als Wahrheit bezeichnet wird, geht der „spezifische Wahrheitsbegriff" verloren[14]. Das hat „nicht nur zur Folge, daß philosophisch die Frage nach Sinn und Möglichkeiten der Ausweisung nicht mehr gestellt werden kann, sondern daß nun auch ontisch die Notwendigkeit der Ausweisung nicht mehr empfunden zu werden braucht"[15]. D. h. das gesamte Verifizierungsproblem (im weitesten, nicht nur szientistischen Sinn) fällt in SuZ aus, und darüberhinaus wird der Eindruck erweckt, es sei gar nicht von Interesse. Zwar orientiert Heidegger in SuZ das Dasein insgesamt auf Wahrheit hin, aber dieser Wahrheitsbezug kann nicht mehr als „kritische Verantwortlichkeit" verstanden werden[16]. Wenn nämlich in der Erschlossenheit nicht nur die Möglichkeitsbedingung von Wahrheit, sondern bereits das eigentliche Wahrheitsphänomen *selbst* liegen soll, dann ist von vorneherein immer schon entschieden, daß ‚wahr' ist, was ein Dasein und wie es sich jeweils erschlossen hat. Vollends ist jeder Auseinandersetzung darüber, ob eine Aussage die Sache *so* zeige, *wie* sie wirklich ist, der Boden entzogen[17]. Der von ihm kritisierten ‚Minimalisierung' des Wahrheitsbegriffs setzt Heidegger einen Maximalbegriff von Wahrheit entgegen, durch den die angedeuteten Probleme im Effekt fast zum Verschwinden gebracht werden.

Darüberhinaus sind noch andere Bedenken gegen den Wahrheitsbegriff von SuZ anzumelden[18]. Wenn Heidegger die Aussagewahrheit und
damit die Wissenschaftswahrheit generell als abgeleitetes Phänomen
bestimmt, so hat das zwar, wie bereits gesagt wurde, eine gewisse
Berechtigung; andererseits muß jedoch gefragt werden, ob dadurch nicht
der gesamte historische Prozeß, durch den sich menschliche Vernunft die
Wissenschaften schuf, allzusehr disqualifiziert wird. Der Emanzipations-
charakter, der diesem Prozeß zukommt, wird bei Heidegger in Degeneration verkehrt[19]. Wissenschaft, wie sie sich in Aussagen oder Sätzen artikuliert, erscheint als Abfall von einem ursprünglichen, echteren Zustand des
Aufgehens im umweltlichen Seienden[20]. Genau darin scheint mir auch der
Grund dafür zu liegen, daß das, was Tugendhat das ,spezifische Wahrheitsproblem' nennt, in SuZ praktisch nicht vorkommt. Dieses nämlich stellt
sich gerade ja im Bereich von Theorie und speziell von Wissenschaft.
Heidegger gibt zwar eine ,existenziale Genealogie' von Theorie und Wissenschaft, indem er sie als abgeleitete Modi der Praxis (bzw. dessen, was man
,Praxis' nennen könnte, obwohl es bei Heidegger nicht so heißt) heraus-
stellt; diese Abkünftigkeit erhält aber so stark den Charakter von Degeneration und damit Illegitimität, daß Theorie und Wissenschaft dann doch
wieder zum abstrakten Gegensatz von Praxis werden und damit zu ihr
unvermittelt — oder jedenfalls nur in *einer* Richtung vermittelt — bleiben.
Die Praxis, die die Existenzialontologie meint, hat die komplizierten Ver-
mittlungszusammenhänge von Theorie und Wissenschaft einerseits und
Praxis andererseits außer sich. Genau deshalb hat auch der Wahrheitsbegriff von SuZ das ,spezifische Wahrheitsproblem', die Frage nach Ausweisung und Verifikation, außer sich. Die Unmittelbarkeit des Umgangs
mit dem Zeug bedarf dieser Frage nicht[21].

Die Schwäche der Wahrheitstheorie von SuZ liegt nicht darin, daß sie
der — im weitesten Sinne — transzendentalen Methode folgt. Nicht daß
das Subjekt als solches als wahrheitsstiftend gilt, ist zu kritisieren, vielmehr ,nur', daß die Praxis dieses Subjekts auf die einfachen Bezüge reduziert ist, daß sie mit den Bedingungen, unter denen Praxis in der hochzivi-
lisierten Gesellschaft steht, nicht mehr sehr viel zu tun hat. Vor allem
bleibt der Protest, der gegen die heutige eine vergangene Praxis ins Feld
führt, wirkungslos und ohnmächtig. Es ergibt sich daraus — da ja der
Wahrheitsbegriff am Praxisbegriff hängt —, daß, wie schon hinsichtlich der
Seinsfrage, so auch bezüglich des Wahrheitsproblems ein anderer Ansatz
nötig wird[22].

Im Vortrag ,Vom Wesen der Wahrheit' wird dieser neue Ansatz sichtbar. Heidegger geht darin zunächst, wie in SuZ (und in WdG), vom „geläu-
figen Begriff der Wahrheit" aus (WW 6). Dieser bestimmt Wahrheit primär
als „Stimmen", „Übereinstimmung", „Richtigkeit" (ebd. 7—9). Bei

näherem Hinsehen zeigt sich jedoch, daß solche Übereinstimmung und solche Richtigkeit ein anderes voraussetzen, nämlich „das Offene eines Bezirks, innerhalb dessen das Seiende als das, was es ist, sich eigens stellen und sagbar werden kann" (11). Daraus folgt: „Die Aussage hat ihre Richtigkeit zu Lehen von der Offenständigkeit des Verhaltens; denn nur durch diese kann überhaupt Offenbares zum Richtmaß werden für die vor-stellende Angleichung." (ebd.) Genau wie in SuZ wird also auch hier nach dem Ermöglichungsgrund von Wahrheit (im Sinne der Aussagewahrheit) gefragt und festgestellt, daß das, was die Aussagewahrheit allererst ermöglicht, „mit ursprünglicherem Recht als das Wesen der Wahrheit gelten" muß (WW 12). Im Unterschied zu SuZ jedoch läßt sich der Vortrag, wie Tugendhat bemerkt hat, zunächst auf „einen Aspekt des spezifischen Wahrheitsbezuges − das Gerichtet-sein auf ein ‚Maß' " ein[23]. Der weitere Verlauf des Vortrages zeigt aber, daß Heidegger auch weiterhin „den spezifischen Wahrheitsbegriff als solchen und damit denjenigen Gesichtspunkt, der innerhalb der Offenbarkeit als Maß fungieren kann", übergeht[24]. Denn nun wird „das Offenbare selbst zum Maß"[25]. Das aber ist, nach Tugendhat, fatal, denn „wenn . . . das, was an einem Maß gemessen werden soll, selbst zum Maß erklärt wird, verkehrt sich offensichtlich der Sinn des Maßnehmens in sein Gegenteil"[26].

Bevor geklärt wird, was Heidegger nun des näheren unter dem ‚Offenbaren' versteht, kann bereits jetzt im ersten Zugriff die formale Struktur der Kehre anhand des Wahrheitsproblems gekennzeichnet werden. Der Erschlossenheit in SuZ fehlt jede Beziehung auf ein Maß, d. h. aufs Problem der Ausweisung. Statt aber im neuen Ansatz von WW diese Lücke auszufüllen, erhebt Heidegger dort die Offenbarkeit selbst zum Maß[27]. D. h. die Aporie des Wahrheitsbegriffs von SuZ − das Fehlen des spezifischen Wahrheitsbezuges − wird in WW nicht gelöst, sondern nur *auf andere Weise reproduziert.* Diesen Sachverhalt deutet Tugendhat folgendermaßen: „Nach dieser Seite erweist sich die Kehre als Kehre um den Wahrheitsbegriff herum, in dem Sinn, daß sie durch die aus dem Verlust des Wahrheitsbegriffs entstandene Situation der Unverbindlichkeit veranlaßt wird, aber den Wahrheitsbezug ihrerseits umgeht und ihre Position nun gleichsam auf seiner anderen Seite bezieht."[28] Damit scheint mir der formale Sinn von Heideggers Kehre in der Tat präzise gekennzeichnet zu sein.

Zu fragen ist nun, wie diese ‚andere Seite', auf der Heideggers Denken nun Position bezieht, inhaltlich aussieht. Der Vortrag befaßt sich im dritten und in den folgenden Abschnitten mit den Bedingungen der genannten „Offenständigkeit des Verhaltens". Diese sind nun nicht mehr primär auf der Seite der Subjektivität angesiedelt; das Offenbaren gilt nicht mehr als Leistung des entdeckenden Daseins, sondern zuvor als die eines von sich selbst her Offenen, für welches das Dasein sich freigeben muß (WW 12). Eben diese Freiheit ist das Wesen der Wahrheit (vgl. ebd.). Jedoch darf man — so Heidegger weiter — nicht der „Vormeinung" verfallen, die Freiheit sei „eine Eigenschaft des Menschen" (13). Im Gegenteil: „Der Mensch ‚besitzt' die Freiheit nicht als Eigenschaft, sondern höchstens gilt das Umgekehrte: die Freiheit ... besitzt den Menschen." (16) Denn die Freiheit, verstanden als das „Seinlassen von Seiendem" (14), empfängt selbst ihr Wesen von der „wesentlichen Wahrheit" (14), nämlich von der „Offenheit, in die jegliches Seiende hereinsteht" (ebd.). Die vielfältigen Wendungen, mit denen Heidegger diesen ‚Sachverhalt' umschreibt, lassen eines erkennen: während in SuZ der Mensch (das Dasein) als der Wahrheit konstituierende galt, ist es nun ‚umgekehrt' die als das Offene (Offenbare, die Offenheit) gefaßte Wahrheit selbst, die dem Menschen allererst einen Wahrheitsbezug ermöglicht. Der Mensch ist in diese Entborgenheit ausgesetzt (vgl. 15). Aus der Existenz in SuZ wird nun die „Ek-sistenz" (15 f.). Die Subjektivität, die sich in SuZ zur Wahrheit und Sein setzenden Instanz ermächtigt hatte, erfuhr ihre Ohnmacht und sah keinen anderen Ausweg, als die Mächtigkeit, auf die sie Anspruch erhoben hatte, nun einer ihr schlechthin vor- und übergeordneten Instanz zu übertragen und sich selbst deren Weisungen zu unterstellen (vgl. 20).

Fragen wir nun, inwiefern die Konzeption der Seinsgeschichte, die Heidegger in den folgenden Jahren entwickelte, im Vortrag ‚Vom Wesen der Wahrheit' nicht nur angelegt, sondern bereits in nuce enthalten ist[29]. Es geht dabei im wesentlichen um drei Gesichtspunkte, die mir die Hauptaspekte der Seinsgeschichte darzustellen scheinen.

Erstens. Der ‚Akteur' der Seinsgeschichte ist ein Subjekt jenseits aller menschlichen Subjekte, eine Art Metasubjekt. Es trägt verschiedene Namen, vor allem aber den des Seins[30]. In WW wird von diesem Subjekt zwar nur andeutungsweise als vom Offenen, Offenbaren etc. gesprochen, seine Funktion ist aber auch hier schon, wie oben ausgeführt wurde, die der über allem Geschehen waltenden und alles bedingenden obersten Instanz[31].

Zweitens. Der Terminus ‚Seinsgeschichte', so wie er wohl am massivsten in den Abhandlungen und Vorlesungen der Nietzsche-Bände verwendet wird[32], besagt, daß das Sein in sich selbst geschichtlich ist, mehr noch: daß die eigentliche Geschichte die des Seins selbst ist, während die Geschichte der Menschen nicht als in sich autonom, sondern nur als vom Sein geschickt gilt[33]. Diese geschichtliche — oder besser: metageschichtliche — Dimension ist im Grunde auch schon in WW erkennbar, allerdings nur in wenigen Sätzen: „Aus der Weise, wie das ursprüngliche Wesen der Wahrheit west, entspringen die seltenen und einfachen Entscheidungen der Geschichte." (WW 17) Noch deutlicher zeigt sich dasselbe am Schluß des Vortrags: das Wesen der Wahrheit — heißt es dort — sei nicht „das leere

,Generelle' einer ,abstrakten' Allgemeinheit . . ., sondern das sich verbergende Einzige der einmaligen *Geschichte der Entbergung des ,Sinnes' dessen, was wir das Sein nennen*" (25, Hervorhebung von mir).

Drittens. Im eben zitierten Satz war vom *sich verbergenden* Einzigen der Geschichte des Seins die Rede. Daraus läßt sich entnehmen, daß auch das dritte Merkmal der Seinsgeschichte in WW bereits anzutreffen ist, nämlich die Bestimmung, derzufolge die Geschichte wesentlich eine solche der Verbergung und der Unwahrheit ist. Im sechsten und siebenten Abschnitt des Vortrags zeigt Heidegger, daß zum Wesen der Wahrheit ihr Un-wesen, nämlich die Unwahrheit gehört (vgl. bes. 20). Auch in SuZ war bereits von der Unwahrheit die Rede gewesen. Sie galt dort als das zur Wahrheit komplementäre und mit ihr gleichursprüngliche Phänomen (vgl. SuZ 221 ff.) und wurde, wie auch die Wahrheit selbst, auf die Seinsverfassung des Daseins zurückgeführt. Des näheren erschien als Grund der Unwahrheit das Verfallen: „das Aufgehen im Man" (ebd. 222), welches „die Herrschaft der öffentlichen Ausgelegtheit" bedeutet (ebd.), verbirgt, verschließt und verstellt durch Gerede, Neugier und Zweideutigkeit das Seiende, so daß dieses sich nur „im Modus des Scheins" zeigt (ebd.). Schon in SuZ also scheint die Rede von der Gleichursprünglichkeit der Unwahrheit fast auch eine Art Gleichberechtigung von Wahrheit und Unwahrheit nahezulegen. Zugleich ist aber zu beachten, daß es in SuZ das Dasein ist, dem, wie die Überwindung des Verfallens, so auch die der Unwahrheit aufgegeben ist; und wie die Eigentlichkeit so gilt auch die Wahrheit als von qualitativ höherem Rang. Auf jeden Fall aber sind Wahrheit und Unwahrheit – wie Eigentlichkeit und Uneigentlichkeit – Seinsmöglichkeiten des Daseins, d. h. sie fallen primär in die Entscheidung der Subjektivität.

Genau das ändert sich im Vortrag WW. Zwar wird die Unwahrheit zunächst auch im Verhalten des Menschen angesiedelt, nämlich als die in aller Entbergung von *einzelnem* Seienden spielende „Verbergung des Seienden *im Ganzen*" (WW 19, Hervorhebung von mir); diese jedoch – so zeigt sich nun – untersteht nicht mehr der Macht des Subjekts. Vielmehr entstammt sie dem zum Wesen der Wahrheit als zu ihrem Unwesen gehörigen „Geheimnis" (19 f.), welches „das Dasein des Menschen durchwaltet" (19). Es ist gerade dieses „ ‚Un-' des anfänglichen Un-wesens der Wahrheit als der Un-wahrheit", welches „in den noch nicht erfahrenen Bereich der Wahrheit des Seins" deutet (20). Heidegger geht aber noch einen Schritt weiter: „. . .dieses Verhältnis zur Verbergung verbirgt sich dabei selbst, indem es einer Vergessenheit des Geheimnisses den Vorrang läßt und in dieser verschwindet." (20) Denn der Mensch läßt es zumeist bei der Offenbarkeit dieses oder jenes Seienden bewenden, er „hält sich im Gangbaren und Beherrschbaren" (20); darin aber liegt „das Nicht-waltenlassen der Verbergung des Verborgenen" (ebd.). Solche Vergessenheit des Geheimnisses hat jedoch nicht als Unterlassung des Menschen zu gelten. Vielmehr ist es das Geheimnis selbst, welches „sich in der Vergessenheit und für sie versagt" und so „den geschichtlichen Menschen in seinem Gangbaren und bei seinen Gemächten stehen" läßt (21). Diese „Umgetriebenheit des Menschen weg vom Geheimnis" und „vorbei am Geheimnis" ist das „Irren" (22, vgl. das Folgende).

Wahrheit — Unwahrheit — Verborgenheit — Geheimnis — Irre: diese Iteration der Bestimmungen innerhalb des Wesens und Unwesens der Wahrheit läßt einen — den dritten — Grundzug dessen erkennen, was Heidegger Seinsgeschichte nennt, nämlich deren verfallsgeschichtlichen Charakter. Die Geschichte war seit ihren Anfängen und ist bis heute wesentlich Hervorbringung des Unwahren. Im Vortrag WW wird dies noch nicht so sehr in einer im engeren Sinne geschichtlichen Ableitung ausgeführt, sondern eher durch die Explikation der ‚systematischen' Voraussetzungen: Das Unwahre, von Heidegger als die Irre bezeichnet, besteht gerade darin, daß sich das Geheimnis, will sagen: die Verborgenheit, als eigentliches Wesen der niemals nur im einzelnen Seienden offenbaren Wahrheit selbst noch verbirgt.

Anderthalb Jahrzehnte später, in der Abhandlung „Die seinsgeschichtliche Bestimmung des Nihilismus" (N II, S. 335—398), sieht derselbe Sachverhalt etwa so aus: Das Geheimnis, als welches das Sein oder die Wahrheit des Seins ist und welches in der bloßen Unverborgenheit des Seienden immer verborgen bleibt, hält seit langem an sich, entzieht sich *als* dieses Geheimnis und läßt den Menschen so in der Irre der Seinsvergessenheit (vgl. N II, 353 ff., 370 ff. et passim). Die abendländische Geschichte ist insgesamt „Nihilismus", „die Geschichte, in der es mit dem Sein selbst nichts ist" (ebd. 338). Dieser Verfall aber — nämlich Abfall von einer anfänglichen (vorsokratischen) Wahrheit des Seins — ist nicht vom Menschen verschuldet, sondern vom Sein selbst ereignet (vgl. etwa ebd. 363)[34].

Vergleicht man diesen Vorblick auf den Stand, den das seinsgeschichtliche Denken um 1945 einnimmt, mit dem im Vortrag WW Gesagten, so ergibt sich eindeutig, daß die Hauptmomente jenes Denkens bereits um 1930 konzipiert wurden, d. h. daß die Kehre nur wenige Jahre nach dem Erscheinen von SuZ einsetzte[35].

2.2 ,Platons Lehre von der Wahrheit'

Der vorletzte (7.) Abschnitt des Vortrags ,Vom Wesen der Wahrheit'
endet mit dem Satz: „Das Denken des Seins,dem solches Fragen anfänglich
entstammt, begreift sich seit Platon als ,Philosophie' und erhält später den
Titel ,Metaphysik'." (WW 23) Den damit angedeuteten historischen Sachverhalt samt seinen Folgen hat Heidegger in einem zweiten Vortrag ,Pla-
tons Lehre von der Wahrheit' dargestellt. Er ist gleichfalls um 1930 entstanden, obwohl erst 1942 erschienen[36]. In ihm wird das, was im Vortrag
,Vom Wesen der Wahrheit' gewissermaßen systematisch entfaltet wurde,
nun als historischer Prozeß verstanden.

In WW war von der Irre die Rede gewesen, in die „der geschichtliche
Mensch eingelassen ist" (WW 22). Sie enthüllt sich im Platon-Vortrag als
Folge einer „Wendung in der Bestimmung des Wesens der Wahrheit" (PLW
5). Dieser „Wandel des Wesens der Wahrheit" (ebd.) ist historisch lokali-
sierbar; er beginnt mit der Philosophie Platons, besser: mit dem, was im
Sagen dieser Philosophie ungesagt bleibt (vgl. ebd.). Heidegger deutet das
Höhlengleichnis aus dem 7. Buch der ,Politeia' als Platons Antwort auf die
Wahrheitsfrage. Die Details dieser Interpretation können hier nicht
zur Sprache gebracht werden; vielmehr ist für unsere Zwecke nur
ihr Ergebnis von Interesse[37]. Es lautet zusammengefaßt etwa so:

Das anfängliche (also wohl auf jeden Fall vorplatonische) Wesen der
Wahrheit ist die a-letheia im wörtlichen Sinne: die Unverborgenheit als
„das einer Verborgenheit Abgerungene" (PLW 32)[38]. Dieses Wesen der
ursprünglichen a-letheia ist zwar auch bei Platon noch „eigens erfahren
und an betonten Stellen genannt" (33), doch „statt der Unverborgenheit
drängt ein anderes Wesen der Wahrheit in den Vorrang" (ebd.)[39] Der
a-letheia wird nämlich etwas anderes vor- und übergeordnet, von dem sie
gewissermaßen abhängig ist. Es handelt sich dabei um den „Vorgang des
Herrwerdens der $\iota\delta\acute{\epsilon}a$ über die $\dot{a}\lambda\acute{\eta}\vartheta\epsilon\iota a$" (41). Anders gesagt: „Die
$\dot{a}\lambda\acute{\eta}\vartheta\epsilon\iota a$ kommt unter das Joch der $\iota\delta\acute{\epsilon}a$." (ebd.) Infolgedessen entfaltet
sich „fortan . . . das Wesen der Wahrheit nicht als das Wesen der Unverbor-
genheit aus eigener Wesensfülle"; vielmehr verlagert es sich „auf das Wesen
der $\iota\delta\acute{\epsilon}a$" (ebd.). „Das Wesen der Wahrheit gibt den Grundzug der Unverborgenheit preis." (ebd.)[40] Die Wahrheit wird nun zur „$\dot{o}\rho\vartheta\acute{o}\tau\eta\varsigma$, zur
Richtigkeit des Vernehmens und Aussagens" (42). War sie anfänglich noch
„ein Grundzug des Seienden selbst", so wird sie nun zur „Auszeichnung
des menschlichen Verhaltens zum Seienden" (ebd.).

Was so berschrieben wird, ist also der Anfang jenes Prozesses, in dem
— Heidegger zufolge — die Wahrheit sich ihres eigenen Wesens entfrem-
dete.

Bezüglich des Verhältnisses des Platon-Vortrages zu SuZ ist zweierlei festzustellen:

Erstens: Während in SuZ die ursprüngliche Wahrheit als Existenzial, d. h. als Bestimmung des Daseins galt, wird in PLW, ähnlich wie in WW, das ursprüngliche (das heißt hier: das ,urgeschichtliche', nämlich vorplatonische) Wesen der Wahrheit darin gesehen, daß sie ,,ein Grundzug des Seienden selbst" (PLW 42) bzw. ,,des Seins selbst" (46, 52) ist bzw. war[41]. Dieser Umschwung im Wahrheitsbegriff bezeichnet genau jene Wendung vom Dasein zum Sein, als welche die Kehre des Heideggerschen Denkens charakterisiert werden kann und die zumindest eine Verlagerung des Schwerpunktes im Verhältnis zwischen Sein und Mensch bedeutet.

Zweitens. Während in SuZ die Degeneration des ursprünglichen Wahrheitsbegriffs zum abkünftigen gewissermaßen eine strukturelle ist, nämlich eine solche, die im Grunde auf die konstante existenziale Seinsverfassung des Daseins (speziell auf das Moment des Verfallens) zurückgeführt werden kann[42], wird im Platon-Vortrag der Abfall vom echten Wahrheitsbegriff als ein geschichtlicher — und sei's auch nur philosophiegeschichtlicher — Prozeß verstanden, der an einer chronologisch bestimmbaren Stelle einsetzte.

Von der ,Seingeschichte' ist im Platon-Vortrag *terminologisch* zwar noch nicht die Rede. Der Sache nach jedoch gibt Heidegger, im Anschluß an die Interpretation des Höhlengleichnisses, von dieser Geschichte einen Umriß, der trotz aller Knappheit im wesentlichen schon das enthält, was dann in den 30er und 40er Jahren ausführlicher gesagt wird[43]. Die wichtigsten Stationen dieser Geschichte sind: nach Platon zunächst Aristoteles (vgl. PLW 44), dann die mittelalterliche Scholastik, exemplifiziert an Thomas von Aquin (vgl. 44 f.), zu Beginn der Neuzeit Descartes (vgl. 45) und schließlich, ,,im Zeitalter der anhebenden Vollendung der Neuzeit", Nietzsche (45 f.).

Aber nicht nur der Verlauf der Seinsgeschichte, sondern auch ihr allgemeiner Charakter wird bereits im Platon-Vortrag beschrieben. Dazu gehört zunächst einmal die Kennzeichnung der Metaphysik, ja der Philosophie überhaupt, als der Verfallsform des ursprünglichen Seinsdenkens (vgl. 47 f., 50). War in der Freiburger Antrittsvorlesung Metaphysik noch als positive, ja als *die* Möglichkeit menschlichen Fragens und Existierens begriffen worden (vgl. WiM 38—42), so wird sie nun zum Vehikel der entfremdeten und von sich selbst abgefallenen Wahrheit. ,Metaphysik' bedeutet nun, daß ,,der Mensch . . . in eine Mitte des Seienden rückt" (49); es bedeutet mithin ,,Humanismus" (50) und Subjektivismus (vgl. 51).

Auf einen letzten Punkt ist noch hinzuweien. So sehr die Heideggersche Deutung Platons und der Folgen zunächst philosophiegeschichtlicher Natur ist, so wenig will sie sich am Ende auf diese Charakterisierung einschränken lassen. Denn Platons Lehre von der Wahrheit – so Heidegger – „ist geschichtliche ‚Gegenwart', dies aber nicht nur als historisch nachgerechnete ‚Nachwirkung' eines Lehrstücks, auch nicht als Wiedererweckung, auch nicht als Nachahmung des Altertums, auch nicht als bloße Bewahrung des Überkommenen" (50). Vielmehr gilt: „Jener Wandel des Wesens der Wahrheit ist gegenwärtig als die längst gefestigte und daher noch unverrückte, alles durchherrschende *Grundwirklichkeit* der in ihre neueste Neuzeit anrollenden *Weltgeschichte* des Erdballs." (ebd., Hervorhebungen von mir.) Damit wird, in der Sicht Heideggers, das, was mit der Wahrheit (man könnte auch sagen: mit dem Sein) philosophisch geschieht, zum eigentlichen, ja im Grunde einzigen Movens des weltgeschichtlichen Geschehens. Und der Akteur dieses Geschehens ist wiederum gerade nicht der Mensch, sondern: „Was immer sich mit dem geschichtlichen Menschen begibt, ergibt sich jeweils *aus einer zuvor gefallenen und nie beim Menschen selbst stehenden Entscheidung* über das Wesen der Wahrheit." (ebd., Hervorhebung von mir.)

Am Ende des Vortrags schließlich fügt Heidegger seinen Ausführungen über den Ursprung, die Vergangenheit und die Gegenwart jener Geschichte von Sein und Wahrheit noch eine Andeutung über deren Zukunft hinzu. Wenn „das ‚Positive' im ‚privativen' Wesen der ἀλήϑεια" einst wieder „als Grundzug des Seins selbst" erfahren werden soll, muß erst einmal „die Not einbrechen, in der nicht immer nur das Seiende, sondern einstmals das Sein fragwürdig wird" (51 f.). D. h. eine neuerliche Wende im Schicksal von Sein und Wahrheit, eine Wende, durch die jene erste, platonische wieder umgekehrt würde, setzt eine Art ‚Krise' voraus, in der die geschichtlichen Verfestigungen aufgebrochen werden. Von dieser Not heißt es dann im letzten Satz, daß sie „bevorsteht" (52). Das kann heißen: die Not steht noch aus, ist noch nicht da, aber auch: sie ist schon in Sicht. Vermutlich meint Heidegger beides zugleich. Der Platon-Vortrag endet mit einem ‚eschatologischen' Ausblick.

Zusamenfassend läßt sich sagen:

Die Vorträge ‚Vom Wesen der Wahrheit' und besonders ‚Platons Lehre von der Wahrheit' enthalten bereits fast alle Hauptmomente des seit 1930 bis heute von Heidegger vertretenen seinsgeschichtlichen Denkens, insbesondere die Vorstellung (erstens) von einer Geschichte vor aller Geschichte und entsprechend von einem den Menschen vorgeordneten Akteur dieser Geschichte, (zweitens) von einem anfänglichen Urzustand, (drittens) von einem Abfall von diesem Zustand, (viertens) von einer fortschreitenden Entwicklung des Verfalls und (fünftens) von einer zukünftigen Wende und Rückkehr zum ursprünglichen Zustand des Anfangs.

Dritter Teil

Sein und Politik:
Heidegger und der Nationalsozialismus

Das Thema ,Heidegger und der Nationalsozialismus' läßt sich im wesentlichen in zwei Fragen aufgliedern, die allerdings eng miteinander zusammenhängen.

Erstens: Hat bzw. was hat die Philosophie Heideggers mit dem Nationalsozialismus, insbesondere mit dessen ,Weltanschauung', zu tun?

Zweitens: Hat bzw. was hat der ,Fall Heidegger', also Heideggers politisches Engagement für Hitler und den Nationalsozialismus (1933/34), mit Heideggers Philosophie zu tun?

Sollte auch nur die *Vermutung* bestehen, bezüglich beider Fragen habe jeweils das eine mit dem anderen irgendetwas zu tun, so gehört die Behandlung jenes Themas mit in eine Untersuchung, die die Grundzüge der Entwicklung Heideggerscher Philosophie herausstellen will. Denn – mit einer Formulierung O. Marquards –: ,,. . . die Konsequenzen und Resultate einer Position gehören zur Bestimmung dieser Position; von ihnen absehen heißt diese Position nur abstrakt betrachten."[1]

Dieser Grundsatz ist, was Heidegger betrifft, von der marxistischen Literatur[2] durchweg befolgt worden. Allerdings ließen deren grobe Einseitigkeiten, Kurzschlüsse oder gar Unrichtigkeiten die im übrigen zutreffenden Resultate meistens in einem falschen Lichte erscheinen. In erster Linie ist hier G. Lukács zu nennen, der kurz nach dem Krieg Heideggers Philosophie in die ideologische Vorgeschichte des Nationalsozialismus einreihte[3]. Seinen Argumenten blieb die nachfolgende (übrigens, soweit sie im Westen zugänglich ist, gar nicht sehr reichhaltige) marxistische Heidegger-Literatur weitgehend verpflichtet[4].

Bei differenzierter Beurteilung dieser Literatur wird man sagen müssen: einerseits ist es sicherlich nicht damit getan, Heideggers Philosophie in ihren verschiedenen Phasen einfachhin als präfaschistisch, nationalsozialistisch und klerikalfaschistisch zu bezeichnen[5]; eine solche Unmittelbarkeit der Deutung und Verurteilung wird dem erheblich komplexeren Sachverhalt nicht gerecht[6]. Andererseits aber war die marxistische Philosophiegeschichtsschreibung doch wenigstens in der Lage, die Philosophie Heideggers zu den politischen Ereignissen in Beziehung zu setzen. In der ,bürgerlichen' Philosophie nämlich, vor allem innerhalb der Bundesrepublik, war man lange Zeit dazu nicht bereit. Daß es sich beim ,Fall Heidegger' um Konsequenzen handelte, um – wenn vielleicht nicht notwendige, so doch plausible – Konsequenzen einer philosophischen Position, ist hier

70

immer wieder bestritten worden. Zwar war es nach dem Ende der natio-
nal-sozialistischen Herrschaft nicht (mehr) möglich, Heideggers politisches
Engagement zu verteidigen[7]; möglich aber war und ist es bis heute,
Beziehungen zwischen dem philosophisch denkenden und dem politisch
engagierten Heidegger zu leugnen oder einfach zu ignorieren. Wo man sie
leugnete, *sprach* man immerhin noch darüber — wie in Frankreich, wo
kurz nach dem Kriege in ‚Les Temps Mondernes' eine Diskussion über den
‚Fall Heidegger' geführt wurde[8]. Die an ihr teilnahmen, vertraten durchweg die Ansicht, Heideggers Philosophie verhalte sich zu jeder politischen
Position neutral und indifferent, also auch zum Faschismus (so etwa
E. Weil) oder sie sei letzterem sogar geradezu entgegengesetzt (so etwa A.
de Waelhens); Heideggers politisches Engagement von 1933/34 sei daher
als rein persönlich-privater — politischer oder auch moralischer — Irrtum
zu werten; jedenfalls werde seine Philosophie dadurch nicht diskreditiert.
    Gegen diese Argumente erhob K. Löwith Einspruch, indem er in
einem bereits 1939 niedergeschriebenen[9], 1946 in französischer Übersetzung publizierten Aufsatz die Meinung vertrat, zwischen Heideggers
Philosophie und seinem Eintreten für den Nationalsozialismus bestünde
sehr wohl ein Zusammenhang[10]. Löwith war damit einer der wenigen
Vertreter der (west-) deutschen Philosophie, die öffentlich-literarisch zum
‚Fall Heidegger' überhaupt Stellung nahmen, besser gesagt: die, wenn sie
von Heidegger sprachen, den ‚Fall Heidegger' nicht verschwiegen[11]. Denn
ansonsten wurden — wenn man einmal von einer 1953 in der Tages- und
Wochenpresse ausgetragenen Kontroverse zwischen J. Habermas und Ch.
Lewalter absieht[12] — die politischen Aspekte bei der Beurteilung von
Heideggers Philosophie so gut wie nie berücksichtigt. Diese weitgehende
Tabuierung wurde im Grunde erst gegen Ende der 50er Jahre durch-
brochen, vor allem durch die vielbeachtete Untersuchung Ch. von
Krockows[13], durch den allerdings kaum anerkannten biographischen Versuch P. Hühnerfelds[14] und dann insbesondere durch die Dokumentationen
von G. Schneebergers[15]. Erst zwei Jahrzehnte nach dem Ende des Krieges
wurde das (auch von polemischen Versuchen wie dem Adornos[16] noch
nicht eingelöste) Postulat einer Detailuntersuchung erfüllt: durch die —
übrigens am Ort des Geschehens, nämlich an der Universität Freiburg,
verfaßte — Monographie über die ‚Politische Philosophie im Denken
Heideggers' von A. Schwan[17], der aufgrund des vorliegenden Materials zu
Ergebnissen kam, die in vielen Punkten noch anfechtbar sein mögen, im
Grundsätzlichen aber als zutreffend zu bezeichnen sind[18]. Jedenfalls sollte, wer sich mit Heidegger befaßt, nicht mehr länger an einer Feststellung
wie der folgenden vorbeigehen: „Die Stellungen Heideggers zu beiden zeit-
geschichtlichen Phänomenen [sc. zur NS-Machtergreifung und anfänglichen Etablierung des Führerstaats einerseits und zur Herausbildung tota-

litärer Systeme im politischen Weltanschauungskampf andererseits] . . .
ergeben sich konsequent aus seinem philosophischen Denken. . .‶[19],[20].
Entsprechend der Intention der vorliegenden Arbeit, die die Entwicklung des Heideggerschen Denkens nachzeichnen will, versuche ich im folgenden zu zeigen, daß das Verhältnis der Philosophie (und der Person)
Heideggers zum Nationalsozialismus ein jener Entwicklung nicht bloß
Äußerliches war.

3.1 Existenzialontologie und nationalsozialistische
Ideologie

Von der Wirkung her gesehen, war SuZ vermutlich das bedeut-
samste philosophische Ereignis in Deutschland in der ersten Hälfte des 20.
Jahrhunderts, mit Sicherheit aber in der Zeit zwischen den Weltkriegen[21].
Die Wirkung Heideggers im Bereich der ‚Fachphilosophie' läßt sich min-
destens teilweise damit erklären, daß Heidegger Fragen aufwarf, die einen
Ausbruch aus den festgefahrenen Bahnen akademischer Philosophie zu
verheißen schienen, und daß er dem Anspruch der Philosophie, nicht
irgendeine, sondern womöglich die elementarste Sache zu sein, neue
Glaubwürdigkeit verlieh. Das machte Heideggers Denken auch für ‚Nicht-
Philosophen' interessant. Dennoch läßt sich damit nicht erklären, warum
SuZ — doch ohne Zweifel ein schwer lesbares Buch — in weite Bereiche
nicht nur der akademischen Intelligenz hineinwirkte. Daß diese Wirkung auf Mißverständnissen beruht haben soll, wie es der späte Heidegger
aus verständlichen Gründen wahrhaben will, scheint mir — wenn überhaupt
— nur in einem geringen Maße zuzutreffen.
In Wirklichkeit muß der ‚Erfolg' von SuZ vor allem auch darauf
zurückgeführt werden, daß dieses Buch exemplarisch sowohl das Produkt
als auch der Ausdruck der geistigen und damit auch der realen Situation
im Nachkriegsdeutschland war. Was die bürgerlichen, besonders die klein-
bürgerlichen Schichten und unter ihnen wiederum vor allem die ‚Intellektuellen' bewegte, sahen sie durch die Existenzialontologie auf den philosophischen Begriff gebracht. Das Fronterlebnis des 1. Weltkrieges, die
nationale Katastrophe der Niederlage und des Versailler Vertrages, der
Zusammenbruch der Gesellschaftsordnung des Kaiserreiches, das neue
politische System von Weimar, dem man in großen Teilen des ‚bürgerlichen Lagers' mißtrauisch gegenüberstand[22], die — wie sich bald herausstellte — unüberwindlichen Schwierigkeiten, mit denen der erste republi-
kanisch-demokratische Versuch in Deutschland zu kämpfen hatte, sodann

die bedrohliche ökonomische Lage, in die zumal die unteren Schichten des Bürgertums geraten waren — all dies (und es wäre noch manches hinzuzufügen) bewirkte eine Atmosphäre, in der eine Philosophie, welche z. B. die Angst zur elementaren Stimmung erhob, vielen als adäquater Ausdruck der eigenen Lage erscheinen konnte[23]. *Adäquat* vor allem auch deshalb, weil SuZ ein ‚rein philosophisches' Buch blieb: so sehr es durch die realen Zeitumstände bedingt war und so sehr es diese seinerseits reflektierte, so wenig nannte es doch die Dinge beim — politischen, gesellschaftlichen, ökonomischen — Namen. Die Existenzialontologie ermöglichte es dem Leser, sich mit dem in SuZ propagierten Subjekt zu identifizieren, ohne sich auf die realen Ursachen seiner Probleme einlassen zu müssen. Für den akademischen Bereich läßt sich dieser Sachverhalt mit inzwischen abgegriffener, aber immer noch signifikanter Terminologie spezifizieren: wer SuZ las, konnte sich nicht nur theoretisch angesprochen, sondern zugleich persönlich-existenziell betroffen fühlen, ohne auch nur im geringsten den ‚Elfenbeinturm' verlassen zu müssen, in dem sich die akademische Intelligenz traditionell (im Grunde seit dem Scheitern der Revolution von 1848) eingeschlossen hatte[24]. Mehr als das: in SuZ wurde ja gerade die totale Sezession als einzige Möglichkeit der Selbstbehauptung empfohlen. Öffentlichkeit, Politik, Gesellschaft galten hier nicht nur als nebensächlich, sondern geradezu als verderblich. Auch damit konnte das verunsicherte, sich ohnmächtig fühlende Subjekt sich bestens identifizieren: das Übel konnte abstrakt der Gesellschaft angelastet werden, ohne daß daraus die Notwendigkeit, die *bestehende* Gesellschaftsordnung zu verbessern, abgeleitet werden mußte.

So konnte, was in SuZ stand, als Aufruf zum radikalen Bruch mit allem Überkommenen oder — in heutiger Terminologie — zur ‚großen Weigerung' verstanden werden. Aber der Protest blieb vage, ohne bestimmte Richtung und — vorerst — ohne bestimmtes Engagement[25]. Stattdessen konzentrierte sich die Subjektivität auf eine Art inneren Aktivismus, der nur durch Intensität — und auch durch diese mehr schlecht als recht — seine Gehaltlosigkeit kompensieren konnte. Diese Esoterik teilte Heideggers Frühphilosophie mit einer ganzen Reihe anderer geistiger oder ‚weltanschaulicher' Erscheinungen, die bereits um die Jahrhundertwende auftraten und durch den ersten Weltkrieg nur noch Auftrieb erhielten: Expressionismus und Jugendbewegung, Kulturpessimismus und politische Romantik u. a. m.[26]. In ihnen spiegelte sich die Unfähigkeit und die mangelnde Bereitschaft des Bürgertums und besonders seiner Intellektuellen wider, mit den gesellschaftlichen, politischen und ökonomischen Konsequenzen zunächst der nationalen Einigung von 1870/71, sodann des 1. Weltkrieges fertigzuwerden[27]. Vor den Realitäten floh man in Geschichtslosigkeit, Antimodernismus oder Dekadenzgerede, in Quietismus oder

Defätismus und zog sich auf die von allen Stürmen der Zeit vermeintlich unangefochtene Innerlichkeit einer selbstgewählten Isolation zurück.

Daß Heidegger zu denen gehörte, die diese Tradition übernahmen und fortsetzten, ja daß er im philosophischen Bereich ihr wohl konsequentester und überdies effektvollster Sachwalter war (vergleichbar wohl nur, in anderen Bereichen, mit Ernst Jünger[28]), das scheint mir nach den Analysen des ersten Teiles dieser Untersuchung und den vorstehenden Überlegungen erwiesen zu sein. Zweifeln kann daran nur, wer Heideggers frühe Philosophie im ‚luftleeren‘ Raum ansiedelt und darauf besteht, daß das Buch, welches bereits im Titel das Sein zur Zeit in Beziehung setzte, mit *der Zeit,* will sagen: dem ‚Zeitgeschehen‘, nichts zu tun gehabt habe.

Sicherlich ist nicht von allen und vielleicht nicht einmal von den meisten philosophischen Büchern zu fordern, daß sie einen unmittelbaren Bezug zu den ‚sozioökonomischen‘ Bedingungen, zu Gesellschaft und Politik zu enthalten hätten. In SuZ aber wird dieser Bezug als invariantes, zum Existenzial stilisiertes *Verhängnis* beklagt. Die Existenzialontologie konnte, ein kanppes Jahrzehnt nach Thomas Manns ‚Betrachtungen eines Unpolitischen‘ (1918), als emphatische Theorie anti-politischer Existenz gelesen werden, und das sogar, ohne sich selbst als solche kennzeichnen zu müssen.

Es kann hier nicht meine Aufgabe sein, über die lange Reihe der Bedingungen zu reden, unter denen der Faschismus in Deutschland entstehen, sich ausbreiten und zur Macht kommen konnte. Es geht hier nur um den ‚Beitrag‘, den die Intellektuellen dazu ‚geleistet‘ haben, in diesem Fall: den das frühe Denken Heideggers, des wirksamsten Philosophen jener fraglichen Jahre, dazu ‚beigesteuert‘ hat. Eine Bemerkung grundsätzlicher Natur muß vorausgeschickt werden. Es läßt sich endlos darüber streiten, welche Rolle die Erscheinungen im ‚geistigen‘ Bereich bei den politischen Geschehnissen im allgemeinen spielen und im speziellen Fall des deutschen Faschismus gespielt haben. *Eine* Position scheint mir aber wenig akzeptabel zu sein, diejenige nämlich, die behauptet, die deutsche Geistesgeschichte, bzw. ihr hier zur Debatte stehender Strang, sei von jeder Anklage der Mittäterschaft, auch der indirekten, freizusprechen. Solche Apologie nimmt oft Zuflucht zu der Erklärung, der Geist sei eben gegenüber der politischen Macht zur Ohnmacht verurteilt und so sei es denn auch im Falle des Nationalsozialismus gewesen. Diese Argumentation übersieht jedoch, daß die Ohnmacht des Geistes keineswegs eine ‚naturgegebene‘, sondern meistens eine, in längeren historischen Prozessen, selbstverschuldete und selbstgewählte ist. Im Jahre 1933 stand die ‚geistige Elite‘ Deutschlands in der Tat den politischen Umwälzungen, wo sie diese nicht mitvollzog, ohnmächtig gegenüber, aber nur deshalb, weil die selbstgewählte Sezession über Jahre und Jahrzehnte hinweg jene Situation vorbereitet hatte, in der dem Nationalsozialismus der Weg zur Macht so leicht wurde. „Es gibt keine ‚unschuldige' Weltanschauung" – diesem Satz von G. Lukács, den er zu einer der Grundthesen über ‚Die Zerstörung der Vernunft' erklärte, ist – im Prinzip jedenfalls – zuzustimmen[29]. Auf der anderen Seite wäre es natürlich unsinnig, Heideggers in SuZ vertretene Philosophie als unmittelbar faschistisch oder auch nur präfaschistisch zu bezeichnen. Einer Überschätzung des Einflusses, den Literatur, Philosophie, Kunst etc. aufs politische Geschehen ausüben, soll hier genausowenig das Wort geredet werden wie der erwähnten Unterschätzung. Unter dem weiteren Vorbehalt, daß Heidegger hier nur als Beispiel – freilich als extremes – für den fraglichen Gesamtbereich behandelt wird, läßt sich folgendes sagen:

Die Aversion gegen das Politische, von Heidegger auf den philosophischen Nenner gebracht, hat den fatalen Mangel an politischem Bewußtsein und gesellschaftlicher Vernunft vergrößert, den der Faschismus sich zunutzemachen konnte. Da man unpolitisch war, wußte man nicht, wie einem politisch geschah. Die raffinierte Überrumpelungstaktik der Gleichschaltung konnte nur deshalb so schnell zum Erfolg führen, weil die Stellen, auf die der Nationalsozialismus Anspruch erhob, politisch vakant waren.

Die ‚Schrittmacherdienste' für den Faschismus bestanden aber keineswegs nur in dieser ‚Unterlassungssünde', welche durch Verdikt übers Politische politische Naivität erzeugte und verstärkte. Darüberhinaus weisen die Inhalte von Büchern wie SuZ teilweise vage, aber nicht zu leugnende, teilweise sogar deutliche Analogien mit gewissen Bestandteilen der NS-Ideologie auf. Rassismus und Biologismus allerdings sind in SuZ nicht anzutreffen. Die Tatsache, daß Heideggers Philosophie von diesen schlimmsten Ingredienzien nationalsozialistischer Weltanschauung völlig frei war, darf nicht übersehen und unterbewertet werden; jene Philosophie in allzu große Nähe zum Nationalsozialismus zu rücken, ist nicht möglich. Möglich aber ist es, wie gesagt, in anderen Bereichen Analogien festzustellen. Der Nationalsozialismus war erklärtermaßen antidemokratisch, die Philosophie von SuZ war es latent. Eine gewisse Ambivalenz ist dabei im Spiele. Auf der einen Seite nämlich kann man die Betonung der Subjektivität, wie sie in SuZ zu finden ist, als Eintreten für jenen absoluten Wert des Einzelnen und für jene Unantastbarkeit der Person verstehen, die zu den Grundsätzen demokratischer Einstellung gehören. Auf der anderen Seite jedoch trieb die Eigentlichkeitstheorie das Subjekt in eine übersteigerte Vereinzelung, die sie von der Möglichkeit der Kommunikation und Interaktion abschnitt. Zugleich wurde dem Menschen ein Existenzideal vorgehalten, das geeignet war, die wenigen – angeblich – eigentlich Existierenden von den vielen Uneigentlichen, will sagen: von der Masse, zu scheiden. Die Eigentlichkeitstheorie von SuZ ist zumindest der Tendenz nach elitär. Elitäres Denken gehörte aber unzweifelhaft auch zum Inventar der NS-Ideologie, allerdings mit einem wesentlichen Unterschied: die Eigentlichkeit von SuZ hielt nur *auf Abstand* vom ,profanum vulgus', der Nationalsozialismus dagegen verband Elitebewußtsein mit massivem Herrschafts- und Führungsanspruch.

Der un- bzw. anti-politische Charakter der Heideggerschen Philosophie enthält nicht nur im negativen Sinne − durch gefährliche Vakanz der politisch zu besetzenden Stellen −, sondern auch im positiven Sinne fragwürdige politische Implikationen. Indem nämlich die Daseinsanalytik von einer vermittlungsunfähigen Antithetik zwischen Eigentlichkeit und Uneigentlichkeit, zwischen verwirklichter Einzelexistenz und Existenz im Man, zwischen Subjektivität und Gesellschaft ausgeht, verbaut sie sich den Zugang zu einem rationalen Politikbegriff, demzufolge Politik etwa als die im Medium der Öffentlichkeit und unter prinzipieller Beteiligung aller Betroffenen geführte gesellschaftliche Auseinandersetzung von Interessen zu bestimmen wäre. In SuZ wird gesellschaftliche Auseinandersetzung zugunsten der je individuellen Auseinandersetzung mit dem eigenen Ende diskreditiert. Die Prinzipien ,Öffentlichkeit' und ,Masse', ohne die im modernen Staat keine Gesellschaft den Namen ,Demokratie' verdient, werden von der Theorie des Man zu Prinzipien des Verfalls erklärt. Die vermutlich ungewollte, jedenfalls unausgesprochene Konsequenz daraus besteht in einem allein noch übrigbleibenden Politikbegriff, der mit dem nationalsozialistischen durchaus verwandt ist. Zwar läßt sich die Eigentlichkeitstheorie als Protest gegen jede gesellschaftlich-politische Manipulation des Einzelnen verstehen; gegen dessen Herabwürdigung zum bloßen Objekt verwahrt sie sich zurecht. Doch dafür bezahlt sie − was an sich nicht nötig wäre − einen zu hohen Preis: sie drängt den Einzelnen aus der Rolle, auch politisches *Subjekt* zu sein. Damit jedoch wird jener Auffassung das Wort geredet, derzufolge die Politik und die Ausübung von Herrschaft und Macht einer kleinen Gruppe von auserwählten bzw. selbsternannten Führern zustehen. Wie gesagt, diese Konsequenz wird von Heidegger selbst zwar nirgends ausgesprochen, und sie war Mitte der 20er Jahre wohl auch nicht − noch nicht − intendiert; aber sie war, wie mir scheint, fast unausweichlich, wenn man beim Wort nimmt, was in SuZ gesagt ist.

Ferner schließt eine Philosophie, die in ihren Grundkategorien Gesellschaftlichkeit prinzipiell verdächtigt, eine − wie auch immer näher bestimmte − *gesellschaftliche* Zielsetzung der Politik aus. Sie überläßt damit denen das Feld, die das politische Handeln unter andere Gesetze stellen, notfalls auch unter die von Nationalismus, Rassismus, Völkerhaß. Davon zwar war, um es nochmals zu betonen, Heideggers Philosophie frei. Zugleich jedoch hatte sie sich gerade derjenigen Kategorien begeben, mit denen, im Namen gesellschaftlicher Rationalität, jener Ideologie hätte begegnet werden können.

Es lassen sich noch manche Elemente der Philosophie von SuZ anführen, die gewissen Bestandteilen der nationalsozialistischen Weltanschauung entsprechen. Bekanntlich war der Nationalsozialismus massiv antiintellektualistisch[30]. Die verschwommene Emotionalität, die er auf seine Fahnen schrieb, war der Daseinsanalytik zwar fremd; aber obwohl diese mit wissenschaftlichem Anspruch auftrat, enthielt sie, wiederum mehr implizit als explizit, gewisse antiwissenschaftliche Tendenzen. Die in der Zuhandenheitstheorie geltend gemachte Ursprünglichkeit des vorwissenschaftlichen Verhaltens wurde nicht nur — was legitim war — als genetische gekennzeichnet, sondern zugleich mit dem Prädikat höheren ontologischen Ranges ausgestattet. Die ‚Abkünftigkeit‘ von Theorie und Wissenschaft erhielt so den Charakter der Degeneration[31]. Ohne Zweifel decken sich diese Tendenzen teilweise mit den Dekadenzbezichtigungen wider jeden Intellektualismus und Rationalismus, wie sie die NS-Ideologie im Munde führte. Von der offenen Verherrlichung etwa des bäuerlichen Daseins, wie sie die nationalsozialistische Weltanschauung betrieb[32], war Heidegger (noch) weit entfernt; dennoch finden sich auch schon in SuZ Ansätze zu einer Apologie des einfachen, mit dem ‚An-sich‘ der Dinge noch vertrauten Lebens, das von Wissenschaft noch nicht zergliedert und von Zivilisation noch nicht zersetzt ist. Den in SuZ noch wenig und meist verschleiert hervortretenden Antimodernismus teilte Heidegger mit vielen seiner Vorgänger. Zum Programm des Nationalsozialismus gehörte er von Anfang an: dessen Ideologie traf auch hier auf empfängliche Ohren.

Aus den vorstehenden Überlegungen ergibt sich in etwa folgendes Bild:

Die Philosophie, die Heidegger in der zweiten Hälfte der 20er Jahre vertrat, war kaum geeignet, derjenigen Entwicklung, die man die geistige Vorbereitung des Nationalsozialismus nennen kann, etwas in den Weg zu stellen; im Gegenteil: sie hat diese z. T. mitunterstützt. Die problematische politische Abstinenz, zu der Heidegger, ohne es offen auszusprechen, in SuZ aufrief, verhinderte allerdings auch jedes Eintreten für eine bestimmte, etwa parteipolitisch identifizierbare, Position. Gar nationalsozialistisch zu wählen oder zu denken und zu handeln — dazu konnte sich keiner durch die Existenzialontologie direkt aufgefordert fühlen[33]. Aber es bleibt bei der Feststellung, daß sich zwar längst nicht alles, aber doch vieles von dem, was Heidegger philosophisch vertrat, mit nationalsozialistischen Anschauungen vertrug oder ihnen entgegenkam.

Hitler und seine Gefolgsleute hatten es mit den Intellektuellen relativ leicht: das deutsche ‚Geistesleben‘ der Weimarer Zeit, in dem Heidegger eine bedeutende Rolle spielte, war zum Teil auf demselben Boden gewachsen wie die NS-Ideologie; es enthielt sehr viele Tendenzen, die sich die Nationalsozialisten nur anzueignen oder die sie für ihre Zwecke nur einzuspannen brauchten, um damit propagandistisch zu arbeiten.

Es ist sicherlich fragwürdig, der deutschen Intelligenz unmittelbar das anzulasten, was der Nationalsozialismus aus ihren Produkten machte. Unwissenheit, Ahnungslosigkeit und politische Naivität schützen zwar nicht vor Strafe, vielleicht aber vor Verdammung in Grund und Boden. Daß man nicht wußte, was man tat, und nicht wollte, was daraus wurde, kann als Entschuldigung dienen. Jedoch spätestens ‚post festum‘ und erst recht fast ein halbes Jahrhundert darnach kann auch im Fall der Heideggerschen Frühphilosophie nicht mehr für Freispruch plädiert werden, weder aus Mangel an Beweisen noch gar wegen erwiesener Unschuld.

3.2 ‚Der Fall Heidegger‘

Während seiner zehnmonatigen Amtszeit als Rektor der Universität Freiburg (Ende April 1933 bis Februar 1934) ist Heidegger offen und öffentlich für den Nationalsozialismus und für Hitler eingetreten. Das zeigen vor allem seine Reden, Aufrufe und Aufsätze aus dieser Zeit. Sie sind es, die hier in erster Linie herangezogen werden[34]. Denn ansonsten kann der ‚Fall Heidegger‘ noch nicht als historisch aufgeklärt gelten, und es kann auch nicht meine Aufgabe sein, diese Aufklärungsarbeit hier zu leisten; sie muß der historischen Detailforschung (anhand von Archiven, Akten etc.) überlassen bleiben. Bezüglich der Fakten, aus denen sich der ‚Fall Heidegger‘ zusammensetzt, beschränke ich mich daher auf wenige Bemerkungen[35].

a) In welchem Maße Heidegger vor der ‚Machtergreifung‘ über Ideologie und Programm der Nationalsozialisten orientiert war und was er davon gehalten hat, läßt sich zur Zeit noch nicht feststellen, da es meines Wissens bisher kein einziges Dokument darüber gibt[36].

b) Die Tatsache, daß Heidegger sich am 21. April 1933 zum Rektor der Universität Freiburg wählen ließ, läßt mehrere Erklärungsmöglichkeiten zu[37]. Einerseits ist nicht auszuschließen, daß Heidegger mit vielen seiner Kollegen hoffte, er könne als Rektor der totalen Politisierung und Gleichschaltung und der nationalsozialistischen Überfremdung der Universität Einhalt gebieten und so das Schlimmste verhindern[38]. Auf der anderen Seite betrachtete man damals Heideggers Wahl zum Rektor als einen Akt „im Zuge der allgemeinen Gleichschaltung"[39]. Das würde bedeuten, daß Heidegger jedenfalls als Sympathisant der Nationalsozialisten galt[40]. Die Wahrheit dürfte in der Mitte liegen. Mit Blick auf Heideggers Reden und Aufrufe, auf die noch einzugehen ist, läßt sich vermuten, daß Heidegger den nationalsozialistischen ‚Aufbruch' in vielem für begrüßenswert hielt und ihn im ganzen positiv beurteilte. Tagespolitik, Bevormundung, Intrigation, Funktionärstum, Bürokratismus waren ihm jedoch verhaßt. Das Rektorat bot ihm, wie er jedenfalls hoffte, die Möglichkeit, aktiv an der nationalsozialistischen Bewegung teilzunehmen und sie zugleich, jedenfalls im Bereich seiner Universität, in die richtigen Bahnen zu lenken, also ihre falschen Anmaßungen zurückzuweisen.

c) Soweit Heideggers Amtshandlungen als Rektor aus eigener Initiative und nicht auf Weisungen der Partei und des Kultusministeriums hin erfolgten, ist ihnen das Prädikat ‚nationalsozialistisch' kaum zuzusprechen. Es bleibt aber der Vorwurf, daß Heidegger eben jene Weisungen widerspruchslos hinnahm und auch ausführte und sich so, was die Universität Freiburg anging, vor den Wagen der Gleichschaltung spannte[41].

d) Die Hoffnung, die Universität vor dem allzu großen Einfluß der Funktionäre aus Partei und Kultusministerium bewahren zu können, erwies sich bald als Illusion. Als die Schwierigkeiten bei der Aufrechterhaltung einer gewissen Autonomie der Universität und ihres Repräsentanten, des Rektors, zunahmen, zog Heidegger die Konsequenzen und trat vor Ablauf seiner Amtszeit zurück (Ende Februar 1934)[42]. Seinen Nachfolger, der nicht mehr gewählt, sondern vom Ministerium ernannt wurde, feierte die Presse als ersten nationalsozialistischen Rektor der Universität Freiburg[43].

Um es zu wiederholen: die wenigen bisher vorliegenden Fakten über den ‚Fall Heidegger', also über die Zeit vom April 1933 bis zum Februar 1934, sind kaum geeignet, Heideggers NS-Engagement plausibel zu erklären. Es bleiben die Reden, Aufrufe und Aufsätze aus dieser Zeit. Sie allerdings sprechen eine ziemlich deutliche Sprache. Zwar stehen sie auf einem ungleich höheren Niveau als die übliche NS-Propaganda, von der sie sich auch sonst durchaus unterscheiden. Andererseits jedoch tritt Heidegger in ihnen klar als Verfechter der nationalsozialistischen Ideologie und der entsprechenden politischen Praxis hervor.

Bereits in der Rektoratsrede ist von der Sonderstellung, ja der Auserwähltheit des deutschen Volkes genauso die Rede (vgl. SddU 5, 7) wie von seinen „erd- und bluthaften Kräften" (ebd. 13); von der „Führerschaft" (14) genauso wie von der „Gefolgschaft" (ebd.) und dem „Marsch", den die deutsche Studentenschaft angetreten habe (ebd.). Heidegger verpflichtete den deutschen Studenten zur Bindung an „die Volksgemeinschaft", „an die Ehre und das Geschick der Nation" (15) und „an den geistigen Auftrag des deutschen Volkes" (16) und forderte ihn entsprechend zu

Arbeitsdienst, Wehrdienst und Wissensdienst auf (vgl. 15 f.). Am Schluß der Rede mußte gar ein Platon-Zitat herhalten, um die „Herrlichkeit" und die „Größe" des Aufbruchs von Volk und Studentenschaft ins rechte Licht zu rücken (vgl. 22).

Die Rektoratsrede ist allerdings noch als gemäßigt zu bezeichnen, ebenso wie einige kleinere Aufrufe aus den Anfangsmonaten des Rektorats (vgl. etwa Nachlese Nr. 44 und 57, Mai/Juni 1933). Anscheinend mußten noch viele Hemmungen abgebaut werden, bevor Heidegger sich vorbehaltlos mit dem NS-Staat und seinem Führer identifizierte. Erst nachdem über ein halbes Jahr seit dem Antritt des Rektorats vergangen war, schrieb Heidegger Sätze wie die folgenden: „Die nationalsozialistische Revolution bringt die völlige Umwälzung unseres deutschen Daseins." (Nachlese Nr. 114, S. 135) „Nicht Lehrsätze und ‚Ideen' seien die Regeln Eures Seins [sc. des Seins der Studenten]. Der Führer selbst und allein *ist* die heutige und künftige deutsche Wirklichkeit und ihr Gesetz." (ebd. 135 f.) Die (in Verbindung mit Reichstagswahlen durchgeführte) Volksabstimmung vom 12. November 1933 über den einen Monat zuvor erfolgten Austritt Deutschlands aus dem Völkerbund (14. Oktober) gab Heidegger schließlich Anlaß zu kaum verhüllter Demagogie. Dies wird durch zwei Wahlaufrufe Heideggers bezeugt (vgl. Nachlese Nr. 129 und 132). In beiden wird der völlige Mangel an rationaler Argumentation durch leere, überdies noch pseudophilosophisch untermauerte, Deklamation ‚wettgemacht'. Diese gipfelte in den Worten: „Am 12. November wählt das deutsche Volk als Ganzes *seine* Zukunft. Diese ist an den Führer gebunden. Das Volk kann diese Zukunft nicht so wählen, daß es aufgrund sog. außenpolitischer Überlegungen mit Ja stimmt, ohne auch den Führer und die ihm unbedingt verschriebene Bewegung mit in dieses Ja einzubegreifen. Es gibt nicht Außernpolitik und auch noch Innenpolitik. Es gibt nur den einen Willen zum vollen Dasein des Staates. Diesen Willen hat der Führer im ganzen Volk zum vollen Erwachen gebracht und zum einzigen Entschluß zusammengeschweißt. Keiner kann fernbleiben am Tage der Bekundung dieses Willens." (Nachlese Nr. 129, S. 145 f.) Ähnliche Äußerungen hat Heidegger bis zum Februar 1934, d. h. noch kurz vor seiner Demission als Rektor, von sich gegeben (vgl. Nachlese Nr. 150, 158, 159, 170).

Zu fragen ist, aufgrund welcher Entwicklung aus dem Verfasser von SuZ ein engagierter Verfechter nationalsozialistischer Ideologie und Politik wurde.

Ein naheliegendes Schema bietet sich an: der Dezisionismus von SuZ, der die Notwendigkeit und den Wert von Entschlossenheit überhaupt propagierte, ohne zu sagen, wozu man sich zu entschließen habe, sah sich spätestens vor eine sehr konkrete Entscheidung gestellt, als der Nationalsozialismus zur Macht kam. Heidegger entschied sich − ‚nun einmal' − *für* das neue Regime und für Hitler. Als er seinen Fehler erkannte, zog er die Konsequenzen. Philosophisch folgte daraus die Kehre; deren Ergebnis war ein neues, nicht mehr dezisionistisches Denken, welches sich um die Bestimmung von Inhalten bemühte[44].

An dieser Erklärung ist sicherlich einiges richtig. Es gibt in SuZ dezisionistische Elemente[45]. Die Entschlossenheit, von der Heidegger innerhalb der Eigentlichkeitstheorie spricht, hat zwar ein ‚Wozu‘, nämlich das eigene, vereinzelte Selbst in seiner Erstrecktheit und Bezogenheit aufs Ende. Aber positive Kriterien für konkrete Entscheidungssituationen sind daraus kaum abzuleiten; das emphatische Eintreten fürs Sich-entscheiden-müssen will sich nicht festlegen lassen. Daß SuZ gegenüber konkreten politischen Positionen neutral und indifferent ist, wurde bereits oben bemerkt. Gerade in dieser Feststellung liegt jedoch auch schon die Fragwürdigkeit der Dezisionismus-Deutung. Denn die politische Indifferenz der Existenzialontologie entsprang der völligen Abwertung des Politisch-Gesellschaftlichen, welche aber ihrerseits gerade einen bestimmten Begriff von Politik und eine bestimmte politische Position sowohl voraussetzte als auch implizierte. Mag es in SuZ auch noch so unausgesprochen gewesen (und erst ‚post festum‘ feststellbar geworden) sein: der Begriff von Politik und die politische Position, die in Heideggers Frühphilosophie angelegt waren, weisen eine ganze Reihe von Gemeinsamkeiten mit Ideologie und Programm des Nationalsozialismus auf. Die Existenzialontologie war — dies alles freilich, wie gesagt, nur latent — antimodernistisch, antizivilisatorisch; sie denunzierte gesellschaftliche Rationalität; die Nähe zu heroischer Emotionalität hat sie zumindest nicht vermieden. Viele, die SuZ kannten, mögen erstaunt oder entsetzt gewesen sein, als sie 1933 Heideggers Aufrufe hörten oder lasen. Bei einer genaueren Analyse jedoch zeigt sich, daß vieles von dem, was Heidegger 1933/34 sagte und schrieb, sich aus dem, was in SuZ stand, zwar *nicht zwangsläufig* ergeben *mußte*, aber doch mindestens *zwanglos* ergeben *konnte*. Heideggers Einsatz für den Nationalsozialismus war eben nicht das Ergebnis purer Dezision, sondern hatte mit der Philosophie von SuZ, vorsichtig gesprochen, einiges zu tun.

Dem widerspricht nicht die Tatsache, daß Heidegger bereits *vor* 1933 den existenzialontologischen Ansatz aufgab. Im Gegenteil: die Kehre, die um 1930 einsetzte, schuf erst die Voraussetzungen, auf deren Grund die *latente* und *partielle* Affinität zum Nationalsozialismus in *offenes Engagement* für ihn umschlagen konnte[46]. Denn die Philosophie von SuZ enthielt noch mindestens ein wichtiges Moment, das die Grenzüberschreitung zum erklärten Nationalsozialismus verhinderte: mit dem national-völkischen, rassistischen Kollektivismus konnte sich der radikale Subjektivismus der existenzialen Analytik nicht vertragen. In und mit der Kehre wurde jedoch dieser Subjektivismus gerade aufgegeben. Während in SuZ die Subjektivität sowohl — nämlich als verfallende — für den schlimmen Zustand verantwortlich als auch — nämlich als eigentliche — für dessen Überwindung zuständig war, wurde nun eine andere, dem Subjekt vor- und übergeordnete Instanz bemüht. In den Vorträgen ‚Platons Lehre von der Wahrheit' und ‚Vom Wesen der Wahrheit' sind die Ansätze jener seinsgeschichtlichen Theorie schon greifbar, die dem Sein selbst (dem Offenen, Offenbaren etc.) und seinen Schickungen sowohl den Verfall anlasten als auch die Rettung vor ihm aufbürden. So verstanden, läßt sich die (philosophische) Kehre in eine Art Parallel-Beziehung zu Heideggers (politischem) NS-Engagement setzen. In beiden Fällen wird die Stelle, die vorher die Subjektivität einnahm, nun einer übergeordneten Instanz zugewiesen, philosophisch: dem Seinsgeschick, politisch: einem, im Sinne der NS-Ideologie, völkisch-national definierten Kollektivsubjekt bzw. denen, die in seinem Auftrag zu handeln für sich in Anspruch nahmen. Indessen liegt hier keineswegs nur so etwas wie eine bloß formale Analogie vor. Vielmehr geben die Reden aus den Jahren 1933/34 Aufschluß darüber, daß Heidegger das — nationalsozialistisch verstandene — Schicksal des deutschen Volkes mit dem des Seins verknüpft sah. Das läßt sich am besten an der Rektoratsrede demonstrieren.

Im Platon-Vortrag, der drei Jahre vorher entstand, hieß es am Schluß: „Erst muß die Not hereinbrechen, in der nicht immer nur das Seiende, sondern einstmals das Sein fragwürdig wird." (PLW 52) Daß eben diese Not nun hereingebrochen war und das deutsche Volk sich ihr stellte: genau darin, so scheint es, sah Heidegger den Sinn des nationalsozialistischen Aufbruchs. Es gelte, so sagte er, „dem deutschen Schicksal in seiner äußersten Not stand [zu] halten" (SddU 7; vgl. Nachlese Nr. 158, S. 180). Daß damit *auch* die reale politische und wirtschaftliche Notlage Deutschlands gemeint war und daß insbesondere auf sie angespielt wurde, obwohl Heidegger nicht explizit davon sprach, darf man unterstellen. Wichtiger jedoch ist, daß diese wirkliche Not gleichsam umfunktioniert wurde zu einer solchen, die es im Interesse des Seins durchzustehen gelte. Kurz vorher nämlich (vgl. SddU 7, auch schon zu Beginn, vgl. ebd.5) hatte Heidegger vom besonderen Schiksal und vom geistigen Auftrag des deutschen Volkes (und der deutschen Universität) gesprochen. Worin dieser Auftrag bestehen sollte, führte Heidegger im weiteren aus, indem er zunächst den großen Anfang (vgl. ebd. 8, 11, auch 17) der Geschichte bei den Griechen beschwor (vgl. 8 ff.) „In ihm" — so hieß es — „steht der abendländische Mensch aus einem Volkstum kraft seiner Sprache erstmals auf gegen das *Seiende im Ganzen* und befragt und begreift es *als* das Seiende, das es *ist*." (8) Heidegger erinnerte an die „Übermacht des Schicksals", von der, der Sage nach, Prometheus wußte (vgl. 9). Es komme nun darauf an, sich dieser „fernen Verfügung" des großen Anfangs der

Griechen „entschlossen" zu fügen (11), Wissenschaft nicht länger als „gefahrlose Beschäftigung zur Förderung eines bloßen Fortschritts von Kenntnissen" (ebd.) zu betreiben, sondern, wie einst die Griechen, in ihr „die das ganze Dasein scharfhaltende und es umgreifende Macht zu sehen" (10) und so „dem Seienden als solchem nahe und unter seiner Bedrängnis zu bleiben" (9 f.). Darin sah Heidegger den Sinn des nationalsozialistischen Aufbruchs, jener „großen Wandlung", vor der „unser eigenstes Dasein" steht (12): „Wollen wir das Wesen der Wissenschaft im Sinne des *fragenden, ungedeckten Standhaltens inmitten der Ungewißheit des Seienden im Ganzen,* dann schafft *dieser* Wesenswille unserem Volke seine Welt der innersten und äußersten Gefahr, d. h. seine wahrhaft *geistige* Welt. *Denn ‚Geist' . . . ist ursprünglich gestimmte, wissende Entschlossenheit zum Wesen des Seins."* (13, letzte Hervorhebung von „denn" bis „des Seins" von mir.) Und so sei es denn auch — fuhr Heidegger später fort — die „Fragwürdigkeit des Seins" selbst, die „dem Volk Arbeit und Kampf" abzwinge (17). Bei einer anderen Gelegenheit bestimmte Heidegger den „innersten Beweggrund des Fragens einer völkischen Wissenschaft" folgendermaßen: „Wir sind dessen gewiß, daß die klare Härte und die werkgerechte Sicherheit des unnachgiebigen einfachen *Fragens nach dem Wesen des Seins wiederkehren."* (Nachlese Nr. 132, S. 149, Hervorhebung von mir.) Daß mit genau diesem Bewußtsein das Eintreten für die NS-Bewegung und für Hitler persönlich motiviert wurde, geht aus dem Zusammenhang klar hervor. Die Konsequenz, mit der sich aus der Seinsfrage das NS-Bekenntnis ergab, fand in einem formelhaften „Und so bekennen wir" (ebd. 150) angemessenen Ausdruck.

„Die Philosophie ist für Hitler, weil Hitler auf der Seite des Seins steht" — so hat P. Hühnerfeld die Motivation für Heideggers NS-Engagement gedeutet[47]. Das mag blasphemisch klingen; es ist aber höchstens etwas vereinfacht ausgedrückt. Denn wenn es hier eine Blasphemie gibt, dann bei Heidegger selbst, nicht bei seinem Interpreten. Der vom Nationalsozialismus herbeigeführte, als Revolution sich gebärdende Aufbruch des deutschen Volkes sollte — so glaubte Heidegger in der Tat — die große Wende herbeiführen, in der sich die Menschheit, bzw. ihr bester Teil, wieder auf jene Wahrheit besinnen würde, die am Anfang weste und die seitdem einem beständigen Verfall ausgesetzt war. Das deutsche Volk avancierte *auch bei Heidegger* zum auserwählten[48]. Es wurde zum Mittel, dessen sich das Sein bediente, um seine geschichtlich-,geschicklichen' Zwecke durchzusetzen. Denn auch *das* gehörte mit zum Fall Heidegger: das Bewußtsein des Philosophen, daß es sich bei allem, was da geschah, letztlich um die Weisung einer anderen, nicht nur menschlichen Instanz handelte, einer Instanz, die auch schon jenen großen Anfang bei den Griechen gestiftet hatte.

Im Platon-Vortrag hatte es geheißen: „Was immer sich mit dem geschichtlichen Menschen begibt, ergibt sich jeweils aus einer zuvor gefallenen und nie beim Menschen selbst stehenden Entscheidung über das Wesen der Wahrheit." (PLW 50) Diese Einsicht brauchte drei Jahre später nicht aufgegeben zu werden und wurde es auch nicht, war doch in der Rektoratsrede mehrfach davon die Rede, daß es darum gehe, sich einer „fernen Verfügung" „zu fügen" (SddU 11, 17). Gerade in diesem Gehorsam gegenüber dem Geschick sah Heidegger, wie es scheint, die Einzigartigkeit des deutschen Aufbruchs.

Das hatte aber keineswegs, wie man vielleicht vermuten könnte, eine irgendwie quietistische Position zur Konsequenz. Von jener geduldig wartenden Gelassenheit, mit der die Theorie der Seinsgeschichte sich später begnügen sollte, war sie in ihrem Frühstadium noch weit entfernt. Vielmehr scheint es, daß das Bewußtsein, gleichsam auf höhere Weisung hin zu handeln, geradezu einen gewissen Aktivismus erzeugte, allerdings in erster Linie einen rein verbalen. Er verband sich mit einem kaum verschleierten Heroismus, der seine terminologische und appellative Affinität zur existenzialen Analytik von SuZ (und übrigens auch zur Antrittsvorlesung ‚Was ist Metaphysik?‘) nicht verleugnen konnte – und es wohl auch gar nicht wollte. So war in den Aufrufen von 1933/34 die Rede von der „äußersten Not" (SddU 7; vgl. Nachlese Nr. 158, S. 181) und, mit militärischer Metapher, vom „äußersten Posten der Gefahr" (SddU 14); von der „das ganze Dasein *scharfhaltenden* . . . Macht" (ebd. 100, Hervorhebung von mir) und von der „Härte" des Daseins (Nachlese Nr. 57, S. 64), welche zu bestehen „die Starken und Ungebrochenen" stolz sind, jene nämlich, „die aus dem erregenden Geheimnis einer neuen Zukunft unseres Volkes ihr Dasein durchsetzen" (Nachlese Nr. 158, S. 181). Es war die Rede von der „Opferbereitschaft" (ebd.) und – wiederum mit militärischem Bild – vom „Standhalten in einen [sic bei Schneeberger] übernommenen Auftrag" (ebd. 180; etwas anders vgl. SddU 10). Vor allem wiederholte Heidegger mit monotoner Beständigkeit: „Von nun an fordert jedwedes Ding Entscheidung . . ." (Nachlese Nr. 114, S. 136; vgl. Nr. 57, S. 64; Nr. 129, S. 135; Nr. 132, S. 148; Nr. 170, S. 201); genauso wurde die „Entschlossenheit", zentrale Kategorie in SuZ, beschworen (SddU 13; Nachlese Nr. 158, S. 180; „Entschiedenheit": Nachlese Nr. 132, S. 148)[49]. Es zeigt sich: mag es auch ein tiefgreifender Wandel gewesen sein, der um 1930 in der Heideggerschen Philosophie einsetzte, so verließ doch das seinsgeschichtliche Denken in *letzter* Instanz gerade *nicht* den Boden, auf dem auch die Existenzialontologie gestanden hatte[50]. Die seinsgeschictlich motivierte Apotheose des deutschen Aufbruchs konnte auf das begriffliche und affektive Inventar von SuZ zurückgreifen. So konnte denn aus dem Dasein des *Einzelnen* das „*deutsche* Dasein" werden (Nachlese Nr. 132,

S. 150, Hervorhebung von mir); und aus der gegen die *Öffentlichkeit des Man* zu behauptenden Eigentlichkeit des *Einzelnen* wurde das „eigene Wesen" des *deutschen Volkes* (ebd. 148), das es gegen die *Weltöffentlichkeit* durchzusetzen galt.

Es ist argumentiert worden, das in SuZ vertretene Existenzideal der Eigentlichkeit des Einzelnen sei mit irgendeinem Kollektivismus, gleich welcher Art, nicht zu vereinbaren gewesen[51]. Bis zu einem gewissen Grade trifft das zu[52]. Auf der anderen Seite war ein Subjektivismus wie der des frühen Heidegger geradezu prädestiniert zur Symbiose mit einer spezifischen Form des Kollektivismus, nämlich der Gemeinschaftsideologie und deren Praxis. Genauer gesagt: das theoretisch wie praktisch in gesellschaftlicher Abstinenz verharrende Individuum war nur allzu leicht geneigt, seine private Eigentlichkeit in diejenige einer Gemeinschaft einzubringen, die, als verschworene sich verstehend, jene erfüllte Innerlichkeit zu gewährleisten schien, die zu verwirklichen der isolierten Subjektivität letztlich doch nicht gelang. Die Gemeinschaftsideologie wurde gleichsam zum Auffangbecken für alle möglichen Subjektivismen[53]. Denn wie diesen so eignete auch jener ein ausgeprägtes antigesellschaftliches Ressentiment; der Glaube ans ‚höhere Ganze', rational kaum bestimmbar, verfocht die Illusion, alle realen gesellschaftlichen Gegensätze überspielen zu müssen und es auch zu können[54]. Die Verwendung des *Wortes* ‚Gemeinschaft' ist in Heideggers Aufrufen von 1933/34 zwar nicht massiv, aber doch immerhin nennenswert; mehrfach ist von der „Volksgemeinschaft" die Rede (SddU 15; Nachlese Nr. 57, S. 63; Nr. 170, S. 199), sodann von der „Gemeinschaft aller Stände" (Nachlese Nr. 57, S. 64), von der „Kampfgemeinschaft" (SddU 21) und der „Lagergemeinschaft" (Nachlese Nr. 158, S. 180). Vor allem aber ist Gemeinschaftsideologie *der Sache nach* in den fraglichen Texten allenthalben anzutreffen. Der Unterschied zur NS-Propaganda ist auch hier oft genug nur einer des Niveaus — und zuweilen noch nicht einmal das. Schon das dauernde Bestehen auf deutschem Dasein (vgl. Nachlese Nr. 114, S. 135; Nr. 132, S. 150) und deutschem Wesen (vgl. SddU 13, 17), auf deutschem Schicksal (ebd. 5, 7, 14, 18) und neuer deutscher Wirklichkeit (vgl. Nachlese Nr. 132, S. 150) setzt jenes Gemeinschaftsbewußtsein voraus, das größten Wert auf Distanz zur ‚Außenwelt' und auf Wahrung seiner absolut verstandenen Eigenständigkeit legt[55].

Auch darüber, wie er sich die Herrschaftsstrukturen im Inneren einer solchen Gemeinschaft vorstellte, ließ Heidegger keinen Zweifel: deren Prinzipien sollten Auslese, Führerschaft und Gefolgschaft sein (vgl. SddU 14; Nachlese Nr. 57, S. 64; Nr. 114, S. 135). Zwar fand Heidegger dabei z. T. subtile Begründungen, die von *geistiger* Führerschaft und Gefolgschaft sprachen (vgl. SddU 14) und sich teilweise von denen der NS-Ideo-

logen zweifellos unterschieden. Umso eindeutiger war dafür das Bekennt-
nis zu *dem* Führer (vgl. besonders die jeweiligen Schlußpassagen der Aufrufe, Nachlese Nr. 114, S. 135 f.; Nr. 129, S. 145 f.; Nr. 132, S. 150; Nr.
170, S. 202). Hitler habe – so meinte Heidegger – den „einen Willen zum
vollen Dasein des Staates" „im ganzen Volk zum vollen Erwachen gebracht und zum einzigen Entschluß zusammengeschweißt" (Nachlese Nr.
129, S. 146).

Der Appell an das – durch den Führer symbolisierte – Zusammen-
gehörigkeitsgefühl impliziert bis zu einem gewissen Grade auch schon die
Vorstellungen von der sozialen Struktur des Staates der ‚Volksgenossen'[56],
Vorstellungen, die Heidegger wiederum weitgehend von der NS-Ideologie
übernehmen konnte, ohne damit seiner Philosophie Abbruch zu tun. In
den fraglichen Texten finden sich auch explizite Äußerungen dazu. Das
von Heidegger befürwortete Modell ist zunächst einmal als harmonistisch
zu bezeichnen. Es geht aus von einer „volkhaften Zusammengehörigkeit
aller" (Nachlese Nr. 158, S. 180) und einer „wurzelhaften Einheit", „aus
der sich das Volk in seinem Staat zum Handeln für sein Schicksal verpflichtet" (Nachlese Nr. 57, S. 64). Von realen gesellschaftlichen Widersprüchen und Konflikten ist keine Rede; sie erscheinen als unwesentlich
angesichts des Auftrages, der dem deutschen Volk gestellt ist. Dieser
Harmonismus in angeblich höherem Namen definiert sich dann des näheren unter Zuhilfenahme von offensichtlich feudalistischen oder neofeuda-
listischen Elementen. Der Staat, der sich gegenüber der Außenwelt als
deutsche Volksgemeinschaft bestimmt, versteht sich im Innern als
„Gemeinschaft aller Stände" (Nachlese Nr. 57, S. 64). Von den Ständen
als den größten sozialen Einheiten (unterhalb der Ebene von Volk und
Staat) ist dann noch mehrfach die Rede (vgl. SddU 15; Nachlese Nr. 132,
S. 148; Nr. 158, S. 181). Hier muß sich endlich auch der vorsichtigsten
Deutung die Einordnung der Heideggerschen Vorstellungen als roman-
tisch und politisch ausgesprochen reaktionär aufdrängen. Nicht nur die
nationalsozialistische ‚Revolution', auch Heideggers Eintreten für sie[57]
stand unter dem Zeichen des Aufbruchs in die Vergangenheit einer
‚vormodernen' Welt. Die Apologie des Ständestaates polemisierte denn
auch gegen Bürgerlichkeit (vgl. Nachlese Nr. 158, S. 180) und Verstädterung (vgl. Nachlese Nr. 170, S. 200)[58]. An einer Stelle, wo Heidegger
exemplarisch einige Berufe aufzählt, ist einmal vom „Bauern und Hand-
arbeiter" (Nachlese Nr. 170, S. 210), ein andermal vom Bauern, Holzfäller
und Handwerker die Rede; die Realität der industriellen Arbeitswelt wird
durch die Erwähnung des „Erd- und Grubenarbeiters" mehr verschwiegen
als ausgesprochen. Sie ist wohl, wie es scheint, ungeeignet, Entschlossenheit zum Sein zu wecken. Was bereits in SuZ, wenn auch nicht erklärtermaßen, die Basis für die Phänomenologie der Lebenswelt abgab, wird nun

ganz offen zum Daseinsideal erhoben: das Leben in einfachen, überschaubaren Verhältnissen, die Unmittelbarkeit der vertrauten Nähe zu den Dingen, wie sie ,an sich' sind[59].

Es ist noch zu klären, wie Heidegger sich das Verhältnis der einzelnen Stände zueinander dachte. Das „lebendige Gefüge des Staates" (Nachlese Nr. 132, S. 148) und die „Gemeinschaft aller Stände" (Nachlese Nr. 57, S. 64) — so Heidegger — beruht im Grunde darauf, daß es „nur einen einzigen deutschen ,Lebensstand' " gibt (Nr. 158, S. 181): „Das ist der in den tragenden Grund des Volkes gewurzelte und in den geschichtlichen Willen des Staates frei gefügte *Arbeitsstand*, dessen Prägung in der Bewegung der nationalsozialistischen deutschen *Arbeiterpartei* vorgeformt wird." (ebd.) Die These von dem *einen* Arbeitsstand ergibt sich daraus, daß Heidegger vor das Problem des Verhältnisses zwischen sogenannter geistiger und nicht geistiger, zwischen ,Kopf-' und ,Handarbeit' gestellt war. Der Text, in dem er sich dazu äußerte (Nachlese Nr. 170, S. 198 ff.)[60] zeigt symptomatisch zweierlei: erstens die Schwierigkeiten, vor die sich auch der sympathisierende Intellektuelle (besonders der Akademiker) bezüglich gewisser Bestandteile der NS-Ideologie gestellt sah, und zweitens die — von Heidegger wohl noch nicht einmal als solche empfundene — Raffinesse, mit der er diese Schwierigkeiten, auch für sich persönlich, löste.

Das Problem bestand darin, wie man sich als Wissenschaftler, Intellektueller, Akademiker mit einer Ideologie und einer Praxis arrangieren oder sogar solidarisieren konnte, die erklärtermaßen wissenschafts-, intellektuellen- und akademikerfeindlich war[61]. Zur Veranschaulichung seien hier ausnahmsweise einige Sätze der einschlägigen NS-Ideologie, geschrieben von ihrem Hauptvertreter, zitiert. Im 2. Kapitel des 2. Bandes von ,Mein Kampf' schrieb Hitler: „Unsere geistigen Schichten sind besonders in Deutschland so in sich abgeschlossen und verkalkt, daß ihnen die lebendige Verbindung nach unten fehlt. Dies rächt sich nach zwei Seiten hin: Erstens fehlt ihnen dadurch das Verständnis und die Empfindung für die breite Masse. Sie sind zulange schon aus diesem Zusammenhange herausgerissen, als daß sie noch das nötige psychologische Verständnis für das Volk besitzen könnten. Sie sind volksfremd geworden. Es fehlt diesen oberen Schichten aber zweitens auch die nötige Willenskraft. Denn diese ist in abgekasteten Intelligenzkreisen immer schwächer als in der Masse des Volkes."[62] Die Zusammenarbeit mit den Intellektuellen wollte Hitler daher auf einen kleinen Kreis beschränkt wissen: „Finden sich in den Kreisen der nationalen Intelligenz Menschen mit wärmsten Herzen für ihr Volk und seine Zukunft, erfüllt von tiefster Erkenntnis für die Bedeutung des Kampfes um die Seele dieser Masse, sind sie in den Reihen dieser Bewegung als wertvolles geistiges Rückgrat willkommen."[63]

Was Heidegger in seiner oben erwähnten Ansprache ausführte, läßt sich als Versuch verstehen, für seine Person die im zuerst zitierten Hitlerschen Satz getroffene Feststellung ins Unrecht zu setzen und die im zweiten Satz gestellte Bedingung zu erfüllen. Die Tatsache, daß Arbeiter „im Hörsaal der Universität mit uns versammelt" sind[64] — so Heidegger — sei ein „Zeichen dafür, daß ein neuer gemeinsamer Wille da ist, zwischen dem Arbeiter der ‚Faust' und dem Arbeiter die ‚Stirn' *eine lebendige Brücke* zu schlagen" (Nachlese Nr. 170, S. 200). Denn die Veränderung der „ganzen deutschen Wirklichkeit" „durch den nationalsozialistischen Staat" habe zur Folge, daß die Worte „ ‚Wissen' und ‚Wissenschaft' " einerseits und „ ‚Arbeiter' und ‚Arbeit' " andererseits „eine andere Bedeutung erhalten" und „einen anderen Sinn gewonnen" hätten (ebd.). Diesen neuen Sinn definierte Heidegger dadurch, daß er beide, Hand- und Kopfarbeit, auf den gleichen Nenner brachte, nämlich den des Wissens: „Das Wissen der echten Wissenschaft unterscheidet sich *im Wesen gar nicht* vom Wissen der Bauern, des Holzfällers, des Erd- und Grubenarbeiters, des Handwerkers." (ebd. 201) Voraussetzung für eine solche Feststellung war ein sehr weit gefaßter, um nicht zu sagen: vager, Begriff des Wissens. Wissen wurde bestimmt als „*sich auskennen* in der Welt, in die wir gemeinschaftlich und einzeln gestellt sind", als „in der Entscheidung und im Vorgehen *gewachsen* sein der Aufgabe, die jeweils uns aufgegeben", als „*Herr* sein der Lage, in die wir versetzt sind" (ebd.). So erschien dann „jede Arbeit" als „etwas Geistiges" (ebd. 202; vgl. Nr. 158, S. 180). „Die Leistung des Erdarbeiters ist im Grunde nicht weniger geistig als das Tun des Gelehrten." (Nr. 170, S. 202.)

Mit solchen Sätzen wurde zweierlei erreicht: zum einen erweckte die Behauptung von der prinzipiellen Gleichwertigkeit von Kopf- und Handarbeit den Eindruck, der gelehrte Akademiker solidarisiere sich mit den Massen und erfülle so die von den Nationalsozialisten erhobenen Forderungen. Zum anderen und zugleich konnte die Feststellung, im Grunde sei *alle* Arbeit geistig, dazu dienen, auch die ‚Arbeiter der Faust' für diejenigen geistigen Zwecke, die Heidegger meinte (und über die oben bereits gesprochen wurde, vgl. 81 ff.), gleichsam zu vereinnahmen. Auf diese Weise konnte Heidegger sich als nationalsozialistischer Intellektueller darstellen und anbieten, ohne doch den Anspruch seiner Philosophie preisgeben zu müssen.

Dabei mag es auf den ersten Blick scheinen, daß Heideggers Vorstellungen bzw. Forderungen durchaus einen vernünftigen Kern enthielten. Denn es war legitim, nach einer Beendigung der seit dem 19. Jahrhundert andauernden, oft arroganten Selbstabkapselung der Gebildeten und Intellektuellen zu rufen[65]. Freilich hätte es dazu einer Reflexion auf die Funktion von Wissenschaft und Bildung in der modernen Gesellschaft bedurft.

Sie fehlte bei Heidegger gänzlich. Auch bei ihm wurde Wissenschaft in den Dienst völkisch-nationaler Größe gestellt (vgl. Nachlese Nr. 170, S. 202), nur galt diese nicht, wie bei den Nationalsozialisten selbst, schon als letzte Instanz, sondern als ihrerseits im Dienste des Seinsgeschicks stehend.

Ferner ist Heideggers Begriff des Wissens — wie übrigens auch der der Arbeit — so vage, daß mit ihm eine Abgrenzung gegenüber anderen Verhaltensweisen des Menschen nicht vorgenommen werden kann. ‚Arbeit‘ und ‚Wissen‘ sind hier bestenfalls noch Kategorien, durch die menschliches Leben vom tierischen unterschieden wird (vgl. ebd. 202; auch Nr. 158, S. 180)[66]. Auf *dieser* Ebene mag es dann allerdings bis zu einem gewissen Grade gleichgültig sein, ob man von ‚Arbeit‘ oder von ‚Wissen‘ spricht.

Heidegger hütet sich davor, Bildung und Wissen so zu bestimmen, daß damit die Wirklichkeit etwa der modernen Wissenschaft getroffen würde. Vermutlich mit voller Absicht: denn gerade dieser modernen Wissenschaft hatte der Nationalsozialismus mit seiner Weltanschauung den Kampf angesagt, und auch schon in SuZ war sie andeutungsweise als das Nicht-Ursprüngliche, Degenerierte charakterisiert worden.

Auf der anderen Seite erweist sich die Behauptung, Wissen und Arbeit — bzw. Kopf- und Handarbeit — seien gleichwertig, geradezu als Argument für die Erhaltung einer Gesellschaftsordnung, in der Bildung und Wissen das Privileg einer Minderheit sind[67]. Subjektiv mag Heidegger diese Konsequenz entgangen sein — von der sozialen Stellung des Arbeiters und des Gebildeten ist bei ihm ohnehin nicht die Rede. Mit einer Ausnahme allerdings: „Der ‚Arbeiter‘ ist nicht, wie der Marxismus wollte, der bloße Gegenstand der Ausbeutung. Der Arbeiterstand ist nicht die Klasse der Enterbten, die zum allgemeinen Klassenkampf antreten." (Nr. 170, S. 201 f.) Auch hier redet Heidegger der NS-Ideologie das Wort, nämlich dem nationalsozialistischen Anti-Marxismus bzw. -Kommunismus. So sehr der Philosoph auch mit Emphase vom Arbeiter und der Arbeit spricht, so wenig ist er bereit, sich auf die gesellschaftliche Funktion von Arbeit und die konkrete soziale Stellung der Arbeiter einzulassen. Die marxistische Analyse der Stellung des Arbeiters in der Industriegesellschaft wird durch die schlichte Behauptung, dem sei nicht so, ins Unrecht gesetzt. Schon das *Wort* ‚Arbeiterklasse‘, das so etwas wie ökonomische Interessen indiziert, scheint verdächtig; stattdessen wird vom Arbeiter*stand* geredet[68]. Freilich läßt sich aus den zitierten Sätzen auch ein gewisser Antikapitalismus herauslesen. Nicht von ungefähr — denn dem Verfasser von SuZ mußte der Kapitalismus genauso verdächtig erscheinen wie der Sozialismus. Zweifellos enthielt auch die NS-Ideologie, zumindest in ihren Anfängen und bis weit in die dreißiger Jahre hinein, starke antikapitalistische Elemente, wobei sich dieser kleinbürgerliche Anti-Kapitalismus freilich vom marxistischen weitgehend unterschied. Das Wort ‚sozialistisch' im Namen der NSDAP war zeitweilig durchaus ernst gemeint, nur eben nicht im marxistischen Sinne[69]. Heideggers Argumentation jedenfalls ist in diesem Zusammenhang zu sehen. Die Apotheose des Arbeiters — und *jeder* gilt ihm als Arbeiter — stellt sich gerade jenseits bzw. oberhalb aller gesellschaftlich-politischen Fronten und Gegensätze. Nur auf diese Weise, so scheint es, läßt sich der Primat des Völkisch-Nationalen aufrechterhalten[70]. Und nur auf diese Weise läßt sich die reale Not der Zeit zur seinsgeschichtlichen Not ‚umfunktionieren'.

Das Resultat der vorstehenden Analysen läßt sich in der Feststellung zusammenfassen, daß Heideggers Eintreten für den Nationalsozialismus — sicherlich nicht ausschließlich, aber doch — in erheblichem Maße *philosophisch* motiviert war. Man könnte sogar der Meinung sein, daß Heidegger auch da noch, wo er sich politisch engagierte, im Grunde unpolitisch blieb. Das führt zu der Frage, ob der ‚Fall Heidegger' nicht tatsächlich auf einem tiefgreifenden Mißverständnis und Irrtum beruhte. Diese Frage ist zum großen Teil positiv zu beantworten. Denn es war in der Tat ein geradezu groteskes Mißverständnis, wenn Heidegger glaubte, der nationalsozialistische Aufbruch könne die seinsgeschichtliche Not austragen und wenden; und Heidegger irrte sich, wenn er meinte, dem Nationalsozialismus ginge es um die Erfüllung des *geistigen* Auftrages des deutschen Volkes. Vielleicht bestand dieser Irrtum noch nicht einmal so sehr darin, daß Heidegger dem Nationalsozialismus unterstellte, er *habe* diesen Sinn, sondern eher darin, daß er glaubte oder hoffte, der Nationalsozialismus könne in diese Richtung gelenkt werden. Denn vieles von dem, was Heidegger 1933/34 sagte und schrieb, kann auch als Versuch betrachtet werden, dem Nationalsozialismus gleichsam eine höhere Legitimation einzureden, ihm zu einem höheren als bloß politischen, national-völkischen oder rassistischen Selbstverständnis zu verhelfen. Das Niveaulose und Barbarische der nationalsozialistischen Theorie und Praxis dürfte Heidegger auch schon Anfang 1933 nicht ganz entgangen sein; nur glaubte er offensichtlich, der Nationalsozialismus könne auf ein höheres Niveau gebracht und in den Dienst höherer Ziele gestellt werden[71].

Der ‚Fall Heidegger' als Mißverständnis und Irrtum: wenn man diese Erklärung akzeptiert — und es spricht vieles dafür, es zu tun —, so muß man sich zugleich darüber im klaren sein, daß ein solches Mißverständnis und ein solcher Irrtum nur deshalb möglich waren, weil es eben jene ‚Gleichklänge', verborgene und offensichtliche, zwischen der NS-Ideologie und Heideggers Philosophie gab, von denen oben ausführlich gesprochen wurde. Nur weil so manche ‚Tiefenmotive' im Denken Heideggers — in SuZ und dann im seinsgeschichtlichen Ansatz — mit solchen der nationalsozialistischen Weltanschauung verwandt waren, konnte Heidegger der Illusion verfallen, der Nationalsozialismus sei mehr, sei Größeres und

Höheres als das, was er tatsächlich war und als was er sich dann ja auch bald herausstellte.

3.3 Heideggers Verhältnis zum Nationalsozialismus seit 1934

Der tiefere Grund für Heideggers vorzeitigen Rücktritt vom Amt des Rektors lag darin, daß Heidegger seine Erwartungen und Hoffnungen getäuscht sah: es zeigte sich immer deutlicher, daß der Nationalsozialismus nicht das war, wofür Heidegger ihn gehalten hatte, besser: daß er weder durch Heideggers eigenen noch durch irgendeinen anderen geistigen Einfluß zu dem zu machen war, als was Heidegger ihn sehen *wollte*[72].

Seit seiner Demission hat Heidegger ohne Zweifel in Opposition zum Nationalsozialismus gestanden. Das geht zunächst daraus hervor, daß er — umgekehrt — Repressionen von seiten der nationalsozialistischen Staats- und Parteifunktionäre ausgesetzt war[73]. Seine Philosophie wurde offiziell-offiziös bekämpft und als rationalistisch und nihilistisch desavouiert[74].

Wie es kam, daß die Nationalsozialisten einen Mann, der seine geistige Potenz so radikal wie wenige seinesgleichen für den neuen Staat und dessen Führer eingesetzt hatte, so schnell fallen ließen und als weltanschaulichen Gegner erster Ordnung betrachteten — dieser Frage im Detail nachzugehen, ist hier nicht möglich[75]. Stattdessen kann ich nur auf den Erklärungsversuch hinweisen, den J. Habermas bereits 1953 angestellt hat und der mir sehr plausibel erscheint[76]. Eine faschistische Intelligenz — so Habermas — habe es nur darum nicht gegeben, „weil die Mediokrität der faschistischen Führungsgarnitur das Angebot der Intellektuellen nicht akzeptieren konnte. Die Denkenden, deren Motive und deren Mentalität dem Trend der faschistischen Leitbilder entsprachen, waren ja da . . . Nur das mindere Format der politischen Funktionäre hat sie in die Opposton gedrängt. . ."[77].

Für diese Untersuchung, die es mit der Entwicklung der Heideggerschen Philosophie zu tun hat, ist vor allem von Interesse, wie sich Heidegger seinerseits von 1934 an zum Nationalsozialismus gestellt hat. Widerstand etwa im Sinne jener Bewegung, deren Symbol später der 20. Juli 1944 werden sollte, hat Heidegger zweifellos nicht geleistet. Stattdessen hat er aber, woran gleichfalls nicht gezweifelt werden kann, in seinen Lehrveranstaltungen öffentlich den Nationalsozialismus kritisiert. Seine diesbezüglichen Selbstäußerungen[78] werden durch solche seiner Schüler bestätigt[79].

Wie er seine Kritik anbrachte, hat Heidegger später folgendermaßen beschrieben: „Il n'était même pas nécessaire que j'attaquasse le parti de quelque façon spéciale; il me suffisait d'exprimer mes fondements philosophiques pour critiquer le dogmatisme sommaire et primitif du biologisme de Rosenberg."[80] Damit ist in der Tat die Art und Weise, *wie*, und zugleich die Richtung, *in der* Heidegger den Nationalsozialismus bzw. die NS-Weltanschauung angriff, bezeichnet. Das soll an einem Beispiel etwas ausführlicher verdeutlicht werden, nämlich anhand der im Sommer-Semester 1935 gehaltenen (1953 veröffentlichten) Vorlesung ‚Einführung in die Metaphysik‘[81].

Die philosophische Grundpostion dieser Vorlesung ist gegenüber derjenigen, die bereits im Platon-Vortrag, dann auch in der Rektoratsrede und in einem Teil der Reden und Aufrufe von 1933/34 vertreten wurden, im wesentlichen unverändert geblieben. Die Größe des Anfangs bei den Griechen (vgl. EiM 96 ff.), das noch von den Griechen selbst (besonders von Platon und Aristoteles, vgl. ebd. 137) in Gang gesetzte „Herausfallen" aus der anfänglichen Wahrheit (vgl. ebd. 111) und der daraus folgende, ständig zunehmende, in der Gegenwart zum Letztmöglichen sich steigernde Verfall (vgl. 28 f., 141 ff., 154 f.) – das sind nach wie vor die ‚Axiome‘ der seinsgeschichtlichen Theorie. Verglichen mit der Rektoratsrede ist aber auch noch anderes gleich geblieben, nämlich das Bewußtsein, daß bei der zukünftigen oder schon bevorstehenden Wende im Schicksal des Seins dem deutschen Volke eine besondere Bedeutung zukommt: „Unser Volk erfährt als in der Mitte stehend [besonders: zwischen Amerika und Rußland (vgl. vorher 28 f.)] den schärfsten Zangendruck, das nachbarreichste Volk und so das gefährdeste Volk und in all dem das metaphysische Volk." (29)[82] Wie in der Rektoratsrede so besteht auch hier Heideggers Verfahren darin, konkrete Realitäten (in diesem Fall: geographische, außenpolitische) zu metaphysisch-seinsgeschichtlichen umzufunktionieren oder sie zumindest zu solchen umzudeuten. „All das schließt in sich," – so heißt es weiter – „daß dieses Volk als geschichtliches sich selbst und damit die Geschichte des Abendlandes aus der Mitte ihres künftigen Geschehens hinausstellt in den ursprünglichen Bereich der Mächte des Seins." (ebd.) Indessen ist Heidegger nun – 1935 – nicht mehr, wie noch ein bis zwei Jahre vorher, der Überzeugung, der nationalsozialistische Aufbruch sei die Verwirklichung eben dieser seinsgeschichtlichen Bestimmung des deutschen Volkes. Gleichwohl bleibt Heideggers Beurteilung des Nationalsozialismus‘ ambivalent. Das zeigt besonders der folgende Satz, der im Zusammenhang einer Polemik gegen die Wertphilosophie steht: „Was heute vollends als Philosophie des Nationalsozialismus herumgeboten wird, aber mit der inneren Wahrheit und Größe dieser Bewegung (nämlich mit der Begegnung der planetarisch bestimmten Technik und des neuzeitlichen Menschen) nicht das Geringste zu tun hat, das macht seine Fischzüge in diesen trüben Gewässern der ‚Werte' und ‚Ganzheiten'." (152)[83] Diese Bemerkung hat Anlaß zu einer in der Presse ausgetragenen Kontroverse zwischen J. Habermas und Ch. Lewalter gegeben[84], die schon deshalb von Bedeutung ist, weil Heidegger mit einem Leserbrief in sie eingegriffen hat[85]. Genauer: Heidegger hat die von Lewalter in apologetischer Absicht vorgenommene Interpretation des fraglichen Satzes als „nach jeder Hinsicht zutreffend" bezeichnet (Leserbrief an ‚Die Zeit' S. 8). Lewalters Deutung kann sich also auf die Autorität dessen berufen, den sie betrifft; sie kann nahezu als Heideggers eigene Meinung gelten. Aus diesem Grunde muß sie hier diskutiert werden.

Zunächst ist Lewalters Feststellung zuzustimmen, der fragliche Satz zeige, daß Heidegger 1935 die NS-Philosophie lächerlich fand[86]. Die Worte „Was heute als Philosophie des Nationalsozialismus herumgereicht wird" richteten sich eindeutig gegen die Krieck, Rosenberg, Bäumler und deren Adepten, und zwar insbesondere wohl gegen den primitiven, überdies unwissenschaftlichen Biologismus[87]. Die fraglichen Worte richteten sich etwa auch – um ein durch die Vorlesung belegtes Beispiel zu nennen – dagegen, daß und wie die NS-Philosophen Nietzsche mit Beschlag belegten: „. . . diese Philosophie [Nietzsches] ist auch jetzt noch gut verwahrt gegen alle täppischen und läppischen Zudringlichkeiten des heute um ihn noch zahlreicher werdenden Schreibervolkes. Das Schlimmste an Mißbrauch scheint das Werk noch gar nicht hinter sich zu haben. Wenn wir hier von Nietzsche sprechen, wollen wir mit all dem nichts zu tun haben; auch nicht mit einer blinden Heroisierung." (EiM 27 f.)[88] So eindeutig Heidegger also die offizielle NS-Philosophie 1935 ablehnte, so eindeutig war er aber andererseits der Meinung, daß in dieser Philosophie – und man darf ergänzen: daß im ganzen offiziellen, äußeren Erscheinungsbild des Nationalsozialismus – dessen tieferer Sinn gar nicht zum Ausdruck komme. Die Rede von der *inneren* Wahrheit und Größe der NS-Bewegung setzt die Unterscheidung von Wesen und Erscheinung voraus, und zwar mit dem Zusatz, daß in der Erscheinung gerade nichts vom Wesen sich bekunde. So auch die – von Heidegger nachträglich autorisierte – Deutung Lewalters: wenn Heidegger von der *inneren* Wahrheit der Bewegung geredet habe, so habe er damit die „von Hitler selbst nicht erkannte" Wahrheit gemeint[89]. Es besteht kein Anlaß zu vermuten, jene Worte von der inneren Wahrheit und Größe der NS-Bewegung seien ein bloßes Zugeständnis in irreführender Absicht gewesen, gerichtet etwa an die Adresse derjenigen, die Heideggers Vorlesungen überwachten. Vielmehr war, was Heidegger sagte, durchaus ernst gemeint[90]. Es enthielt – wenn es zulässig ist, zwischen den Zeilen zu lesen – den Appell an die Zuhörer, sich ihr Bild vom Nationalsozialismus nicht von denen vermitteln zu lassen, die sich anmaßten, die wahre NS-Lehre zu vertreten; den Appell, sich durch Dinge wie etwa Aufmärsche und Propagandareden nicht irreführen zu lassen und nicht *das* für den wahren Sinn des Nationalsozialismus zu halten, was bloß dessen äußere Erscheinungsform war. Heidegger nahm gleichsam für sich in Anspruch, das wahre Wesen des Nationalsozialismus besser zu kennen und zu bestimmen als die erklärten Nationalsozialisten selbst.

Es bereitet allerdings einige Schwierigkeiten, genau festzustellen, worin denn Heidegger 1935 die genannte innere Größe und Wahrheit der NS-Bewegung sah. Was ist mit der „Begegnung der planetarisch bestimmten Technik und des neuzeitlichen Menschen" gemeint? Lewalter interpretierte: „. . . die NS-Bewegung ist ein Symptom für den tragischen Zusammenprall von Technik und Mensch, und als ein solches Symptom hat sie ‚Größe', weil ihre Wirkung auf das ganze Abendland übergreift und es in den Untergang zu reißen droht."[91] Heidegger hat, wie gesagt, diese Deutung als zutreffend bezeichnet. Es ergeben sich jedoch einige Zweifel, ob Heidegger in der Tat 1935 *das* gemeint hat, was gemeint zu haben er 1953 behauptet. Lewalters Interpretation läuft, wie mir scheint, darauf hinaus, daß Heidegger dem Nationalsozialismus *jene* Größe zugeschrieben habe, die auch dem Untergang und der Katastrophe zukommt und die in der Konsequenz liegt, mit der eine − sei's auch schlimme − geschichtliche Entwicklung bis zum Äußersten vorangetrieben wird. Das würde bedeuten, daß Heidegger die Funktion des Nationalsozialismus einzig darin gesehen hätte, den seinsgeschichtlichen Verfall gleichsam auf die Spitze zu treiben und gewissermaßen jenen ‚Paroxysmus' herbeizuführen, in dem sich die Technik als Endprodukt der Seinsvergessenheit des Menschen total bemächtigt. Eine solche Meinung über den Sinn des Nationalsozialismus läßt sich in der Tat aus manchen Schriften Heideggers herauslesen, die *einige Jahre später* entstanden[92]. 1935 jedoch, in der ‚Einführung in die Metaphysik', war anderes gemeint, zumindest *mit*gemeint. Gemeint war, daß dem Nationalsozialismus Größe nicht nur deshalb zukomme, weil er die Geschichte des Verfalls konsequent vorantreibe, sondern auch und vor allem deshalb, weil er die Aufgabe übernommen habe, den Verfall zum Stehen zu bringen und umschlagen zu lassen in einen neuen-alten Zustand, in dem die lange verdeckte anfängliche Wahrheit des Seins sich wieder ereignen würde. Die NS-Bewegung war dazu bestimmt, die große Wende im Seinsgeschick herbeizuführen oder, da diese Wende nur vom Sein selbst ereignet werden kann, sich auf sie einzulassen − genau das meinte, wie mir scheint, Heidegger mit dem fraglichen Satz. Auch 1935 noch sprach Heidegger dem Nationalsozialismus diesen Sinn zu, nur daß er, zweieinhalb Jahre nach der ‚Machtergreifung', genügend desillusioniert war, um zu sehen, daß dieser Sinn nur (noch) dem *inneren Wesen, nicht aber der faktischen Wirklichkeit* des Nationalsozialismus zukomme. „Begegnung der planetarisch bestimmten Technik und des neuzeitlichen Menschen": das wäre dann in einem, wenn man so will, aggressiven Sinne zu interpretieren: in der nationalsozialistischen Bewegung begegnet der Mensch der Technik in jenem Sinne von ‚Begegnen‘, der ‚Entgegentreten‘ meint. Der Mensch rafft sich auf, der Technik Einhalt zu gebieten und damit zweieinhalb Jahrtausende abendländischer Verfallsgeschichte endlich aufzuheben, rückgängig zu machen oder umzukehren. Die innere Wahrheit und Größe der NS-Bewegung — so muß man Heideggers Satz interpretieren — besteht darin, daß sie die radikale Alternative zur Technik und damit zur Seinsvergessenheit enthält.

Die Richtigkeit dieser Deutung läßt sich nachweisen. Man kann davon ausgehen, daß auch noch in der Vorlesung von 1935 die innere — freilich auch *nur* noch die *innere* — Größe und Wahrheit der NS-Bewegung mit jener geschichtlichen Bestimmung des deutschen Volkes weitgehend zusammenfällt, derzufolge es dem deutschen als dem „metaphysischen" Volk aufgegeben ist, „die Geschichte des Abendlandes ... in den ursprünglichen Bereich der Mächte des Seins hinauszustellen" (EiM 29). Nun geht aber aus dem Text hervor, daß die Bestimmung des deutschen Volkes und damit — diese Identifizierung darf und muß man vornehmen — auch die innere Wahrheit der NS-Bewegung gerade darin besteht, aus der Verlorenheit in die Technik herauszufinden in die ursprüngliche Wahrheit des Seins. Jene andere Funktion nämlich, die Technik auf die Spitze und womöglich bis zur Katastrophe voranzutreiben, haben, Heidegger zufolge, andere Völker übernommen, deren Wesen als dem des deutschen Volkes gerade entgegengesetzt gekennzeichnet wird: Amerika und Rußland. Diese „sind beide, metaphysisch gesehen, dasselbe; dieselbe trostlose Raserei der entfesselten Technik und der bodenlosen Organisation des Normalmenschen" (28; vgl. das Folgende). Später heißt es: „Der geistige Verfall der Erde ist so weit fortgeschritten, daß die Völker die letzte geistige Kraft zu verlieren drohen, die es ermöglicht, den (in Bezug auf das Schicksal des ‚Seins‘ gemeinten) Verfall auch nur zu sehen und als solchen abzuschätzen." (29) Nur das deutsche Volk als das Volk der Mitte (vgl. ebd.) bildet eine Ausnahme: es bedarf der „Entfaltung neuer geschichtlich *geistiger* Kräfte aus der Mitte", „wenn die große Entscheidung über Europa nicht auf dem Wege der Vernichtung fallen soll" (ebd.). Wie diese Entfaltung neuer Kräfte aussehen soll, ist gleich darauf gesagt: „Fragen: Wie steht es um das Sein? — das besagt nichts Geringeres als den Anfang unseres geschichtlich-geistigen Daseins wieder-holen, um ihn in den anderen Anfang zu verwandeln." (ebd.)[93]

Es zeigt sich also bei näherem Hinsehen, daß Heidegger klare Unterscheidungen trifft: jene Entwicklung, die in der bloßen Entfesselung der Technik besteht, wird mit eindeutig negativen, pejorativen Kategorien verurteilt; die Alternative dazu, die darin besteht, daß der Technik Einhalt geboten wird zugunsten der anfänglichen Wahrheit des Seins, wird als die einzige positive Möglichkeit und als einziger Ausweg aus dem Unheil gekennzeichnet.

Kehren wir zum Ausgangspunkt dieser Überlegungen zurück. Wenn Heidegger später von der inneren Größe und Wahrheit der NS-Bewegung spricht und sie in die Begegnung der planetarisch bestimmten Technik und des neuzeitlichen Menschen sieht, so kann dies nur im positiven, im sozusagen techniküberwindenden Sinne gemeint sein. Die von Heidegger bestätigte Deutung Lewalters, wonach das Wort von der Größe der NS-Bewegung im negativen, im sozusagen technikforcierenden Sinne gemeint gewesen sein soll, trifft offensichtlich nicht zu.

Freilich verdient die andere Seite in Heideggers Stellung zum Nationalsozialismus im Jahre 1935 die gleiche Beachtung. In demselben Maße, wie Heidegger an der *inneren* Größe des Nationalsozialismus festhält, greift er dessen faktische Wirklichkeit an; diese hat, Heidegger zufolge, mit jener eben „nicht das Geringste zu tun". Darauf wurde bereits oben hingewiesen; es soll im folgenden noch ergänzt werden.

In den einleitenden Passagen seiner Vorlesung verteidigt Heidegger die Autonomie der Philosophie. Philosophie — so heißt es — sei „wesenhaft unzeitgemäß", sie könne „nie einen unmittelbaren Widerklang in ihrem jeweiligen Heute finden" (EiM 6), sei niemals in unmittelbarer Weise anwendbar (vgl. ebd. 7): „Man sagt z. B.: Weil die Metaphysik an der Vorbereitung der Revolution nicht mitgewirkt hat, deshalb ist sie abzulehnen. Das ist genauso geistreich, wie wenn einer sagen sollte, weil man mit der Hobelbank nicht fliegen kann, deshalb ist sie zu beseitigen. Die Philosophie kann niemals *unmittelbar* die Kräfte beistellen und die Wirkungsweisen und Gelegenheiten schaffen, die einen geschichtlichen Zustand heraufführen, dies schon allein deshalb nicht, weil sie unmittelbar immer wenige angeht." (8) In diesen Sätzen liegt eine deutliche Kritik an jeder Inanspruchnahme der Philosophie für konkrete, besonders politische und in diesem Fall für nationalsozialistische Zwecke. Implizit hat Heidegger damit auch das Urteil über seinen eigenen Versuch von 1933/34 gesprochen, das Potential seiner Philosophie für politische, sogar tagespolitische Zwecke einzusetzen. Die eben zitierten Sätze enthalten in dieser Hinsicht ein Stück Selbstkritik.

Liest man, wie es bei dieser Vorlesung in vielen Fällen nötig ist, zwischen den Zeilen, so kann man feststellen, daß Heidegger sogar für die — nur ihren eigenen Gesetzen gehorchende — Philosophie (vgl. 7) in Anspruch nahm, daß sie gerade „mit dem *eigentlichen* Geschehen in der Geschichte eines Volkes im innigsten Einklang stehen" könne (ebd., Hervorhebung von mir; vgl. auch 8). Darin liegt wieder der unausgesprochene

Appell an die Zuhörerr, sich die *wahre* Bestimmung des deutschen Volkes gerade nicht von der offiziellen NS-Weltanschauung einreden zu lassen.

Auf die nationalsozialistische Kritik seiner eigenen Philosophie spielte Heidegger mehrfach an, um sie entschieden zurückzuweisen: „Wir taumeln auch dann, wenn wir uns gegenseitig versichern, daß wir nicht taumeln, auch dann, wenn man sich neuerdings sogar [wie etwa E. Krieck, s. u.] bemüht zu zeigen, dieses Fragen nach dem Sein bringe nur Verwirrung, wirke zerstörend, sei Nihilismus" (154 f.). Der eigentliche Nihilismus – so fuhr Heidegger fort – bestehe vielmehr darin, „in der Vergessenheit des Seins nur das Seiende zu betreiben" (155; vgl. zum Ganzen auch schon 18 f.). Das bedeutet: Die eigentlichen Nihilisten sind gerade die, die das Fragen nach dem Nichts – und das heißt: nach dem Sein – als nihilistisch bezeichnen. Der Nihilismusvorwurf wird zurückgegeben, und zwar – ohne daß es freilich offen ausgesprochen ist – an die NS-Philosophen selbst. An dieser Stelle tritt der Sinn der Heideggerschen NS-Kritik klar hervor. Innere Größe – so darf man interpretieren – und faktische Wirklichkeit des Nationalsozialismus verhalten sich zueinander wie ursprünglich-eigentliche und pervertierte Bestimmung. Die seinsgeschichtliche Funktion der NS-Bewegung hat sich ins Gegenteil verkehrt: statt der Technik entgegenzutreten, liefert sich (nun auch) der Nationalsozialismus ihr aus; er wird selbst nihilistisch, statt den Nihilismus zu überwinden[94].

Diese Figur liegt der Heideggerschen NS-Kritik meist auch dort zugrunde, wo Heidegger scheinbar zu Konzessionen an die nationalsozialistische Weltanschauung bereit ist. Dazu einige Belege. An einer Stelle heißt es: „Die Organisationen zur Reinigung der Sprache und zur Abwehr der fortschreitenden Sprachverhunzung verdienen Beachtung." (39) Das klingt, wie gesagt, wie eine Konzession an die NS-Sprachreiniger. Gemeint ist aber das Gegenteil: „Doch man beweist durch solche Einrichtungen schließlich nur noch deutlicher, daß man nicht mehr weiß, um was es bei der Sprache geht." (ebd.) Das heißt: die nationalsozialistischen Forderungen nach Sprachreinigung sind selbst noch ein *Beweis* für den Sprachverfall, nicht aber für dessen Überwindung[95].

Ein anderes Beispiel: „Es ist gewiß richtig, wenn die Schüler statt dessen [sc. statt der „geistlosen und öden Sprachlehre der Schule" (40 f.)] von ihren Lehrern etwas über germanische Ur- und Frühgeschichte erfahren." (41) Dieser scheinbaren Billigung folgt aber sogleich die Abfuhr: „Aber all dies versinkt alsbald in dieselbe Öde, wenn es nicht gelingt, die geistige Welt für die Schule *von innen her* und *aus dem Grunde* umzubauen . . ." (ebd., Hervorhebung von mir). D. h.: die von den Nationalsozialisten unternommenen Versuche einer ‚Reform' des Bildungswesens bleiben oberflächlich und verfallen schließlich demselben Verdikt wie die Zustände vor der NS-‚Revolution'. Der eben zitierte Satz ging aber noch weiter: der Umbau der Schule von innen her und aus dem Grunde erfordere es, „der Schule eine geistige, nicht eine wissenschaftliche Atmosphäre zu verschaffen" (ebd.). Hier scheint es wiederum, als ob Heidegger den NS-Ideologen das Wort redete. Und in gewissem Sinne dürfte das sogar zutreffen. Im Kern nämlich verbinden Antirationalismus und -intellektualismus das Heideggersche Denken auch da noch mit der NS-Philosophie — und zwar auch mit der offiziellen —, wo diese von Heidegger selbst angegriffen wird. Auf der anderen Seite jedoch ist Heideggers Begriff von Rationalismus und Intellektualismus so weit gefaßt, daß auch noch der erklärte Irrationalismus und Antiintellektualismus der Nationalsozialisten unter ihn subsumiert werden kann: „Der Irrationalismus ist nur die offenkundig gewordene Schwäche und das vollendete Versagen des Rationalismus und damit selbst ein solcher. Irrationalismus ist ein Ausweg, welcher nicht ins Freie führt, sondern nur noch mehr in den Rationalismus verstrickt, weil dabei die Meinung erweckt wird, dieser sei durch bloßes Neinsagen überwunden, während er jetzt nur gefährlicher, weil verdeckt und ungestörter seine Spiele treibt." (136) Das ist eindeutige Kritik am nationalsozialistischen Plädoyer für die Mächte des Irrationalen. Eine seltsame Kritik freilich, mag sie auch im Sinne der Heideggerschen Position durchaus konsequent sein: am Irrationalismus wird nicht die *Irrationalität*, sondern die (verborgene) *Rationalität* verurteilt. Heidegger greift den Nationalsozialismus deshalb an, weil dieser *faktisch* den Rationalismus nur vorantreibt, statt ihn — wie es der *inneren* Größe der NS-Bewegung entsprechen würde — wahrhaft zu überwinden[96].

Es muß also nochmals betont werden: so unzweifelhaft es auch ist, daß Heidegger 1935 die NS-Ideologie öffentlich attackiert hat, so darf und kann auf der anderen Seite nicht übersehen werden, daß selbst diese Kritik in ihrer Stellung zum Nationalsozialismus ambivalent bleibt. Sie unterscheidet zwischen dem, was der Nationalsozialismus als ‚Inkarnation' der geschichtlichen Bestimmung des deutschen Volkes seinem eigentlichen Wesen nach hätte sein können und sein sollen, und dem, was er, in Pervertierung dieses seines Auftrages, faktisch geworden ist.

Diese Unterscheidung, die übrigens auch in der Vorlesung von 1935 kaum explizit enthalten ist, implizit dagegen sehr wohl — eben diese Unterscheidung wird von Heidegger wenige Jahre später aufgegeben. Der Prozeß der Desillusionierung, vermutlich durch die politischen Ereignisse seit 1937/38 und dann durch den Ausbruch und den Verlauf des 2. Weltkrieges vorangetrieben, ist, wie bei anderen, so auch bei Heidegger weiter fortgeschritten, so weit nämlich, daß dem Nationalsozialismus nicht einmal mehr eine *innere* Wahrheit — im positiven, verfallsüberwindenden Sinne — zugeschrieben werden kann. Die Größe des Nationalsozialismus sieht Heidegger jetzt nur noch in der Konsequenz der *Unwahrheit* und in der Folgerichtigkeit, mit der die Geschichte der Seinsvergessenheit ihrem katastrophalen Höhepunkt zutreibt.

Exemplarisches Dokument für diese — gegenüber der Auffassung von 1935 gewandelte — Position sind die Aufzeichnungen zur ‚Überwindung der Metaphysik', die Heidegger auszugsweise 1951, vollständig dann 1954 (in VA) veröffentlicht hat. Sie gehen auf die Jahre 1936 bis 1946 zurück; die Bezüge aufs weltpolitische Geschehen, vor allem auf den 2. Weltkrieg, zeigen jedoch, daß das meiste von ihnen erst am Ende der 30er und dann in den 40er Jahren niedergeschrieben ist[97].

Die Grundtendenz dieser Aufzeichnungen könnte man fast als apokalyptisch bezeichnen. Während Heidegger 1933 offensichtlich noch davon ausging, daß der seinsgeschichtliche Verfall zum Stehen gebracht werden könne — eine Aufgabe, die er dem deutschen Volk und den nationalsozialistischen Aufbruch zutraute und in der er sogar 1935 noch wenigstens die innere Größe der NS-Bewegung sah —, ist er einige Jahre später davon überzeugt, daß eine Wende erst dann eintreten könne, wenn die Verfallsgeschichte in einer, besser: in *der* weltgeschichtlichen Katastrophe zu Ende gebracht sei: „Ehe das Sein sich in seiner anfänglichen Wahrheit ereignen kann, muß das Sein als der Wille gebrochen, muß die Welt zum Einsturz und die Erde in die Verwüstung und der Mensch zur bloßen Arbeit gezwungen werden. *Erst nach diesem Untergang* ereignet sich in langer Zeit die jähe Weile des Anfangs." (VA 73; vgl. auch 78: Notwendigkeit der „äußersten Seinsvergessenheit".) Als die Fogen dieses seinsgeschichtlich inaugurierten Untergangs versteht Heidegger „die Begebenheiten der Weltgeschichte dieses Jahrhunderts" (73). Zu ihnen gehören z. B. die totale Technisierung (vgl. etwa 92 f.) und die Weltkriege (vgl. ebd.), aber auch die Formen der politischen Auseinandersetzung. Zwar redet Heidegger nirgendwo *direkt* vom Nationalsozialismus, aber es ist offensichtlich, daß seiner ‚seinsgeschichtlichen Bestandsaufnahme' gerade die politische Wirklichkeit im Deutschland der ersten 40er Jahre als Musterbeispiel dient. So etwa, wenn „der Wille zum Willen" beschrieben wird; zu ihm gehört — so Heidegger — „das allseitige, ständige, unbedingte Ausforschen der Mittel, Gründe, Hemmnisse, das verrechnende Wechseln und Ausspielen der Ziele, die Täuschung und das Manöver, das Inquisitorische, demzufolge der Wille zum Willen gegen sich selbst noch mißtrauisch und hinterhältig ist und auf nichts anderes bedacht bleibt als auf die Sicherung seiner als Macht selbst." (88 f.) Das hört sich wie eine Beschreibung der Grundelemente faschistischer Herrschaft an und dürfte wohl auch so gemeint sein. Dabei betont Heidegger mehrfach, daß dieser Zustand nicht dem Menschen — oder gar *einzelnen* Menschen — angelastet werden kann. Er ist vielmehr das Produkt jener letzten Verfallsform des Seins, als welche der Wille zum Willen ist: „Dadurch, daß zeitweilig der Wille in einzelnen ‚Willensmen-

schen' personifiziert ist, sieht es so aus, als sei der Wille zum Willen die
Ausstrahlung dieser Personen. Die Meinung entsteht, der menschliche
Wille sei der Ursprung des Willens zum Willen, während doch der Mensch
vom Willen zum Willen gewollt ist, ohne das Wesen dieses Wollens zu
erfahren." (89)

Heideggers Beschreibung der Endphase der Seinsverlassenheit verzichtet also auf jedes moralische Urteil; ja mehr als das: ,,Die moralischen
Entrüstungen derer, die noch nicht wissen, was ist, zielen oft auf die
Willkür und den Herrschaftsanspruch der ,Führer' — die fatalste Form der
ständigen Würdigung ... Man meint, die Führer hätten von sich aus, in der
blinden Raserei einer selbstischen Eigensucht, alles sich angemaßt und
nach ihrem Eigensinn sich eingerichtet. In Wahrheit sind sie die notwendigen Folgen dessen, daß das Seiende in die Weise der Irrnis übergegangen
ist ..." (93; vgl. das Folgende). Die Funktion der Führer im weltgeschichtlichen Prozeß wird dann noch näher bestimmt: ,, ,Führernaturen'
sind diejenigen, die sich aufgrund ihrer Instinktsicherheit von diesem Vorgang [sc. von der ,,Kreisbewegung der Vernutzung um des Verbrauchs
willen" (96)] anstellen lassen als Steuerungsorgane. Sie sind die ersten
Angestellten innerhalb des Geschäftsganges der bedingungslosen Vernutzung des Seienden im Dienste der Leere der Seinsverlassenheit." (96)

Vielleicht wird das Absurde von Heideggers seinsgeschichtlicher Konstruktion nirgendwo so deutlich wie hier: die NS-Machthaber (jedenfalls
sie *auch*) werden gewissermaßen zu Spitzenfunktionären der Seinsverlassenheit stilisiert. Mag die geschichtliche Entwicklung, deren (End-) Produkt sie sind, von Heidegger auch mit aller Deutlichkeit als Verfall gekennzeichnet sein — der seinsgeschichtliche Fatalismus verleiht ihnen eine Legitimität, die umso unanfechtbarer ist, als sie sich nicht auf menschliche
Instanzen zu berufen braucht[98].

Heidegger beschreibt zwar die Endphase der Seinsvergessenheit ausdrücklich als planetarische Erscheinung. Es ist aber klar, daß der gemeinte
seinsgeschichtliche Tatbestand vor allem durch den deutschen Faschismus
und durch den vom NS-Regime entfesselten 2. Weltkrieg erfüllt ist. Zwei
Stellen aus den Aufzeichnungen zur ,Überwindung der Metaphysik' lassen
sich vielleicht sogar als Hinweise darauf interpretieren, daß Heidegger auch
explizit den Ereignissen in Deutschland bzw. den von Deutschland in Gang
gesetzten Ereignissen gewissermaßen eine Spitzenstellung im seinsgeschichtlichen Geschehen zubilligt. ,,. . . nicht jedes beliebige Menschentum" — heißt es einmal — ist ,,geeignet, den unbedingten Nihilismus
geschichtlich zu verwirklichen. Deshalb ist sogar ein Kampf nötig über die
Entscheidung, welches Menschentum zur unbedingten Vollendung des
Nihilismus fähig ist." (91) Weckt nicht die Rede von einem bestimmten
Menschentum, das vor anderen ausgezeichnet ist, gewisse Assoziationen?

Sollte Heidegger, wenn nicht bewußt, dann vielleicht unwillkürlich in die Terminologie derjenigen gefallen sein, die vom nordischen Menschen und Menschentum redeten? Allerdings ist nicht nachzuweien, daß Heidegger auf ein bestimmtes Menschentum in einem der NS-Ideologie irgendwie verwandten Sinne angespielt hat. Auf solchen — immerhin nicht auszuschließenden — Vermutungen soll daher nicht bestanden werden. Dafür drängen sich aber weitere Fragen auf: Wenn Heidegger wenig später von den Führern und Führernaturen spricht und sie als die ausführenden Organe „im Dienste der Leere der Seinsvergessenheit" kennzeichnet (96), sind *sie* es dann, die „zur unbedingten Vollendung des Nihilismus fähig" sind?[99] Und wenn man bedenkt, daß es der deutsche Faschismus mit solchem Führertum am weitesten gebracht hat und daß Heidegger sich dessen bwußt gewesen sein dürfte: liegt dann in Heideggers Sätzen nicht eine Höchstlegitimation für den Nationalsozialismus? Solche Fragen können zumindest *gestellt* werden.

Auf eine letzte Stelle aus Heideggers Aufzeichnungen sei noch hingewiesen: „Die Metaphysik ist in allen ihren Gestalten und geschichtlichen Stufen ein einziges, aber vielleicht auch das notwendig Verhängnis des Abendlandes und die Voraussetzung seiner planetarischen Herrschaft. Deren Wille wirkt jetzt auf die Mitte des Abendlandes zurück, aus welcher Mitte auch wieder nur ein Wille dem Willen entgegnet." (77) 1935, in der Vorlesung ,Einführung in die Metaphysik' hatte Heidegger das deutsche Volk als das „Volk der abendländischen Mitte" bezeichnet (EiM 38; vgl. vorher 29, 32). Meint er nun, wenn er von der „Mitte des Abendlandes" spricht, ebenfalls und immer noch Deutschland? Wenn das zutrifft — und mir scheint nichts dagegen zu sprechen —, dann könnte man das, wovon Heidegger in den zitierten Sätzen spricht, gewissermaßen als das seinsgeschichtliche Substrat der politisch-militärischen Konstellation des 2. Weltkriegs verstehen: dieser Krieg ist im Grunde nichts anderes als dasjenige Ereignis, in dem das vom Abendland (Europa) ausgegangene und nun planetarisch (Amerika, Rußland, Asien) ausgebreitete Verhängnis auf die Mitte Europas, eben auf Deutschland, zurückschlägt. Damit wäre Deutschland ein weiteres Mal in eine Art seinsgeschichtlicher Sonderstellung gerückt, nun allerdings in einem anderen Sinen als in der Vorlesung von 1935. Damals sollte, Heidegger zufolge, das deutsche Volk seinen Auftrag darin sehen, der entfesselten Technik und damit der in Amerika und Rußland sich zeigenden Entwicklung entgegenzutreten. Nun dagegen ist Deutschland selbst — wenn man so interpretieren darf — mit seinen Gegner in den Wettbewerb um die größtmögliche Konsequenz im Vorantreiben des Verhängnisses eingetreten. Es antwortet mit demselben Willen, durch den es auch bedrängt wird. Und eben darin, so scheint es, liegt nun seine Größe, nämlich die Größe seinsgeschichtlicher Notwendigkeit[100].

Vielleicht ist auch diese Interpretation anfechtbar. Es mag sich aber gezeigt haben, daß Heideggers Stellung zum Faschismus auch während der letzten Jahre der NS-Herrschaft zweideutig und durchaus problematisch bleibt[101].

Als Ergebnis des dritten Teils dieser Untersuchung kann folgendes festgehalten werden:

Erstens: Heideggers frühe Philosophie (i.e.L.SuZ) gehört in mancher Hinsicht — allerdings auch *nur* in *mancher* Hinsicht — mit in die ,geistige Vorgeschichte' des deutschen Faschismus.

Zweitens. Heideggers Engagement für den Nationalsozialismus in den Jahren 1933/34 ergab sich zwanglos — allerdings nicht zwangsläufig — aus seiner philosophischen Position.

Drittens. Heideggers Kritik am Nationalsozialismus — *daß* er ihn kritisierte, steht allerdings außer Zweifel und fällt erheblich ins Gewicht — war sowohl 1935 als auch gegen Ende der NS-Herrschaft durchaus ambivalent.

Vierter Teil

Heideggers späte Philosophie

Der Ausdruck ‚späte Philosophie' oder ‚Spätphilosophie' ist im Fall des Heideggerschen Denkens ein terminologischer Notbehelf. Chronologisch gesehen, ist er nur teilweise gerechtfertigt; denn mit dem Zusatz ‚spät' wird hier nicht nur die Philosophie des 60-, 70- und 80-Jährigen, sondern auch die des 40- und 50-Jährigen versehen. Aus sachlichen Gründen empfiehlt es sich aber, alles, was Heidegger seit etwa 1930 vorgetragen, aufgezeichnet und veröffentlicht hat, unter einem einzigen Titel zusammenzufassen. Denn sieht man einmal von Heideggers ersten Schriften (bis 1917) ab, so ist die deutlichste Zäsur in der Entwicklung seiner Philosophie auf die Jahre um 1930 anzusetzen. Es ergeben sich also zwei Hauptphasen, deren erste von SuZ (und dem Kantbuch, sowie von einigen kleineren Schriften), deren zweite von allen späteren Schriften repräsentiert wird. In der Heideggerschen Philosophie der letzten vier Jahrzehnte hat es keine Zäsur mehr gegeben, die jener ersten von 1930 vergleichbar wäre. Die Position der 60er Jahre ist *im Grundsätzlichen* dieselbe geblieben wie die der 30er. Daher erscheint es ratsam, Heideggers Spätphilosophie *geschlossen* zu interpetieren, und zwar anhand ihrer wichtigsten Komplexe[1].

Natürlich sind innerhalb der Heideggerschen Philosophie der letzten vier Jahrzehnte *im einzelnen* durchaus einige Veränderungen oder Schwerpunktverschiebungen zu konstatieren. Vorweg kann folgende grobe Einteilung gegeben werden.

Sieht man — was in diesem vierten Teil der Untersuchung durchweg geschieht — von den Jahren bis 1934 ab, in denen sich erstens der Übergang vom existenzialontologischen zum seinsgeschichtlichen Denken vollzog und die zweitens durch Heideggers NS-Engagement geprägt sind, so lassen sich in Heideggers Spätdenken noch zwei Phasen unterscheiden (allerdings immer nur in bezug auf gewisse Details). Die Zäsur zwischen beiden fällt in die Jahre um 1950[2]. In welchen Punkten sich die Heideggersche Philosophie der 30- und 40er Jahre von derjenigen der 50- und 60er (und der beginnenden 70er) Jahre unterscheidet, wird von Fall zu Fall zu klären sein[3].

4.1 Sein und Geschichte — Das ontologisch-geschichtsphilosophische Modell

Wie sich Heideggers frühes Denken unter den Titel ‚Sein und Zeit' stellen läßt, so ist sein Spätdenken durch das Begriffspaar ‚Sein und Geschichte' zureichend gekennzeichnet. Was sich freilich dahinter verbirgt, ist nicht nur von der Sache her problematisch, sondern in vielerlei Hinsicht einfach unklar. Im folgenden will ich versuchen, einiges Licht in die Heideggersche Philosophie der letzten vier Jahrzehnte zu bringen, und — wo sich dies als unmöglich erweist — wenigstens die Unklarheiten, Widersprüche und Aporien konstatieren[4]. Sie ergeben sich vor allem bezüglich des Heideggerschen Seinsbegriffs; er ist daher als erstes zu diskutieren.

Im berühmten ‚Brief über den Humanismus' sagt Heidegger: „Doch das Sein — was ist das Sein? Es ist es selbst." (Hum 19) An solchen Sätzen hat die Kritik exemplarisch Anstoß genommen — letzten Endes zurecht. Denn eine Philosophie, deren Ertrag sich in Tautologien ausdrückt, darf sich nicht wundern, wenn man über sie den Kopf schüttelt[5].

Ganz so tautologisch ist die zitierte Stelle nun allerdings doch nicht, wie die daran anschließenden Sätze zeigen. Das Sein ist deshalb es selbst, weil es nichts anderes ist: „Das ‚Sein' — das ist nicht Gott und nicht ein Weltgrund. Das Sein ist weiter denn alles Seiende und ist gleichwohl dem Menschen näher als jedes Seiende, sei dies ein Fels, ein Tier, ein Kunstwerk, eine Maschine, sei es ein Engel oder Gott." (Hum 19 f.) Zugleich zeigt sich in diesen Sätzen: zwar hat sich die Konstellation, innerhalb derer übers Sein geredet wird, gegenüber SuZ geändert, ihre Elemente jedoch sind die gleichen geblieben. Für SuZ war die Dreiheit von Sein, Dasein und (nicht-daseinsmäßigem) Seiendem konstitutiv. Sie bleibt es auch im späteren Denken[6]. Die Verschiebungen im Verhältnis dieser drei zueinander sind allerdings schwer zu kennzeichnen, denn Bestimmtheit und Eindeutigkeit, die es in SuZ wenigstens doch bis zu einem gewissen Grade gibt, sind dem Denken nach der Kahre oft genug fremd. Im folgenden werden, aus praktischen Gründen, Heideggers Aussagen über die beiden Bezüge ‚Sein — Seiendes' und ‚Sein — Mensch', die natürlich zusammengehören, nacheinander besprochen.

4.1.1 Sein und Seiendes

Mag die Anwendung des Terminus ‚Fórmalprinzip' im Bereich eines Denkens wie des Heideggerschen auch problematisch sein — zur Kennzeichnung dessen, was in SuZ mit ‚Sein' gemeint war, ist er doch durchaus geeignet. ‚Sein' bedeutete dort — wie oben gezeigt wurde[7] — dasjenige, was Seiendes als Seiendes bestimmt. Sein ist, innerhalb von SuZ, immer Sein *des Seienden* oder *eines Seienden* oder allgemein *Sein von Seiendem überhaupt*. Trifft das auch für das spätere Denken Heideggers zu?

Darüber, so scheint es, ist dieses Denken mit sich selbst uneins. Einschlägiges Indiz dafür bleibt die vieldiskutierte Stelle aus dem Nachwort zu ‚Was ist Metaphysik?'. In der ersten Fassung (4. Aufl. 1943, dort S. 26) besagte sie, „daß das Sein *wohl* west ohne das Seiende, daß niemals aber ein Seiendes ist ohne das Sein" (WiM-N 46, Hervorhebung von mir). In der 5. Auflage nahm Heidegger eine gravierende Änderung vor; hier hieß es nun, „daß das Sein *nie* west ohne das Seiende, daß niemals ein Seiendes ist ohne das Sein" (WiM-N 46, Hervorhebung von mir). Im ersten Falle wird das Sein offensichtlich als etwas verstanden, was als solches nicht unbedingt einen Bezug zum Seienden aufweist, als etwas also, was es auch getrennt vom Seienden gibt. Eben das wird in der Formulierung der 5. Auflage (1949) widerrufen. Es hat verschiedene Versuche gegeben, diesen Widerspruch zu erklären[8] oder gar nachzuweisen, er sei keiner[9]. Am naheliegendsten ist wohl die Annahme, Heidegger habe mit dem ‚Sein' der zweiten Formulierung nicht dasselbe gemeint wie mit dem der ersten. Darauf beruht etwa die Deutung von M. Müller: in der ersten Formulierung sei mit ‚Sein' die „Differenz" selbst gemeint: „Das Sein in *dieser* Betrachtung hat kein ‚außerhalb' seiner und insofern *keine* Bedürftigkeit." In der Formulieung der fünften Auflage dagegen werde unter ‚Sein' einer der beiden „Pole" der Differenz (Sein-Seiendes) verstanden; in diesem Sinne könne das Sein allerdings nie ohne das Seiende wesen, da es *innerhalb* der Differenz auf dieses als auf sein Korrelat angewiesen bleibe[10]. M. Müller glaubte ferner, daß Heidegger diese Doppeldeutigkeit von ‚Sein' zeitweilig durch verschiedene Schreibweisen auszudrücken versucht habe: mit der Schreibung ‚Seyn' sei die Differenz selbst bzw. ihr Ursprung, mit ‚Sein' dagegen der eine der beiden differenten Pole gemeint[11].

In dieser Deutung, die bereits 1949 vorgetragen wurde[12], konnte sich M. Müller durch die in den folgenden Jahren von Heidegger veröffentlichten Schriften bestätigt fühlen, vor allem durch ‚Identität und Differenz'. Darin sprach Heidegger in der Tat ständig von einem Dritten vor und jenseits von Sein und Seiendem, eben von der Differenz. So war etwa davon die Rede, daß „sowohl das Sein als auch das Seiende je auf ihre Weise *aus der Differenz her* erscheinen" (ID 61). Weiter hieß es: „Sein im Sinne der entbergenden Überkommnis und Seiendes als solches im Sinne der bergenden Ankunft wesen als die so Unterschiedenen aus dem Selben, dem Unter-Schied. Dieser vergibt erst und hält auseinander das Zwischen, worin Überkommnis und Ankunft zueinander gehalten, auseinanderzueinander getragen sind. Die Differenz von Sein und Seiendem ist als der

Unter-Schied von Überkommnis und Ankunft der *entbergend-bergende Austrag* beider." (ebd. 62 f.) Hier ist also tatsächlich auch das Sein noch überschritten zugunsten eines noch Fundamentaleren und Ursprünglicheren. Entsprechend wird nun auch, statt von der Seinsvergessenheit, von der „Vergessenheit der Differenz" gesprochen (ebd. 46; vgl. HW 336). Andererseits jedoch wird die Differenz manchmal mit dem Sein wiederum identifiziert, so wenn es heißt, das „Sein *als* Differenz" sei die Sache des Denkens (ID 62). Die fraglichen Bezüge bleiben also höchst zweideutig.

Dasselbe gilt auch vom Verhältnis zwischen dem Sein und dem Seienden, auf das Heidegger nochmals zurückkommt: „Sein des Seienden heißt: Sein, welches das Seiende ist. Das ‚ist' spricht hier transitiv, übergehend. Sein west hier in der Weise eines Übergangs zum Seienden. Sein geht jedoch nicht, seinen Ort verlassend, zum Seienden hinüber, so als könnte Seiendes, zuvor ohne das Sein, von diesem erst angegangen werden. Sein geht über (das) hin, kommt entbergend über (das), was durch solche Überkommnis erst als von sich her Unverborgenes ankommt." (62) Darum hatte Heidegger bereits vorher erklärt, in der Wendung „Sein des Seienden" sei „der Genetiv als genetivus obiectivus zu denken" (59) (und, komplementär dazu, müsse in der Wendung „Seiendes des Seins" der Genetiv als genetivus subiectivus verstanden werden, vgl. ebd.).

Das ‚ist' als ein transitives, ‚Sein des Seienden' als genetivus obiectivus: in solchen Erklärungen zeigt sich vielleicht am besten, wie sehr sich Heidegger vom gewöhnlichen sprachlichen Befund — vom logischen ganz zu schweigen — entfernt, zugleich aber auch, worin seine Absicht liegt[13]. Das ‚ist' und das ‚Sein' sollen aus ihrer statischen Starrheit herausgelöst und der Vergegenständlichung entrissen werden[14]. Genau darin liegt aber die Problematik. Während nämlich in SuZ das Sein als das dem Seienden und aller Gegenständlichkeit vorgängige Ungegenständliche gewissermaßen einen Ort hatte, nämlich das Dasein, d. h. die Subjektivität, hat es sich in Heideggers Spätdenken verselbständigt. Sein, in SuZ noch als entworfenes und seinerseits konstituiertes gedacht, wird nun selbst zum Konstituens[15]. Das Verhältnis ‚Sein-Seiendes' bleibt dadurch nicht unberührt. Die vordem *transzendentale* Vorgängigkeit des Seins tendiert dazu, eine *reale* zu werden, wie es in der oben besprochenen Stelle des Nachworts zur 4. Auflage von ‚Was ist Metaphysik?' zum Ausdruck kommt: Sein gibt es auch ohne Seiendes, nicht aber umgekehrt. Dadurch jedoch wird eben das gefährdet, worauf der Begriff des Seins gerade insistiert: seine Nicht-Gegenständlichkeit[16]. Es ergibt sich daher die Notwendigkeit, das Sein wieder stärker an das Seiende zurückzubinden, so wie es in der Neuformulierung jener Stelle aus dem Nachwort zu ‚Was ist Metaphysik?' zum Ausdruck kommt: Sein gibt es sowenig ohne Seiendes wie umgekehrt Seiendes ohne Sein.

Indessen sind die Schwierigkeiten damit nicht behoben. Denn durch die Betonung der ‚Wechselseitigkeit' von Sein und Seiendem gerät die ontologische Differenz in die Gefahr, ihre Grundsätzlichkeit einzubüßen. Deshalb wird diese Differenz nun ihrerseits — bzw. der „Austrag" seinerseits — zum Ersten erhoben und dem Seienden *wie auch* dem Sein noch vorgeordnet.

Heideggers Bemühungen um die Bestimmung der ontologischen Differenz können kaum als erfolgreich bezeichnet werden. Einerseits bleibt die Reflexion über mehr oder weniger formale Strukturen letzten Endes leer. Auf der anderen Seite — und vielleicht gerade deshalb — verfällt sie immer wieder in neue Hypostasierungen, ist, wie K. J. Huch bemerkt, „stets zum Rückgriff auf substantiell-dingliche Analogien gezwungen"[17]. Heidegger ist sich dessen wohl selbst bewußt. Des öfteren hat er auf das „Schwierige, das aus der Sprache kommt", hingewiesen (ID 72). Solche Hinweise auf die Probleme oder gar Grenzen des ‚sprachlichen Ausdrucks' sind jedoch allemal problematisch, insbesondere im Falle einer Philosophie, der die Sprache gerade als das „Haus des Seins" gilt[18]. Sollten nicht vielleicht die Schwierigkeiten der Sprache eher ein Indiz für das Verfehlte und Ungereimte der Sache sein[19]? Für das Ungereimte nämlich, welches daran liegt, daß die Totalität der Wirklichkeit — der gegenwärtigen schlimmen sowohl als auch der zukünftig-ursprünglichen besseren — auf nichts anderem beruhen soll als allein dem Sein. Diese Totalinanspruchnahme des Seins gerät beständig in Konflikt mit dem schlichten sprachlichen Befund, der ‚Sein' als substantiviertes Verbum, und mit der logischen Einsicht, die ‚Sein' zwar als den umfassendsten, aber auch leersten Begriff ausweist[20].

Vielleicht beruhen die Aporien des Heideggerschen Denkens — die des späteren noch mehr als die des früheren — nicht so sehr darauf, daß Heidegger mit einem höchst fraglichen Seinsbegriff arbeitet, sondern eher darauf, daß der Protest gegen die verdinglichende, im weitesten Sinne technische Rationalität ausgerechnet mit Hilfe des Seins und nur des Seins geführt wird. Und da, wo Heidegger schließlich dem Sein ein noch Ursprünglicheres vorordnet (Differenz, Austrag, Ereignis), reproduzieren sich entweder nur dieselben Paradoxien, oder aber es wird, in der Form kaum noch verhüllten, freilich gestaltlosen Mythologisierens, jene Konsequenz gezogen, auf die das Spätdenken Heideggers in der Tat hinausläuft. Dies kann im folgenden Abschnitt deutlicher gezeigt werden.

4.1.2 Sein und Mensch

Das Verhältnis von Sein und Mensch im Spätdenken Heideggers ist in ähnlicher Weise problematisch wie das von Sein und Seiendem. Die Situation wird dadurch noch mehr verwirrt, daß Heidegger in seinen späteren Schriften (vgl. hier besonders Hum, WiM-N, WiM-E) versucht, den Seinsbegriff von SuZ im Sinne des seinsgeschichtlichen Denkens umzudeuten und so den Eindruck zu erwecken, mit ‚Sein' sei im Grunde bereits in SuZ das gemeint gewesen, was im späteren Denken darunter verstanden werde. Oben (vgl. 1.2.3) wurde aber bereits gezeigt, daß die Auskunft des Textes von SuZ diese Selbstinterpretation ins Unrecht setzt. Daher wird im folgenden nur noch beiläufig auf sie eingegangen.

Am Verhältnis von Sein und Dasein (in SuZ) bzw. Sein und Mensch (im späteren Denken) läßt sich der Sinn der Kehre, die Heideggers Philosophie vollzogen hat, ziemlich genau ablesen[21]. Die Kehre besteht nämlich in der Umkehrung eben dieses Verhältnisses[22].

In SuZ galt: Dasein entwirft Sein; Sein ist vom Dasein abhängig; Sein gibt es nur, solange Dasein ist usf. Im späteren Denken dagegen heißt es: „Das Da-sein selbst . . . west als das ‚geworfene'. Es west im Wurf des Seins als des schickend Geschicklichen." (Hum 16) „Der Mensch . . . ist vom Sein selbst in die Wahrheit des Seins ‚geworfen' . . ." (ebd. 19), er ist der „ek-sistierende Gegenwurf des Seins" (ebd. 29; vgl. noch 25 et passim)[23].

Dasein entwirft Sein — Sein (er)wirft den Menschen: diese Umkehrung bedeutet zweifellos eine erhebliche Änderung der Position. In diesem Sinne hat Heidegger den Standpunkt von SuZ aufgegeben. Am Grundsätzlichen dieser Feststellung wird auch dadurch nichts geändert, daß sich bei näherem Hinsehen etwas kompliziertere Bezüge ergeben. Natürlich entspricht in SuZ dem Entwurf die Geworfenheit. Es wurde aber oben (vgl. 1.2.3.2) gezeigt, daß dem Entwurf der eindeutige Vorrang vor der Geworfenheit zukommt. Darüberhinaus bezog sich nur der Entwurf aufs Sein überhaupt, während die Geworfenheit niemals als eine solche verstanden wurde, deren Werfer das Sein wäre. Sein wurde in SuZ also zweifellos gerade *nicht* als gegebenes oder vorgegebenes, sondern als konstituiertes verstanden. Das Problematische dabei war nicht so sehr dieses Konstitutionsverhältnis als solches, sondern die Art und Weise, wie das Konstituens, nämlich das konstituierende Subjekt, bestimmt wurde. Die auf private Eigentlichkeit reduzierte Subjektivität erwies sich letztlich als unfähig, jene Konstitution von ‚Sein überhaupt' zu leisten. Eben darin lag ja wohl der tiefere Grund für das Scheitern der Existenzialontologie. Anstatt nun aber die Konsequenz daraus zu ziehen und die Subjektivität neu zu fassen, nämlich in der Totalität ihrer konkreten Bezüge und Vermittlungen, kehrte Heidegger das Konstitutionsverhältnis von Sein und Mensch um: das vordem Konstituierte wurde nun selbst zum Konstituens. Diesen Sachverhalt hat M. Brelage, mit Blick auf die erkenntnistheoretischen Implikationen, treffend gekennzeichnet: „Alle ontische und ontologische Erkenntnis beruht nicht [mehr, wie noch in SuZ] auf der Transzendenz des Daseins, sondern auf der Ciszendenz des Seins."[24]

Das komplementäre und zugleich antithetische Verhältnis von Entwurf und Geworfenheit, wie es in SuZ gefaßt wurde, wird im späteren Denken hinfällig: nicht nur wird die Vorrangigkeit des Entwurfs aufgegeben, dieser wird vielmehr mit der Geworfenheit geradezu identifiziert. Beide, Entwurf und Geworfenheit, entstammen nun demselben Wurf des Seins (vgl. die oben zitierten Stellen, Hum 25, 29).

So eindeutig die im späteren Denken Heideggers vollzogene Umkehrung des ‚Abhängigkeitsverhältnisses' im Bereich von Sein und Mensch nun auch ist, so kommt der Interpret auf der anderen Seite, ähnlich wie im Bezug von Sein und Seiendem, auch hier in die Lage, Unklarheiten, Aporien und Paradoxien konstatieren zu müssen[25]. Zum einen ist Heidegger offenbar bemüht, den Eindruck zu vermeiden, als könne der Bezug von Sein und Mensch als Verhältnis zwischen zwei Größen oder zwischen zwei Subjekten begriffen werden[26]. Auf der anderen Seite muß aber in diesem Bezug doch so etwas wie ein ‚Gegenüber' angenommen werden[27]. Dieser Zwiespalt kommt beispielsweise darin zum Ausdruck, daß einmal das Sein selbst als die „Lichtung" bezeichnet wir; (Hum 20) und das heißt doch wohl: mit ihr identifiziert wird; dann aber wird die Lichtung wieder als etwas vom Sein selbst noch Unterschiedenes vorausgesetzt, etwa wenn davon die Rede ist, daß sie vom Sein geschickt ist (vgl. Hum 24). Heideggers Spätphilosophie schwankt zwischen zwei Möglichkeiten: das Sein entweder als subjektloses, gar ‚substratloses' Geschehen oder aber als eine dem Menschen irgendwie doch gegenüberstehende Größe, als „wirkende Macht"[28] und also doch — wenn nicht förmlich als Subjekt, so zumindest — *nach Analogie eines Subjekts* zu verstehen. Besser gesagt: trotz aller Versuche, die erste Möglichkeit zu realisieren, verschafft sich die zweite immer wieder Geltung. Wenn Heidegger ‚Sein' als Lichtung, als „Sichgeben ins Offene" (Hum 22) und vor allem als „Ereignis" versteht (z. B. ID 28 f., N II 485, USp 257 ff., SD 20 ff.)[29], so soll damit vermutlich auf die Subjektlosigkeit des Seins abgehoben und die stets neu sich einstellende Gefahr, das Sein doch wieder als ein Seiendes vorzustellen, abgewehrt werden. In diesem Sinne haben verschiedene Interpreten darauf bestanden, daß, was Heidegger unter ‚Sein' versteht, nicht hypostasiert werden darf. Die Deutung von W. Schulz ist ein Beispiel dafür. Schulz versucht eine eigene Deutung des schon erwähnten Widerspruchs zwischen der 4. und 5. Auflage des Nachworts zu ‚Was ist Metaphysik?' (Sein west wohl ohne das Seiende — west nie ohne das Seiende)[30]. ‚Sein' wird dabei von

Schulz verstanden als das, „woraus ich mich vollziehe", als „mein nicht zu
vergegenständlichender Seinssinn" oder als „der Sinn des ‚seienden Daseins' ", wobei dieser Sinn nicht als ein vom Dasein gesetzter, sondern als
ein solcher verstanden werden müsse, „dessen ich nie mächtig bin"[31].
Genau diese Identifizierung ‚Sein = mein Sinn' ist nun die Grundlage
dafür, daß Schulz schließlich zu dem Ergebnis kommt: „Die vierte und
fünfte Auflage [von WiM-N] besagen dasselbe."[32] Wenn Heidegger sage:
‚wohl west das Sein ohne das Seiende', so meine er damit, „daß das Sein
als der mich durchwaltende Sinn nie in meiner Macht steht"[33]. Wenn er
dagegen behaupte, daß das Sein *nie* ohne das Seiende wese, so komme
darin nichts anderes zum Ausdruck, als daß das Sein eben immer „mein
Sinn" sei, d. h. niemals „abgetrennt für sich" vorkomme[34]. Denselben
Zusammenhang hat Schulz dann auch noch so formuliert: „Sein ist immer
Seyn, das heißt Vermittlung seiner selbst ‚und' des Seienden."[35]

Diese Deutung, der sich manche Interpreten angeschlossen haben[36],
hat in der Tat vieles für sich[37]. Denn auf ihrer Grundlage, so scheint es,
läßt sich wenigsten annäherungsweise bestimmen, was Heidegger mit ‚Sein'
gemeint haben könnte. ‚Sein' – das ist nichts anderes als die abkürzende
Bezeichnung für das immer schon Vorgegebene, für den Sinn oder Sinn-
horizont, auf dessen Grund der Mensch jeweils lebt und aus dem heraus er
sich versteht; oder ‚Sein' wäre der Name für den universalen Vermittlungs-
zusammenhang, als welcher die Welt ist, für das allem faktischen Geschehen vorgeordnete Geschehensganze. Sicherlich läßt sich solches – auch
solches – aus dem Seinsbegriff des späten Heidegger herauslesen; und das
Entscheidende dabei ist, daß der in SuZ vertretene Subjektivitätsstand-
punkt nun aufgegeben ist. Zwar kam auch in SuZ das Moment ‚Vorgegebenheit' vor, nämlich unter den Titeln ‚Geworfenheit', ‚Faktizität', ‚Gewesenheit'. Aber diese Vorgegebenheit war gewissermaßen sekundär gegenüber den Setzungen und Entwürfen des Daseins; das Zurückkommen auf
das – im existenzialen Sinne – Gewesene war nur möglich auf dem Grunde des zukünftigen, sich auf sich selbst hin entwerfenden Daseins. In SuZ
galt: der sich selbst und seine Welt *setzende* Mensch ist die Möglichkeitsbedingung für den sich selbst in einer Welt *vorfindenden* Menschen.

Beim späten Heidegger dagegen gilt das Umgekehrte: nur auf dem
Grunde des nicht übersteigbaren Vorgegebenen gibt es jeweils menschliches Tun und Lassen. Der Seinsbegriff des späten Heidegger ist ein Plädoyer fürs Nicht-mehr-Machbare, für das, was – statt über sich verfügen zu
lassen – selbst über den Menschen verfügt.

Das Sein als der dem Menschen zugewiesene und also nicht in seiner
Macht stehende Sinn – in diesem Verständnis bewegt sich wohl der größte
Teil nicht nur der Heidegger-Interpretation, sondern auch der Heidegger-
Nachfolge der letzten zwei bis drei Jahrzehnte[38]. Und in der Tat ist dieses

Verständnis auch geeignet, einen Teil der vorliegenden Heidegger-Texte zu treffen. Aber – und dies ist die andere Seite – eben nur einen Teil. Denn – so K. Löwith gegen W. Schulz –: „Ein Sein, das uns ereignet und sich uns übereignet, das uns in Anspruch nimmt, sich uns zudenkt und zuspricht und Huld verschenkt, kann weder mein bloßer Seinssinn noch ein transzendentalphilosophischer Reflexionsbegriff sein."[39] Es ist in der Tat nicht statthaft, im Heideggerschen Seinsbegriff all jene Züge zu unterschlagen, denenzufolge das Sein als eine „wirkende Macht"[40], als mit Spontaneität begabt und mit den Eigenschaften handelnder Subjekte ausgestattet erscheint. Dafür lang und breit Belege anzuführen, wäre überflüssig und müßig, ist doch diese Tendenz fast in keinem der späten Texte Heideggers zu übersehen[41]. Ganz massiv wird dieses quasi-personale Verständnis von ‚Sein' beispielsweise im VII. Stück des zweiten Nietzschebandes (N II 335–398), im Humanismus-Brief oder im Nachwort zu ‚Was ist Metaphysik?', wo in den Schlußpassagen von der „Huld" und der „Gunst" des Seins die Rede ist und davon, daß das Sein den Menschen in „Anspruch" nimmt, sich ihm „übereignet", ihn mit „lautloser Stimme" ruft, usf. (WiM-N 50). Es kann kein Zweifel daran bestehen, daß der gegenüber Heidegger erhobene Vorwurf der Mythisierung des Seins[42] durch die Texte genauso ausgewiesen ist wie der des Archaismus[43]. Die Flucht ins Mythische freilich haben die meisten Heidegger-Interpreten (und zwar gerade auch die wohlwollenden) ignoriert[44], und nahezu alle Heidegger-‚Nachfolger' haben sich geweigert, sie mit- und nachzuvollziehen[45].

Anders dagegen steht es mit einem zweiten Phänomen, das beim Heideggerschen Seinsbegriff eine Rolle spielt, nämlich dessen Theologisierung. In der Tat sind – mit einer Formulierung R. Spaemanns – „die Analogien . . . zur christlichen Theologie . . . mit Händen zu greifen"[46]. Im Heideggerschen Spätdenken nimmt das Sein unübersehbar Züge des christlichen Gottes an[47]. Theologen haben denn auch gemeint, mit Heideggers ‚Sein' sei nichts anderes gemeint als Gott selbst[48]. Diese förmliche Identifizierung ist von Heidegger jedoch strikt zurückgewiesen worden: „Das ‚Sein' – das ist nicht Gott", heißt es im Humanismus-Brief (19). Andererseits hat Heidegger – in manchen Texten jedenfalls – keinen Zweifel daran gelassen, daß das, was er ‚Sein' nennt, mit dem, was ‚Gott' heißt, doch *etwas zu tun* hat: „Erst aus der Wahrheit des Seins läßt sich das Wesen des Heiligen denken. Erst aus dem Wesen des Heiligen ist das Wesen von Gottheit zu denken. Erst im Lichte des Wesens von Gottheit kann gedacht und gesagt werden, was das Wort ‚Gott' nennt." (Hum 36 f.) Während Heidegger also hier eine Art Abstufung nach Fundamentalität und Dignität vorzunehmen scheint – das Sein, das Heilige, die Gottheit, der Gott –, sieht es an anderen Stellen so aus, als ob zumindest das Sein und das Heilige nur ‚zwei Seiten derselben Sache' seien, so wenn es heißt:

„Der Denker sagt das Sein. Der Dichter nennt das Heilige." (WiM-N 51) Wiederum etwas anders sind die Bezüge wohl zu denken, wenn Heidegger von der „kreuzweisen Durchstreichung" Gebrauch macht und „S̶e̶i̶n̶" schreibt (ZSF 30, vgl. 31). Diese Schreibweise hat nicht nur die Funktion, die Vorstellung des Seins als „eines für sich stehenden und dann auf den Menschen erst bisweilen zukommenden Gegenübers" abzuwehren (ebd. 30); vielmehr zeigt „das Zeichen der Durchkreuzung" „in die vier Gegenden des Gevierts und deren Versammlung im Ort der Durchkreuzung" (31). Das Geviert bestimmt Heidegger — besonders in den Vorträgen über ‚Bauen, Wohnen, Denken' und ‚Das Ding' — als die Einheit von Erde und Himmel, Göttlichen und Sterblichen (vgl. VA 149 ff., 170 ff., 176 ff.). Wenn nun also gesagt wird, daß die Durchkreuzung von Sein in die Gegenden des Gevierts zeigt: ist es dann zulässig, Sein und Geviert irgendwie miteinander zu identifizieren? Konkretisiert sich Sein zum Geviert oder legt es sich als Geviert aus?[49] Dann wäre ‚Sein' der Name für das ‚Umgreifende', für das ‚kosmische Gefüge', in das auch die Götter selbst gestellt sind; Sein wäre das, was auch noch vor oder über den Göttern waltet[50].

Es erscheint sogar nicht als willkürlich, wenn man im Heideggerschen Sein das wiederzuerkennen glaubt, was die Griechen ‚moira' nannten: das Schicksal, dem nicht nur die Menschen, sondern auch die Götter unterworfen sind[51].

In Heideggers Seinsbegriff sind offenbar Elemente von verschiedenster Herkunft eingegangen. Mythologisches ist in ihm ebenso auszumachen wie Christlich-Theologisches, und auch die Positionen neuzeitlicher Transzendentalphilosophie, obwohl gegenüber SuZ erheblich abgeschwächt, sind nicht zu übersehen. Um eine Synthese, gar um eine gelungene, handelt es sich dabei freilich nicht. Wie sollte diese wohl auch aussehen? Vielmehr ergeben sich gerade aus dieser ‚Kombination' verschiedenster Elemente alle jene Zweideutigkeiten und Unstimmigkeiten, ja Paradoxien, von denen mehrfach die Rede war.

Aporetisch endet schließlich auch der Versuch herauszufinden, wie in Heideggers Spätphilosophie das Verhältnis des Menschen zum Sein gedacht wird. Wenn man Heideggers Theorie des Gevierts zugrundelegt, könnte man vielleicht meinen, daß es die Göttlichen sind, zu denen sich der Mensch als der Sterbliche verhält. Indessen hat Heidegger — jedenfalls da, wo vom Geviert die Rede ist — keine Andeutungen gemacht, in welcher Beziehung die Göttlichen und die Sterblichen zueinander stehen. In welcher Weise die Bereiche — oder wie Heidegger sagt: die Gegenden — des Gevierts über die Bestimmung hinaus, daß sie eben zusammen das Geviert ausmachen, aufeinander verwiesen sind, bleibt ungesagt. Die Göttlichen sind gewissermaßen ein Bereich für sich, ohne ‚Kommunikation' mit den Sterblichen. Im Grunde ist das aber gar nicht erstaunlich;

denn trotz des Versuchs, das Sein als das Götter und Menschen (sowie Himmel und Erde) Umgreifende zu denken und damit der Vorstellung eines Subjekt-Subjekt- oder gar Subjekt-Objekt-Verhältnisses zwischen Sein und Mensch entgegenzutreten, bleibt es doch dabei, daß die Instanz, vor der der Mensch steht und auf die er angewiesen ist, unmittelbar das Sein selbst ist. „Die Geschichte des Seins trägt und bestimmt jede condition et situation humaine." (Hum 5 f.)

Auch hier wieder setzen sich allenthalben Analogien zur christlichen Theologie durch. Alles Geschehen im Bereich von Sein und Mensch ist zunächst ein solches des Seins, von ihm geschickt, ereignet, verfügt. Dem Menschen bleibt nur, die Weisung zu empfangen (vgl. VA 182), der Stimme des Seins gehorsam zu sein (vgl. WiM-N 50), ihr zu antworten (vgl. ebd. 49), dem Anspruch zu entsprechen (vgl. WiPh 22 f., WiM-N 49 f., VA 182); dem Menschen bleiben Dank (vgl. MiM-N 49) und Opfer (vgl. ebd. 50). Vielleicht am deutlichsten wird die Stellung des Menschen zum Sein beim Heideggerschen Begriff des Denkens (über den noch zu reden ist[52]). Er ist dem christlich-theologischen Verständnis von ‚Glauben' analog[53]. Wie das Glauben letztlich auf der Gnade Gottes beruht, so das Denken auf dem Geheiß des Seins. ‚Denken des Seins' — diese Wendung wird als genetivus subiectivus verstanden: das Denken ist des Seins, nämlich von diesem ereignet (vgl. Hum 7). „Dasjenige aber, was ein solches Denken auf seinen Weg bringt, kann doch nur das Zu-denkende selbst sein. Daß das Sein selber und wie das Sein selbst hier ein Denken angeht, steht nie zuerst und nie allein beim Denken." (WiM-E 10)

Es ist also ausgemacht, „daß nicht der Mensch das Wesentliche ist, sondern das Sein . . ." (Hum 22). Andererseits ist aber auch das Sein in irgendeiner Weise auf den Menschen angewiesen. Es „braucht" ihn (HW 343, TK 38) als das „Da", als „die Ortschaft" seiner Lichtung (WiM-E 14, Hum 15 f.); es „wartet" (Hum 13), daß der Mensch ihm „helfe" (WiM-N 50) und es in seine Wächterschaft nehme (Hum 5, 29, 31). Der Mensch, als der „Hirt des Seins" (Hum 19), „hütet" das Sein (ebd.), nimmt es in die „Sorge" (ebd., vgl. 29). „Das Denken baut am Haus des Seins" (Hum 42), bringt „das ungesprochene Wort des Seins zur Sprache" (ebd. 45), usf.[54].

So gibt es denn auch im Heideggerschen Spätdenken eine gewisse Abhängigkeit des Seins vom Menschen, allerdings in einem anderen Sinne als in SuZ, wo diese Abhängigkeit eine des Konstituierten vom Konstituierenden war. Außerdem ist zu beachten: wenn in Heideggers Spätdenken das Sein den Menschen braucht, so hat es ihn doch als den Gebrauchten sich selbst erworfen (vgl. Hum 25); auch wenn der Mensch das Da des Seins ist, so hat ihn doch das Sein selbst in dieses Da-sein geschickt (ebd., vgl. 24); auch wenn der Mensch das Sein in die Sorge nimmt, um seine Wahrheit zu wahren (vgl. Hum 42), so hat ihn doch das Sein selbst dazu gerufen (vgl. ebd. 29) und in diese Aufgabe geworfen (vgl. ebd. 42), usf. Obwohl das Sein irgendwie auf den Menschen angewiesen ist, hat es also doch gewissermaßen das erste und letzte Wort[55].

Das gilt dann besonders auch für die seinsgeschichtliche Kehre, die — Heidegger zufolge — die Wende von der Vergessenheit des Seins zu seiner Wahrheit bringen wird. Zwar „kann das Wesen der Technik nicht ohne die Hilfe des Menschenwesens in den Wandel seines Geschicks geleitet werden" (TK 38), aber die Überwindung der Technik ist doch „niemals vom Menschen allein machbar" (ID 29). Es kommt vielmehr darauf an, daß „das Sein selbst ins Letzte geht und die Vergessenheit, die aus ihm selbst kommt, umkehrt" (HW 343). „Die Konstellation des Seins sagt sich uns zu." (TK 46) Es handelt sich bei der erhofften oder erwarteten Wende um eine „Kehre im Wesen des Seins selber" (ebd. 44). Auch in der ‚eschatologischen' Dimension also (über die bald noch zu reden ist, s. u. 4.1.3) erweist sich das Sein letztlich als souverän; der Mensch bleibt der Wartende und Gehorchende.

Daß sich daraus Probleme ergeben, die wiederum als im Grunde theologische identifizierbar sind, liegt auf der Hand. Die theologische Frage, wie angesichts der Allmacht und Vorsehung Gottes noch menschliche Freiheit und Verantwortung möglich sind, stellt sich ähnlich in bezug auf das Verhältnis von Sein und Mensch[56]. In diesem Punkt, so scheint es, hat Heidegger es mit dem Sein so weit gebracht wie einst die Spätscholastik mit ihrem Willkürgott: „Der Absolutismus des ‚Seins' " — so H. Blumenberg — „ist wahrhaftig nur Fortsetzung des mittelalterlichen **Resultats** mit anderen Mitteln."[57]

4.1.3 Sein als Geschick

Das wichtigste Moment im Seinsbegriff des späten Heidegger, demzufolge Sein als Geschick bzw. als Geschichte verstanden wird, wurde bisher zurückgestellt[58]. Es ist im folgenden ausführlich zu behandeln.

Geschichte war in SuZ nur als formale Struktur der Geschichtlichkeit in den Blick genommen worden[59]. Dengegenüber läßt sich Heideggers Spätdenken auf eine Geschichtsphilosophie im engeren Sinne ein, d. h. auf eine Theorie des Geschichtsverlaufs[60]. Gleichwohl findet sich auch in den späteren Schriften Heideggers so etwas wie eine ‚Formaltheorie' der Geschichte oder der Geschichtlichkeit. Sie ergibt sich in erster Linie aus dem Zusammenhang der Problematik des Verhältnisses von Sein und Zeit.

4.1.3.1 Sein − Zeit − Epoché

Die existenziale Analyse von SuZ kulminierte in der Explikation der Zeitlichkeit. Die Zusammenstellung der Termini ‚Sein‘ und ‚Zeit‘ ergab in der Tat eine zureichende Kennzeichnung der Intention von Heideggers Frühphilosophie. Dasselbe läßt sich von der Spätphilosophie nicht mehr, jedenfalls nicht mehr in diesem Maße, behaupten. Die Zeitproblematik tritt hier deutlich in den Hintergrund. Sie taucht immer nur episodisch auf, und auch das nur an relativ wenigen Stellen. Die einzige Ausnahme in dieser Hinsicht bildet der 1962 gehaltene Vortrag ‚Zeit und Sein‘ (abgedruckt in SD 1−25; vgl. auch das ‚Protokoll zu einem Seminar über den Vortrag ‚Zeit und Sein‘ ‘ ebd. 27−60)[61]. Aber gerade angesichts dieses Vortrages stellt sich die Frage, wieviel Heideggers Zeitbegriff noch mit dem zu tun hat, was man ‚normalerweise‘ und auch philosophisch unter ‚Zeit‘ versteht. Vor allem bleibt der Zeitbegriff in Heideggers Spätdenken durchaus vage und unbestimmt.

Daß die Zeit beim späten Heidegger nicht mehr die zentrale Rolle spielt wie in SuZ, ist allerdings kaum verwunderlich. Es ergibt sich aus der Verlagerung des Schwerpunktes vom Dasein zum Sein. Das Zeit- oder Zeitlichkeitsphänomen bietet sich ja gerade da an, wo auf Subjektivität abgehoben wird. Die in SuZ herausgestellte Zeitlichkeit war sozusagen die letztinstanzliche Antwort auf die Frage nach den Existenzmöglichkeiten des Einzelnen. Mit dem Verlassen des Subjektivitätsstandpunktes verschwand daher die Stelle, an der die Zeitlichkeit festgemacht worden war. Für die Problematik des Verhältnisses von Sein und Zeit konnte das natürlich nicht ohne Folgen bleiben. Da die Zeit nun nicht mehr primär als Subjektivitätsstruktur galt, mußte sie zu einem Grundzug des Seins selbst werden. Das implizierte jedoch, daß die Zeit auch nicht mehr in irgendeinem präzisen Sinne als das fungierte, was sie noch in SuZ − jedenfalls dem Anspruch nach − war, nämlich als *Horizont*. Oder anders ausgedrückt: der Zeithorizont, aus dem, der Fundamentalontologie zufolge, der Sinn von Sein sich ergeben sollte, wurde nun ins Sein selbst verlegt[62].

Eine einheitliche Konzeption des Verhältnisses von Sein und Zeit läßt sich im späteren Denken Heideggers nun allerdings kaum ausmachen, schon deshalb nicht, weil die diesbezüglichen Aussagen in − womöglich voll beabsichtigter − Vagheit gehalten sind.

Auffällig ist vor allem die ‚Rehabilitierung‘ des Raumes. In SuZ war er relativ bedeutungslos, zum senkundären Phänomen degradiert[63]. Nicht von ungefähr: denn die auf ihre Innerlichkeit konzentrierte Subjektivität sieht sich viel eher auf die Dimension des Zeitlichen als auf die des Räumlichen verwiesen. Es ist daher durchaus konsequent, wenn im späteren Denken, nach dem Verlassen des Subjektivitätsstandpunktes also, der

Raum wieder mehr Bedeutung erhält[64] und — jedenfalls stellenweise — als mit der Zeit gleichursprünglich, also sozusagen gleichberechtigt angesetzt wird: „Von der Zeit läßt sich sagen: die Zeit zeitigt. Vom Raum läßt sich sagen: der Raum räumt." (USp 213) Beide müssen als zur Einheit verbunden gedacht werden: „Das Selbe, was Raum und Zeit in ihrem Wesen versammelt hält, kann der Zeit-Spiel-Raum heißen." (ebd. 214) Diese Einheit von Raum und Zeit scheint Heidegger nun manchmal mit dem Sein selbst zu identifizieren, etwa wenn es heißt, daß die „wesenhafte Zeit mit dem wesenhaften Raum die ursprüngliche Einheit desjenigen Zeit-Raumes bildet, *als welcher gar das Sein selbst west.*" (HW 283, Hervorhebung von mir.)[65]

Sein als Zeit-Raum — dies ist allerdings wiederum nicht die letzte bzw. nicht die einzige Auskunft der Heideggerschen Spätphilosophie über den Bezug von Sein und Zeit. Man gewinnt den Eindruck, daß Heidegger einfach verschiedene Möglichkeiten durchspielt, vielleicht um den fraglichen Bezug dem Zugriff des bloß vorstellenden, auf Begründung abzielenden Denkens zu entziehen.

Gelegentlich wird — wobei der Raum nun wieder unberücksichtigt bleibt — die Zeit als „der erst zu bedenkende Vorname für die allererst zu erfahrende Wahrheit des Seins" bezeichnet (WiM-E 18). Bedeutet das vielleicht eine Wiederannäherung an das Verständnis der Zeit als Horizont?

Eine dritte Möglichkeit verfolgt der Vortrag ‚Zeit und Sein‘ von 1962. Hier werden Sein und Zeit als weder aufeinander zurückführbare noch miteinander identifizierbare ‚Gegebenheiten‘ verstanden, und zwar im wörtlichen Sinne: „Es gibt Sein und es gibt Zeit." (ZSD 5) Dieses doppelte Geben wird dann näher bestimmt (vgl. ebd. 5 ff. und 10 ff.), mit dem Resultat: „Das Geben im ‚Es gibt Sein‘ zeigte sich als Schicken und als Geschick von Anwesenheit in ihren epochalen Wandlungen. Das Geben im ‚Es gibt Zeit‘ zeigte sich als lichtendes Reichen des vierdimensionalen Bereiches." (ebd. 17)[66] Schließlich bleibt noch die Frage, wie das ‚Es‘ im ‚Es gibt . . .‘, also der Ursprung des als Schicken und Reichen gefaßten doppelten Gebens, zu bestimmen ist. Hier bedient sich Heidegger ein weiteres Mal des schon mehrfach beobachteten Verfahrens, dem Sein — und hier eben auch der Zeit — ein noch Ursprünglicheres vorzuordnen: „Demnach bezeugt sich das Es, das gibt, im ‚Es gibt Sein‘, ‚Es gibt Zeit‘, als das Ereignis." (20) „Was bleibt zu sagen?" fragt Heidegger (24) und antwortet: „Nur dies: das Ereignis ereignet. Damit sagen wir vom Selben her auf das Selbe zu das Selbe. Dem Anschein nach sagt dies nichts." (24 f.) Nur dem Anschein nach?

Die von Heidegger im Rahmen der Frage nach dem Verhältnis von Sein und Zeit angestellten Überlegungen über die Zeit (und den Raum) geben wenig her. Legitim ist an ihnen einzig die Funktion des allerdings sehr abstrakten Korrektivs: ausdrücklich wendet sich Heidegger gegen die Verabsolutierung des naturwissenschaftlichen Verständnisses von Raum und Zeit: „Raum und Zeit dienen ... nicht nur als Parameter ..." (USp 209), ja mehr noch: „Der Parametercharakter verstellt das Wesen von Raum und Zeit." (ebd. 213; vgl. ZSD 15) Dem ersten Satz ist ohne Einschränkungen zuzustimmen, der zweite immerhin diskutabel. Aber abgesehen davon, daß es sich hierbei um durchaus geläufige und nicht erst seit Heidegger bekannte Einsichten handelt, ist nur noch festzustellen, daß Heidegger der Parameterzeit und dem Parameterraum sehr wenig entgegenzusetzen hat, was in irgendeiner Weise konkretisierbar und in einem — wie auch immer bestimmten — Rahmen von Verbindlichkeit diskutierbar wäre. Die immerhin sehr lange Tradition der Reflexionen über die Zeit von Augustinus bis Bergson oder Husserl — eine hinsichtlich der Zeitbestimmung teilweise durchaus nicht- oder gar anti-aristotelische Tradition — ist in Heideggers Spätphilosophie kaum eingegangen, geschweige denn von ihr in nennenswertem Ausmaß reflektiert worden.

In SuZ waren trotz der Fragwürdigkeit der in erster Linie konstruierenden Passagen doch beachtliche — obwohl durch die Gesamtkonzeption diskreditierte — phänomenologische Resultate im Hinblick aufs Zeitproblem erzielt worden (besonders im 4. und auch im 6. Kapitel des 2. Abschnitts). Und sicherlich kann eine Phänomenologie, die freilich methodisch nach den verschiedensten Seiten hin offen zu sein hätte, zur Frage der nicht-physikalisch-mathematischen Zeit, insbesondere der ‚lebensweltlichen' Zeit, erhebliche Beiträge leisten. In Heideggers Spätphilosophie finden sich jedoch so gut wie keine Ansätze dazu[67]. Das auch hier von Heidegger geübte Verfahren der Anknüpfung an Etymologie und Sprachgebrauch bringt gleichfalls nicht viel ein — zu oft sind die Verknüpfungen und Assoziationen willkürlich, die Herleitungen und Folgerungen erzwungen[68]. So ist es denn nicht weiter verwunderlich, daß die Aussagen der Heideggerschen Spätphilosophie kaum eine nennenswerte Wirkung gehabt haben[69]. Es ist in ihnen einfach zu wenig enthalten, woran sich anknüpfen ließe.

Für Heideggers Spätphilosophie selbst ist die Zeitproblematik allerdings dort von großer Bedeutung, wo sie sich mit einem zweiten Aspekt verbindet, dem der Epochalität des Seins. Das ist im folgenden näher zu erläutern. Die Grundthese der Heideggerschen Geschichtsphilosophie lautet: „ ‚Sein' besagt seit der Frühzeit des Griechentums bis in die Spätzeit unseres Jahrhunderts: Anwesen." (ZSF 21) Das Sein als Anwesen ist Ursprung und Grund aller geschichtlich auftretenden Prägungen des Seins (etwa als idea, energeia, actualitas, Wirklichkeit, Objektivität, Wille zur Macht, Wille zum Willen, Technik; vgl. die Aufzählungen N II 470 f., SD

7, ID 64, im Ansatz auch schon PLW 44 ff.). Worin aber hat diese Prägung des Seins als Anwesen ihrerseits ihren Usprung? Die zwar nicht mit völliger Eindeutigkeit, aber doch mit einiger Plausibilität anhand der Texte auszumachende Anwort lautet: Die Prägung des Seins als Anwesen ergibt sich aus der doppelten Bestimmtheit des Seins durch die Zeit einerseits, durch die Epochalität andererseits. Der Anfang der Geschichte — eben das erste Auftreten von Sein als Anwesen — wurde gewissermaßen durch das Zusammenwirken jener beiden Grundzüge des Seins, seines Zeitcharakters und seiner Epochalität, gesetzt.

Die Richtigkeit dieser Interpretation bedarf des Nachweises. Zunächst steht fest, daß, Heidegger zufolge, die Prägung des Seins als Anwesenheit zwar die seit dem Anfang der abendländischen Geschichte bis heute *faktische,* aber *nicht die einzig mögliche* ist: „. . . Darum verfielen wir einem Irrtum, wollten wir meinen, Sein des Seienden bedeute nur und für alle Zeiten: Anwesen des Anwesenden." (WhD 143) Daraus folgt u. a., daß die Prägung des Seins als Anwesen irgendwann einmal eingesetzt haben muß. Nun ist Anwesenheit einer der drei Modi (oder Dimensionen) der Zeit: „Das Gleich-Zeitige der Zeit sind: Die Gewesenheit, die Anwesenheit und die Gegen-wart, die uns entgegenwartet und sonst die Zukunft heißt." (USp 213) Wenn nun das Sein ,an sich' durch Zeit bestimmt ist, dann kann die geschichtliche Prägung des Seins als Anwesenheit nur die Folge eines Vorgangs sein, durch den die volle Zeitbestimmung um die Dimensionen von Gewesenheit und Zukunft (= Gegen-Wart im Sinne des vorigen Zitats) verkürzt und einzig auf die Dimension von Anwesenheit reduziert wurde. Dieser Vorgang nun geschieht im Sein selbst, insofern dieses mit seiner Wahrheit an sich hält (vgl. HW 311, SD 9, N II 383). Dies meint der ursprünglich stoische, von Husserl wiederaufgenommene und von Heidegger erneut mit anderer Bedeutung versehene Terminus ἐποχή (vgl. HW 311). Das Sein bleibt aus (vgl. N II 353), verbirgt sich (vgl. SvG 98), entzieht sich (vgl. ebd. 99, 108 f. 114, 122, N II 355, 383, neuerdings wieder im Interview mit Wisser 70).

Frage: *Womit* hält das Sein an sich? Was verbirgt es, worin entzieht es sich? Die naheliegende Antwort lautet: Das Sein hält mit seinem vollen Zeitcharakter an sich, indem es sich nur in eine der drei Weisen der Zeitigung entbirgt. Eben darauf beruht die seit dem Beginn der abendländischen Geschichte vorherrschende Prägung des Seins als Anwesen.

So klar ist das meines Wissens allerdings an keiner einzelnen Stelle der Heideggerschen Texte ausgesprochen; es läßt sich aber doch aus deren Gesamtzusammenhang erschließen. Freilich stellen sich noch einige Fragen. Zwar hat Heidegger selbst von dem Zusamenhang von Zeitcharakter und Epochalität gesprochen: „Das epochale Wesen des Seins gehört in den verborgenen Zeitcharakter des Seins und kennzeichnet das im Sein gedach-

te Wesen der Zeit." (HW 311) Unklar bleibt jedoch, wie dieser Zusammenhang des näheren zu bestimmen ist. Handelt es sich um ein bloßes Zusammenwirken von zwei nicht aufeinander zurückführbaren und also voneinander unabhängigen ,Komponenten' (mit dem Resultat: ,Sein als Anwesen')? Oder ist vielleicht mit dem eben zitierten Satz etwas anderes gemeint, nämlich daß das epochale Wesen des Seins im Zeitcharakter des
Seins *gründet*? Ist das Sein epochal, *weil* es zeitlich ist? Wäre dann die
Epochalität letztlich auf die Zeitlichkeit zurückzuführen[70]? Dann müßte
auch eine Art ,strukturaler' Zusammenhang zwischen der Epochalität und
dem Zeitcharakter des Seins zu konstatieren sein, etwa so, daß die Zukünftigkeit der Entbergung, die Gewesenheit dem Entzug zuzuordnen wäre;
das Miteinander von Entbergung und Verbergung wäre dann der Ursprung
der Prägung des Seins als Anwesenheit. Ob Heidegger solches gemeint hat,
läßt sich jedoch nicht mit Sicherheit feststellen. Eine Stelle aus dem Brief
an Richardson gibt allerdings Andeutungen in dieser Richtung: ,,Setzen
wir statt ,Zeit': Lichtung des Sichverbergens von Anwesen, dann bestimmt
sich Sein aus dem Entwurfbereich von Zeit." (BaR XXI) ,,Anwesen (Sein)
gehört in die Lichtung des Sichverbergens (Zeit). Lichtung des Sichverbergens (Zeit) erbringt Anwesen (Sein)." (ebd.)[71] Wenn es – was freilich wiederum nicht mit Sicherheit auszumachen ist – zulässig wäre, den Ausdruck
,Lichtung des Sichverbergens' im Sinne der Strukturmomente der Epochalität, also des Miteinander von Entbergung und Verbergung, zu verstehen,
dann müßte man daraus schließen, daß Epochalität und Zeitlichkeit nur
zwei Seiten derselben Sache sind. Das würde aber zugleich bedeuten, daß
das Sein ,an sich' in eben dem Sinne epochal ist, wie es auch zeitlich ist.
Dem widerspricht jedoch, daß das Sein nach Heidegger sich doch offenbar
nicht immer (z. B. nicht vor dem Beginn der abendländischen Geschichte)
und nicht für immer entzogen hat (wenn etwa an die zukünftige Kehre
gedacht wird). Wäre dann die Epochalität nur ein *faktischer* Grundzug des
Seins, jedoch keiner des Seins ,an sich'? War das Sein vor dem Beginn der
abendländischen Geschichte *noch nicht* epochal, und wird es nach der
Kehre *nicht mehr* epochal sein? Oder ist es unzulässig, die ἐποχή des
Seins, wie es Heidegger selbst allerdings an einigen Stellen tut (vgl. etwa
HW 311), einfach nur als Sichentziehen und -verbergen zu verstehen?
Meint Epochalität nicht eher das Miteinander von Entzug und Entber-
gung? Das scheint aus einem Satz wie dem folgenden hervorzugehen:
,,Das Sichverbergen, der Entzug, ist eine Weise, in der Sein als Sein währt,
sich zuschickt, d. h. sich gewährt." (SvG 122) Wenn aber die Verbergung
selbst gerade *Entbergung* ist, worin besteht dann die Seinsvergessenheit?
Ferner sagt Heidegger: ,,Sein wahrt sein Eigenes im Sichtentbergen, insofern es sich als dieses zugleich verbirgt." (ebd.) Wenn die ἐποχή aber
gewissermaßen das Mittel zur ,Selbstbehauptung' des Seins ist, warum

bedarf es dann einer Kehre? Wieso — um es erneut zu fragen — läßt sich dann überhaupt von Seinsvergessenheit reden? Oder ist dieser Titel die Abkürzung nicht so sehr für die Folgen der ἐποχή selbst, sondern der Verbergung dieser ἐποχή? Das könnte etwa im folgenden Satz gemeint sein: „Das *Ansichhalten* aus der jeweiligen Ferne des Entzugs, *das sich in der zugehörigen Phase der Metaphysik verbirgt,* bestimmt als die ἐποχή des Seins selbst je eine Epoche der Geschichte des Seins." (N II 383, Hervorhebungen von mir) Die Geschichte der Metaphysik — und ‚Metaphysik' besagt im Grunde dasselbe wie ‚Seinsvergessenheit' — wäre demnach nicht so sehr die Geschichte der ἐποχή des Seins, sondern die der Verborgenheit der Epochalität selbst. Woher kommt aber *diese* Verborgenheit? Doch wohl nicht aus der ἐποχή selbst, denn diese ist ja gerade das seit langem Verborgene. Oder gibt es noch eine ἐποχή gleichsam höherer Ordnung?

Es empfiehlt sich, die lange Reihe der Fragen hier abzubrechen. Die Analyse mag gezeigt haben, daß sich auch bei vorwiegend immanenter Betrachtung Unstimmigkeiten ergeben. Heideggers Spätphilosophie wird, wie im Fall des Bezugs von Sein und Seiendem oder Sein und Mensch, so auch bei der Reflexion über das Verhältnis von Sein, Zeit und ἐποχή mit Schwierigkeiten konfrontiert, die sie zu einer Art Iteration der Bestimmungen zwingen: es wird versucht, den Aporien, die sich auf einer Ebene einstellen, durch Ausweichen auf eine andere zu entkommen. Die so sich ergebenden Verdoppelungen reproduzieren jedoch nur die Aporien, zu deren Vermeidung sie erdacht sind.

So bleibt denn der Ursprung — und damit auch die Struktur — dessen, was beim späteren Heidegger ‚Geschichte' heißt, letztlich doch im Unklaren. Der Interpret kann sich dem Eindruck nicht entziehen, daß das Sein, ähnlich wie der an Vernunft nicht mehr gebundene spätmittelalterliche Willkürgott, gar nicht auf die von der Reflexion ihm zugewiesenen Bestimmungen sich festlegen läßt. Die Geschichte — darin besteht die einzige noch verbleibende, von Heidegger allerdings verständlicherweise nicht ausgesprochene Lösung — die Geschichte ist, was ihren Ursprung und ihren Verlauf (und ihr mögliches Ende) angeht, nichts anderes als die Folge der freien Setzungen und Schickungen des in seiner ‚Omnipotenz' durch nichts einschränkbaren, zur Willkür legitimierten Seins.

4.1.3.2 Geschichte

‚Der Ursprung der Geschichte aus der ἐποχή': unter diesen Titel ließe sich der Ansatz der Geschichtstheorie des späten Heidegger bringen. Im folgenden ist diese Theorie kritisch zu analysieren; dazu bedarf es zunächst einer kurzen Darstellung ihrer Grundzüge.

Das oberste ‚Axiom' der Geschichtsphilosophie des späten Heidegger lautet: „Die Geschichte ist Geschichte des *Seins.*" (N II, 28) Dieser Satz darf jedoch nicht im üblichen Sinne verstanden bzw. mißverstanden werden: „ . . . das Sein hat keine Geschichte, so wie eine Stadt oder ein Volk seine Geschichte hat." (SD 8) Überhaupt „ist die Geschichte des Seins nicht von einem Geschehen her gedacht, das durch einen Verlauf und einen Prozeß gekennzeichnet wird" (SvG 109). Denn: „Die Geschichte geschieht nicht zuerst als Geschehen" (Hum 23; vgl. VA 252). Sondern: „Das Geschehen der Geschichte west als das Geschick der Wahrheit des Seins aus diesem . . . Zum Geschick kommt das Sein, indem Es, das Sein, sich gibt. Das aber sagt, geschickhaft gedacht: Es gibt sich und versagt sich zumal." (Hum 23) Mit anderen Worten: „Seinsgeschichte ist das Geschick des Seins, das sich uns zuschickt, indem es sein Wesen entzieht." (SvG 108) ‚Geschichte' bedeutet also — wie auch schon im vorigen Abschnitt gezeigt wurde — beim späten Heidegger nichts anderes als ‚Sein in der epoché'[72].

Zwar lehnt Heidegger das ‚übliche' Verständnis der Geschichte als eines ablaufenden Prozesses ab; gleichwohl läßt sich die Geschichte des Seins als eine Folge von Epochen darstellen (vgl. SD 9). Diese „ist weder zufällig, noch läßt sie sich als notwendig errechnen" (ebd.). Insbesondere kann „auf keine Weise einsichtig gemacht werden . . ., daß die einzelnen Philosophien und Epochen der Philosophie im Sinne der Notwendigkeit eines dialektischen Prozesses auseinander hervorgehen" (WiPh 18). Gegen die Hegelsche Ansicht von der inneren Gesetzmäßigkeit und Notwendigkeit des Geschichtsverlaufs (vgl. dazu SD 56 f.[73]) setzt Heidegger das Verständnis der (Seins-) Geschichte als einer „freien Folge" (WiPh 18; vgl. SD 55). Insgesamt gesehen allerdings, d. h. wenn man die sich durchhaltende Grundtendenz der Geschichte in den Blick nimmt, kann man „auch so etwas wie Notwendigkeit in der Abfolge, so etwas wie eine Gesetzlichkeit und Logik feststellen" (SD 56[74]): „So läßt sich sagen, daß die Seinsgeschichte die Geschichte der sich steigernden Seinsvergessenheit ist. Zwischen den epochalen Seinswandlungen und dem Entzug läßt sich ein Verhältnis sehen, das aber nicht das einer Kausalität ist. Es läßt sich sagen, daß, je weiter man von der Frühe des abendländischen Denkens, von der ἀλήθεια abrückt, je weiter diese in die Vergessenheit gerät, desto deutlicher das Wissen, das Bewußtsein hervortritt und so das Sein sich entzieht . . ." (ebd.).

Eben das nachzuweisen ist ja gerade die Intention eines großen Teils der seit 1930 entstandenen Schriften Heideggers. Es handelt sich dabei um Interpretationen philosophischer (z. T. auch literarischer) Texte. Denn auch das gehört ausdrücklich zur Heideggerschen Theorie der Geschichte, die Feststellung nämlich: „. . . das Abendland und Europa . . . sind in ihrem innersten Geschichtsgang ursprünglich ‚philosophisch' " (WiPh 7). Und weil die Geschichte des Seins „im Wort der wesentlichen Denker zur Sprache" kommt (Hum 23), wird sie nur durch Rekonstruktion und Interpretation dieser Worte zugänglich. Daran hat Heidegger sich konsequent gehalten[75].

Der Beginn der Seinsgeschichte ist demnach als Stelle innerhalb der (im normalen Sinne verstandenen) Philosophiegeschichte lokalisierbar. „In dem, was wir das Griechische nennen, liegt epochal gedacht, der Beginn der Epoche des Seins" (HW 312), und das heißt: der Beginn der Geschichte. Der entscheidende Wandel vollzieht sich im 6. Jahrhundert v. Chr. (vgl. SvG 14); und zwar liegt die Zäsur zwischen Parmenides und Heraklit einerseits und Platon und Aristoteles andererseits. Während Anaximander, in der „Frühe der Frühzeit des Abendlandes" (HW 301), noch die Wahrheit des Seins ursprünglich zu denken vermochte (vgl. dazu insgesamt die Abhandlung ‚Der Spruch des Anaximander' in HW), während, in seinem Gefolge (vgl. HW 323 f. und 340 f.), auch noch Parmenides und Heraklit – die, statt schon Philosophen zu sein, noch „die größeren Denker waren" (WiPh 15) – dem Wesen von Sein und Wahrheit nahestanden (vgl. die drei Abhandlungen VA 207–282, aber auch schon EiM 73 f., 84 ff., 96 f., 104 ff.)[76], setzte alsbald der Abfall von der Wahrheit des Seins ein (vgl. EiM 111): „Der Schritt zur ‚Philosophie' [und das heißt hier: zur Seinsvergessenheit], vorbereitet durch die Sophistik, wurde zuerst von Sokrates und Platon vollzogen." (WiPh 15) Diese Konzeption vom Beginn der Philosophiegeschichte und damit der abendländischen Geschichte überhaupt hatte Heidegger bereits 1930, im Vortrag über ‚Platons Lehre von der Wahrheit', entfaltet[77]; sie ist bis hin zu seinen jüngsten Schriften unverändert geblieben.

Bereits mit Aristoteles ging dann die Philosophie der Griechen „groß zu Ende" (EiM 12). Die erste Phase der Seinsgeschichte, von Anaximander bis Aristoteles (vgl. SvG 176), war abgeschlossen.

Während sich in den ersten drei Jahrhunderten der Seinsgeschichte ‚sehr viel tat', ist die fast zwei Jahrtausende umfassende Zeitspanne zwischen dem Ende der klassischen griechischen Philosophie (Aristoteles) und dem Beginn der Neuzeit (Descartes) anscheinend von geringem Interesse[78]. Die einzige in diese Zeit fallende Entwicklung, die Heidegger für seinsgeschichtlich bedeutend hält, scheint die Umsetzung der griechischen in die römische Philosophie zu sein. Und auch dabei beschränkt sich Heidegger fast ausschließlich auf die Übersetzung der griechischen *Worte* in die lateinische Sprache. Dieser wird dann allerdings große Bedeutung beigemessen: „Das römische Denken übernimmt die griechischen Wörter ohne die entsprechende gleichursprüngliche Erfahrung dessen, was sie sagen, ohne das griechische Wort. Die Bodenlosigkeit des abendländischen Denkens beginnt mit diesem Übersetzen." (HW 13, vgl. 342, VA 54)[79]. Wohlgemerkt: nur die Bodenlosigkeit, denn die *Metaphysik selbst* entstand ja bereits bei den Griechen. Diese wußten aber noch irgendwie um den Boden, aus dem die Metaphysik kam, obwohl sie seit Platon diesen Sachverhalt bereits nicht mehr eigens zur Sprache bringen konnten. Die Übersetzung ins Lateinische schnitt dann den Zugang zur Herkunft der Metaphysik endgültig ab und verfestigte so die Seinsvergessenheit.

Am auffälligsten an der Heideggerschen Konstruktion des Verlaufs der Seinsgeschichte ist vielleicht, daß in ihr das Christentum von ganz untergeordneter Bedeutung ist. Das wird allerdings verständlich auf dem Hintergrund von Heideggers Stellung zur Theologie[80]. Der auf die biblische Offenbarung sich gründende Glaube ist Heidegger zufolge das ganz Andere zur Philosophie und zum Denken und kann daher in einer als Geschichte der Philosophie und des Denkens geschriebenen Seinsgeschichte nicht, jedenfalls nicht als geschichtliche Macht, vorkommen. Das Christentum im weiteren Sinne jedoch, nämlich im Sinne der christlichen Theologie und Metaphysik und im Sinne der christlichen Kultur, hat zwar große geschichtliche Wirkungen ausgeübt, aber nur so, daß es seine ursprünglichen Gehalte in den bereits durch die griechische Philosophie geprägten metaphysischen Grundstellungen „ansiedelte" (EiM 80) bzw. jene durch diese umdeutete (vgl. HW 19)[81]. In seinsgeschichtlicher Sicht wird also die Eigenständigkeit, die dem Christentum, insbesondere dem Mittelalter, nach der herkömmlichen Einteilung durch qualitative Differenz gegenüber Antike und Neuzeit zukommt, weitgehend aufgehoben.

Die zweite große und entscheidende Epoche der Seinsgeschichte ist erst die Neuzeit, die mit Descartes beginnende Vollendung der Metaphysik (vgl. HW 91). Ihre Hauptstadien sind Leibniz, Kant, (der deutsche Idealismus), Hegel und schließlich Nietzsche, mit welchem, als dem „letzten Denker der Metaphysik" (ebd. 94; vgl. N I 464, 469), „die *vor*letzte Stufe" der Neuzeit (vgl. VA 81) erreicht ist, nämlich deren „anhebende Vollendung" (PLW 45).

Die letzte und gegenwärtige Stufe der Seinsgeschichte schließlich, diejenige ihrer Vollendung, ist die zu planetarischer Herrschaft gelangende Technik[82]. Heidegger zufolge kommt alles darauf an, ob eines Tages diese letzte Phase der Seinsgeschichte überwunden wird: „Das Einst der Frühe des Geschickes käme dann als das Einst zur Letze ($\check{\epsilon}\sigma\chi\alpha\tau\text{o}\nu$), d.h. zum Abschied des bislang verhüllten Geschickes des Seins." (HW 301) Diese vom Sein selbst anzubahnende Umkehr (vgl. ebd. 343) von der Vergessenheit zur anfänglichen Wahrheit des Seins ist zu denken als „Einkehr in das Ereignis" (SD 53)[83]. Zwar dient, Heidegger zufolge, das Denken, zumal sein eigenes, der Vorbereitung dieser seinsgeschichtlichen Kehre; es „will und kann" jedoch „keine Zukunft voraussagen" (ebd. 67). Es muß sogar die Möglichkeit offen lassen, „daß dem Menschen versagt sein könnte, in ein ursprünglicheres Entbergen einzukehren und so den Zuspruch einer anfänglicheren Wahrheit zu erfahren" (TK 28, vgl. ID 71). Erst recht muß es zweifelhaft bleiben, wann – wenn überhaupt – die Kehre eintritt: „Gleich ungewiß bleibt, ob die Weltzivilisation bald jäh zerstört wird oder ob sie sich in einer langen Dauer verfestigt." (SD 67, vgl. auch ZSF 14 f.) Einerseits besteht Heidegger darauf, daß die Neuzeit gegenwärtig „erst in den Beginn ihrer vermutlich langwierigen Vollendung" tritt (WhD 23, vgl. SvG 66), ja daß die „Verendung" der Metaphysik und d. h. der Seinsgeschichte „länger als die bisherige Geschichte der Metaphysik" dauert (VA 71) (wobei allerdings zu fragen wäre, ob dies auch im Sinne historisch-chronologischer Zeitrechnung zu verstehen ist); andererseits schließt Heidegger aber nicht aus, daß wir vielleicht „bereits im vorausgeworfenen Schatten der Ankunft dieser Kehre" stehen (TK 40 f.). So könnte etwa die Technik selbst zum „Vorschein" (Interview mit Wisser 73) und „Vorspiel" (ID 29), ja sogar zur „Vorform" (SD 57) des Ereignisses werden, indem nämlich mit und in der höchsten Gefahr, die sie heraufbeschwört, zugleich die Rettung sich einstellt (vgl. TK 28, 40 ff.)[84,85].

Die Geschichtsphilosophie des späten Heidegger stieß in der Nachkriegszeit und bis in die 60er Jahre hinein auf beträchtliche Resonanz. Das mag auf den ersten Blick erstaunlich erscheinen, vor allem, wenn man bedenkt, daß diese Zeit wohl kaum für sich beanspruchen kann, über einen besonders ausgeprägten historischen Sinn verfügt zu haben. Eher wird man – soweit dies bei so geringem zeitlichen Abstand überhaupt schon möglich ist – sagen müssen, daß in den beiden ersten Nachkriegsjahrzehnten der Blick fürs Geschichtliche und die Geschichte (übrigens aus verständlichen Gründen) weitgehend verstellt oder sogar abhanden gekommen war[86]. Bildet bzw. bildete Heideggers Spätphilosophie hierin eine Ausnahme? Oder gehört bzw. gehörte sie, mitsamt den Wirkungen, die sie ausübte, gerade umgekehrt zu den durchaus typischen Erscheinungen, in denen sich das Bewußtsein der Zeit zwischen dem Ende des Krieges und etwa der Mitte der 60er Jahre artikulierte? Enthält Heideggers Spätphilosophie wirklich eine Geschichtstheorie? Oder ist sie vielleicht eher ein Unternehmen zum Zwecke der Geschichts*vermeidung*?

Ähnliche Fragen stellten sich bereits angesichts der existenzialen Analytik von SuZ[87]. Es zeigte sich, daß die dort entfaltetet Struktur der Geschichtlichkeit des Daseins den Zugang zur irgendwie konkreten Geschichte eher versperrte als eröffnete, indem sie nämlich den Menschen in die radikale Vereinzelung hinein- und so aus demjenigen Zusammenhang heraustrieb, an dem allein Geschichtlichkeit festzumachen ist, dem gesellschaftlichen. Ungeschichtlich war denn auch die geamte existenziale Analytik, nicht nur hinsichtlich ihres Ansatzes und ihrer Methode, sondern auch in ihren Gehalten, lag es doch in ihrer Absicht, die Gewährleistung authentischer Existenz aus den geschichtlichen Vermittlungen herauszulösen. Indessen erwies sich die vereinzelte Subjektivität als unfähig, das zu leisten, was sie von sich selbst und für sich selbst erhofft hatte: die Gefährdungen zu bestehen, denen sie sich ausgesetzt sah und die sie als moderne Zivilisation und Gesellschaft, freilich meist ohne diese beim Namen zu nennen, denunzierte. Die Konsequenz aus diesem Scheitern, welches sich literarisch darin dokumentierte, daß SuZ ein Fragment blieb, wurde jedoch nicht gezogen. Statt aus seiner monadischen Innerlichkeit herauszutreten und sich auf Intersubjektivität und Gesellschaftlichkeit hin zu öffnen (und so allererst als konkrete und tragfähige Subjektivität sich zu ermöglichen), verfiel das Subjekt in Resignation und trat ab. Mit derselben Radikalität, mit der Heidegger in SuZ der Selbstbehauptung der Subjektivität das Wort geredet hatte, denunzierte er sie nun, literarisch greifbar seit etwa 1930, als das eigentlich Unheilvolle. Die Fixierung auf das seiner inhaltlichen Bezüge weitgehend beraubte bloße Selbst wurde nun durch eine andere ersetzt, durch die aufs geschickliche Sein. Während es in SuZ im Grunde kein Subjekt der Geschichte (sondern nur eines der eigentlichen bzw. uneigentlichen Einzelexistenz) gegeben hatte, wurde nun das Sein selbst zum absoluten Subjekt der Geschichte erhoben und der Mensch zur totalen Angewiesenheit aufs Sein und dessen Schickungen verurteilt. Entsprechend wurde die Hoffnung auf Rettung vor den Anfechtungen der modernen Welt ans Sein selbst und dessen künftige Parusie geknüpft.

Für kurze Zeit gab Heidegger sich der Illusion hin, mit dem nationalsozialistischen Aufbruch sei die erhoffte geschichtliche Wende bereits gekommen. Das deutsche Volk wurde zum seinsgeschichtlich auserwählten hochstilisiert; es sollte, gewissermaßen als das vom Sein eingesetzte ausführende Organ, der „trostlosen Raserei der entfesselten Technik" (EiM 28) und dem „geistigen Verfall der Erde" (ebd. 29) Einhalt gebieten und so den Weg zu neuer Ursprünglichkeit eröffnen. Diese Hoffnung kam nicht von Ungefähr, wies doch die NS-Weltanschauung eindeutig antizivilisatorische, antimodernistische Züge auf. Die Praxis der NS-Herrschaft belehrte Heidegger jedoch bald eines besseren. Es dauerte nicht lange, bis sich ihm der Nationalsozialismus als das genaue Gegenteil von dem darbot, wofür er ihn anfangs gehalten hatte. Spätestens seit dem Ende der 30er Jahre[88] kritisierte und entlarvte Heidegger den Faschismus als die höchste Form der Seinsvergessenheit und der Herrschaft der Metaphysik — und legitimierte ihn zugleich und erneut als die gegenwärtige seinsgeschichtliche Wirklichkeit und *Notwendigkeit*, als das nämlich, was unabdingbar sich vollziehen mußte, bevor auf oder nach dem — möglicherweise katastrophalen

– Höhepunkt der bisherigen Verfallsgeschichte der Umbruch eintreten konnte.

Nach dem 2. Weltkrieg ging dann in Heideggers Philosophie die Phase akuter Erwartungen zu Ende. Das dürfte u.a. (etwa neben den rein logischen Schwierigkeiten, die der Heideggersche Seinsbegriff implizierte) auch der Grund dafür gewesen sein, daß sich das Sein als Subjekt seiner eigenen Geschichte zusehends verflüchtigte: ansatzweise schon in den Schriften der ausgehenden 40er, dann in denen der 50er und 60er Jahre traten neben die Bestimmungen, die das Sein deutlich als eine quasipersonale, mit Aktivität und Spontaneität begabte Macht auswiesen, zunehmend andere, die es als ein nicht subsistentes, dabei kaum näher bestimmbares Geschehen oder Gefüge verstanden, etwa als Ereignis, Austrag, Differenz, Spiegel-Spiel, Welt-Zeit-Raum u. a. m.[89] Die Unbestimmtheit geschichtlicher Erwartungen übertrug sich aufs Geschichtssubjekt.

Gleichwohl blieb die für Heideggers Spätphilosophie charakteristische Vorstellung von einer ‚Meta-Geschicht‘, einer „Geschichte gleichsam höherer Ordnung"[90], erhalten. Sie wurde in gewisser Weise sogar noch verschärft, dadurch nämlich, daß die geschichtlichen Erwartungen nun nicht mehr an ein empirisch auszumachendes Subjekt geknüpft waren. Die Erfahrungen, die Heidegges Denken gemacht hatte, als es einem bestimmten Subjekt, nämlich dem deutschen Volk (und später sowie in einem anderen Sinne dem Faschismus), eine seinsgeschichtlich hervorragende Rolle zuwies – diese Erfahrungen ließen es nun als geraten erscheinen, die Vorstellung fallen zu lassen, als konkretisiere sich das seinsgeschichtliche Geschehen bevorzugt in irgendwelchen realen Subjekten oder Prozessen, gar in politischen. Fortan gab es und gibt es für das Heideggersche Denken nur noch das Seinsgeschick mit seiner gegenwärtigen Wirklichkeit, der planetarischen Technik – und den Einzelnen[91]. Die Sphäre des Gesellschaftlichen, die schon in SuZ denunziert wurde, blieb somit auch in der Nachkriegsphase der Heideggerschen Spätphilosophie ausgeklammert.

Dergleichen Feststellungen lassen es nun aber als zweifelhaft erscheinen, ob die Heideggersche Spätphilosophie auch nur annäherungsweise als konkret-historische gelten kann[92]. Denn – so ist zu fragen – ist eine Geschichtstheorie wirklich konkret-historisch, die das eigentliche geschichtliche Geschehen in einen Bereich jenseits der realen Gesichte verweist und den Menschen zum bloßen Empfänger der geschickhaften Weisungen eines schlechthin nicht mehr zu belangenden Seins herabsetzt? In der Tat wird dem Menschen durch das seinsgeschichtliche Denken der Anspruch verwehrt, sich als Subjekt der Geschichte – seiner Geschichte – zu verstehen. Darin mag eine Art Entlastungsfunktion liegen: die Suggestion nämlich, für die schlimme Wirklichkeit sei letztlich nicht der Mensch verantwortlich zu machen. Doch diese Entlastung erweist sich als – im

Wortsinne — fatal, impliziert sie doch auch, daß die *Änderung* dieser Wirklichkeit nicht primär in die Zuständigkeit des Menschen fällt. Diesem bleibt nur die zur Gelassenheit stilisierte Passivität der Erwartung, die auch dann eine bleibt, wenn sie sich und obwohl sie sich „außerhalb der Unterscheidung von Aktivität und Passivität" (Gel 33) angesiedelt wissen will: „Wir sollen nichts tun sondern warten." (ebd. 35, vgl. 49 ff.)

Unter diesen Aspekten erscheint Heideggers Spätphilosophie eher als ein Unternehmen zum Zwecke der Geschichtsvermeidung, als Weigerung, sich auf reale Geschichte einzulassen, als Versuch, aus ihr zu entfliehen. Es drängt sich sogar der Eindruck auf, daß das späte Denken Heideggers, verglichen mit dem von SuZ, das Ausweichen vor der Geschichte perfektioniert hat. Gegenüber der existenzialen Analyse konnte immerhin noch die Forderung vorgebracht werden, es nicht bei der formalen Struktur der Geschichtlichkeit bewenden zu lassen, sondern zu konkreter Geschichte überzugehen (eine Forderung, zu deren Erfüllung es allerdings tiefgreifender Revisionen im Denken von SuZ bedurft hätte). Dem Spätdenken Heideggers dagegen gelang eine wirkungsvollere Absicherung: in ihm ist das Sein als Geschick zur Instanz geworden, bei der reale geschichtliche Vermittlung endgültig nicht mehr eingeklagt werden kann.

Den Vorwurf, unhistorisch zu sein, muß sich die Heideggersche Konstruktion der Seinsgeschichte auch noch in einem anderen Sinne gefallen lassen: sie ist in vielen Punkten einfach historisch falsch, vor allem in denen, die sie ausläßt. Es geht hier nicht darum, die Qualität der philosophiegeschichtlichen Interpretationen Heideggers in Zweifel zu ziehen; sie ist in vielen Fällen unbestritten[93]. Es muß jedoch erlaubt sein, Heideggers Deutungen an ihrem Anspruch zu messen, demzufolge sie die Grundzüge und den Sinn der gesamten abendländischen Geschichte verständlich zu machen vorgeben.

Auf entschiedene Kritik stößt dann bereits ein Verfahren, welches den Gang der Geschichte nahezu ausschließlich an philosophischen Begriffen, Ideen und Problemen glaubt ablesen zu können. Auch Hegels Satz, wonach „die Philosophie ihre Zeit in Gedanken erfaßt" sei[94], läßt sich hier kaum zur Legitimation anführen; denn dieser Satz — abgesehen davon, daß er spätestens nach Hegel bestreitbar geworden ist — kann seinen möglichen Sinn überhaupt nur dann bewähren, wenn er den Blick auf die volle geschichtliche Realität nicht nur nicht ausschließt, sondern gerade impliziert. So hat denn Hegel auch Staat, Recht, Gesellschaft und anderes mehr in seine Geschichtsphilosophie miteinbezogen. Bei Heidegger dagegen ist von all dem so gut wie keine Rede[95].

Allerdings läßt sich eine solche ‚geisteswissenschaftliche' Beschränkung, wie sie bei Heidegger besonders ausgeprägt vorliegt, vielleicht noch als durch die Notwendigkeiten der Arbeitsteilung erzwungen begründen;

und es soll auch gar nicht bestritten werden, daß ‚rein geisteswissenschaft-liche' Forschung bei allen grundsätzlichen Bedenken, die ihr gegenüber angebracht sind, zu sehr konkreten historischen Ergebnissen kommen kann. Aber selbst dann – und erst recht dann – erweist sich die geschicht-liche Konstruktion der Heideggerschen Spätphilosophie als nicht leicht zu überbietende Einseitigkeit[96].

Heideggers Deutung des Seinsbegriffs der klassischen griechischen Philosophie hat sicherlich vieles für sich; seine Reduktion nicht nur der Philosophiegeschichte, sondern der gesamten abendländischen Geschichte auf diesen einen Punkt der Abfolge der verschiedenen Prägungen des Seins als Anwesen bleibt jedoch eine willkürliche und nicht ausweisbare Kon-struktion[97]. Dabei erreicht sie den Schein von Plausibilität, der ihr auf den ersten Blick anhaftet, noch nicht einmal primär durch „gewaltsame" Inter-pretationen[98], sondern mehr durch die Auswahl der für einschlägig erklär-ten Texte und das heißt durch Ignorieren derjenigen, die für nicht relevant gehalten werden[99]. Das zeigt sich erstens unter dem Aspekt des histori-schen Längsschnittes[100]: von seinsgeschichtlichem Belang sind im Grunde nur die frühe und die klassische griechische Philosophie (von Anaximander bis Aristoteles) sowie die Philosophie der Neuzeit. Was dazwischen liegt, wird entweder vollkommen übergangen oder nur mit wenigen Hinweisen erwähnt: Hellenismus, Spätantike und Mittelalter geben wenig her; Stoa und Epikureismus, Skepsis und Gnosis, Christentum und Neuplatonismus, Patristik und Scholastik fallen dem seinsgeschichtlichen Vorurteil zum Opfer[101].

Das hängt mit einem anderen Aspekt zusammen. Zweitens nämlich erweist sich die von Heidegger getroffene Auswahl der relevanten Texte auch im historischen Querschnitt als sehr einseitig: es handelt sich fast ausschließlich um Texte zur Ontologie und Metaphysik (bzw. zu solchen Disziplinen, die neuzeitlich z. T. an deren Stelle getreten sind, etwa zur Erkenntnistheorie). Daß etwa Aristoteles, neben Platon Heideggers wich-tigster Gewährsmann für die griechische Auslegung des Seins, durch seine praktische Philosophie mindestens ebensosehr Philosophiegeschichte ge-macht hat wie durch seine Physik und Metaphysik, dürfte in einer Ge-schichtskonstruktion jedenfalls dann nicht unterschlagen werden, wenn diese einen so weit gehenden Anspruch erhebt wie die Heideggersche. Ähnliches gilt im Fall der Kantschen oder Hegelschen Philosophie. Diese Dezimierung des philosophiegeschichtlichen Bestandes, die an der Ignorie-rung fast der gesamten praktischen Philosophie besonders augenfällig wird, ergibt ein dermaßen verzerrtes Bild, daß man in der Tat zweifeln kann, ob es noch ‚historisch' heißen darf[102].

Schließlich ist noch auf den wohl wichtigsten Zug der Heidegger-schen Spätphilosophie einzugehen, den verfallstheoretischen. Dieser Klassifizierung hat Heidegger allerdings noch unlängst wiedersprochen: „Ich spreche nicht von einer Verfallsgeschichte, sondern nur vom Geschick des Seins insofern, als es sich mehr und mehr im Vergleich zu der Offenbarkeit des Seins bei den Griechen entzieht – bis zur Entfaltung des Seins als bloßer Gegenständlichkeit für die Wissenschaft und heute als bloßer Bestand für die technische Bewältigung der Welt. Also: es ist nicht eine Verfallsgeschichte, sondern es ist ein *Entzug des Seins*, in dem wir stehen." (Interview mit Wisser 70; vgl. bereits VA 91.) Es ist aber klar, daß dieses Dementi durch die ‚Tatsachen‘, nämlich durch die vorliegenden Heideggerschen Texte, seinerseits dementiert wird. Ganz abgesehen davon, daß Heidegger stellenweise auch wörtlich vom Verfall gesprochen hat (etwa EiM 29), weist seine Theorie des Geschichtsverlaufs allenthalben die klassischen verfallstheoretischen Merkmale auf[103]. In ihr kommt die Vorstellung vom heilen Ursprung genauso vor wie die des Abfalls und der zunehmenden Entfernung von diesem Ursprung, die Denunzierung der Gegenwart als schlimmer Wirklichkeit genauso wie die Hoffnung auf die Wiederkehr des Anfänglichen. Geschichtsphilosophie bleibt auch dann Verfallstheorie, wenn sie den Verfall als einen nicht vom Menschen verantworteten, sondern vom Sein verfügten begreift. Mehr als das: indem sie ihn als einen des Seins selbst versteht, gefährdet sie gerade das, was in ihr rational und legitim ist. Keinesfalls nämlich ist den Theorien des Verfalls Rationalität pauschal abzusprechen. Vor der Ambivalenz des Fortschritts die Augen zu verschließen, ist spätestens seit den geschichtlichen Katastrophen dieses Jahrhunderts unmöglich geworden, und so mag die rein negative Bilanz, die Theorien wie die Heideggersche glauben ziehen zu müssen, gegenüber der rein positiven, die von extremer Fortschrittsgläubigkeit gezogen wird, als Korrektiv durchaus angebracht sein. Die *Ontologisierung* des Verfalls jedoch, in der Form, wie sie der späte Heidegger vornimmt, dürfte noch problematischer sein als die des Fortschritts[104], denn sie vergißt, mit Adorno zu reden, „daß die Verwüstungen, die der Fortschritt anrichtet, allenfalls mit dessen eigenen Kräften wieder gutzumachen sind, niemals durch die Wiederherstellung des älteren Zustandes, der sein Opfer ward."[105] Darauf noch näher einzugehen, zumal im Hinblick aufs Problem der Technik, bleibt dem nächsten Abschnitt vorbehalten (4.2.1).

Als Verfallstheorie ist Heideggers Geschichtsphilosophie an einem Ideal orientiert, durch welches Geschichte außer Kraft gesetzt würde. Sie denunziert die Geschichte ohne Einschränkung als Hervorbringung des Unheils und erhofft sich das Heil von einem Zustand nach aller Geschichte, der dem anfänglichen *vor* aller Geschichte gleichkäme. Auch am Ende *dieser* Überlegungen steht also das Fazit: Die Geschichtsphilosophie des späten Heidegger ist im Grunde Theorie der Geschichtsvermeidung.

Die Position konkreter Geschichtlichkeit, die hier, ohne eigens expliziert werden zu können, als Maßstab für die Heidegger-Kritik zugrundegelegt wurde, muß es sich freilich gefallen lassen, auf sich selbst angewendet zu werden. Daß sie ihrerseits geschichtlich bedingt ist, d.h. durch Geschichte möglich und notwendig geworden ist, trifft zweifellos zu, nicht jedoch, daß sie inzwischen überholt, unmöglich oder unnötig wäre.

Resignation und Flucht vor der Geschichte mögen heute verständlich sein. Wo sie jedoch zur Weigerung auf Dauer werden, nehmen sie selbstzerstörerische Züge an[106].

4.2 Schlimme Wirklichkeit und alternative Möglichkeiten

Die bisherige Analyse ist nach zwei Richtungen hin zu ergänzen. Der Spätphilosophie Heideggers stellt sich − als einer Verfallstheorie − die gegenwärtige Wirklichkeit als schlimm und unheilvoll dar. Der Inbegriff dieser Wirklichkeit ist bei Heidegger wie auch bei anderen Theoretikern des gegenwärtigen Zeitalters mit dem Titel ‚Technik‘ bezeichnet. Es gilt also erstens, Heideggers ‚Philosophie der Technik‘ zu analysieren (4.2.1).

Die Verfallstheorie hofft auf eine neue, andere, ursprünglichere Wirklichkeit und unternimmt es, diese durch Herausstellung möglicher Alternativen zur technischen Welt zu antizipieren. Darauf ist in einem weiteren Abschnitt einzugehen (4.2.2).

4.2.1 Technik

In der Spätphilosophie Heideggers − das ergab die obige Analyse − ist das Ausweichen vor der konkreten Geschichte in gewissem Sinne perfektioniert. Es ist keineswegs paradox, wenn nun behauptet wird, daß der Grund dafür zumindest teilweise darin liegen dürfte, daß die Diagnose der Wirklichkeit, also der modernen Welt, beim späten Heidegger bis zu einem gewissen Grade realistischer geworden ist, als sie es beim frühen war.

Die Technik kam in der existenzialen Analytik von SuZ nicht vor − jedenfalls nicht thematisch. Der Protest gegen Verdinglichung (Vorhandenheit) hatte vor allem die moderne Verabsolutierung der Theorie in Form der Wissenschaften im Auge[107]. Das ändert sich im späteren Denken Heideggers. Die Vergegenständlichung alles Seienden, durch die das gegenwärtige Zeitalter gekennzeichnet ist, erscheint nun als praktische, als sich in allen Bereichen durchsetzende *Herrschaft* übers Seiende. Die heutige Wirklichkeit ist durch Technik bestimmt[108].

Diese Einsicht setzt sich in den Vorlesungen und Schriften Heideggers seit der Mitte der 30er Jahre mehr und mehr durch[109]. Auf die Frage, in welchem Maße und in welchem Sinne Heideggers Erfahrungen mit dem Nationalsozialismus dabei eine Rolle spielten, ist hier nicht mehr einzugehen (vgl. den dritten Teil, bes. 3.3).

Anfangs sind es nur vereinzelte Stellen, an denen unmittelbar von der Technik die Rede ist, so beispielsweise in der Vorlesung ‚Einführung in die Metaphysik‘ von 1935 (vgl. bes. 28 f., auch 148), im Kunstwerk-Vortrag von 1935 (vgl. etwa HW 36) oder im Vortrag über ‚Die Zeit des Weltbildes‘ von 1938 (vgl. etwa HW 69). Die zwischen 1936 und 1946 unter dem Eindruck der NS-Herrschaft und dann des 2. Weltkrieges entstandenen Aufzeichnungen zur ‚Überwindung der Metaphysik‘ präsentieren sich dann bereits als ein einziger Katastrophenbericht über die verheerenden Auswirkungen der planetarisch ausgebreiteten Technik. Auf die dort erzeugte apokalyptische Atmosphäre hat Heidegger in den Schriften nach dem Kriege − wenn nicht ganz, so doch − weitgehend verzichtet. Als sich zeigte, daß nach der Katastrophe des Weltkrieges der weitere ‚Vormarsch der Technik‘ nichts weniger als zum Stehen kam, erwies sich die Erwartung akuter seinsgeschichtlicher Wandlungen als verfrüht. Eine langfristige Konfrontation mit der Technik ließ ein gelasseneres Verhältnis zu ihr als geraten erscheinen. Trotzdem oder gerade deshalb nahm, inhaltlich gesehen, die von Heidegger in den Schriften nach dem Kriege geübte Denunziation der Technik einen womöglich noch grundsätzlicheren und radikaleren Charakter an. Den Höhepunkt in dieser Hinsicht bildet wohl − neben den aufsehenerregenden Vorträgen in Bremen, München und auf Bühler Höhe (zwischen 1949 und 1955), von denen zwei unter dem Titel ‚Die Technik und die Kehre‘ veröffentlicht wurden[110] − die Vorlesung von 1955/56 ‚Der Satz vom Grund‘[111].

In dem aus Anlaß seines 80. Geburtstages gesendeten Fernsehinterview wurde Heidegger von R.Wisser gefragt, wie er sich zur Technik verhalte; Heidegger antwortete: „Zunächst ist zu sagen, daß ich *nicht gegen* die Technik bin. Ich habe nie *gegen* die Technik gesprochen, auch nicht gegen das sogenannte Dämonische der Technik." (Interview mit Wisser 73) In der Tat hatte Heidegger auch schon früher betont: „Es wäre töricht, blindlings gegen die technische Welt anzurennen. Es wäre kurzsichtig, die technische Welt als Teufelswerk verdammen zu wollen." (Gel 22, vgl. TK 25, 27 f.) Darüberhinaus hatte er festgestellt: „Wir sind auf die technischen Gegenstände angewiesen; sie fordern uns sogar zu einer immerzu steigenden Verbesserung heraus." (Gel 22)

Demnach scheint es verfehlt zu sein, der Heideggerschen Philosophie ein Technikverständnis zu unterstellen, demzufolge die Technik als Inbegriff der schlimmen Wirklichkeit erscheine. Indessen, eines ist es, die soeben zitierten Sätze zur Kenntnis zu nehmen, ein anderes zu fragen, inwieweit sie durch die Gesamtheit der Texte, in denen Heidegger sich zur Technik äußerte, abgedeckt sind. Von einer Dänomie der Technik ist zwar nirgendwo die Rede, wohl dagegen, und zwar mehrfach, von dem „Unheimlichen", das sich in Wissenschaft und Technik, in der modernen Welt überhaupt, im Atomzeitalter bekundet (vgl. WhD 58, SvG 199, Gel 24). Die Technik förmlich und wörtlich als Teufelswerk zu verdammen, hat Heidegger sich zwar in der Tat gehütet; aber der nicht abzustreitende pejorative Gehalt der Vokabeln, deren sich Heidegger bedient, wenn er von der Technik spricht, indiziert ein im Grundsätzlichen negatives und ablehnendes Verhältnis zu ihr. So ist beispielsweise von der „trostlosen Raserei der Technik" die Rede (EiM 28), von der in ihr und mit ihr inszenierten „Machenschaft" (VA 99), der „Vernutzung des Seienden" in Krieg und Frieden (ebd. 93), der „bodenlosen Organisation des Normalmenschen" (EiM 28); desgleichen von der „Knechtschaft", in die die Technik uns treibt (Gel 22), von der Bedrohung, gar dem Entzug der „Bodenständigkeit" (Gel 21, SvG 60), von der Verdrängung des Einzelnen „zugunsten der totalen Uniformität" (SvG 138). Es besteht die Gefahr – so Heidegger –, daß die Technik den Menschen fesselt, behext, blendet und verblendet (Gel 25) und ihn so schließlich in die „totale Gedankenlosigkeit" stürzt (ebd.). Als das „Ge-stell" (vgl. insgesamt TK, bes. 19 ff.) verstellt und „verbirgt" die Technik „jenes, worin sich Unverborgenheit, d.h. Wahrheit ereignet" (ebd. 27). Der Mensch begegnet „nirgends mehr sich selber, d.h. seinem Wesen" (ebd.). Aber nicht nur „das Menschliche des Menschen . . . löst sich . . . auf" (HW 270), sondern zugleich auch das „Dinghafte der Dinge" (ebd.); denn: „Das Bestellen des Gestells stellt sich vor das Ding, läßt es als Ding ungewahrt, wahrlos. So verstellt das Gestell die im Ding nähernde Nähe von Welt." (TK 44) Durch „die Vergegenständlichung der Welt" (HW 271) „verbaut" der Mensch „sich willentlich und vollständig den ohnehin schon gesperrten Weg in das Offene" (ebd.) und „schneidet sich ab vom reinen Bezug" (ebd.). Das „technische Herstellen" ebnet „jeden Rang in die Gleichförmigkeit des Herstellens ein" und „zerstört", „so im vorhinein den Bereich einer möglichen Herkunft von Rang und Anerkennung aus dem Sein" (ebd. 272).

Am eindeutigsten vielleicht belegen schließlich die folgenden Sätze Heideggers Verhältnis zur Technik: „Das Wesen der Technik kommt nur langsam an den Tag. Dieser Tag ist die zum bloß technischen Tag umgefertigte Weltnacht. Dieser Tag ist der kürzeste Tag. Mit ihm droht ein einziger endloser Winter. Jetzt versagt sich dem Menschen nicht nur der Schutz, sondern das Unversehrte des ganzen Seienden bleibt im Finstern. Das Heile entzieht sich. *Die Welt wird heil-los.*" (HW 272, Hervorhebung von mir.)

‚Ich bin nicht gegen die Technik' — diese Behauptung Heideggers (im Gespräch mit Wisser) steht also zu den Texten in klarem Widerspruch. Und im übrigen sollte man der philosophischen — und z.t. auch nicht-philosophischen — Öffentlichkeit wohl zutrauen, daß sie sich nicht völlig irrte, wenn sie in Heideggers Philosophie die verbreiteten Ressentiments gegen die Technik entschieden formuliert sah.

Deutung und Analyse freilich haben angesichts der Heideggerschen Technik-Kritik auch dann zu differenzieren, wenn ihnen diese im ganzen als verfehlt erscheint. Die Einsicht in die Problematik dessen, was abgekürzt ‚Technik' heißt, gehört inzwischen fast schon genauso zum technischen Zeitalter wie das technische Bewußtsein selbst[112]. Daß Heideggers Philosophie dazu einen nicht geringen Beitrag geleistet hat, steht außer Zweifel. Desgleichen kann in vielen Fällen nicht geleugnet werden, daß die Tatbestände technischer Verwüstungen, die Heidegger konstatiert, einfach vorliegen. Bei anderen — und darunter auch anders orientierten — Theoretikern und Kritikern unserer Zeit ergaben sich ähnliche Befunde, vorgetragen unter Titeln wie etwa ‚Perfektion der Technik' (F. G. Jünger)[113], ‚Kritik der instrumentellen Vernunft' (Horkheimer), ‚Dialektik der Aufklärung' (Adorno-Horkheimer) oder auch ‚Der eindimensionale Mensch' (H. Marcuse), um nur einige der auffälligsten zu nennen, ganz zu schweigen von den eher moderierten, nach Chancen des Lebens mit der Technik fragenden, gleichwohl skeptisch-resignativen Theorien in der Soziologie, Kulturphilosophie und -anthropologie (etwa Schelsky, Freyer, Gehlen). In allerjüngster Zeit schließlich zeigen die sehr ‚handfesten' Zivilisationsprobleme, vor die sich die hochindustrialisierten Gesellschaften gestellt sehen und die in zunehmendem Maße, zumal auch in der Bundesrepublik, der Öffentlichkeit bewußt werden (Gefährdung der Umwelt usw.), daß eine Revision des Verhältnisses zur Technik unumgänglich ist. Heideggers Philosophie, so scheint es, könnte dadurch sich bestätigt sehen.

Indessen gibt gerade sie, mehr vielleicht als die meisten anderen Technik-Theorien, zu Zweifeln Anlaß. Zu fragen ist, ob eine mit derartigen Einseitigkeiten und Übertreibungen operierende Technik-Kritik wie die Heideggersche, mit der Besinnung, zu der sie aufruft, auch nur irgendwie gangbare Wege zu weisen in der Lage ist. Die sogenannten positiven Auswirkungen der Technik, die von der Mehrzahl selbst der Apologeten des vortechnischen Zeitalters immerhin zur Kenntnis genommen werden, sind bei Heidegger nahezu restlos unterschlagen. Sie hier aufzuzählen, ist müßig; und im übrigen ist es auch gar nicht verwunderlich, daß eine Philosophie, der jeglicher Humanismus als seinsvergessen und damit verdächtig gilt, die durch die neuzeitliche Rationalität, durch Naturwissenschaft und Technik möglich gewordene Befreiung des Menschen aus den Zwängen der Natur, die Sicherung und Verbesserung der Lebensbedingungen u.a.m verschweigt oder gar denunziert. Emanzipation bleibt ein der Heideggerschen Philosophie schlechthin fremdes Kriterium[114].

Einen positiven Aspekt gewinnt allerdings auch Heidegger der Technik ab. Er ergibt sich aus deren seinsgeschichtlicher Bestimmung: „Der Name ‚die Technik' ist hier so wesentlich verstanden, daß er sich in seiner Bedeutung deckt mit dem Titel: die vollendete Metaphysik." (VA 80) Die Technik stellt, mit ihrer totalen Vergegenständlichung und Beherrschung alles Seienden, die größtmögliche Seinsvergessenheit dar, zugleich aber auch deren letzte Phase. Die Seinsgeschichte ist ins Stadium ihrer Vollendung und damit auch ihrer möglichen Überwindung getreten.

Wie die Rolle, welche der Technik dabei zufällt, des näheren bestimmt ist[115], ergibt sich zunächst aus dem mehrfachen Hinweis aufs Hölderlin-Wort „Wo aber Gefahr ist, wächst das Rettende auch" (TK 35, 41; HW 273) und aus dessen Anwendung auf die gegenwärtige seinsgeschichtliche Konstellation: „Gerade im Ge-stell, das den Menschen in das Bestellen als die vermeintlich einzige Weise der Entbergung fortzureißen droht und so den Menschen in die Gefahr der Preisgabe seines freien Wesens stößt, gerade in dieser äußersten Gefahr kommt die innigste, unzerstörbare Zugehörigkeit des Menschen in das Gewährende zum Vorschein, gesetzt, daß wir an unserem Teil beginnen, auf das Wesen der Technik zu achten." (TK 32) Diesen Sachverhalt hat Heidegger vielleicht am deutlichsten im Gespräch mit Wisser erläutert: „Ich sehe in der Technik, in ihrem Wesen nämlich, daß der Mensch unter einer Macht steht, die ihn herausfordert und dergegenüber er nicht mehr frei ist − daß sich hier etwas ankündigt, nämlich ein Bezug des Seins zum Menschen − und daß dieser Bezug, der sich im *Wesen* der Technik verbirgt, eines Tages vielleicht in seiner Unverborgenheit ans Licht kommt." (Interview mit Wisser 73) D.h. vermutlich: je größer die Gefahr und je stärker die Herausforderung der Technik wird, desto eher eröffnet sich die Möglichkeit, daß der Mensch eines Tages die Technik nicht mehr nur *betreibt* sondern *versteht,* *was* sie ist, nämlich versteht, daß „das Wesen der Technik aus dem Anwesen des Anwesenden stammt, d.h. aus dem Sein des Seienden" (WhD 142) und daß „die Technik . . . eine Weise des Entbergens" ist (TK 12). „Das Zusammengehören von Mensch und Sein in der Weise der wechselseitigen Herausforderung [als welche die Technik ist] bringt uns bestürzend näher, daß und wie der Mensch dem Sein vereignet, das Sein aber dem Menschenwesen zugeeignet ist." (ID 28) Was nottut, ist also „der Schritt aus der Technologie und technologischen Beschreibung und Deutung des Zeitalters in das erst zu denkende *Wesen* der modernen Technik" (ebd. 48; vgl. TK 25). Einem solchen „besinnlichen Denken" (Gel 21) erweist sich die Technik dann als „Vorform" (SD 57), „Vorschein" (Inter-

view mit Wisser 73) oder gar schon als „ein erstes, bedrängendes Auf-
blitzen des Ereignisses" (ID 31).

Heideggers Bestimmung der möglichen seinsgeschichtlichen Funktion
der Technik scheint nicht nur im Widerspruch zu stehen zu seinen die
Technik als Inbegriff des Unheils kennzeichnenden Ausführungen, von
denen oben (vgl. 132 ff.) die Rede war; sie scheint auch nahezulegen,
Heideggers Behauptung, er sei nicht gegen die Technik, nun doch ernstzunehmen. Es ist aber klarzustellen, *in welchem Sinne* diese Behauptung
zutrifft. Das seinsgeschichtliche Denken ist deshalb ‚nicht gegen die Technik', weil es sich zu der Einsicht durchgerungen hat, daß die Möglichkeit
der Rettung vor allem in der Konsequenz liegt, mit der die Verfallsent-
wicklung sich steigert und vollendet, um dann als solche offenbar und
schließlich überwindbar zu werden. Demnach besteht für Heidegger das
‚Positive' der Technik ausschließlich darin, daß sie möglicherweise selbst
mithilft, das Unheil, dessen geschichtliches Endprodukt sie ist, wieder ins
Gegenteil zu verkehren. Der Mensch, sagt Heidegger, hat sich der Technik
zu stellen, jedoch nicht als einer Bedingung von Emanzipation, sondern
zum Zwecke ihrer seinsgeschichtlichen Überwindung.

Als problematisch erscheint die Heideggersche Philosophie der Technik noch unter einem weiteren Aspekt, der sich gleichfalls aus dem seinsgeschichtlichen Rahmen ergibt, in dem sie steht. Seinsgeschichtlich gesehen ist die Technik nämlich „kein bloß menschliches Tun" (TK 18),
„keine nur menschliche Machenschaft" (WhD 155), nicht „nur eine Sache
des Menschen" (ID 26), sondern: „Die Mächte, die den Menschen überall und stündlich in irgendeiner Gestalt von technischen Anlagen und Einrichtungen beanspruchen, fesseln, fortziehen und bedrängen — diese
Mächte sind längst über den Willen und die Entscheidungsfähigkeit des
Menschen hinausgewachsen, *weil sie nicht vom Menschen gemacht sind.*"
(Gel 19, Hervorhebung von mir.) Wie letztlich alles, so gilt auch die Technik dem seinsgeschichtlichen Denken primär als eine Sache des Seins,
nicht des Menschen. Infolgedessen ist auch die Zukunft der Technik —
genauso wie ihre geschichtliche Herkunft — dem Sein selbst anheimge-
stellt. Zwar „kann das Wesen der Technik nicht ohne die Mithilfe des
Menschenwesens in den Wandel seines Geschicks geleitet werden" (TK
38); entscheidend jedoch bleibt, daß die „Verwindung des Ge-stells aus
dem Er-eignis in dieses" eine „niemals vom Menschen allein machbare" ist
(ID 29). Sollte es geschehen, daß „die jetzt erst beginnende Weltzivilisation einst das technisch-wissenschaftlich-industrielle Gepräge als die einzige Maßgabe für den Weltaufenthalt des Menschen überwindet", so kann
sie das jedenfalls „nicht aus sich selbst und durch sich selbst" (SD 67).
Dem Menschen bleibt die Haltung der „Bereitschaft", nämlich „für eine
Bestimmung, die jederzeit, ob gehört oder nicht gehört, in das noch nicht

entschiedene Geschick des Menschen hereinspricht" (ebd.). Für das Schicksal der Metaphysik und ihrer letzten Form, der Technik, hängt alles davon ab, ob „das Sein selbst ins Letzte geht und die Vergessenheit, die aus ihm selbst kommt, umkehrt" (HW 343).

Unter diesen Voraussetzungen ist es dann freilich nur konsequent, wenn Heidegger es für illusionär hält zu meinen, daß „eine menschliche Überlegenheit und Souveränität bei geeigneter moralischer Verfassung [die Technik] bändigen könnte" (WhD 155), und wenn er die Frage, „ob er [sc. der Mensch] zum Knecht seines Planes werden oder dessen Herr bleiben will" (ID 26) sowie die daraus sich ergebende „Forderung einer Ethik der technischen Welt" als im herkömmlichen Technik-Verständnis „befangen" und daher als unangemessen abtut (ebd.) Dergleichen ist, Heidegger zufolge, nicht nur sinnlos, sondern sogar bedrohlich; denn: „Was den Menschen in seinem Wesen bedroht, ist die Willensmeinung, durch eine friedliche Entbindung, Umformung, Speicherung und Lenkung der Naturenergien könne der Mensch das Menschsein für alle erträglich und im ganzen glücklich machen" (HW 271). Das Beispiel der wirksamsten Energien, der auch von Heidegger meist exemplarisch genannten Atomenergie, gibt dann schließlich Anlaß zu folgendem Verdikt: „So lange die Besinnung auf die Welt des Atomzeitalters bei allem Ernst der Verantwortung nur dahin drängt, aber auch nur dabei als dem Ziel sich beruhigt, die friedliche Nutzung der Atomenergie zu betreiben, so lange bleibt das Denken auf halbem Wege stehen. Durch diese Halbheit wird die technische Welt in ihrer metaphysischen Vorherrschaft weiterhin und erst recht gesichert." (ID 33) So erweist sich dem Heideggerschen Denken die Technik letzten Endes als ein Syndrom, dem aus eigener Kraft zu entrinnen der Mensch nicht fähig ist. Es bleibt nur das Warten auf die vom Sein selbst zu ereignende Kehre. Von dieser aber heißt es, daß sie „nur unvermittelt" geschehen kann (TK 42): „Die Kehre der Gefahr ereignet sich jäh." (ebd.)[116]

Heideggers Beitrag zum ‚Streit um die Technik' (Fr. Dessauer) ist unschwer als die radikale Ausprägung eines bestimmten Typs aus der Reihe neuerer Technik-Theorien zu identifizieren. Gemeint sind jene Theorien, die in der Technik einen sich selbst steuernden und ständig reproduzierenden Prozeß sehen, der angeblich nur der ihm immanenten Gesetzlichkeit unterworfen und daher unaufhaltsam sein soll. Die Konsequenz, die sich aus solcher Beurteilung ergibt, ist auch bei Heidegger Fatalismus: „Die Entwicklung der Technik wird . . . immer schneller ablaufen und nirgends aufzuhalten sein." (Gel 19) Für diese Prognose mag sehr vieles sprechen, und die Tatsachen scheinen Heidegger größtenteils recht zu geben. Es stellt sich aber die Frage, ob die Überzeugung, die Technik sei gewissermaßen ihr eigenes Subjekt und daher in ihrem Fortschreiten unaufhaltbar, nicht vielleicht eine der Bedingungen dafür ist, daß sie es eines Tages wirklich wird und auch heute teilweise schon ist.

Technik-Theorien vom Typ der Heideggerschen sind — der Radikalität ihrer kulturkritischen Intentionen zum trotz — tendenziell geeignet, ein vernünftiges Verhältnis zur Technik gerade zu verhindern. Die Praxis-Dispens, die sie faktisch erteilen, erzeugt Lethargie, mag sie auch von Heidegger zur Gelassenheit umstilisiert werden. ‚Sich von der Technik nicht beherrschen zu lassen' — das ist für das seinsgeschichtliche Denken mehr oder weniger eine Sache der persönlichen Einstellung. Der Appell, „zwar die technischen Gegenstände [zu] benutzen und doch zugleich bei aller sachgerechten Benützung uns von ihnen so frei[zu]halten, daß wir sie jederzeit loslassen" (Gel 22), hat bis zu einem gewissen Grade seine Berechtigung und ist sicherlich nicht überflüssig. Er ist jedoch weit entfernt von der unumgänglichen Einsicht, daß die Entscheidungen darüber, was die Technik und was aus der Technik wird, vor allem im gesellschaftlichen und politischen Zusammenhang fallen.

Das im einzelnen auszuführen, ist hier nicht möglich — aber wohl auch nicht nötig, haben doch die neueren Diskussionen (etwa im Bereich der ‚Neuen Linken', aber nicht nur dort) ein empfindliches Bewußtsein für diese Problematik entwickelt. Ich kann mich daher auf wenige Andeutungen beschränken.

Nicht durch zuviel, sondern eher durch zuwenig Rationalität droht die Technik der Moloch zu werden, als den ihre radikalen Kritiker sie attackieren. Heidegger hat zwar selbst von dem Irrationalismus gesprochen, der im technischen Fortschritt waltet (vgl. SD 79); er hat es aber unterlassen, diesen Irrationalismus näher zu bestimmen, d.h. nach den Bedingungen zu fragen, unter denen größtmögliche technische Rationalität *im einzelnen* mit einem die Technik *als ganzes* betreffenden Irrationalismus Hand in Hand gehen konnte und kann. Dieser Irrationalismus ist nicht durch die bloße Existenz der Technik gegeben noch ist er ihr zwangsläufig immanent. Auch daß — wie man oft hört — die Technik die Tendenz haben soll, von einem bloßen Mittel zum Zweck, d.h. zum Selbstzweck, zu werden, kennzeichnet zwar eine ständige Gefahr, jedoch keine, der gegenüber der Mensch von vornherein machtlos wäre. Der Irrationalismus — wo er wirklich vorliegt (und er liegt teilweise massiv vor) — besteht vielmehr darin, daß die Entscheidungen über den Fortschritt und den Einsatz technischer Rationalität ihrerseits vielfach dem Bereich rationaler Auseinandersetzung entzogen bleiben und stattdessen etwa aufgrund partikularer Interessen gefällt werden. Diese Situation ist jedoch keine, ohne deren Fortbestand Technik und Industriegesellschaft nicht mehr denkbar wären. Sie ist vielmehr — jedenfalls in erheblichem Maße — veränderbar, und zwar auf dem Wege politisch- gesellschaftlicher Reformen[117]. Dann aber ist es keineswegs mehr ausgemacht, daß — wie Heidegger meint — die Entwicklung der Technik nirgends aufzuhalten ist (vgl. das Zitat S.136 unten)[118].

Natürlich wird der technische Fortschritt nicht aussetzen; es wäre katastrophal, wenn es dazu käme, denn im Kampf fürs bessere und freiere Leben bleibt er schlechthin unabdingbar[119]. Ferner sind — mit einer Formulierung Oeing-Hanhoffs — „die dem technischen Fortschritt immanenten Regressionen, etwa die Zivilisationskrankheiten", „selbst nur durch den Fortschritt der Wissenschaft und Technik zu reduzieren"[120]. Es dürfte daher niemand sich wünschen, daß der technische Fortschritt zum Stehen kommt. Sollte aber der Preis für ihn zu hoch und sollten die physischen Gefahren und die psychischen Bedrohungen, die aus der Technik kommen, zu groß werden — daß sie in manchen Bereichen schon heute lebensgefährlich sind, ist nicht zu leugnen —, so hätte der Mensch eine solche Entwicklung jedenfalls sich selbst zuzuschreiben, seiner selbstverschuldeten Unfähigkeit, die eigenen Probleme vernünftig zu lösen.

Vielleicht ist die von Heidegger als unangemessen gekennzeichnete Frage, ob der Mensch „zum Knecht seines Planes werden oder dessen Herr bleiben will" (ID 26), in der Tat zu abstrakt. Mit konkretem Inhalt gefüllt, erweist sie sich jedoch als eine der zentralen Fragen, von deren Beantwortung in Theorie und Praxis die Zukunft der Menschheit abhängen dürfte[121].

Nietzsches Wort vom Philosophen als dem schlechten Gewissen seiner Zeit ist auch auf Heidegger angewandt worden, nicht zuletzt im Blick auf seine Philosophie der Technik[122]. In der Tat ist mit dieser Qualifizierung angedeutet, worin u.a. die Wirkung der Heideggerschen Philosophie in den ersten zwei Nachkriegsjahrzehnten bestanden hat und worauf sie, jedenfalls teilweise, beruhte. Nach den Verwüstungen, die Faschismus und Weltkrieg angerichtet hatten, und nach der Zerschlagung der politischen Einheit Deutschlands und der Auflösung eines Großteils seiner Institutionen spielten Technik und Produktivität nicht nur deshalb eine so große Rolle, weil sie die einzige Chance des Überlebens darstellten; vielmehr wurde — wie Soziologen festgestellt haben — die Technik darüber hinaus „zu einem neuen Halt, zu einer Art Halt-Ersatz für den Fortfall mancher anderer Bindung"[123]. Trotzdem oder gerade deshalb konnte sich ein rationales Verhältnis zur Technik nicht recht durchsetzen. Ein mehr oder weniger unreflektiertes Unbehagen ahnte zwar die Ambivalenzen des technischen Fortschritts und die Gefahren seiner Verabsolutierung, war aber kaum in der Lage, sich davon ein klares Bewußtsein zu verschaffen. So waren es denn vor allem die von der ‚Produktionssphäre' am weitesten Entfernten, nämlich die Intellektuellen, die der Gesellschaft ihr schlechtes Gewissen definierten. Daß unter ihnen Heidegger jahrelang eine bevorzugte Stellung einnahm, lag wohl zum geringeren Teil an den Sympathien, die man dem romantisch-restaurativen Grundzug seiner Philosophie entgegenbrachte; von größerer Bedeutung dürfte gewesen sein, daß man sich durch Heidegger zu keinerlei Konsequenzen genötigt sehen mußte. Im Gegenteil: das Verständnis der Technik als eines verfügten und durch eigene Kraft nicht abzuwendenden Geschicks bestätigte nur den eigenen Immobilismus. So gesehen war und ist Heidegger nicht nur das schlechte Gewissen seiner Zeit, sondern zugleich auch dessen Beruhigung.

Peter Hofstätter hat 1964 mit den Mitteln psychologischer Tests das „Stereotyp der Technik" untersucht und die Ergebnisse in einem so betitelten Aufsatz mitgeteilt. Die Sätze, in denen er das Fazit zieht, sind fast ohne jede Einschränkung auf Heideggers Technik-Verständnis anwendbar. Sie seien daher am Schluß dieses Abschnitts zitiert: „Betrachtet man die Stereotype und die in ihnen anklingenden Vorstellungskomplexe, dann läßt sich das bisherige ‚technische Zeitalter' — paradox und nicht ohne Ironie — als eine Epoche auffassen, die ein neutrales, von personifizierenden Angstaffekten freies Verhältnis zu ihren Möglichkeiten noch nicht hat erwerben können. Wir tun so, als wohnte ‚der Technik' eine gefährliche Eigendynamik inne, die zur Zerstörung tendiert, während alle ernsthaft bedenkenswerten Fragen doch beim Menschen enden und bei dem Gebrauch, den er von seiner Erfindung macht. Das im Stereotyp aufgezeigte Gespenst der Technik entlastet das Verantwortungsgefühl des Menschen, der ihm gegenüber — wie es scheint — biweilen nur allzu bereit ist, in die Rolle des überraschten ‚Zauberlehrlings' zu schlüpfen: ‚Die ich rief, die Geister, werd' ich nun nicht los'."[124]

4.2.2 Sprache, Denken, Dichten

Die Diagnose der Wirklichkeit — so wurde zu Beginn des vorigen Abschnitts festgestellt — fällt im späten Denken Heideggers in gewissem Sinne realistischer aus als im frühen. Vergegenständlichung wird nun als eine der Praxis, nicht mehr primär nur als eine der Theorie und Wissenschaft, begriffen. Entsprechend sind die Alternativen zur schlimmen Wirklichkeit andere als im frühen existenzialontologischen Denken. An die Stelle des Willens zur subjektiv-vereinzelten Selbstbehauptung und Eigentlichkeit tritt nun die Notwendigkeit, sich die wahre und ursprüngliche Wirklichkeit vom Sein selbst zusagen zu lassen. ‚Zusagen' ist dabei wörtlich zu verstehen: Sein offenbart sich dem Menschen vor allem in der Sprache, und hier wiederum besonders im Denken und Dichten. In geringerem Maße gilt dem Spätdenken Heideggers auch noch die Kunst (im engeren Sinne der bildenden Kunst) als ‚Organ' der Wahrheit des Seins[125].

Historisch-chronologisch gesehen, sind alle diese vier Möglichkeiten — Sprache, Denken, Dichten, Kunst (wobei die ersten drei eng miteinander zusammenhängen) — bereits in der Mitte der 30-er Jahre von Heidegger mehr oder weniger thematisiert worten[126]. Sie bilden bis hin zu den bisher letzten Schriften zentrale Themen des Heideggerschen Spätdenkens[127].

4.2.2.1 Sprache

Dem späten Heidegger zufolge, offenbart sich das Sein dem Menschen vor allem in der Sprache; sie gilt als „das Haus des Seins" (HW 286, Hum 5, 21 f., 43, 45, SvG 161, USp 267)[128], ist also, neben und mit dem Sein selbst, zum Universalphänomen schlechthin aufgewertet[129] [130]. Mit dieser Verabsolutierung der Sprache gehört Heideggers Spätphilosophie mit in jene philosophische Grundtendenz des 20. Jahrhunderts, die darin besteht, daß das Sprachproblem in zunehmendem Maße ins philosophische (auch ins einzelwissenschaftliche) Interesse gerückt ist und heute vielfach als Fundamentalproblem schlechthin erscheint. Im Bereich der deutschen Philosophie ist Heidegger vielleicht sogar als derjenige anzusehen, der in dieser Hinsicht am stärksten gewirkt hat[131].

In Heideggers Frühphilosophie kam die Sprache zwar auch schon vor; allerdings war ihr im Rahmen der existenzialen Analyse nur eine recht begrenzte Funktion zugebilligt worden. Genauer gesagt, ging es im § 34 von SuZ praktisch nur um die ‚Rede' und darum, sie als Existenzial (vgl. SuZ 165) und damit als das „existenzial-ontologische Fundament der Sprache" herauszustellen (ebd. 160)[132]. Die Rede gilt nicht als das fundamentalste, sondern nur als eines von mehreren Existenzialien. Zwar wird von ihr gesagt, daß sie „mit Befindlichkeit und Verstehen gleichursprünglich" ist (161), womit sie wenigstens in die vorderste Reihe der Existenzialien gerückt wäre. In der weiteren Analyse zeigt sich jedoch, daß die Rede deutlich unter das Existenzial des Verstehens *subsumiert* wird und dort als ein zwar immer noch wichtiges, aber doch abgeleitetes Phänomen erscheint, gewissermaßen als ein — gegenüber dem Verstehen (und entsprechend auch gegenüber der Befindlichkeit) — Phänomen zweiter Ordnung[133]. Die Rede ist nämlich ‚nur' „die Artikulation der Verständlichkeit" (161) und das Reden nur „das bedeutende Gliedern der Verständlichkeit des In-der-Welt-seins" (ebd., vgl. 162). Das heißt aber nichts anders, als daß es ein wie auch immer geartetes vorsprachliches bzw. sprachunabhängiges Verstehen gibt, welches erst zum Zwecke der Artikulation, Gliederung, Strukturierung der Rede bedarf. Zwar ist nicht zu bestreiten, daß auch schon in SuZ der Sprache (Rede) eine transzendentale Funktion zugesprochen wird; diese ist jedoch sehr begrenzt. Die Rede liegt zwar als Möglichkeitsbedingung „der Auslegung und Aussage schon zugrunde" (161), ist aber ihrerseits an eine Verständlichkeit *vor* aller Rede und Sprache gebunden[134].

Dies ändert sich, wie bereits gesagt, in Heideggers Spätphilosophie in grundsätzlicher Weise. Sprache wird nun in einem uneingeschränkten Sinne zur Ermöglichung von Wahrheit überhaupt: „Sprache ist lichtend-verbergende Ankunft des Seins selbst." (Hum 16) Daraus geht zugleich hervor, daß auch das Thema ‚Sprache' — wie fast alle Grundbestimmungen des Heideggerschen Denkens — von der als Kehre bezeichneten Wende vom Dasein (frühes Denken) zum Sein (spätes Denken) betroffen ist. Gehörte die Sprache in SuZ noch zur existenzialen Struktur des *Daseins*, so wird sie nun ganz auf die Seite des Seins selbst geschlagen[135]. Dabei geht Heidegger sogar soweit zu sagen: „Die Sprache spricht, nicht der Mensch. Der Mensch spricht nur, indem er geschicklich der Sprache entspricht." (SvG 161; vgl. VA 190, USp 32 f., PhänTheol II 41) Denn weder ist der Mensch „Bildner und Meister der Sprache" (VA 190), noch hat er überhaupt „die Sprache in seinem Besitz" (PhänTheol II 43); vielmehr „ist es die Sprache, die den Menschen ‚hat'" (ebd.) und die ihrerseits „die Herrin des Menschen" ist (VA 190).

Solche Absolutsetzung der Sprache ‚entspricht' der Hypertrophie des Heideggerschen Seinsbegriffs. In der Tat verschmelzen Sein und Sprache zuweilen fast zur Identität, so etwa wenn Heidegger das Sein als „die schlichte Nähe eines unaufdringlichen Waltens" bezeichnet und dann hinzufügt: „Diese Nähe west *als die Sprache selbst*" (Hum 21, Hervorhebung von mir). Ereignis, Unterschied und Geviert sowie andere Bestimmungen, die der späte Heidegger zuhilfenimmt, um zu erläutern, was mit dem Sein gemeint ist, werden mittelbar oder unmittelbar auch bei der Kennzeichnung des Wesens der Sprache gebraucht (vgl. etwa USp 30, 214 ff., 258, 267). Und schließlich endet die Auskunft über die Sprache, genauso wie die übers Sein (vgl. Hum 19, dazu s.o. 104), tautologisch — und zwar explizit: „Die Sprache ist überhaupt nicht das und jenes, nämlich noch etwas anderes als sie selbst. Die Sprache ist Sprache." (WhD 99)[136]

Allerdings kommt in diesen Sätzen, obwohl sie sich selbst geradezu für nichtssagend erklären, die Intention der Heideggerschen Sprachtheorie ziemlich genau zum Ausdruck. ‚Die Sprache ist nicht noch etwas anderes als sie selbst' — das soll — oder könnte doch — besagen: Sprache ist nicht bloßes ‚Mittel zum Zweck', sie ist vielmehr — oder ist jedenfalls auch — ‚Selbstzweck', ist ‚um ihrer selbst willen'. In der Tat muß Heideggers Sprachdenken weitgehend als Protest sowohl gegen die instrumentelle

Auslegung der Sprache als auch gegen die *Instrumentalisierung der Sprache selbst* verstanden werden. Kennzeichnend ist dabei, wie auch sonst in der Heideggerschen Spätphilosophie, der Rigorismus der Ablehnung.

Denn wie das Sein so steht auch die Sprache, Heidegger zufolge, seit dem Beginn der abendländischen Geschichte in einem ständigen Prozeß des Verfalls. Dieser ist — wiederum wie der des Seins — epochal zu denken, nämlich als Selbstverbergung: „Die Sprache verweigert uns noch ihr Wesen." (Hum 9) Der Einsatz der ‚Sprachvergessenheit' (wie man in Analogie zu ‚Seinsvergessenheit' sagen könnte) ist datierbar: „Einmal ... im Beginn des abendländischen Denkens, blitzte das Wesen der Sprache im Lichte des Seins auf. Einmal, da Heraklit den λόγος als Leitwort dachte, um in diesem Wort das Sein des Seienden zu denken." (VA 229) „Aber der Blitz verlosch jäh." (ebd.) Denn auch Heraklit, der das Wesen der Sprache erfuhr, gelangte nicht dahin, es auch *eigens* als den Logos zu *denken* (vgl. ebd. 228). *Nach* Heraklit gar findet sich erst recht „nirgends ... eine Spur davon, daß die Griechen das Wesen der Sprache unmittelbar aus dem Sein dachten." (ebd.) Vielmehr wird die Sprache nun zur bezeichnenden Verlautbarung, zum bloßen Ausdruck (228 f.) — genauso wie Wahrheit zu bloßer Richtigkeit und Sein zu bloßer Anwesenheit degeneriert.

Die Verfallsgeschichte der Sprache hat Heidegger freilich nicht so ausführlich nachgezeichnet wie die des Seins. Aus seinen sprachtheoretischen Äußerungen ist aber ohne weiteres abzulesen, daß für ihn nahezu ohne Einschränkungen „unsere abendländischen Sprachen ... in je verschiedener Weise Sprachen des metaphysischen Denkens" sind (ID 72). Insbesondere hält Heidegger den gegenwärtigen Stand der Sprache und des Sprachdenkens für den Höhepunkt des Sprachverfalls. Die „unter der Herrschaft der Subjektivität" (Hum 9) stehende „metaphysisch-animalische Auslegung der Sprache" verdeckt „deren seinsgeschichtliches Wesen" (ebd. 21). Rettung kann einzig und allein „ein gewandeltes Verhältnis zum Wesen der Sprache" bringen (ZSF 25)[137].

Heidegger selbst hat es in dieser Hinsicht nicht an Argumenten fehlen lassen, jedenfalls wo es um die Abwehr der herkömmlichen Sprachauffassung(en) geht. Wo man die Sprache primär unter dem Aspekt von Verständigung und Mitteilung (vgl. HW 60) oder Verlautbarung, Äußerung und Ausdruck (vgl. ebd.; Hum 16, VA 212, 245, WhD 87, USp 14, 19) bestimmt, desgleichen wo man sie als Mittel zur Darstellung (vgl. USp 6), als System von Zeichen und Bedeutungen (vgl. Hum 16, HW 286, VA 212, 245) oder gar von bloßen Informationen (vgl. VA 245) versteht und wo man sie rein logisch-grammatikalisch betrachtet (vgl. ZSF 25) — überall dort ist, Heidegger zufolge, das eigentliche Wesen der Sprache verfehlt[138]. Alternativen, zumal konkrete, sind kaum in Sicht. Die wenigen, für die Heidegger eintritt, sind zumeist einer bestimmten Art von Dichtung entnommen, i.e.L. den Gedichten Hölderlins, Rilkes und Trakls.

Zu Heideggers Sprachtheorie auf wenigen Seiten Stellung zu nehmen, ist vor allen Dingen deshalb kaum möglich, weil die Komplexität der gegenwärtigen sprachphilosophischen Problematik einen Verzicht auf Ausführlichkeit fast verbietet. Unter diesem Vorbehalt verstehen sich die folgenden Hinweise.

Zweifellos haben auch Heideggers Überlegungen zum Problem der Sprache zunächst einmal eine legitime Funktion. Nicht nur wohlwollende, sondern auch sehr kritische Interpreten haben darin bis zu einem gewissen Grade Übereinstimmung erzielt. Die einen wie die anderen sehen den Wert der Sprachphilosophie Heideggers vor allem in ihrer Funktion als Gegengewicht zur — im weitesten Sinne — positivistisch-technizistischen ‚Handhabung‘ und Auslegung der Sprache. So stellt etwa K. O. Apel fest, „daß in ... [der] Sprachphilosophie des späten Heidegger eine notwendige Ergänzung und Korrektur des technisch-szentifischen Sprachbegriffs der analytischen Philosophie (und der von ihr inspirierten strukturalistischen Grammatik und Sprachästhetik) erblickt werden darf"[139]. Und auch der schärfste Kritiker Heideggerschen Sprachdenkens, H. Schweppenhäuser, kann nicht umhin, Heidegger die Intention zugutezuhalten, „daß, infolge des Impulses gegen die szientifische Verhärtung des Daseins, auch die Sprache vom bloßen Zeichensein erlöst, von ihrer Funktion des Transportmittels in der leeren Kommunikation befreit wird"[140].

Heidegger gilt zurecht als Vorkämpfer einer Sprachphilosophie, die sich gegen die drohende Verabsolutierung der — in Theorie und Praxis — rein instrumentellen Behandlung von Sprache wendet. Nichtsdestoweniger bleibt zu fragen, erstens ob die Heideggersche Kritik in ihrem Ausmaß nicht zu weit geht und zweitens ob die von Heidegger angebotenen Alternativen akzeptabel sind. Bezüglich beider Punkte scheint mir Schweppenhäusers Feststellung zuzutreffen: „Das Befremdliche an der Heideggerschen Sprachphilosophie liegt ... in dem Ton der Ausschließlichkeit, mit dem sie jeweils vorgetragen wird."[141]

Heideggers Kennzeichnung der Sprachgeschichte (der Ausdruck ist hier in Analogie zu ‚Seinsgeschichte‘ zu verstehen) als eines fortschreitenden Verfallsprozesses ergibt ein verzerrtes, lückenhaftes und oft genug historisch nicht verifizierbares Bild. Bestes Beispiel dafür ist vielleicht Heideggers Einschätzung der Sprachphilosophie Wilhelm von Humboldts (vgl. i.e.L. USp 246 f.). Mit Modifikationen zwar, aber ohne Abweichung vom Prinzip wird W. von Humboldts Denken unter die — im Heideggerschen Sinne — metaphysische, und das heißt: seins- und sprachvergessene, Sprachphilosophie subsumiert. Gegenüber solcher Abstraktion, die die verschiedenen geschichtlich aufgetretenen Sprachphilosophien ohne

Differenzierung auf ein und denselben Nenner bringt und für die so gegensätzliche Positionen wie etwa Leibniz' Ansätze zu einer characteristica universalis und v. Humboldts Sprachtheorie im Prinzip als dasselbe gelten, sind doch wohl Zweifel angebracht[142].

Über diese nicht haltbaren Vorstellungen Heideggers von der Geschichte der Sprache und Sprachphilosophie könnte man aber vielleicht noch hinwegsehen, wenn sie nicht ihrerseits einer bestimmten Idee von Sprache entsprungen wären, die nun gleichfalls als sehr problematisch erscheinen muß. Zwar kann, gegenüber der Erhebung der formalisierten Wissenschaftssprache zur idealen Möglichkeit von Sprache überhaupt, wie sie repräsentativ von R. Carnap befürwortet wurde[143], Heideggers Idee von der Sprache als der „lichtend-verbergenden Ankunft des Seins selbst" (Hum 16) als *Korrektiv* dienen. Ob auch als praktikable *Alternative*, daran ist allerdings zu zweifeln. Während nämlich der positivistisch-logische Sprachformalismus einzig die formalisierten Sprachen für rationalitätsfähig hält, will Heidegger Rationalität am liebsten ganz aus der Sprache austreiben. Gegen die Verabsolutierung *einer* Sprachfunktion, der instrumentellen, zur *einzigen* ist Protest am Platze. Es fragt sich aber, ob dadurch Abhilfe geschaffen wird, daß man, wie Heidegger, einfach behauptet, es sei genau umgekehrt: nicht der Mensch sei Herr der Sprache, sondern diese Herrin des Menschen.

Gegen die Wissenschaftssprache läßt sich einwenden, daß sie letztlich völlig subjektlos ist[144]. Heideggers Sprachtheorie läuft jedoch im Grunde auf dasselbe hinaus: wenn es primär die Sprache selbst sein soll, die spricht und in der das Sein – eine Art Metasubjekt – spricht, so ist letztlich auch hier der konkrete Zusammenhang mit den sprechenden Subjekten, mit menschlichem Sprechen also, kaum noch greifbar[145].

Der szientistisch-technizistische Glaube an die totale Machbarkeit auch der Sprache ist bereits in sich selbst problematisch, hat doch der Streit um das Verhältnis zwischen Objekt- und Metasprache(n) gezeigt, daß jede kalkülisierte Sprache, soll sie interpretiert, d.h. für die Erkenntnis von Wirklichkeit brauchbar gemacht werden, in letzter Instanz auf die Umgangssprache als die letzte Metasprache angewiesen bleibt. Aber muß deshalb schon, wie es in der Spätphilosophie Heideggers zumindest impliziert ist, Sprache als das schlechthin Vorgegebene begriffen werden? Zwar liegt, mit Schweppenhäuser zu sprechen, „der Heideggerschen Sprachpraxis [und man kann ergänzen: auch seiner Sprachtheorie] . . . das Richtige zugrunde, daß durch Gewährenlassen der Sprache Wahrheit selber sich indiziere"[146]. *Diese* Seite der Sache zur einzigen zu erklären, scheint mir jedoch nicht zulässig. Auch die zunächst unbewußt ‚funktionierende' Alltagssprache etwa ist der Reflexion zugänglich – und sie muß es sein, wenn anders die vernünftige Gestaltung menschlicher Verhältnisse gerade auch von der Möglichkeit vernünftigen Miteinanderredens abhängig ist[147]. Von daher ergibt sich dann übrigens auch noch der Gesichtspunkt, daß es für dieses vernünftige Reden nicht nur ‚innersprachliche' Bedingungen gibt, sondern auch solche, die — mögen sie auch sprachlich vermittelbar und meist in der Tat vermittelt sein — doch ihrer Natur nach außer- oder nichtsprachlich sind[148].

Diese und ähnliche Fragen sind der Heideggerschen Spätphilosophie, die ja immerhin das *Wesen* der Sprache zu bestimmen für sich in Anspruch nimmt, durchweg fremd. Wenn irgendeines, so ist jenes Verhältnis von sprachlicher Vorgegebenheit einerseits und Reflexion in der und über die Sprache andererseits allein dialektisch anzugehen; das aber nicht in rein spekulativer Weise, sondern auf dem Wege konkreter Erfahrung, zu der auch und vor allem die Auskünfte der verschiedenen Zweige der Sprachwissenschaft gehören. Was durch die Sprache jeweils vorentschieden und was in ihr machbar ist oder sein darf, ist jedenfalls nicht durch Berufung auf eine Sprache jenseits alles realen Sprechens und auf ein Sein jenseits aller Wirklichkeit auszumachen.

Wenn mit dem ‚Zur-Sprache-kommen von Sein' gemeint sein soll, daß in der Sprache ‚je schon' Wirklichkeit erschlossen ist, so ist Heidegger in diesem Punkte rechtzugeben. Aber dieses Erschließen von Wirklichkeit geschieht eben nicht so unmittelbar, wie Heidegger es offensichtlich wahr haben will. Nicht nur sind die nichtsprachlichen Komponenten dieses Prozesses mitzuberücksichtigen; vielmehr geschieht Wirklichkeitserschließung auch in der Sprache selbst auf höchst differenzierte und vermittelte Weise: *Indem* die Sprache bezeichnet und bedeutet, ausdrückt und darstellt, mitteilt und informiert, erschließt sich in ihr und durch sie Wirklichkeit. Und weil sie auf eben dieselbe Art und Weise auch Wahrheit verschließen und Wirklichkeit verschleiern kann, deshalb muß sie, wenn vielleicht auch nur in gewissen Grenzen, ‚machbar' und kontrollierbar sein dürfen.

Die Alternative, die Heidegger der — in seinem Sinne — metaphysischen Sprache und Sprachtheorie entgegenzusetzen hat, trägt teilweise mystische, teilweise auch romantische Züge[149]. Bisweilen regrediert sie gar auf archaistische Positionen: „Soll aber der Mensch noch einmal in die Nähe des Seins finden, dann muß er zuvor lernen, im *Namenlosen* zu existieren." (Hum 9, Hervorhebung von mir.) Sollte diese Äußerung ‚beim Wort' genommen werden dürfen, dann wäre das Resultat der Heideggerschen Sprachkonzeption am Ende die Auflösung von Sprache überhaupt. Sprachlosigkeit als Ideal — das scheint allerdings der von Heidegger betriebenen Verabsolutierung der Sprache, von der oben die Rede war, diametral entgegenzustehen. Aber vielleicht ist dem gar nicht so; vielleicht sind totale Sprachlichkeit und Sprachlosigkeit nur die komplementären Möglichkeiten eines philosophischen Bewußtseins, welches Sein und Sprache nahezu miteinander identifiziert. Liegt in Heideggers Sprachdenken — wie auch in seinem Seinsbegriff — nicht etwas von der Sehnsucht nach der urzeitlichen, durch Sprache noch kaum vermittelten, Einheit des Menschen mit der ‚Natur' oder dem ‚Sein'?

Vielleicht sind solche interpretatorischen ‚Verdächtigungen' übertrieben. Jedenfalls aber scheinen mir die Gründe sehr gewichtig, die es geraten erscheinen lassen, die legitimen Momente der Heideggerschen Sprachphilosophie zwar ernstzunehmen, ihren Maßlosigkeiten aber und ihren Alternativen zu mißtrauen.

4.2.2.2 Denken und Dichten

Das Sein spricht sich, Heidegger zufolge, vor allem in zwei eng miteinander zusammenhängenden Weisen des Sprechens aus: im Denken und im Dichten.

Diese beiden Themen kommen in der Heideggerschen Frühphilosophie praktisch nicht vor[150]. In der Rektoratsrede von 1933 werden sie zwar kurz erwähnt (und auch schon nebeneinander gestellt), jedoch noch nicht thematisiert[151]. In der Mitte der 30er Jahre sind Denken und Dichten aber bereits Hauptgegenstände der Philosophie Heideggers. (Vgl. ‚Einführung in die Metaphysik', 1935; ‚Der Ursprung des Kunstwerks', 1935; ‚Hölderlin und das Wesen der Dichtung', 1936.)

In der Vorlesung von 1935 ‚Einführung in die Metaphysik' ist das umfangreichste Kapitel dem Verhältnis von „Sein und Denken" gewidmet (vgl. EiM 88-149). Der dort entwickelte Begriff des Denkens ist bis zu den späten Schriften der 60-er Jahre im Grunde derselbe geblieben (vgl. etwa ‚Das Ende der Philosophie und die Aufgabe des Denkens', entstanden 1964, abgedruckt in SD 61-80).

Wie beim Sein und bei der Sprache so beginnt, wie Heidegger meint, auch der Verfallsprozeß des Denkens „noch bei den Griechen selbst", (EiM 111), nämlich „alsbald nach Parmenides" und Heraklit (ebd.). Während diese Sein und Denken (logos, noeîn) noch als zusammengehörig dachten (zu Heraklit vgl. 99 ff., zu Parmenides, bes. Fr.5, vgl. 104 ff.), degenerierte in der Folge das Denken, indem es sich verselbständigte und autonom setzte, zum bloßen Vorstellen und Aussagen (vgl. 91 ff., 141 ff.), wurde zur Domäne von Logik und Wissenschaft (vgl. 91 ff.) und schließlich, in der Form der Technik, zum Instrument im Dienste der Berechnung und Beherrschung des Seins (vgl. 147 f.). Demgegenüber ist es nun an der Zeit, die „Mißdeutung des Denkens" und den „Mißbrauch des mißdeuteten Denkens" „durch ein echtes und ursprüngliches Denken zu überwinden" (93). „Die Neugründung eines solchen verlangt vor allem anderen den Rückgang auf die Frage nach dem Wesensbezug des Denkens zum Sein..." (93 f.). Zwar läßt Heidegger keinen Zweifel daran, daß es dazu einer „Überwindung der überlieferten Logik" bedarf (94, vgl. 19 f.)[152]; andererseits jeodch will er jenes „ursprünglichere, strengere, dem Sein zugehörige Denken" (94) jenseits von Rationalismus *und* Irrationalismus (136) angesiedelt wissen[153]. Jedenfalls aber wird eine scharfe Trennung zwischen Philosophie und Wissenschaft vollzogen (vgl. 18). Zugleich erinnert Heidegger „an den ursprünglichen Wesenszusammenhang des dichterischen und denkerischen Sagens" (126, vgl. 11): „In derselben Ordnung ist die Philosophie und ihr Denken nur mit der Dichtung." (20) Denn „im Dichten des Dichters und im Denken des Denkers wird immer soviel Weltraum ausgespart, daß darin ein jeglich Ding, ein Baum, ein Berg, ein Haus, ein Vogelruf die Gleichgültigkeit und Gewöhnlichkeit ganz verliert" (ebd.).

Soweit die bereits 1935 entfaltete Konzeption. Bei den in den späteren Schriften hinzukommenden Bestimmungen handelt es sich durchweg nur um Ergänzungen. Vor allem wird Heidegger nicht müde, dem kritisierten „exakten", „lediglich in das Rechnen mit dem Seienden" und seiner „Gegenständlichkeit" gebundenen Denken (WiM-E 48) jenes andere „wesentliche Denken" (ebd. 49, vgl. 50) gegenüberzustellen, „das anfänglich die Wahrheit des Seins denkt" (ebd. 49, vgl. 47). Dabei ist „aber das Sein... kein Erzeugnis des Denkens. Wohl dagegen ist das wesentliche Denken ein Ereignis des Seins" (47), welches den Menschen „in den Anspruch nimmt" (50). Das Denken ist die „gehorsame" (ebd.) „Antwort auf das Wort der lautlosen Stimme des Seins" (49), usf. (vgl. insgesamt die letzten Seiten von WiM-N).

Denken — im Sinne des wesentlichen Denkens — erscheint mithin bei Heidegger als Gegenbegriff und Alternative zu jeglicher Rationalität: zur Metaphysik — denn es steht fest, „daß wir noch nicht eigentlich denken, solange wir nur metaphysisch denken"[154]; zur Wissenschaft — denn es steht fest, „daß die Wissenschaft nicht denkt" (WhD 4); und schließlich sogar zur Philosophie selbst — denn „die schlechte und darum wirre Gefahr ist das Philosophieren" (EdD 15). Schlimmer noch: „die Beschäftigung mit der Philosophie kann uns sogar am härtnäckigsten den Anschein vorgaukeln, daß wir denken, weil wir doch unablässig ‚philosophieren'" (WhD 3). Indessen besteht „das Bedenklichste in unserer bedenklichen Zeit" gerade darin, „daß wir noch nicht denken" (ebd.). Die Konsequenz aus dieser Einsicht wäre der „Schritt zurück aus der Philosophie in das Denken des Seyns" (EdD 19). Vorausgesetzt, daß irgendwo dieser Schritt bereits vollzogen ist, dann ist im Grunde schon jetzt das „Ende der Philosophie" gekommen (vgl. ‚Das Ende der Philosophie...' in SD)[155].

Die „Aufgabe des zukünftigen Denkens" (vgl. ebd.) ist zunächst einmal fast nur negativ zu bestimmen: dieses Denken ist nicht „stiftend", sondern nur „vorbereitend" (ebd. 66); es ist eigentlich nie am Ziel, sondern immer nur auf dem Weg (vgl. die Titel ‚Holzwege', ‚Unterwegs zur Sprache'; dazu die Vorbemerkung zu den ‚Wegmarken'). „Beweisen läßt sich in diesem Bereich nichts, aber weisen manches." (ID 10) Das zukünftige Denken ist im Gegensatz zur „unbedingten Eindeutigkeit der Technik" (WhD 56) „mehrdeutig" (ebd. 68) und „mehrfältig" (BaR XXIII), ständig aufs „Un-Gedachte" verwiesen (WhD 72), ja „die Sage des Denkens wäre erst dadurch in ihr Wesen beruhigt, daß sie unvermögend würde, jenes zu sagen, was ungesprochen bleiben muß" (EdD 21).

Bei all dem ist es nicht verwunderlich, daß der Begriff des Denkens bei Heidegger inhaltlich relativ unbestimmt bleibt. Diesen Mangel an Konkretheit versucht Heidegger, wie auch sonst des öfteren, durch Rückgriffe auf Etymologie und sprachliche Assoziation wettzumachen. Denken wird mit „Gedanc", „Dank", „Gedächtnis", „Andacht" (alles WhD 92) und „Andenken" (EdD 19) zusammengebracht.

Wichtiger jedoch und auffälliger ist die bereits erwähnte Zuordnung des Denkens zum Dichten. Deren „verborgene Verwandtschaft" (WiPh 30) oder „Nachbarschaft" (USp 189 f., 201) ergibt sich vor allem aus dem gemeinsamen und gleichartigen Bezug zur Sprache (vgl. WiPh 30, WiM-N 50 f., USp 38). Beide, Denken und Dichten, bewegen sich „im Element des Sagens" (USp 188, vgl. 196). Gleichwohl ist zu beachten: „Die Wesensnähe zwischen Dichten und Denken schließt den Unterschied so wenig aus, daß sie ihn vielmehr in einer abgründigen Weise erstehen läßt." (WhD 154; vgl. WiM-N 51, USp 38).

Heideggers (gleichfalls seit etwa 1935 entwickelte) Bestimmung dessen, was Dichtung ist bzw. sein soll, erfolgt, ähnlich wie bei der Sprache und beim Denken, vor allem in polemischer Wendung gegen den ‚herkömmlichen Dichtungsbegriff', der vom „metaphysisch-ästhetischen Vorstellen" geprägt ist (USp 38). Für dieses „gehört die Dichtung seit langem schon zur Literatur" (WhD 154); sie wird vom „literarischen Betrieb" (VA 187 f.) beherrscht, ist Gegenstand der Literaturwissenschaft (vgl. ebd. und WhD 154 f.)[156]. Demgegenüber ist festzustellen: „Abendländische Dichtung und europäische Literatur sind zwei abgründig verschiedene Wesensmächte unserer Geschichte." (WhD 155) Denn Dichtung kann weder allein „von der Imagination und Einbildungskraft verstanden werden" (HW 60) noch „als geniale Leistung des selbstherrlichen Subjekts" (ebd. 63). Desgleichen ist Dichtung weder „eine zeitweilige Begeisterung oder gar nur Erhitzung und Unterhaltung" (EHD 39) noch „eine Erscheinung der Kultur und erst recht nicht der bloße ‚Ausdruck' einer ‚Kulturseele'" (ebd. 40). Vielmehr eignet dem Dichten, wie Heidegger insbesondere im

Anschluß an Hölderlin ausführt, ein wesenhafter Bezug zu Sein und Wahr-heit[157]. Dichten ist das „entwerfende Sagen" „der Unverborgenheit des Seienden" (HW 61), ist „Stiftung der Wahrheit" „in einem dreifachen Sinne: Stiften als Schenken, Stiften als Gründen und Stiften als Anfan-gen" (ebd. 62). Weiterhin ist das Dichten die „Maß-Nahme, durch die der Mensch erst das Maß für die Weite seines Wesens empfängt"(VA 196)[158].

Von größter Bedeutung ist der Bezug der Dichtung zum Bereich des Heiligen und Göttlichen: Dichtung ist das „stiftende Nennen der Götter und des Wesens aller Dinge" (EHD 39). Insbesondere in einer Zeit des „gedoppelten Mangels": „im Nichtmehr der entflohenen Götter und im Nochnicht des Kommenden" (ebd. 44) — insbesondere also in dürftiger Zeit" (ebd. und HW 251, im Anschluß an Hölderlins ‚Brot und Wein') — heißt Dichten: „singend auf die Spur der entflohenen Götter achten", „zur Zeit der Weltnacht das Heilige" sagen (HW 251).

Vielleicht ist damit auch der Punkt bezeichnet, aus dem sich „die zarte, aber helle Differenz" (USp 196) zwischen Dichten und Denken ergibt: „Der Denker sagt das Sein. Der Dichter nennt das Heilige." (WiM-N 51) Sollte damit dem Dichten ein engerer Bezug zum — im weitesten Sinne — Religiösen, Sakralen, Kultischen zugesprochen sein als dem Den-ken, welches dann als eher ‚profan' zu verstehen wäre? Indessen — Hei-degger selbst stellt es fest — „dunkel bleibt, wodurch sich ihr eigentliches Verhältnis bestimmt..." (USp 189). Denn schließlich ist auch die Dich-tung Stiftung — nicht nur des Heiligen, sondern auch — des Seins (vgl. EHD 42 f.), und umgekehrt „muß das Denken am Rätsel des Seins dich-ten" (HW 343, Hervorhebung von mir). Überhaupt ist „alles sinnende Denken ein Dichten, alle Dichtung aber ein Denken" (USp 267)[159]. Bleibt aber dann noch ein Unterschied zwischen beiden?

Vielleicht ist folgende Erklärung möglich: ‚An sich' sind Denken und Dichten eins; sie „gehören schon zueinander, ehe sie sich aufmachen könnten, in das Gegeneinander-über zu gelangen" (USp 189). *Faktisch* jedoch, d.h. in der gegenwärtigen und schon lange dauernden Epoche der Seinsgeschichte, sind sie in gewisser Weise voneinander geschieden. Diese ‚Entzweiung' vollzog sich bei den Griechen: „ . . . gerade die frühen Den-ker der Griechen (Parmenides, Fragm. 8) gebrauchen μῦϑος und λόγος in derselben Bedeutung; μῦϑος und λόγος treten erst dort auseinander, wo weder μῦϑος noch λόγος ihr anfängliches Wesen behalten können. Das ist bei Platon schon geschehen.." (WhD 7)[160] Vielleicht darf man nun folgern: Wenn, am Ende der seinsgeschichtlichen epoché, Mythos und Logos, Dich-ten und Denken, wieder in ihr anfängliches Wesen gelangen, so werden sie auch wieder zu jener Einheit werden, die sie ursprünglich waren[161] [162].

Kritisch gesehen, ist die Vermischung, ja z.T. Gleichsetzung von Den-ken und Dichten[163] in erster Linie eine Konsequenz des vom späten

Heidegger entwickelten eigentümlichen Begriffs des Denkens. Dieser versteht sich als Antithese zur neuzeitlichen, ja zur gesamten abendländischen Tradition seit Platon. Zweifellos entspringt er — wie die Heideggersche Philosophie insgesamt — einem zunächst legitimen kultur- und zivilisationskritischen Motiv[164]. Gegen die ‚Monopolisierung' des Denkens durch Szientismus und Positivismus ist Protest am Platze. Bedenklich wird er erst dann, wenn er in offene und undifferenzierte Wissenschaftsfeindlichkeit umschlägt. Genau das ist aber bei Heidegger der Fall. Dabei ist es in diesem Zusammenhang noch nicht einmal nötig, erneut darauf zu verweisen, daß die Wissenschaften schon seit geraumer Zeit unverzichtbar geworden sind; durch die abstrakte Negation, wie Heidegger sie betreibt, lassen sie sich ohnehin nicht beirren. Gerade darin zeigt sich aber nun die *wirkliche* Problematik solcher Negation; es stellt sich nämlich — mit einer Formulierung von R. Spaemann — die Frage, ,,ob die Philosophie durch ihre Sezession aus der durch Wissenschaft geprägten modernen Welt nicht die Entfremdung nur ratifiziert statt sie aufzuheben''[165]. Heidegger plädiert für ein Denken, aus dem Rationalität *insgesamt* — nicht nur, was legitim wäre, die positivistisch halbierte[166] — ausgetrieben ist. Indem es auf die Vorsokratiker regrediert, läßt es Vernunft erklärtermaßen hinter sich — oder auch vor sich — und gibt sich der Illusion hin, nur durch Rückkehr zu jenem Urzustand sei die Rettung vorm Unheil möglich.

Es läßt sich hier nicht darüber rechten, ob und ggf. in welchem Maße der Mensch wieder lernen müsse, zu ‚vernehmen' und auf das zu hören, was — tatsächlich oder vermeintlich — seinem Willen nicht unterstellt sei, sondern umgekehrt über ihn verfüge. Jedenfalls aber, so scheint mir, ist es problematisch, das Moment ‚Spontaneität' im Begriff des Denkens so weitgehend preiszugeben, wie Heidegger dies ganz offensichtlich tut. Und zu fragen bleibt vor allem jederzeit nach dem Maß von Verbindlichkeit, welches das vernehmende Denken für sich beanspruchen kann. Es zeigt sich dann, daß Heideggers Philosophie jedenfalls dort, wo sie (nicht nur historische Aussagen macht und interpretiert, sondern) mehr oder weniger unmittelbar die Wahrheit des Seins zu denken versucht, oft genug auch auf ein Mindestmaß an Mitteilbarkeit und Objektivität verzichtet. Die angeblich strengere, weil auf den Gehorsam zum Sein verpflichtete Verbindlichkeit des wesentlichen Denkens erweist sich in Wirklichkeit als Beliebigkeit und Willkür[167].

Wenden wir uns noch kurz dem Heideggerschen Dichtungsbegriff zu. Daß auch er gewisse positive Momente enthält, ist nicht zu leugnen. Angesichts oft allzu formalistischer Verfahrensweisen in der Literaturwissenschaft ist der Versuch, das ‚sprachliche Kunstwerk' aus der ästhetischen Isolierung herauszubrechen, durchaus am Platze. Andererseits jedoch erscheint die von Heidegger betriebene Entgrenzung des — im weitesten

Sinne — Ästhetischen und der Kunst als eine wiederum problematische Alternative. Denn Kunst und Dichtung sind offensichtlich überfordert, wenn sie als abstrakte Antithese zur schlimmen Wirklichkeit verstanden oder gar, wie bei Heidegger, als *vorrangiges* Mittel — nicht nur etwa als eines unter vielen — zu deren Überwindung eingesetzt werden[168] [169].

Entsprechend klein ist auch der Kreis der, im Sinne Heideggers, maßgeblichen Dichter und Dichtungen. Wo der Rang des dichterischen Wortes ausschließlich nach der Erfahrung bemessen wird, die es angeblich mit dem Sein gemacht hat, bleiben zur engeren Auswahl nur vier oder fünf Namen, allen voran Hölderlin, dessen „weltgeschichtliches Denken" Heidegger gegen „das bloße Weltbürgertum Goethes" glaubt ausspielen zu müssen (Hum 26)[170].

Für die Beurteilung des Heideggerschen Begriffs von Dichtung ist aber noch ein anderer Gesichtspunkt von Interesse. Bekanntlich ist Heideggers Philosophie nicht nur in zunehmendem Maße zur quasi-dichterischen, mythisierenden Sprechweise geworden (vgl. etwa einen Aufsatz wie ‚Das Ding' in VA); darüberhinaus hat Heidegger auch einen Versuch unternommen, durch — sei's auch minimale — eigene dichterische ‚Produktion' im engeren Sinne selbst ein Beispiel dafür zu liefern, was wahre Dichtung sein müsse. Die ‚Aus der Erfahrung des Denkens' betitelte Schrift stellt, in synoptischer Anordnung, dichterisches und denkerisches Wort — auch drucktechnisch — nebeneinander bzw. — mit Heidegger selbst zu sprechen — ‚gegeneinanderüber'. Die denkerischen Worte, jeweils auf der rechten Seite stehend, haben ihrerseits noch das Verhältnis von Dichten und Denken zum Inhalt. Die dichterischen Worte nun reden ausschließlich von Dingen wie „Morgenlicht" (EdD 6) und „Abendlicht" (ebd. 24), „Bergrose" (12) und „Falter" (16), „Windrädchen" und „Hüttenfenster" (8), schließlich davon, daß „es von den Hügeln, darüber langsam die Herden ziehen, glockt und glockt . . ." (22). Es ist keineswegs damit getan, dergleichen einfachhin als ‚Kitsch' zu bezeichnen[171] und als für die Deutung der Heideggerschen Philosophie nicht relevant abzutun. Im Gegenteil: in diesen wenigen dichterischen Worten kommt der Sinn der Heideggerschen Spätphilosophie — das, worauf sie letztlich hinausläuft — klar zum Ausdruck. Das Sein, zu dessen Unverborgenheit es zurückzukehren gilt — das ist nichts anderes als die idyllische oder auch ‚wildromantische' (vgl. die Stürze des Bergbachs über die Felsen, EdD 18, oder den „aufgerissenen Regenhimmel", ebd. 10), jedenfalls aber unberührte Natur, das ist die „Pracht des Schlichten" (ebd. 13) und die „Kraft des Einfachen" (,Der Feldweg' 7), das ist schließlich die Welt des „Glockenturms" (vgl. ,Vom Geheimnis des Glockenturms', entstanden 1956, abgedruckt in: Martin Heidegger. Zum 80. Geburtstag von seiner Heimatstadt Messkirch) und des „Feldwegs", d. h. das von Zivilisation und Technik

noch nicht heimgesuchte Leben in ländlich-dörflicher Umgebung, Todt-
nauberg oder Messkirch[172].

Am Schluß des kleinen Aufsatzes über ‚Das Geheimnis des Glockenturms‘, in dem Heidegger von Kindheitserlebnissen als „Mesnerbub“ er-
zählt, heißt es: „Die geheimnisvolle Fuge, in der sich die kirchlichen Feste,
die Vigiltage, und der Gang der Jahreszeiten und die morgendlichen, mit-
täglichen und abendlichen Stunden jedes Tages ineinanderfügten . . . — sie
ist es wohl, die mit eines der zauberhaftesten und heilsten und während-
sten Geheimnisse des Turmes birgt, um es stets gewandelt und unwieder-
holbar zu verschenken *bis zum letzten Geläut ins Gebirg des Seyns.“* (10,
Hervorhebung von mir.)[173] Der wahre Gehalt des Wortes ‚Sein‘ (oder
‚Seyn‘), den aus Heideggers Schriften zu entnehmen den Interpreten so
schwer fällt, enthüllt sich hier auf in der Tat sehr ‚einfache‘ und ‚schlichte‘
Weise.

Man könnte all dies auf sich beruhen lassen, wenn es nicht gerade
dieser ‚Sinn von Sein‘ und diese ‚heile Welt‘ wären, die Heidegger mit
schwerlich zu übertreffendem Anspruch als rettende Alternative zur gegenwärtigen Wirklichkeit geltend macht. Wenn aber im Ernst „Birke“ und
„Bienenvolk“ als Exempel gegen die Machenschaften der Technik herhalten müssen (vgl. VA 98) und wenn im Ernst davon die Rede ist, daß „die
Wenigen“, die „noch das Einfache als ihr erworbenes Eigentum kennen“,
„einst aus der sanften Gewalt des Feldweges die Riesenkräfte der Atomenergie zu überdauern“ vermögen (‚Der Feldweg‘ 5) — dann darf Heideggers Philosophie mit einigem Recht als eine — vielleicht gar nicht so ‚harmlose‘ — Position romantischer Realitätsflucht charakterisiert werden.

4.3 Selbstinterpretation und Kehre

Heidegger hat seit der Mitte der 30er Jahre sein eigenes Denken
interpretiert[174]. An einer ganzen Reihe von Stellen in vielen seiner Schriften, besonders im Nachwort (1943) und in der Einleitung (1949) zu ‚Was
ist Metaphysik?‘, im Humanismus-Brief (1947) und dann noch einmal im
Brief an Richardson (1962), hat Heidegger mitgeteilt, wie er sich selbst
versteht bzw. verstanden wissen möchte. Der Horizont und die Kategorien
dieser Selbstinterpretation sind natürlich dem Heideggerschen Denken
selbst entnommen, genauer gesagt: seiner Spätphilosophie. Der in diesem
Zusammenhang wichtigste Begriff ist der der Kehre, nämlich der möglicherweise bevorstehenden Wendung von der höchsten Seinsvergessenheit
zur neuen-alten Wahrheit des Seins[175]. Diese Kehre ist — Heidegger zufolge

— ein Ereignis im Sein selbst (vgl. TK 44), nicht ein primär vom Menschen herbeizuführendes[176]. Gleichwohl bedarf es der ‚ent-sprechenden' Bereitschaft des Menschen. Sie zu wecken, ist der Anspruch des Heideggerschen Denkens. Da aber ‚Seinsvergessenheit' dasselbe ist wie ‚Metaphysik', so heißt ‚Vorbereitung der Kehre': ‚Überwindung der Metaphysik', und damit u. a. auch: Überwindung des Subjektivismus. Dies ist nun der entscheidende Punkt: Heidegger behauptet nämlich, daß auch schon „in ‚Sein und Zeit' der Ansatz des Fragens aus dem Bezirk der Subjektivität abgebaut" ist (BaR XIX).

Nach den Ergebnissen dieser Untersuchung scheint mir diese Selbstdeutung Heideggers bezüglich seines frühen Denkens nicht zutreffend zu sein. SuZ war durchaus ein Werk des Subjektivismus; antisubjektivistisch wurde Heideggers Philosophie erst *nach dem Scheitern* des existenzialanalytischen Ansatzes. Der Antisubjektivismus des späteren seinsgeschichtlichen Denkens läßt sich daher nicht in das frühe Denken zurückprojizieren. Heidegger hat es gleichwohl versucht, indem er die meisten der Grundexistenzialien von SuZ aus dem existenzialanalytischen Kontext in den seinsgeschichtlichen transponierte. Dieses Verfahren, gewisse Bestimmungen des frühen Denkens wiederaufzugreifen und ihnen nun einen *neuen* Sinn zu geben, wäre an sich noch legitim. Heidegger versucht aber offensichtlich, dem Leser einzusuggerieren, den Sinn, den die Existenzialien im späteren seinsgeschichtlichen Denken annehmen, hätten sie im Grunde auch schon in SuZ gehabt. Dieser Deutung ist zu widersprechen. ‚Existenz' und ‚Dasein' bedeuten in SuZ etwas anderes als ‚Ek-sistenz' und ‚Da-sein' im seinsgeschichtlichen Denken. Dasselbe gilt für andere Begriffe (Entwurf, Entschlossenheit etc.).

Heideggers Selbstinterpretationen hier vollständig zu diskutieren, erübrigt sich, zum einen, weil im ersten Teil bereits exemplarisch darauf eingegangen wurde (vgl. bes. 1.2.3), zum anderen, weil diese Fragen durch die Untersuchung F. W. von Herrmans bereits weitgehend geklärt sind. Es „fällt jedem nur einigermaßen aufmerksamen Leser auf" — so von Herrmann — „daß Heidegger die Probleme aus SuZ nicht mehr aus der Perspektive auslegt, in der sie dort entwickelt sind, sondern aus der Perspektive der eben gekennzeichneten [sc. späteren seinsgeschichtlichen] Position. Es handelt sich also bei Heidegger um keine bloß erläuternde, sondern um eine *umdeutende Selbstinterpretation*."[177]

Muß man auf der einen Seite also Heideggers Umdeutung von SuZ zurückweisen, so darf man auf der anderen allerdings nicht übersehen, daß auch Heidegger von einer Wandlung seines Denkens gesprochen hat: „Ich habe einen früheren Standpunkt verlassen, nicht um dagegen einen anderen einzutauschen, sondern weil auch der vormalige Standort nur ein Aufenthalt war in einem Unterwegs." (USp 99)

Das Verlassen des ‚früheren Standpunktes‘ zugunsten eines anderen hat nun Heidegger selbst gleichfalls als ‚Kehre‘ bezeichnet. An einer berühmt gewordenen Stelle des Humanismus-Briefes, die wohl der Anlaß dafür war, daß der Titel ‚Kehre‘ alsbald zu einem Schlüsselwort, ja geradezu Reizwort der Heidegger-Deutung wurde, wird zunächst von dem 3. Abschnitt des 1. Teils von SuZ, der den Titel ‚Zeit und Sein‘ tragen sollte, gesagt: „Hier kehrt sich das Ganze um.“ (Hum 17) Offensichtlich ist damit zunächst diejenige Kehre gemeint, die für SuZ geplant war, die aber nicht mehr durchgeführt wurde, „weil das Denken im zureichenden Sagen dieser Kehre versagte“ (ebd.). Statt der ursprünglich geplanten Wendung wurde eine andere nötig, die nun von Heidegger selbst ebenfalls als ‚Kehre‘ bezeichnet wird[178]. Von ihr heißt es: „Diese Kehre ist nicht eine Änderung des Standpunktes von ‚Sein und Zeit‘, sondern in ihr gelangt das versuchte Denken erst in die Ortschaft der Dimension, aus der ‚Sein und Zeit‘ erfahren ist und zwar erfahren aus der Grunderfahrung der Seinsvergessenheit.“ (ebd.)

Damit ist die Grundfigur der Heideggerschen Selbstdeutung gegeben: zwar hat sich das spätere Denken gegenüber dem frühen gewandelt; diese Wandlung fällt jedoch, gemessen an der Selbigkeit der zu denkenden Sache, kaum ins Gewicht. So heißt es etwa im Brief an Richardson: „Das Denken der Kehre *ist* eine Wendung in meinem Denken. Aber diese Wendung erfolgt nicht aufgrund einer Änderung des Standpunktes oder gar der Fragestellung von ‚Sein und Zeit‘. Das Denken der Kehre ergibt sich daraus, daß ich bei der zu denkenden Sache geblieben bin . . .“ (BaR XVII). Denn: „Wenn das Denken, von einer Sache angesprochen, dieser nachgeht, kann es ihm geschehen, daß es sich unterwegs wandelt“ (ID 13; zum ‚Weg-Charakter‘ des Denkens vgl. auch TK 5, USp 99, SvG 106).

Den genaueren Sinn der Wandlung seines Denkens hat Heidegger dahingehend zu bestimmen versucht, daß „schon im Ansatz der Seinsfrage in ‚Sein und Zeit‘ auch das Denken auf eine Wendung angesprochen [ist], die seinen Gang der Kehre entsprechen läßt“ (BaR XIX). Daraus läßt sich zweierlei entnehmen: Heidegger meint erstens, daß das Denken von SuZ nicht nur auf *die ursprünglich geplante, aber nicht durchgeführte*, sondern auch schon auf die nach dem Scheitern von SuZ *tatsächlich vollzogene* Kehre angelegt war. Und zweitens ist diese (tatsächlich vollzogene) Kehre nichts anderes als die Art und Weise, wie sein, Heideggers, Denken dem Anspruch des sich selbst kehrenden Seins entspricht.

In einer anderen Formulierung hat Heidegger die von Richardson getroffene Unterscheidung zwischen ‚Heidegger I‘ (= der frühe Heidegger) und ‚Heidegger II‘ (= der späte Heidegger) aufgegriffen und erklärt: „Nur von dem unter I Gedachten hier wird zunächst das unter II zu Denkende zugänglich. Aber I wird erst möglich, wenn es in II enthalten ist.“ (BaR

XXIII) D. h.: SuZ war notwendig als erste Etappe auf dem Weg zum wesentlichen Denken. Erst das spätere Denken jedoch expliziert die Basis, auf der auch schon SuZ stand, und den Horizont, aus dem allein SuZ zureichend verstanden werden kann.

Genau genommen müßte man also von einer ‚Kehre innerhalb der Kehre' sprechen: Das gesamte Heideggersche Denken ist ein Aspekt der seinsgeschichtlichen Kehre (nämlich deren ‚Ent-sprechung'); *innerhalb* dieses Denkens gibt es dann nochmals eine Kehre im engeren Sinne, die aber wiederum nur den Sinn hat, jener seinsgeschichtlichen Kehre umso mehr zu ent-sprechen. Denn obwohl auch schon SuZ — Heidegger zufolge — zum wesentlichen Denken unterwegs war, blieb das dort versuchte Denken vorläufig, unbeholfen und unzureichend (vgl. Hum 18, SvG 146) und „führte unzureichende Deutungen des eigenen Vorhabens mit sich" (BaR XV). Darin sieht Heidegger auch einen der Gründe dafür, daß sein frühes Denken meist mißverstanden wurde. Denn auch ein Denken, welches die Metaphysik verlasse, müsse an das „Bisherige" anknüpfen (N II, 194) und sich zunächst noch selbst „als ein ‚metaphysisches' " einführen (Hum 12; Heidegger verweist hier auf WiM); der Versuch etwa, „vom Vorstellen des Seienden als solchen in das Denken an die Wahrheit des Seins überzugehen, muß ... in gewisser Weise auch noch die Wahrheit des Seins vorstellen, so daß dieses Vorstellen notwendig anderer Art und schließlich als Vorstellen dem Zu-denkenden ungemäß bleibt" (WiM-E 18).

Der Grund dafür, daß SuZ „an einer entscheidenden Stelle" abgebrochen wurde (N II 194), liegt nach Heidegger darin, „daß der eingeschlagene Weg und Versuch wider seinen Willen in die Gefahr kommt, erneut nur eine Verfestigung der Subjektivität zu werden, daß er selbst die entscheidenden Schritte, d. h. deren zureichende Darstellung im Wesensvollzug, verhindert" (ebd. 194 f.). Diese Sätze sind 1940 geschrieben. Bereits einige Jahre vorher, in den bis heute unveröffentlichten ‚Beiträgen zur Philosophie' (1936—38), hatte Heidegger seinem Hauptwerk eine radikale Absage erteilt: „Alle ‚Inhalte' und ‚Meinungen' und ‚Wege' im Besonderen des ersten Versuches von ‚Sein und Zeit' sind zufällig und können verschwinden" (zitiert bei Pöggeler, Denkweg 188)[179]; denn: „An die Stelle der Systematik und Herleitung tritt die geschichtliche Bereitschaft für die Wahrheit des Seyns." (ebd.)[180] In diese kann man nur durch „einen Sprung — d. h. die Notwendigkeit eines *anderen* Anfangs" gelangen (ebd. 161).

Die Metapher vom Sprung, übrigens nicht erst seit Heidegger geläufig[181], dient noch des öfteren zur Charakterisierung des anderen, wesentlichen Denkens: „Der Sprung bringt das Denken ohne Brücke, d. h. ohne die Stetigkeit eines Fortschreitens, in einen anderen Bereich und in eine andere Weise des Sagens." (SvG 95; vgl. WhD 48)[182] Allerdings betont

Heidegger: „Dasjenige, wovon der Sprung des Denkens abspringt, wird in solchem Sprung nicht preisgegeben, vielmehr wird der Absprungbereich, erst aus dem Sprung her und auf eine andere Weise als zuvor überblickbar. Der Sprung des Denkens läßt das, wovon er abspringt, nicht hinter sich, sondern eignet es sich auf eine ursprünglichere Weise an." (SvG 107) Das ergibt, auf die Kehre in Heideggers Philosophie bezogen, wiederum die schon bekannte Figur: im Horizont des späteren, des gewandelten Denkend wird allererst der Boden sichtbar, auf dem auch das frühe Denken stand.

Heideggers Selbstinterpretation und sein Gebrauch des Begriffs ‚Kehre' haben zu einer Reihe von subtilen Deutungen Anlaß gegeben[183]. So lehnt P. Fürstenau die Auffassung ab, es gebe einen Bruch in Heideggers Denken; vielmehr handle es sich um den „Unterschied zusammengehöriger Glieder eines einzigen Gedankengangs", beruhend auf einem „verschiedenen Stand der Entfaltung". Die Kehre interpretiert Fürstenau daher als „ausdrückliche Rückwendung" in den Grund, aus dem auch schon das Denken von SuZ entsprang, als „Einkehr im eigenen Monadisierungsprinzip" und somit als „Wendung zum Selbstsein des Heideggerschen Denkens"[184]. F. Wiplinger begreift die vom späten Heidegger vorgenommene Umdeutung der Existenzialien als „komplementäre Integration der ursprünglichen Struktur zu ihrem tieferen Sinn"[185]. O. Pöggeler meint zwar, daß Heidegger seinen ursprünglichen Ansatz von SuZ habe revidieren müssen[186], jedoch nur, um in einem Sprung[187] „die Einkehr in jenen Grund, auf den der ganze Denkzirkel von vornherein gestellt ist", zu vollziehen[188]. Richardson versteht das späte Denken Heideggers als Wiederholung (‚retrieve') des frühen: ‚Heidegger II' sei zwar nicht das Gleiche, jedoch das Selbe wie ‚Heidegger I'[189]. Ott und von Herrmann verstehen Heideggers frühes und späteres Denken als die beiden Hälften eines einzigen Bogens[190]. Für Pugliese schließlich ist die Kehre primär weder eine Wendung *des* Denkens noch eine *im* Denken, sondern vielmehr die Grundart dieses Denkens selbst[191].

Alle diese Interpretationen versuchen im Grunde, die immanente Deutung so weit wie irgend möglich zu treiben. Pugliese etwa bezeichnet es ausdrücklich als seine Intention, „die weitestmögliche Dimension des Verstehens zu eröffnen", d. h. konkret, Heideggers „Ansatz zu Ende zu denken"[192]. Dieses Prinzip ist von beträchtlichem heuristischen Wert, und es möge daher zunächst auch für die folgenden Überlegungen maßgebend sein.

Wenn man die Konzeption der Seinsgeschichte akzeptiert, so kann man fast alles aus ihr ableiten. Denn wenn es jenes zirkelhafte Geschehen von Zuspruch des Seins und Ent-sprechen des Menschen gibt, dann erbringt das spätere Denken in der Tat den Grund, aus dem auch schon das frühe entsprang. Wenn die Gedanken dem Menschen vom Sein zugedacht, ‚diktiert' werden, dann muß natürlich auch das Denken von SuZ von diesem Geschick ereignet worden sein, andersherum gesehen: dann bedeutet das Bedenken des Seinsgeschicks ein Bedenken des Grundes, aus dem auch schon SuZ entsprang. Wenn es das sich schickende (und sich verbergende) Sein gibt, dann kann man – und muß man sogar – davon ausgehen, daß auch die Existenzialien von SuZ dem Denken vom Sein selbst zugesagt sind *samt ihrer vielfältigen* (etwa etymologischen oder grammatikalischen) *Auslegbarkeit*, die es dann ermöglicht, z. B. die Existenz als ‚Ek-sistenz' zu verstehen oder das ‚es gibt . . .' im buchstäblichen Sinne als ein Geben zu deuten (vgl. ZSF 38). Und schließlich könnte man Heideggers spätere Umdeutung der Existenzialien auch noch im Horizont seiner Theorie der Interpretation sehen, derzufolge „die ‚Lehre' eines Denkers . . . das in seinem Sagen Ungesagte" ist (PLW 5): jene Umdeutung bestünde dann eben darin, daß das im Gesagten von SuZ Ungesagte nun ans Licht käme.

Es zeigt sich, daß der Zirkel des Heideggerschen Denkens, der darin besteht, daß das Denken sich als von seinem eigenen ‚Gegenstand' ereignet weiß, es in der Tat ermöglicht, das Faktum der Wandlung dieses Denkens gewissermaßen zu überspielen, nämlich in ein Geschehen aufzuheben und aufzulösen, welches alles und jedes sowohl umfaßt als auch bedingt. Sachliche Unterschiede zwischen dem frühen und dem späten Denken erweisen sich so höchstens noch als verschiedene Seiten des Einen und Selben, als verschiedene Abschnitte innerhalb eines Weges, den man „vorwärts und rückwärts gehen" kann (USp 99), als Hälften eines Bogens oder als Aspekte eines Kreises, welches in der Sache selbst spielt.

Diese Interpretationen der Kehre des Heideggerschen Denkens sind, wie gesagt, legitim und richtig; sie werden nämlich dem Heideggerschen Denken insofern gerecht, als sie sowohl dessen immanente Voraussetzungen als auch dessen ausdrückliche und unausdrückliche Implikationen bis zum letztmöglichen Grade ausschöpfen. Die genannten Interpretationen stehen und fallen jedoch mit der Antwort auf die Frage, was es denn mit dem Seinsgeschick auf sich habe. Nur wenn man sich mit Heidegger auf den Boden des seinsgeschichtlichen Denkens selbst stellt, erweist sich der Unterschied zwischen dem frühen und dem späten Denken Heideggers als letztlich „belanglos"[193] und die Kehre in diesem Denken als bloßer Aspekt der Kehre im Seinsgeschick selbst. Wenn man jedoch nicht an ein sich schickendes und verbergendes Sein ‚glaubt' und nicht bereit ist, den Anspruch Heideggers, das Diktat dieses Seins zu sagen, zu akzeptieren, wenn man sich also ‚nur' auf die Methoden verifizierbarer Textinterpretation und die Kategorien philosophiegeschichtlicher Forschung beruft und sie mit kritischem Interesse auf die Entwicklung der Heideggerschen Philosophie anwendet, dann gibt es zwischen dem frühen Denken und dem späten einen gravierenden Unterschied, und zwar sowohl im ‚großen und ganzen' als auch im einzelnen (Begriff der Wahrheit, der Zeit, der Sprache u. a. m.).

Natürlich ist es nicht damit getan, einfachhin zu konstatieren, in SuZ sei anderes gedacht und gesagt worden als in den Schriften seit den 30er Jahren, und erst recht nicht läßt sich aus der Tatsache, daß Heidegger ‚einen früheren Standpunkt verlassen' und dafür einen anderen eingenommen hat, ein Vorwurf gegen seine Philosophie ableiten.

Worin besteht aber nun, von einer kritischen Position her gesehen, der eigentliche Sinn der Heideggerschen Kehre, und was bedeutet sie? Beläßt man es zunächst einmal bei einer relativ formalen Erklärung, so kann man einer Interpretation zustimmen, wie sie etwa K.-O. Apel versucht hat: „Es entspricht . . . nur der Konsequenz des hermeneutischen Ansatzes, wenn er [Heidegger] zunächst mit Hilfe . . . seines Entwurfs eines möglichen Seinsverständnisses die Begriffstradition der abendländischen Metaphysik aufschließt, d. h. sie destruiert im Hinblick auf die uranfänglichen Möglichkeiten ihres noch nicht fachterminologisch fixierten Seinsverständnisses . . .; daß er dann aber rückwirkend aus dem konstruktiven Verständnis der Geschichte der abendländischen Metaphysik von Anaximander bis Nietzsche auch noch die Begrifflichkeit seines eigenen Einstieges in die hermeneutische Situation, d. h. die Existenzialontologie von ‚Sein und Zeit', in ihrer geschichtlichen Bedingtheit durchschaut und entsprechend der ‚Kehre' eines seinsgeschichtlichen Denkens modifiziert."[194] Gerade in dieser vom späten Heidegger vorgenommenen Modifizierung — so müßte man allerdings hinzufügen —, in dieser Relativierung, ja z.T. sogar Negation dessen, was in SuZ gesagt wurde, besteht aber u. a. die Wandlung innerhalb der Philosophie Heideggers, eben die sogenannte Kehre. Die Art und Weise, wie von einer späteren Position her auf die frühe reflektiert wird, schließt, bei Heidegger jedenfalls, keineswegs aus, daß es zwischen dieser frühen und jener späteren Position so etwas wie einen Bruch gibt.

Irreführend scheint es mir auch zu sein, wenn man in Heideggers Kehre etwas Ähnliches glaubt erblicken zu können wie in Hegels Übergang von der Phänomenologie des Geistes zur Logik[195]. Es gibt im Verhältnis zwischen Phänomenologie und Logik zwar auch so etwas wie eine Umkehrung der Blickrichtung, jedoch keinen Bruch. Die Phänomenologie, als „Darstellung des erscheinenden Wissens", als „Wissenschaft der Erfahrung, die das Bewußtsein macht", enthält den „Weg des natürlichen Bewußtseins, das zum wahren Wissen dringt", und am Ende dieses gewissermaßen kontinuierlichen Weges steht tatsächlich das wahre Wissen bzw. seine Darstellung in der Logik[196]. Anders bei Heidegger: die existenziale Analytik als Zugang zum Sinn von Sein mußte *abgebrochen* werden; der zuerst eingeschlagene Weg führte eben nicht zum Ziel. Man könnte daher sagen, daß die erste Phase der Philosophie Heideggers für das spätere Denken nur in dem Sinne eine notwendige Voraussetzung war, daß in ihr ein bestimmter Standpunkt erst einmal versucht und ‚durchgestanden‘ werden mußte, bevor er als ein zum Scheitern verurteilter erkennbar werden und so die Möglichkeit des – nun endlich – wesentlichen, anfänglichen Denkens freigeben konnte.

Nach den Ergebnissen der vorliegenden Untersuchung stellt sich die Kehre in Heideggers Philosophie etwa folgendermaßen dar[197]:

Das sich durchhaltende Grundmotiv des Heideggerschen Denkens ist die Frage nach dem Sein. Gefragt wird nach dem Sinn von Sein, genauer: nach dem wahren, eigentlichen, ursprünglichen Sinn von Sein. Dahinter steht die Vermutung, daß dieser Sinn als Folge eines mehr als zweitausendjährigen Verfallsprozesses verlorengegangen ist. Der wahre Sinn von Sein ist heute verschwunden. ‚Heute‘ – das bedeutet nichts anderes als: in der gegenwärtigen, ‚entfremdeten‘, verdinglichten Welt, einer Welt, die durch Wissenschaft, Technik, Zivilisation, Massengesellschaft etc. geprägt ist. Diese Welt ist seinsverlassen, es gibt in ihr keinen wahren Sinn mehr.

Heideggers Denken ist die philosophische Theorie der Wiederherstellung dieses verlorengegangenen Sinnes. Der erste Versuch dazu, der von SuZ, läßt sich im großen und ganzen auf einen doppelten Nenner bringen. Zum einen machte Heidegger gegen die Herrschaft von Theorie und Wissenschaft und gegen den ihnen zugrundeliegenden Sinn von Sein als bloßer Vorhandenheit die vortheoretische Welt der Zuhandenheit geltend, dergegenüber alle Theorie als Degeneration erscheinen müsse. Von Bedeutung war dabei, daß die Heideggersche Analyse der Zeugwelt sich im Grunde an einem Dasein in überschaubaren Zusammenhängen orientierte und so, obzwar eher unausdrücklich, einem längst vergangenen Zustand das Wort redete, einem Zustand, in dem die Menschen noch in einem mehr oder weniger ungebrochenen, unmittelbaren Verhältnis zu ihrer Umwelt und den ihr zugehörigen Dingen existieren. Zum anderen – und dieser Gesichtspunkt fällt mehr ins Gewicht, insbesondere im Hinblick auf die Wirkung von SuZ – zum anderen mutete Heidegger der gefährdeten Subjektivität zu, sich desto mehr auf sich selbst zu konzentrieren, die absolute Vereinzelung zu wagen und so ihre Eigentlichkeit gegen die Verführungen des ‚Man‘ durchzusetzen. Dieser Versuch der Selbstbehauptung durch Selbstisolierung war jedoch zum Scheitern verurteilt. Der Ohnmacht gegenüber einer entfremdeten Welt war nicht durch Rückzug von ihr in die eigene Innerlichkeit beizukommen. Der zunächst eingeschlagene Weg zum wahren Sinn von Sein endete gewissermaßen in einer Sackgasse. Der literarische Ausdruck dafür war, daß der entscheidende 3. Abschnitt des 1. Teils und der ganze 2. Teil von SuZ ausblieben. Stattdessen entwickelte Heidegger seine seingeschichtliche Konzeption. In ihr galt der Selbstbehauptungswille des Subjekts nun gerade als das Schlimme, das zu überwinden sei. Dabei wurde die ‚Schuld‘ am seinsverlassenen Zustand aber nicht so sehr dem Menschen oder dem realen geschichtlichen Prozeß, sondern den über- oder vorgeschichtlichen Schickungen, Entbergungen oder Verbergungen des Seins selbst zugewiesen. Desgleichen sollte die Hoffnung auf eine Wende nur ans Sein selbst sich halten können, nämlich an das vielleicht bevorstehende Ende seiner Epoché und eine neue Offenbarung seiner selbst. Diese neue Wahrheit des Seins aber sollte die alte sein, die ursprünglich-anfängliche, wie sie — philosophiegeschichtlich gesehen — bei oder gar vor den Vorsokratikern waltete.

Die beiden Phasen der Heideggerschen Philosophie stellen sich so als zwei Versuche dar, der schlimmen Wirklichkeit durch Alternativen zu begegnen, die jeweils auf verschiedene Weise zur Flucht aus dieser Wirklichkeit aufrufen, zum Rückzug auf Positionen, denen diese Wirklichkeit — scheinbar — nichts anhaben kann. Beide Antithesen sind abstrakt, unvermittelbar zu jenem schlimmen Zustand — die eine, weil sie die Bezüge zur Realität erklärtermaßen abschneidet und sich so selbst zu umso größerer Ohnmacht verurteilt, die andere, weil sie ihr Heil nur noch in der tatenlosen, aufs Sein hörenden Erwartung sieht.

Vor der Geschichte, gar vor geschichtlichem Engagement hatte schon Heideggers frühe Philosophie resigniert. Abgesehen vom bereits ungeschichtlichen Ansatz der existenzialen Analytik war die Geschichtlichkeit, der sie das Wort redete, nicht nur zur bloß formalen Struktur depotenziert, sondern sie bezog sich im Grunde auch nur noch auf die innere Erstrecktheit des je Einzelnen und sorgte sich vor allem um dessen eigentliches Sein zum Tode.

In Heideggers Spätdenken ist diese Flucht vor der Geschichte, wie bereits früher ausgeführt wurde, womöglich noch perfektioniert. Denn während im Denken von SuZ noch ein Rest war, der den ‚Anschluß‘ an die konkrete Geschichte als letzten Endes doch noch denkbar hätte erscheinen lassen können, wird nun diese Geschichte als unter der absoluten Verfügungsgewalt einer metageschichtlichen Instanz stehend und so als der menschlichen Tätigkeit entzogen vorgestellt.

Heideggers Kehre läßt sich mit einer Figur kennzeichnen, deren sich schon E. Tugendhat — zur Charakterisierung der beiden verschiedenen Fassungen des Heideggerschen Wahrheitsbegriffs — bedient hat[198]. Die Kehre erweist sich „als Kehre um den Wahrheitsbegriff herum"[199]. Über Tugendhat hinausgehend, läßt sich nun sagen: Heideggers Kehre ist in einem grundsätzlichen Sinne zu verstehen als eine Kehre um eine Position herum, die bereit wäre, auf die konkrete Realität und die wirkliche

Geschichte sich einzulassen. Das Ausweichen vor einer solchen Position ist letztlich der Sinn sowohl des frühen als auch des späten Heideggerschen Denkens — nur eben auf jeweils verschiedene Weise. Das Ziel, welches in SuZ verfehlt wurde, versucht der späte Heidegger mit anderen Mitteln zu erreichen; und wenn man immanente Konsequenz zum Maßstab nimmt, so kann man sogar sagen, daß in der Spätphilosophie Heideggers dieses Ziel tatsächlich erreicht ist: wo die Seinsverlassenheit zur Folge eines unvordenklichen Geschicks erklärt ist, kann reale Geschichte nicht mehr eingeklagt werden, und die Versuche, es dennoch zu tun, lassen sich sogar noch als Indizien eben jener Seinsverlassenheit selbst diffamieren.

Unter diesem Aspekt behalten dann auch jene oben referierten Interpretationen, welche, ausgehend von Heideggers Selbstdeutung, die Kehre als Einkehr in den eigentlichen Grund bzw. in das Selbstsein des Heideggerschen Denkens begreifen, auch von einer kritischen Position her gesehen ein gewisses Recht: zum klaren Bewußtsein dessen, was sie wirklich will, gelangt Heideggers Philosophie erst in ihrer Spätphase[200].

In SuZ war, zumal auf den ersten Blick, noch vieles ambivalent gewesen. So konnte etwa Heideggers Analyse von Umwelt und Mitwelt als geglückter Ansatz zur Lösung der vom Idealismus und von der Wissenschaftsphilosophie hinterlassenen Probleme oder die Entfaltung der Geschichtlichkeit des Daseins als Überwindung der ungeschichtlichen Positionen etwa des Neukantianismus oder der klassischen Phänomenologie verstanden werden. Und dieses Verständnis war bis zu einem gewissen Grade sogar im Recht. Aber es traf nur die eine Seite dessen, was in SuZ intendiert war. Daß es auch noch eine andere Seite gab, mußte spätestens in dem Augenblick klar werden, als Heidegger auf die Fortführung des Ansatzes von SuZ verzichtete, um seine Theorie der Seinsgeschichte zu entwickeln[201]. Denn der nun offen zutagetretende Affekt gegen Wissenschaft und Technik schärfte den Blick dafür, daß es bereits in SuZ nicht nur um eine phänomenologische Genealogie der Wissenschaft aus der Lebenswelt ging, sondern auch schon um die Verurteilung dieser Genealogie als Degeneration. Genauso zeigte sich auf dem Hintergrund des seinsgeschichtlich perfektionierten Ausweichens vor der realen Geschichte, daß es auch der in SuZ analysierten Geschichtlichkeit nicht so sehr um die Begründung einer konkreten Geschichtstheorie zu tun war, sondern eher um die Möglichkeit, um sie herumzukommen.

Soweit einige von den Gesichtspunkten, die es als gerechtfertigt erscheinen lassen, festzustellen, daß Heideggers Spätphilosophie gewissermaßen einen Horizont aufreißt, in dem bestimmte Inhalte von SuZ klarer hervortreten, als es im Zusammenhang der existenzialen Analytik selbst vielleicht möglich war[202]. Die Intentionen, die der Heideggerschen Philosophie insgesamt zugrundeliegen, kommen erst in deren Spätphase eindeutig zum Ausdruck. In diesem Sinne ist die Kehre in der Tat eine Wende zum Selbstsein des Heideggerschen Denkens.

Ein paar abschließende Überlegungen können an das eben Gesagte anknüpfen. Die Tatsache, daß sich in Heideggers Denken, dem frühen wie dem späten, bestimmte *Grund*motive identifizieren lassen, bedeutet nicht, daß das Urteil über die frühe Philosophie in jedem Fall genauso ausfallen müßte wie das über die spätere. Im Gegenteil: gerade *weil* Heideggers Philosophie erst in ihrer späten Phase eigentlich zu dem wird, was sie in Wahrheit ist, ist es erlaubt, gegenüber ihrer Frühphase in geringerem Maße sich skeptisch zu verhalten, als dies gegenüber jener späten nach der hier vertretenen Ansicht in der Tat angebracht ist. Bei aller Kritik kann man ‚Sein und Zeit‘, dem Hauptwerk Heideggers, in mancherlei Hinsicht eine positive Bedeutung nicht abstreiten. Voraussetzung dafür ist freilich, daß man – um es simpel auszudrücken – unterscheidet zwischen dem, was man in SuZ für ‚richtig‘, und dem, was man darin für ‚falsch‘ hält. Es spricht nichts dagegen, daß es legitim ist, bestimmte Analysen in SuZ aus dem existenzialontologischen Kontext herauszulösen und ihren Wert unabhängig von diesem Kontext und insbesondere von dem Anspruch, der dahinter steht, zu beurteilen. Am ehesten scheinen mir in dieser Hinsicht Heideggers Ansätze zu einer Theorie der ‚Lebenswelt‘ relevant zu sein, vorausgesetzt, daß man den darin versteckt enthaltenen antiwissenschaftlichen Impuls aus ihnen eliminiert. Unbezweifelbar ist auch, daß Heideggers Analysen in SuZ meist dort zutreffend und einleuchtend sind, wo sie die bislang unhinterfragt gebliebenen Voraussetzungen bestimmter philosophischer Positionen aufdecken (etwa im Fall des griechischen Seinsbegriffs, der cartesischen Bestimmung der Welt als res extensa, des Außenweltproblems, der Frage nach dem ‚Fremdpsychischen‘ u. a. m.). Daß solche Positionen – wie Heidegger es nennt – abgeleitet oder abkünftig sind, ist in vielen Fällen und bis zu einem gewissen Grade einsichtig; problematisch bleibt jedoch das Ideal von Ursprünglichkeit, daß Heidegger ihnen entgegenhält.

Ein ähnliches Urteil läßt sich auch über einen wichtigen Aspekt der Heideggerschen Spätphilosophie fällen. Heideggers philosophiegeschichtliche Interpretationen sind, was ihren ‚deskriptiven‘ Gehalt angeht, in vielen Fällen von hohem Wert und in den meisten jedenfalls diskutabel. Die (seins-) geschichtlichen Konstruktionen jedoch, die Heidegger auf solchen Interpretationen aufbaut, und die Konsequenzen, die er wiederum aus jenen Konstruktionen glaubt ziehen zu müssen, sind größtenteils nicht zu akzeptieren.

Was die übrigen Aspekte der Heideggerschen Spätphilosophie angeht, so ist darüber im 4. Teil dieser Untersuchung genügend gesagt worden. Kritik an der technisierten Welt ist allemal legitim; dort jedoch diskreditiert sie sich selbst, wo sie — wie bei Heidegger — einer Alternative das Wort redet, die im Grunde auf nichts anderes hinausläuft als auf offene Regression.

Insgesamt gesehen läßt sich daher am Schluß vielleicht das Fazit ziehen, daß es vernünftig wäre, wenn die Wirkungsgeschichte der Heideggerschen Philosophie künftig durch ein ungleich größeres Maß an Skepsis gekennzeichnet wäre, als sie es in den ersten drei bis vier Jahrzehnten nach dem Erscheinen von ‚Sein und Zeit' war.

Anmerkungen

Zur Einleitung und zum ersten Teil

1 Zur Zitierweise vgl. die Vorbemerkungen zum Literaturverzeichnis.
2 Vgl. die Bibliographie von H.-M. Sass, die bis 1967 weit über 2000 Titel verzeichnet; mehr als drei Viertel davon sind nach 1947 erschienen.
3 Am bekanntesten geworden ist wohl die Darstellung von O. Pöggeler (vgl. Pöggeler I), am umfangreichsten die von W. J. Richardson (vgl. Richardson I).
4 Vgl. etwa Adorno IV, Mende, Beyer I und II, auch Löwith I.
5 Vgl. etwa Lukács I.
6 Vgl. etwa Schweppenhäuser und Schwan, dessen Untersuchung allerdings sehr weit ausholt und deshalb bis zu einem gewissen Grade als erster Ansatz zu einer *kritischen* Darstellung der *gesamten* Philosophie Heideggers von SuZ bis zu den Schriften der 60er Jahre gelten kann.
7 Heidegger selbst datiert die „ersten unbeholfenen Versuche, in die Philosophie einzudringen" — und zwar anhand von Franz Brentanos Dissertation ‚Von der mannigfachen Bedeutung des Seienden nach Aristoteles‘ (1862) — auf das Jahr 1907; vgl. Mein Weg in die Phänomenologie, in SD 81, ferner auch USp 92 f. und Antrittsrede vor der Heidelberger Akademie der Wissenschaften 611.
8 In der Zeit zwischen seiner Habiliation (1916) und dem Erscheinen von SuZ hat Heidegger nichts veröffentlicht. Auch von den Vorlesungen aus dieser Zeit ist bis heute keine einzige öffentlich-literarisch zugänglich.
9 Ich stütze mich vor allem auf Pöggeler I und K. Lehmann I und II, denen unveröffentlichte Vorlesungen Heideggers (im Manuskript oder in Nachschriften) zugänglich waren, ferner auf Heideggers Selbstdarstellungen in Mein Weg in die Phänomenologie (in SD), BaR sowie in der Antrittsrede in der Heidelberger Akademie.
10 S. o. Anm. 7.
11 Vgl. Lehmann II 141 ff. und Pöggeler I 36 ff.
12 Vgl. Pöggeler I 38 ff.; Heidegger las 1920/21 über ‚Einleitung in die Phänomenologie der Religion‘, 1921 über ‚Augustinus und der Neuplatonismus‘ (siehe das Verzeichnis von Heideggers Vorlesungen bei Richardson I 664); vgl. auch Heideggers eigenen Hinweis SuZ 199 Anm. 1.
13 Vgl. K. Lehmann II: „Die Erfahrung des urchristlichen Geschichtsverständnisses ist . . . der einzig mögliche ‚Standort‘, von dem aus die Beschränkung der bisherigen Ontologie in ihrem Verständnis des Sinnes von Sein . . . auffallen konnte." (154)
14 Vgl. den Hinweis in SuZ 38, dazu Mein Weg in die Phänomenologie, in SD 83 ff., ferner Antrittsrede in der Heidelberger Akademie 611.
15 Der in den ‚Logischen Untersuchungen‘ „herausgearbeitete Unterschied zwischen sinnlicher und kategorialer Anschauung" — so Heidegger selbst später — „enthüllte sich mir in seiner Tragweite für die Bestimmung der ‚mannigfachen Bedeutung des Seienden‘." (Mein Weg . . . in SD 86)
16 Daß die Phänomenologie im Grunde Ontologie sein bzw. werden müsse, war offensichtlich die Lösung der Frage, die sich Heidegger nach eigener Auskunft in der Auseinandersetzung mit den ‚Logischen Untersuchungen‘ vorlegte, der Frage nämlich: „Worin besteht das Eigene der Phänomenologie, wenn sie weder Logik noch Psychologie ist?" (Mein Weg . . . in SD 83)
17 Die phänomenologische Ontologie sollte ausgehen von der „Hermeneutik des Daseins" (SuZ 38).
18 Vgl. Apel III.
19 Zugang zum Problem der Geschichte — besser: der‘Geschichts- und Geisteswissenschaften — gewann Heidegger auch über die Theorien der badischen Schule, die

ihm besonders sein Lehrer H. Rickert vermittelte (vgl. dazu K. Lehmann I 342 f.). Heideggers Habilitationsvortrag von 1916 ‚Der Zeitbegriff in der Geschichtswissenschaft' versuchte — in Fortführung von Rickerts und Windelbands Unterscheidungen —, Geistes- und Naturwissenschaften wissenschaftstheoretisch voneinander abzuheben (vgl. dazu Pöggeler I 30).

20 Vgl. Pöggeler I 35.

21 Zum Thema ‚Heidegger und die Theologie' s.u. Anm. 57 zum vierten Teil.

22 Vgl. Mein Weg . . . in SD 82; als persönlichen Vermittler nennt Heidegger hier (den damaligen Freiburger Professor für systematische Theologie) Carl Braig, von dem es an anderer Stelle heißt, er sei „der letzte aus der Überlieferung der Tübinger spekulativen Schule" gewesen, „die durch die Auseinandersetzung mit Hegel und Schelling der katholischen Theologie Rang und Weite gab . . ." (Antrittsrede in der Heidelberger Akademie 611).

23 Vgl. K. Lehmann I 353. Heidegger selbst bemerkte rückblickend, daß im Titel ‚Die Kategorien- und Bedeutungslehre des Duns Scotus' schon die für sein späteres Denken zentralen „Ausblicke" — nämlich Sein und Sprache — „zum Vorschein" gekommen seien (USp 91 f.).

24 Schon in der Habilitationsschrift hieß es: „Innerhalb des Reichtums der Gestaltungsrichtungen des lebendigen Geistes ist die theoretische Geisteshaltung nur eine . . ." (Duns Scotus 236) Der Satz mag — in der philosophischen ‚Umgebung' von 1915 — kaum originell klingen; er weist aber auf jene Radikalisierung in SuZ voraus, derzufolge die Theorie nicht nur einer unter vielen, sondern geradezu ein *abkünftiger* Modus des In-der-Welt-seins ist.

25 Peter Wusts so betiteltes Buch erschien nur wenige Jahre später (1920).

26 In dem Vortrag ‚Der Zeitbegriff in der Geschichtswissenschaft' sprach Heidegger eingangs selbst davon, daß „seit einigen Jahren . . . in der wissenschaftlichen Philosophie ein gewisser ‚metaphysischer Drang' erwacht sei", der „ein ‚tieferes Erfassen' der Philosophie und ihrer Probleme" ermögliche (173).

27 Vgl. die Erwähnung Lasks in Heideggers Rückblick, Mein Weg . . . in SD 82 f., ferner in der Heidelberger Antrittsrede 611. M. Brelage hält Lask für „einen der entscheidendsten Anreger des jungen Heidegger" (42, vgl. die folgenden Ausführungen Brelages).

28 Noch in SuZ werden Lasks Schriften ‚Die Logik der Philosophie [und die Kategorienlehre]' und ‚Die Lehre vom Urteil' positiv erwähnt (218 Anm. 1).

29 Die Ergebnisse des Aufsatzes von K. Holbe (Zwischen Rickert und Heidegger. Versuch über eine Perspektive des Denkens von Emil Lask. In: Philosophisches Jahrbuch 78 (1971) 360—376) konnte ich hier leider nicht mehr verwerten.

30 Nietzsches Erwähnung zeigt, wie früh Heidegger auch ‚lebensphilosophische' Motive aufgenommen hat. Später hat er u. a. — nach einem Hinweis Gadamers (vgl. Gadamer I 229 Anm. 3) — die Spätschriften Georg Simmels geschätzt, auf die er z. B. in SuZ hinweis (vgl. SuZ 249 Anm. 1, 418 Anm. 1).

31 Letzteres artikulierte sich in der Terminologie von SuZ als *existenzielle* Verwurzelung der existenzialen Analytik: das „philosophisch-forschende Fragen selbst" — so Heidegger — müsse „als Seinsmöglichkeit des je existierenden Daseins existenziell ergriffen" sein (SuZ 13).

32 Vgl. Heidegger selbst in der Heidelberger Antrittsrede 611.

33 Wohl zu sehr vereinfacht hat K. Gründer diesen Sachverhalt mit der Bemerkung, SuZ sei „die philosophische Explikation der Meißnerformel" von 1913 (323; die Formel lautete: „Die Freideutsche Jugend will aus eigener Bestimmung vor eigener Verantwortung mit innerer Wahrhaftigkeit ihr Leben gestalten.")

34 P. Hühnerfeld bemerkt — sicherlich nicht ohne Übertreibung —: „Es gibt kaum einen philosophischen Gedanken in Heideggers ‚Sein und Zeit', der dort [sc. im Expressionismus] nicht schon poetisch vorgedacht, keine Grundstimmung, die in den Versen jener jungen Avantgarde nicht schon angesprochen wurde." (77)

35 Stellen daraus sind zitiert bei Löwith IV 345 f. und 348; ich zitiere nach der bei Hühnerfeld (51) abgedruckten deutschen (und vermutlich Original-) Version.

36 Ein eindeutigerer Beleg dafür, in welchem Maße Heideggers Philosophie, besonders die in SuZ vertretene, mit der Zeit nach dem 1. Weltkrieg etwas zu tun hatte, dürfte sich kaum finden lassen. Auf die verhängnisvollen Folgen dieser Haltung des ‚pereat mundus‘ ist später noch einzugehen (vgl. unten den 3. Teil).

37 Zu erwähnen ist noch, daß Heideggers philosophische Entwicklung möglicherweise auch von den Schriften Georg Lukács‘ beeinflußt wurde; diese Ansicht jedenfalls hat L. Goldmann im Anhang seines Kant-Buches vertreten (vgl. Goldmann I 241–246, auch 13). Wenn das Denken des jungen Lukács Heidegger wirklich bekanntgeworden ist, so vermutlich durch die Vermittlung Emil Lasks, der in Heidelberg mit Lukács befreundet war (vgl. Goldmann I 241 ff.). Nach Goldmann (ebd. 244) muß man den Essays des jungen Lukács ‚Die Seele und die Formen‘ (1911) die eigentliche Begründung des modernen Existenzialismus zuschreiben. Ob Heidegger gewisse Grundkategorien dieser Essays für seine existenziale Analytik fruchtbar gemacht hat, wäre genauer zu untersuchen. Plausibler erscheint mir aber die Erklärung, daß Heideggers Denken teilweise auf demselben Boden gewachsen ist wie das des jungen Lukács. (Beide haben sich etwa intensiv mit Kierkegaard beschäftigt.) Goldmann vermutet weiter (vgl. ebd. 245 f.), daß Heidegger sich in SuZ – vielleicht unbewußt – mit dem 1923 erschienenen Buch ‚Geschichte und Klassenbewußtsein‘ des inzwischen zum Marxismus übergewechselten Lukács auseinandersetzte; auch das wäre näher zu untersuchen (vgl. auch noch die Hinweise bei Goldmann II 173 f., 197 Anm. 6, 288 Anm. 5, 312 f.).

38 Freilich nur auf den ersten Blick. – Bezüglich der Entstehungsgeschichte von SuZ laufen Gerüchte um, denenzufolge verschiedene Einzelstücke (aus Vorlesungs-, Vortrags- und anderen Manuskripten) von Heidegger nachträglich mit einem ‚roten Faden‘ versehen und miteinander zum Text von SuZ verbunden worden seien. Über die Richtigkeit dieser Version und anderer zur Entstehungsgeschichte von SuZ haben, außer Heidegger selbst, Eingeweihte zu urteilen, jedenfalls solange, wie dem philologischen Vorgehen aus Materialmangel der Weg verschlossen bleibt.

39 Noch Husserl hatte sein phänomenologisches Programm gerade aus der Entgegensetzung zur Weltanschauungsphilosophie konzipiert (vgl. Husserl II 11 f. und bes. 49 ff.).

40 Vgl. die treffenden Bemerkungen von H. Plessner (1938): „Man mag die Verbindung von Aristotelischer Ontologie und Kierkegaard abgeschmackt finden, doch muß man ihr zugestehen, daß ihr nach einer Umschmelzung der üblichen und gedankenlos gewordenen Vorstellungen ein neuer Entwurf des ‚In-der-Welt-seins‘ aus einem Guß gelang . . . [Heidegger] durchbricht das zur Gewohnheit gewordene intellektualistische Modell von einem Wesen, das Sinneswahrnehmungen von einer Dingwelt zu Urteilen verarbeitet, daneben will und handelt . . ., daneben fühlt und aus Gründen seiner außerdem noch bestehenden Biologie stirbt, eines Wesens, das außen Körper, innen Seele ist, zur Individualität zentriert am ‚Geiste‘ teil hat.“ (Plessner II 22) Daß in SuZ andererseits vieles und Entscheidendes übergangen oder ausgeschlossen wurde (worauf übrigens auch Plessner hinweist, vgl. ebd.), bleibt noch zu erörtern.

41 Die anderen ‚Frühschriften‘ (KPM, WdG, WiM) werden natürlich miteinbezogen.

42 Es ist im folgenden weder möglich noch nötig, den Gedankengängen von SuZ Schritt für Schritt zu folgen. Vorgriffe und Rückgriffe (und ggf. auch Wiederholungen) sind unvermeidbar.

43 Die Ausführungen dieses Kapitels stehen unter der Einsicht, daß Heideggers Philosophie zwar im großen und ganzen und in vielen Einzelheiten auf bestimmte Positionen ‚festzulegen‘ ist, daß aber gleichwohl ein Restbestand an Widersprüchen, Unklarheiten, Aporien oder Paradoxien bleibt, der der Interpretation kaum zugänglich ist (vgl. den Titel der mir leider nicht zugänglich gewordenen Freiburger

Dissertation von Franz Vonessen: ,Das einzigartige Sein. Zur Frage der Seinspara-
doxien bei Martin Heidegger', 1952). Der ,Eklektizismus' des Heideggerschen Denkens (vgl. oben 1.1) erzeugt – wie es scheint – begrifflich schwer faßbare ,Interfe-
renzen'. Löwith spricht treffend – mit biologischem, statt physikalischem Bild –
von einer Kreuzung im Denken Heideggers – nämlich zwischen Hegel und Kierkegaard –, die zur „Verunklärung" führt (Löwith II c 175).

44 Der eindeutigste Beleg dafür ist vielleicht die Anwendung Heideggerscher Gedanken in der daseinsanalytischen Schule der Psychologie bzw. Psychiatrie; vgl. Binswanger I und II, dazu neuerdings das Kapitel ,Der domestizierte Heidegger' bei U.
Sonnemann 97–134.

45 Daß der *Ontologe* Heidegger gegenüber dem *Existenzialisten* wieder mehr zur Geltung kam, war dann zunächst das Verdienst des erstmals 1949 erschienenen Buches
von M. Müller – übrigens seinem Titel zum trotz. Vgl. das Vorwort zur dritten
Auflage, 9 ff., wo Müller diese Absicht seines Buches rückblickend bestätigt.

46 Vgl. etwa Adorno VI 117: mit dem Terminus ,Seinsfrage' werde „an das leibhafte
Interesse des Einzelnen – das nackte des Hamletmonologs, ob der einzelne absolut
vernichtet ist mit dem Tod oder ob er die Hoffnung des christlichen non confun-
datur hat – appelliert".

47 Das ausdrücklich zu sagen, hat Heidegger allerdings vermieden. Eine Stelle wie SuZ
152, wo im Rahmen von Ausführungen über den ,Sinn'-Begriff vom möglichen
„Abgrund der Sinnlosigkeit" gesprochen wird, belegt aber, daß jene zweite Bedeutung von ,Sinn' nicht nur nicht ausgeschlossen, sondern geradezu miteingeschlossen
war. – Die Vermischung der verschiedenen Bedeutungen von ,Sinn' bei Heidegger
hat Nicolai Hartmann kritisiert (vgl. 41 f.).

48 Von der ,Technik' war allerdings in SuZ praktisch noch keine Rede.

49 Vgl. das so betitelte Buch von Wilhelm Nestle (2. Auflage 1948).

50 Daß die Entstehung von Theorie (und Wissenschaft) einseitig als Emanzipation zu
fassen sei, bezweifelt etwa J. Ritter (vgl. Ritter Ia); vgl. dazu und zum gesamten
Problem Marquard I 74 ff.

51 Diese Kennzeichnung der Motive griechischer Ontologie stimmt in der *Deutung* mit
derjenigen Heideggers (bes. des späteren) durchaus überein, jedoch nicht in der
historischen Beurteilung.

52 Vgl. Adorno VI 73: „Universal sind Ahnung und Angst, Naturbeherrschung webe
durch ihren Fortschritt immer mehr an dem Unheil, vor dem sie behüten wollte . . .
Ontologie und Seinsphilosophie sind . . . Reaktionsweisen, in denen das Bewußtsein jener Verstrickung sich zu entwinden hofft."

53 Daher bemerkt Habermas zurecht, daß Heidegger als erstem „die Vereinbarung der
ontologischen Fragestellung mit dem praktischen Bedürfnis einer Wendung des
korrumpierten Weltalters" gelungen sei (Habermas Ia 149).

54 Von den zahlreichen Belegen sind nur die aus der Einleitung von SuZ angeführt:
6, 7, 8, 9, 10, 12, 14, 15, 17, 20, 22, 25, 27, 35, 37, 39.

55 So L. Oeing-Hanhoff II 12 f.

56 Dazu würde auch stimmen, daß es Heidegger erstens bei der Seinsfrage um „aufwei-
sende Grund-Freilegung" ging (SuZ 8) und daß er zweitens betonte: „Das Sein des
Seienden ,ist' nicht selbst eine Seiendes." (6)

57 Vgl. dazu Oeing-Hanhoff I.

58 Von der Seinsverfassung ist in SuZ des öfteren die Rede (vgl. etwa 53, 54, 57, 58,
61), wobei es ganz eindeutig ist, daß dieser Ausdruck (oder ähnliche, z. B. „Grundverfassung", vgl. etwa 56, 58, 62) so gut wie synonym mit dem Wort ,Sein' verwendet wird.

59 Ich gebe nur einige Belege aus dem kleinen (gerade zehn Seiten umfassenden) 2.
Kapitel des 1. Abschnitts (demjenigen Kapitel also, in dem Heidegger mit der
konkreten Daseinsanalyse beginnt): 54, 59 („Seinsstruktur"); 55, 58 („Daseinsstruktur"); 56 („Wesensstruktur"); 53, 54, 56 („Struktur"); vgl. auch 55, 57
(„Strukturbegriff"); 53 („Strukturmomente"); 52 („strukural").

60 Hier wohl nicht im terminologischen Sinne der existenzialen Analytik.

61 Es geht also beim augenblicklichen Stand unserer Analyse nicht um jene inhaltliche Position des Vorrangs der existentia vor der essentia, wie sie dann von Sartre als grundlegend für seinen Existentialismus charakterisiert worden ist (vgl. Sartre 9 ff.).

62 M. Müller 67 bemerkt, daß Heideggers Sein — wobei er allerdings vornehmlich an die Spätphilosophie zu denken scheint — nur mit dem scholastischen actus essendi zu vergleichen wäre.

63 Aufgrund der Hinweise SuZ 93 darf man aber vielleicht vermuten, daß die Problemstellung ‚Analogie des Seins‘ in Heideggers Augen nicht ursprünglich, sondern abgeleitet und das heißt: nicht radikal genug ist; es sei nämlich — so heißt es — „nicht verwunderlich, wenn eine Frage wie die nach der Weise des Bedeutens von Sein [und darunter fällt ja die Möglichkeit des analogen Bedeutens] nicht von der Stelle kommt, solange sie auf dem Grunde eines ungeklärten Sinnes von Sein ... erörtert werden will."

64 Hier nur einige Hinweise, die die Verwendung des Wortes ‚Seinsart‘ und ähnlicher Ausdrücke betreffen. Zwar kommt der Ausdruck ‚Seinsart‘ i.e.L. in Zusammenhängen vor wie „Seinsart der Vorhandenheit" (oder auch „Seinsart des Vorhandenen" [vgl. 42], wohl als genetivus subiectivus zu verstehen, also etwa: ‚Seinsart, die dem Vorhandenen zukommt‘), „der Zuhandenheit", „des Daseins" (hier durchweg in der Form des gen. subi.; „Seinsart der Existenz" — dies wäre ja das Analogon zu ‚Seinsart der Vorhandenheit‘ oder ‚Zuhandenheit‘ — kommt meines Wissens nicht vor; dies mag Zufall sein oder auch sachliche Gründe haben). Daneben finden sich aber auch Belege wie die folgenden: „Wissenschaften haben als Verhaltungen des Menschen die Seinsart dieses Seienden (Mensch)." (11) Kurz darauf wird von „*einer* zu ihm [dem Dasein] gehörigen Seinsart" gesprochen (15, Hervorhebung von mir; ähnlich auch 100), dann auch von der „jeweiligen Seinsart des Daseins" (16). Demnach kann sich der Ausdruck ‚Seinsart‘ nicht nur auf die ‚Hauptarten‘ des Seins (Vorhandenheit, Zuhandenheit, Existenz) beziehen, sondern auch auf die Unterarten, etwa auf verschiedene Möglichkeiten innerhalb der Seinsart der Existenz. Ferner spricht Heidegger auch noch von der Seinsart des Lebens (46, 50), den Seinsarten von Leib, Seele, Geist (48), der Seinsart der Person (ebd.); sodann auch von der Seinsart des In-Seins (55), des In-der-Welt-seins (61: „Erkennen ist eine Seinsart des In-der-Welt-seins"), des Besorgens (57), der Bewandtnis (87), und einmal sogar von der „Seinsart zur Welt" (61). — Auf der Ebene der Unterscheidung zwischen Eigentlichkeit und Uneigentlichkeit spricht Heidegger meist von Seins*modi* (z. B. 42 f.), andererseits wird aber die Alltäglichkeit, die ja doch derselben oder einer ähnlichen Unterscheidungsebene angehört, wiederum als die „nächste Seins*art* des Daseins" bezeichnet (66; Hervorhebung von mir). Umgekehrt spricht Heidegger im Rahmen seiner Kritik des Realitätsbegriffs (§ 43) von den „übrigen Seins*modi* [sc. außer ‚Realität‘]" (201, Hervorhebung von mir), obwohl er auf der Unterscheidungsebene, die *hier* angesprochen ist (Realität/Vorhandenheit; Zuhandenheit; Existenz bzw. Dasein) sonst durchweg den Ausdruck ‚Seins*art*‘ gebraucht. Einmal erwähnt Heidegger auch die „verschiedenen Modi und Derivate von Sein in ihren Modifikationen und Derivationen" (18). Desgleichen ist von den „Charakteren und Modi" des Seins die Rede (19), wie überhaupt mehrfach für ‚Dasein‘ etwas ausführlicher „Seiendes vom Charakter des Daseins" gebraucht wird (41, 42, 57, 183). Auch der Ausdruck ‚Seinscharakter‘ kommt vor (44 f.); er meint aber nicht dasselbe wie ‚Seinsart‘, vielmehr bezeichnet er die Bestimmungen, Explikate (vgl. 44), Momente der Seinsstruktur eines Seienden von bestimmter Seinsart; „die beiden Grundmöglichkeiten von Seinscharakteren" (45, drei Zeilen später spricht Heidegger von den „beiden Modi von Seinscharakteren") sind die Existenzialien und die Kategorien. — Die hier angeführten Belege dürften gezeigt haben, daß der Heideggersche Sprachgebrauch auch hier sehr oft vage und mehrdeutig ist.

Verständnis und Deutung des von Heidegger Gemeinten werden dadurch natürlich nicht gerade erleichtert.

65 So geht es etwa einmal um „die Seinsart des erkennenden Subjekts, dessen Seinsweise man doch ständig ... im Thema hat, ..." (60). Später erwähnt Heidegger bei Gelegenheit „die bisher explizierten Weisen des Seins: die Zuhandenheit, die Vorhandenheit ..." (183). ‚Weise des Seins' steht hier eindeutig für den sonst in solchem Zusammenhang gebrauchten Ausdruck ‚Seinsart'. Erwähnt sei noch eine Stelle, wo Heidegger das Dasein als das „Seiende, das je in der Weise des In-der-Welt-seins ist", bezeichnet (53).

66 Vgl. oben 17.

67 Da wir uns vorerst im Bereich der *formalen* Aspekte des Seinsbegriffs bewegen, kann an dieser Stelle noch nicht darauf eingegangen werden, daß Heidegger *inhaltlich* allerdings eine gewisse (!) Antwort auf diese Fragen hat, eine Antwort, die sich aus dem Vorrang einer bestimmten Seinsart (derjenigen nämlich, die dem Dasein eignet) ergibt − eine Antwort, die aber selbst wiederum eine ganze Reihe von Aporien hinterläßt (vgl. unten 1.2.3.2 sowie 1.3.4).

68 Bei diesen Vergleichen ist natürlich − was nicht ganz unproblematisch ist − vorausgesetzt, daß im Begriff des Seins, wie Heidegger ihn versteht, die grammatikalische Basis des Wortes − daß es sich nämlich um ein substantiviertes Verbum handelt − semantisch noch einwandfrei wirksam ist.

69 Nicht nur die scholastisch-aristotelische Tradition, sondern etwa auch Kant und Hegel könnten als Kronzeugen gegen Heideggers Seinsbegriff herangezogen werden. Bekanntlich hat Kant darauf bestanden, daß ‚Sein' als „kein reales Prädikat", sondern als „bloße Position" (Kant A 598) aufzufassen sei; Hegel sprach von der „reinen Unbestimmtheit und Leere" des Seins (Hegel II 66). An Hegel orientierte Kritiker der Heideggerschen Ontologie haben denn auch des öfteren den Vorwurf erhoben, Heidegger unterschlage, daß ‚Sein' der leerste Begriff, „das oberste Resultat" (Adorno II 48) bzw. das letzte Überbleibsel (vgl. Haag I 72 f.) der Abstraktion sei. − Der von Heidegger in WiM 39 angeführte Satz Hegels „Das reine Sein und das reine Nichts ist also dasselbe" (Hegel II 67) trifft nur dem Wortlaut, aber ganz und gar nicht dem Sinne nach (wie Heidegger selbst auch WiM 39 f. andeutet) dasjenige, was Heidegger unter der Zusammengehörigkeit von Sein und Nichts versteht.

70 Nach subtilen Analysen kommt Specht (31 ff.) zu dem Ergebnis, daß die im Heideggerschen Seinsbegriff offensichtlich implizierte Erwartung eines konkreten Bedeutungsgehalts oder gar einer ganzen Sinn- und Bedeutungsfülle von ‚Sein' verfehlt ist, jedenfalls, was den kopulativen Gebrauch von ‚sein' angeht. (Specht bezieht sich hier zwar auf Stellen aus der späteren Schrift EiM, jedoch ist das Ergebnis seiner Analysen auch für SuZ relevant.) Es sei unmöglich − so Specht −, „bei der Kopula irgendeinen Bedeutungsgehalt zu fixieren" (38). Specht schließt daraus: „Was den kopulativen Gebrauch des Wortes ‚sein' betrifft, so wird ihm eine nominalistische Auffassung am ehesten gerecht." (45; zum Problem vgl. auch die ausführliche Diskussion bei Gipper, 2. Kap., kritisch zu Heidegger 175 ff.). − Zu diskutieren wäre − was aber hier nicht geleistet werden kann − die Frage der verschiedenen logischen Funktionen des ‚ist'. (In SuZ gibt es so gut wie keine Überlegungen dieser Art, übrigens auch kaum irgendwelche vom sprachlichen Befund ausgehende Analysen; das hat Heidegger teilweise später nachgeholt, etwa in EiM und WhD.) Dieses Problem hat die neuere analytische Philosophie als Paradebeispiel benutzt, um metaphysisch-ontologischem Denken Verworrenheit und Sinnlosigkeit vorzuwerfen. Am Beispiel von Heideggers WiM tut dies R. Carnap; vgl. auch Stegmüller 188 ff. Im Kern ihrer Argumentation ist solchen logisch-sprachlichen Analysen ein hohes Maß an Plausibilität und − angesichts der babylonischen Sprachverwirrung auf diesem Felde − Legitimität nicht abzustreiten. Andererseits bleibt in diesem Falle aber doch die Frage, warum denn verschiedene

logische Funktionen durchs selbe Wort ,ist' ausgedrückt werden, oder anders: ob die normalsprachliche Identifizierung verschiedener Funktionen nicht auch vom logischen Standpunkt aus eine gewisse Berechtigung hat. Solche Fragen hat Tugendhat aufgeworfen und u. a. zu zeigen versucht, warum die traditionelle Ontologie auf der Einheitlichkeit des Seinsbegriffs bestanden hat (vgl. Tugendhat III bes. 488). Freilich kommt Tugendhat aufgrund von weiteren Überlegungen schließlich zu dem Ergebnis, daß die Ontologie − ,,der Name dieser Disziplin wäre allerdings nur noch mit Anführungszeichen zu gebrauchen" (ebd. 492) − ,,auf das Sein als Leitfaden der universalen Besinnung zu verzichten" (ebd.) und stattdessen von einem anderen Kriterium für Universalität, nämlich dem der Negierbarkeit, auszugehen habe (vgl. 491 f.).

71 Bröcker I 300.

72 Ebd.

73 Vgl. ebd. 302. In der Tat scheinen die Begriffe ,Welt' und ,Sein' beim frühen Heidegger zuweilen fast identisch zu sein, etwa wenn man den Satz aus SuZ ,,Sein ist das transcendens schlechthin" (32) mit dem Fazit des 2. Abschnitts von WdG zusammenbringt: ,, ,Das Dasein transzendiert' heißt: es ist im Wesen seines Seins weltbildend." (WdG 39) Was in SuZ ,Seinsentwurf' heißt, entspricht weitgehend dem, was in WdG ,Entwurf von Welt' genannt wird (39, vgl. 43). Diese partielle oder zeitweilige Identifizierung von ,Sein' und ,Welt' ist allerdings nicht in dem Sinne zu verstehen, wie diese beiden Begriffe zuweilen synonym verwandt werden, nämlich in der Bedeutung ,alles, was ist' oder ,Gesamtheit des Seienden'; denn dies versteht Heidegger ja gerade nicht unter ,Sein', und er meinte ja auch mit ,Welt' gerade nicht ,alles Innerweltliche'. Aber obwohl die Identifizierung von ,Sein' und ,Welt' bei Heidegger einen subtileren Sinn hat, bleibt wiederum die Frage nach ihrer terminologischen Legitimität oder auch nur Angebrachtheit. Wenn ,Sein' partiell durch ,Welt' (sei's auch im subtilen Sinne des 1. Abschnitts von SuZ) ersetzbar ist, handelt es sich dann noch um jenes Sein, das grammatikalisch gesehen ein substantiviertes Verbum ist? Mir scheint eher, daß diese grammatikalische Basis von ,Sein' dann semantisch in der Tat nicht mehr wirksam ist. Dann fragt sich aber auch, ob das, wonach Heidegger fragt, wirklich *das* Sein ist, um das es in der ontologischen Tradition ging. − Zum Verhältnis von Sein und Welt bei Heidegger vgl. auch die Bemerkung Merleau-Pontys: ,, . . . Sein und Zeit ist nichts anderes als die Auslegung des ,natürlichen Weltbegriffs', bzw. der ,Lebenswelt' . . ." (Merleau-Ponty I 3). Später hat Merleau-Ponty diese Deutung modidifiziert: ,,Le monde perceptif ,amorphe' . . . est au fond l'Etre au sens de Heidegger qui est plus que toute peinture, que toute parole, que toute ,attitude', et qui, saisi par la philosophie dans son universalité, apparaît comme contenant tout ce qui sera jamais dit, et nous laissant, pourtant à le créer . . ." (Merleau-Ponty II 223 f.)

74 Beispielsweise wird einmal in einem Atemzuge von ,,Sein und Wirklichkeit" gesprochen (SuZ 16).

75 Marquard I 36 Anm. 55. (Die Verwendung des Terminus ,ontologische Differenz' ist in diesem Zusammenhang allerdings problematisch, da dieser Begriff bei Heidegger die Differenz zwischen Sein und Seiendem bezeichnet, nicht die zwischen Vorhandenheit und Existenz, um die es hier geht.)

76 Briefwechsel zwischen Wilhelm Dilthey und dem Grafen Yorck 71.

77 Ebd. 191, zitiert in SuZ 399.

78 Wenn man der Reihenfolge des in der Einleitung von SuZ Gesagten sachlich folgen würde, müßte nun über das Problem gesprochen werden, warum die Fundamentalontologie als Existenzialanalyse durchgeführt wurde. Darüber läßt sich aber erst reden, wenn die Inhalte der Analytik selbst miteinbezogen werden.

79 Vgl. SuZ § 7: ,,Ontologie ist nur als Phänomenologie möglich." (35, vgl. 37, auch schon 27) ,,Philosophie ist universale phänomenologische Ontologie . . ." (38). Später hat Heidegger seine ,phänomenologische Phase' als Durchgangsstadium

„durch die Phänomenologie in das Denken des Seins" betrachtet (BaR XVII, vgl. XIf.).

80 Diese Feststellung ist gegenwärtig vielleicht nicht mehr ganz so selbstverständlich, da Heideggers Denken heute meist unter anderen Titeln verhandelt wird (‚Existenzphilosophie‘, ‚Seinsdenken‘ etc.). Die ersten Reaktionen auf SuZ zeigen aber, daß man Heidegger damals vor allem als Phänomenologen sah. Vgl. etwa G. Misch oder auch H. Marcuse III, der eine „dialektische Phänomenologie" intendierte (59), die aus der „Vereinigung beider Methoden" (ebd.) — nämlich der Heideggerschen Phänomenologie und der materialistischen Dialektik — hervorgehen sollte.

81 Gemeint ist hier natürlich die Husserlsche Begründung der Phänomenologie. Sie gilt — gegenüber anderen, von Husserl z. T. sich abspaltenden phänomenologischen Schulen — schon deshalb als einschlägig, weil sie es war, die von Heidegger unmittelbar fortgeführt und auch revidiert (z. T. sogar aufgehoben) wurde. — Die folgenden Ausführungen verdanken manches dem Aufsatz von Lübbe I (vgl. auch Lübbe II).

82 Vgl. Husserl II, Abschnitt ‚Naturalistische Philosophie‘, bes. 13 f.

83 Gustav Theodor Fechners ‚Psychophysik‘ erschien 1860.

84 Husserl II 14, vgl. 17.

85 Vgl. ebd. 24.

86 Ebd. 23.

87 Ebd. 24.

88 Ebd. 22.

89 Ebd. 24.

90 Ebd. 39.

91 Ebd. 33; „das Bewußtsein verdinglichen" steht wörtlich bei Husserl (ebd.).

92 Vgl. ebd. 27 f. Diese Losung drückt natürlich auch die Polemik gegen den Dogmatismus spekulativer, konstruierender Systeme, gegen uferlose Historie und gegen Begriffs-Sophisterie aus.

93 Vgl. ebd. den Abschnitt ‚Historizismus und Weltanschauungsphilosophie‘ 49—72.

94 Vgl. ebd. 69. Freilich gestand Husserl auch der Weltanschauungsphilosophie in ihrem Bereich ein gewisses Recht, sogar eine gewisse Notwendigkeit zu (vgl. ebd. 58 ff., bes. 65 f.); von der wissenschaftlichen Philosophie wollte er sie aber scharf getrennt wissen (vgl. ebd. 61).

95 Das gilt, wie ich zu zeigen versuchte, nicht erst für den späten Husserl (vgl. Husserl V), der sich vom frühen und mittleren allerdings dadurch unterscheidet, daß er die Krise philosophiegeschichtlich und geschichtsphilosophisch reflektiert.

96 Vgl. Husserl III 23 f., wo „regionale eidetische Wissenschaft" gleichgesetzt wird mit „regionaler Ontologie". Husserl spricht sogar von „eidetischen Ontologien" (ebd. 24). Er unterscheidet zwischen verschiedenen regionalen materialen Ontologien (ebd. 23 ff.) und der formalen Ontologie, welche „die Formen aller möglichen Ontologien ... überhaupt in sich birgt" (ebd. 27); diese wird auch „formale ‚mathesis universalis‘ " (ebd. 23) oder „reine Logik" (ebd. 140) genannt.

97 Vgl. ebd. §§ 59, 60, S. 140 ff.; die einzige eidetische Sphäre, an deren Ausschaltung „selbstverständlich ... nicht gedacht werden" konnte (ebd. 142), war die des phänomenologisch gereinigten Bewußtseins selbst.

98 Pöggeler I 72. Allerdings faßte Husserl „die Phänomenologie selbst als eidetische Wissenschaft, als Wesenslehre des transzendental gereinigten Bewußtseins" auf (Husserl III 142), hätte sie also nach seinem eigenen Sprachgebrauch (s. o. Anm. 85) auch als ‚Ontologie‘ bezeichnen können. Das indiziert aber vielleicht nicht mehr als die — gegenüber Heidegger — relativ ‚harmlose‘ Verwendung des Terminus ‚Ontologie‘ bei Husserl.

99 Die Bedeutung Max Schelers für Heidegger bleibt hier ausgeklammert; vgl. aber Pöggeler I 76 f.

100 Vgl. Pöggeler I 72; zum folgenden auch 77 f.

101 Vgl. ebd. 72.
102 Zu den Natur- und Geisteswissenschaften vgl. Husserl III 136 f., zu den eidetischen Disziplinen die obigen Ausführungen S. 23.
103 Husserl III 142.
104 Vgl. Gadamer I 240.
105 Trotz aller Unterschiede gibt es doch viele Gemeinsamkeiten zwischen der Husserlschen und der Heideggerschen Methode; vgl. dazu Adorno: „Wenn die Konfrontation jedes Husserlschen Begriffs mit seinem Gegenstand kann niedergeschlagen werden mit dem Hinweis darauf, daß der Begriff bloß in ἐποχή gelte und nicht ‚naiv‘ in der Welt der Fakten, dann ward schon vor der ‚Kehre‘ jeder drastischen Interpretation Heideggerscher Thesen über Angst oder Sorge, Neugier und Tod vorgebeugt, weil es sich um reine Seinsweisen des Daseins handeln soll . . .“ (Adorno V 197). Es gibt in der Heideggerschen Version der Phänomenologie also so etwas wie einen Epoché-Ersatz.
106 Erstaunlicherweise ist in der Einleitung von SuZ darüber fast gar nichts gesagt (vgl. nur 37).
107 Später ist darauf einzugehen, daß Phänomenologie *dem Inhalt nach* hermeneutisch wird, weil die Verstellung ‚geschichtlichen‘ Charakter hat.
108 Nämlich die Frage, ob den Titel ‚Phänomenologie‘ nur sich zulegen darf, wer an dessen Bestimmung durch Husserl festhält. – Im Rückblick glaubt Heidegger „heute noch“ (1962), daß er sich von der Position Husserls absetzte „aufgrund eines sachgerechteren Festhaltens am Prinzip der Phänomenologie“ (BaR 15).
109 Adornos Husserl-Kritik kann – von gewissen Einseitigkeiten abgesehen – als einschlägig gelten (vgl. Adorno V).
110 Der späte Husserl muß jedoch teilweise von diesem Vorwurf ausgenommen werden.
111 Im Rückblick nannte Heidegger selbst als einen der Gründe für seine Revision der Husserlschen Phänomenologie, daß dieser „die Geschichtlichkeit des Denkens durchaus fremd“ blieb (BaR XV).
112 Allgemeiner gesagt: Heidegger will die gesamte Tradition des transzendentalen Idealismus auf den Boden der realen Existenz – freilich wie er sie versteht – zurückholen. Vgl. auch das Urteil von H. Marcuse IV a 54.
113 S. u. 1.3.3.
114 Und zwar gerade schon in SuZ, nicht erst im späteren Denken, das sich dann in der Tat nicht mehr als Phänomenologie versteht.
115 Heidegger selbst spricht meist von „Analytik des Daseins“ (z. B. 13, 14, 41) oder auch von „Existenzialer Analytik“ (z. B. 13), „Hermeneutik des Daseins“ (38), „Analytik der Existenz“ (ebd.).
116 Aus der Einleitung von SuZ (vgl. bes. 10 f.) ließe sich folgende Disziplinenhierarchie aufstellen, die zugleich das jeweilige Fundierungsverhältnis wiedergibt:
ontische Wissenschaften – – – Seiendes
Ontologien – – – Sein (des Seienden)
Fundamentalontologie – – – Sinn von Sein.
(In einem weiteren Sinne umfaßt der Titel ‚Ontologie‘ bzw. ‚ontologisch‘ allerdings sowohl die – regionalen – Ontologien als auch die Fundamentalontologie. Desgleichen wird unter der Seinsfrage im weiteren Sinne sowohl die Frage nach dem Sein als auch die nach dem Sinn von Sein verstanden.) – Daß mit der Beantwortung der ‚Fundamentalfrage‘ nach dem Sinn von Sein (vgl. SuZ 5) betreute Disziplin die Fundamentalontologie sei, ist bezweifelt worden, beispielsweise von Hildegard Feick s. v. ‚Fundamentalfrage‘ (31, Anmerkung in Klammern); „die Erörterung der Seinsfrage als solcher“ könne – so Feick des näheren – „keine Ontologie mehr sein“, werde allerdings in SuZ „mißverständlicher und unangemessener Weise auch noch ‚Fundamentalontologie‘ genannt“. Dazu ist anzumerken: 1. Fundamentalontologie ist allerdings nicht mehr Ontologie im *enge-*

ren Sinne, sondern Ermöglichung von Ontologie. 2. Im *weiteren* Sinne bleibt die Fundamentalontologie natürlich Ontologie. Auch die Erörterung der Seinsfrage als solcher in SuZ verstand sich durchaus als Ontologie (im weiteren Sinne). Wie wäre sonst zu verstehen, daß etwa die Philosophie als „universale phänomenologische Ontologie" bestimmt wurde (38)? Ferner scheint mir kein einleuchtender Grund für die Annahme zu bestehen, Heidegger habe die Beantwortung dessen, was er „Fundamentalfrage" nannte (5), der Disziplin, die er „Fundamentalontologie" nannte, *nicht* zugewiesen. 3. Daß für das Denken des *späten* Heidegger die Titel ‚Ontologie' und ‚Fundamentalontologie' nicht mehr angemessen sind, versteht sich von selbst; nur ist es unzulässig, dieses Denken, wie Feick es tut, in das von SuZ zurückzuprojizieren. Zur Diskussion vgl. auch von Herrmann 248−251, ferner Pugliese 35 Anm. 3. − Die Bestimmung von ‚Fundamentalontologie' im Kant-Buch weicht von der in SuZ leicht ab (vgl. KPM 13, 209 ff., dazu von Herrmann 248 ff.).

117 Daß diese Prämisse *stillschweigend* auch an dieser Stelle schon gemacht ist, zeigt der nächste Satz: „Das Fragen dieser Frage ist als *Seins*modus eines Seienden selbst von dem her wesenhaft bestimmt, wonach in ihm gefragt ist − vom Sein." (7) Wieso „vom Sein", d. h. doch wohl: ‚vom Sein überhaupt'? Als Seinsmodus eines Fragenden ist die Frage sicherlich vom Sein *dieses* (des fragenden) Seienden bestimmt. Für dieses Sein (des fragenden Seienden) das Sein *überhaupt* zu substituieren, ist aber wiederum nur möglich, wenn bereits ausgemacht ist, daß der Sinn von Sein überhaupt sich nach dem Sinn des Seins des fragenden Seienden bemißt.

118 Allerdings spitzt Heidegger die Deutung von Seinsverständnis und -entwurf als Seinskonstitution auf ein „vorstellendes Setzen" zu − und kann sie so desto besser abwehren. Seinskonstitution braucht aber keineswegs zu heißen − und heißt in SuZ auch nicht −: ‚vorstellendes Setzen'.

119 Im folgenden werden teilweise die Resultate der Untersuchung von Herrmanns verwertet, vgl. 11 ff., 69 ff., 198 ff.

120 Zuweilen tut Heidegger dies, wie die folgenden Zitate zeigen, selbst.

121 Ausführlich und vollständig werden die einschlägigen Belege von von Herrmann 198 f. angeführt.

122 Diese Deutung wird auch von einem großen Teil der Heidegger-Literatur vertreten, z. T. sogar da, wo man − wie Heidegger selbst − seinsgeschichtliches Denken bereits in SuZ glaubt vorfinden zu können; vgl. u. a. Brelage 188 ff., Gadamer I 244, von Herrmann ganz, Müller 215 ff., 223, Sinn 88, Schulz I 79, Wiplinger 309.

123 Das jeweils dritte Moment innerhalb der Gesamtstruktur kann an dieser Stelle unberücksichtigt bleiben.

124 W. Müller-Lauter hat nachgewiesen, daß dem Begriff der Möglichkeit und damit all jenen Momenten, die auf dessen Seite gehören (Entwurf, Verstehen, Zukunft), in SuZ ein eindeutiger Vorrang zukommt (vgl. Müller-Lauter I, etwa das Vorwort).

125 Die durch Analyse des Seinsbegriffs von SuZ gewonnenen Ergebnisse werden durch Heideggers Abhandlung ‚Vom Wesen des Grundes' bestätigt. Die Transzendenz des Daseins (vgl. WdG 15 f.) − sie entspricht im wesentlichen der ‚Existenz' in SuZ − läßt sich, Heidegger zufolge, nur enthüllen „durch eine ständig zu erneuernde Interpretation der Subjektivität des Subjekts" (WdG 42).

126 Der Begriff der ‚Lebenswelt' hat durch Husserl Eingang in die philosophische Terminologie gefunden (vgl. insbes. Husserl V 105−193, dazu Nohl). Sachlich gesehen ist das Lebensweltproblem allerdings nicht erst im 20. Jahrhundert aufgekommen; vgl. dazu Lübbe I, bes. 171. Über eventuelle wechselseitige Abhängigkeiten und Beeinflussungen der Husserlschen Lebenswelt-Theorie und der Heideggerschen Analyse des In-der-Welt-seins ließe sich nur durch eine genaue (auch chronologische) Rekonstruktion der Entstehung von SuZ und der relevanten

Husserlschen Schriften entscheiden (zu Husserl vgl. Nohl 24 Anm. 2 und die Bibliographie 89 ff.). Vermutlich war, was die Lebensweltproblematik angeht, Husserl mehr von Heidegger beeinflußt als umgekehrt (vgl. auch Lübbe II 226 f., 230 Anm. 5, 235 f.).

127 Historische Materialien und phänomenologische Analysen zum natürlichen Weltbegriff zu liefern, war dann auch die Intention des II. Abschnitts von WdG. − Die Lebensweltproblematik in SuZ ermöglichte es selbst einigen Vertretern der sonst auf Heidegger wie aufs rote Tuch reagierenden marxistischen Philosophie, gewisse Momente Heideggerschen Denkens in die Lücken der ‚materialistischen Weltanschauung' einzufügen; für die Jahre unmittelbar nach dem Erscheinen von SuZ vgl. vor allem H. Marcuse III, bes. 55, für die jüngste Entwicklung K. Kosik (insbes. das Kapitel über ‚die Metaphysik des alltäglichen Lebens' 62−83). Allerdings verbindet sich bei Marcuse wie bei Kosik die positive Aufnahme Heideggerschen Denkens mit erheblicher Kritik an ihm; vgl. Marcuse III 56, 59, 62, Kosik 66 f., 70 Anm. 4, 77, 94, 203 f.

128 Ähnlich sah ja der späte Husserl die mögliche Funktion einer Theorie der Lebenswelt.

129 Mit ‚Seiendem' ist in diesem Zusammenhang natürlich immer nur solches von nicht-daseinsmäßiger Seinsart gemeint.

130 Der Gegensatz ‚eigentlich − uneigentlich' wird in SuZ zwar nur für Seiendes vom Charakter des Daseins verwandt; er läßt sich aber mit gewissem Recht auch auf die Ontologie des nicht-daseinsmäßigen Seienden übertragen.

131 Allerdings vermeidet Heidegger den *Begriff* ‚Praxis' weitgehend (vgl. nur SuZ 57, 193).

132 Wenn sich die existenziale Analytik mehrfach als vorläufig bezeichnet, so in einem ganz anderen Sinne; vgl. dazu unten 1.3.4.

133 Am überzeugendsten, wie mir scheint, bei G. Anders I.

134 So L. Rosenmayr 10 f.

135 Die Beispiele sind eben nicht beliebig. Dies wäre gegen Kosik einzuwenden, der meint (67 Anm. 2), Heidegger beschreibe durchaus „die Problematik der modernen kapitalistischen Welt", der „romantischen" „Mystifikation" seiner Beispiele zum trotz. Andererseits stellt Kosik aber auch fest, daß man die Problematik der industriellen Welt nicht mit der Terminologie aus der „patriarchalischen Welt des Hobels, des Hammers und der Säge" erfassen kann (66 f.)

136 Ähnlich Adorno IV 90 f.

137 Vgl. Anders I 344.

138 Vgl. ebd.: „Operating a machine, does not reveal it at all."

139 Vgl. aber die folgenden Sätze: „Das hergestellte Werk verweist nicht nur auf das Wozu seiner Verwendbarkeit und das Woraus seines Bestehens, *in einfachen handwerklichen Zuständen* liegt in ihm zugleich die Verweisung auf den Träger und Benutzer. Das Werk wird ihm auf den Leib zugeschnitten, er ‚ist' im Entstehen des Werkes mit dabei. In der *Herstellung von Dutzendware* fehlt diese konstitutive Verweisung keineswegs; sie ist nur unbestimmt, zeigt auf *Beliebige, den Durchschnitt.*" (SuZ 70 f., Hervorhebungen von mir.) Heidegger selbst konnte sich also den Verdacht nicht verhehlen, die herausgestellten Strukturen seien die einer bestimmten (der handwerklichen) Lebenswelt und vielleicht nicht ohne weiteres auf andere Lebenswelten übertragbar. Allerdings schob er diesen Verdacht sofort wieder beiseite. Die Behauptung, auch bei der Herstellung von Dutzendware, will sagen: bei industrieller Massenproduktion, fehle nicht die Verweisung auf den Benutzer, ist so zutreffend wie nichtssagend. Der Zusammenhang zwischen Massenproduktion und -konsum ist von dem zwischen Schuhmacher und Schuhkäufer grundsätzlich verschieden. Bei hochspezialisierter Produktionsweise dürfte sogar überhaupt eine direkte Verweisung des Produkts auf den Konsumenten noch schwerlich anzutreffen sein. Genau dieser Verlust der Unmittel-

barkeit aber hebt den Charakter des Zeugs als des einfachhin Entdeckten auf. Schließlich ist noch darauf hinzuweisen, daß in der Rede von der ‚Dutzendware‘ und dem ‚Durchschnitt‘ ein abwertender Akzent liegt; hier hat sich, wie es scheint, das Bedauern über die Verdrängung der einfachen handwerklichen durch industrielle Zustände Ausdruck verschafft.

140 Vgl. etwa die Rede von der „ontologischen Herkunft“ der Aussage aus der Auslegung (158) oder von der „ontologischen Abkünftigkeit des traditionellen Wahrheitsbegriffs“ (225).

141 Das besagt im Grunde die mittlerweile trivale Feststellung der zunehmenden Verwissenschaftlichung des Lebens.

142 Das schließt nicht aus, daß sie es in gewissen Phasen ihres Vollzugs durchaus sein können, so daß man etwa zwischen theoretischer und angewandter Physik unterscheiden kann.

143 Der praktische (und das heißt im immer noch repräsentativen Fall der Naturwissenschaften: der technische) Aspekt von Theorie und Wissenschaft stand im Grunde seit dem Aufkommen der neuen Wissenschaft zu Beginn der Neuzeit im Blick.

144 Einzige und übrigens gar nicht relevante Ausnahme ist die Verwendung des Wortes ‚technisch‘ SuZ 358.

145 Damit ist Heidegger über jenen ‚theoretisch‘ reduzierten Theorie- und Wissenschaftsbegriff nicht hinausgekommen, der schon bei Husserl dem Versuch einer Kritik der empirisch-exakten Wissenschaften prinzipielle Grenzen setzte. – Auf einen wichtigen Unterschied zwischen der Lebenswelttheorie Heideggers und der des späten Husserl hat Lübbe hingewiesen: „Was beide trennt, ist . . ., daß Heidegger, anders als Husserl, das ontologisch Ursprüngliche mit dem ‚Eigentlichen‘ gleichsetzt und entsprechend ‚alles Entspringen im ontologischen Felde‘ als ‚Degeneration‘ bezeichnet (‚Sein und Zeit‘, S. 334).“ (Lübbe II 230) Nach Lübbe (ebd.) findet sich zu der zitierten Stelle aus SuZ in einem Nachlaßmanuskript Husserls die Notiz: „Warum Degeneration?“ Nun bezieht sich zwar die Stelle aus SuZ nicht auf den Gegensatz von Zuhandenheit und Vorhandenheit, von unmittelbarem Umgang mit Zeug und bloßem Hinsehen. Sie ist aber darauf anwendbar. Schon der Begriff der ‚Abkünftigkeit‘ enthält – seiner beanspruchten ontologischen Formalität zum trotz – ein pejoratives Moment. Ferner: das Erkennen (als betrachtendes Bestimmen des Vorhandenen) entspringt einer „Defizienz“ (SuZ 61). Die (theoretische) Aussage entsteht da, wo das ursprüngliche ‚Als‘ der Auslegung nicht mehr in eine Bewandtnisganzheit ausgreift, wo es von der Bedeutsamkeit „abgeschnitten“ und „in die gleichmäßige Ebene des nur Vorhandenen zurückgedrängt“ ist; Aussage entsteht als Folge einer „Nivellierung des ursprünglichen ‚Als‘ “ (158, Hervorhebungen von mir). Daß Heideggers Analyse Richtiges trifft, soll nicht bezweifelt werden; es ist nur festzustellen, daß seine Terminologie die Vermutung aufzwingt, hier werde keineswegs nur neutral, weil rein formal, beschrieben. Vielmehr erscheinen Theorie und Wissenschaft tendenziell eben nicht nur als ontologisch ‚degeneriert‘; sie geraten in den Verdacht, Verfallsweisen menschlicher Existenz zu sein, minderwertig gegenüber dem ursprünglichen, unmittelbaren, ‚schlicht besorgenden‘ Sichverhalten zum Seienden.

146 Die Diskussion des Heideggerschen Wahrheitsbegriffs (SuZ § 44) wird aus praktischen Gründen auf ein späteres Kapitel verschoben (s. u. 2.1).

147 Der aus guten Gründen verschwiegene Hauptkontrahent, gegen den sich die Analytik in SuZ besonders in ihren polemischen Passagen wandte, war hier wie auch öfters vermutlich die Husserlsche transzendentale Phänomenologie.

148 Der Kritik, die Heidegger im Rahmen seiner Theorie des Mit-seins an der „theoretischen Problematik des Verstehens ‚fremden Seelenlebens‘ “ übt (124), entspricht innerhalb der Analyse der Umwelt seine Polemik gegen die Problematik der Beweisbarkeit der ‚Außenwelt‘ (vgl. § 43 a).

149 Wenn hier ausnahmsweise von der sonst vermiedenen Kategorie der ‚bürgerlichen Philosophie' Gebrauch gemacht wird, so nur deshalb, weil die Rede etwa vom Zusammenhang zwischen gesellschaftlichem Sein und gegenständlicher Praxis dem begrifflichen Inventar einer Philosophie entnommen ist, die gerade nicht bürgerlich ist, eben der marxistischen.

150 Allerdings lassen sich auch schon hier ähnliche Einwände gegen Heideggers Analyse des Mitseins machen, wie sie bereits gegen seine Theorie der Zuhandenheit vorgebracht wurden (s. o. Anm. 139).

151 Außer dem § 27 sind noch die §§ 35—37 heranzuziehen.

152 Innerhalb der Gesamtstruktur der Sorge hat das Moment des Verfallens keine völlig eindeutige Funktion. Das hängt damit zusammen, daß überhaupt innerhalb der von Heidegger aufgewiesenen Stukturen, die ja alle ‚dreigliedrig' sind, das jeweils dritte Moment oft unterschiedlich bestimmt ist. So erscheint einmal als drittes Moment in der existenzialen Struktur der Alltäglichkeit die „Rede", gleichursprünglich mit den beiden anderen Momenten der Befindlichkeit und des Verstehens (vgl. 161). Wenig später aber wird den ersten beiden Momenten (Faktizität und Existenzialität) als drittes das „Verfallensein" zugeordnet (vgl. 191, 350). (Zu diesem Problem vgl. übrigens Müller-Lauter I 54 ff.) Diese Ambivalenz ist vermutlich die Folge der methodischen Zweigleisigkeit von SuZ: gewisse Passagen, die größtenteils — jedenfalls auf den ersten Blick — rein deskriptiv-analytisch, also gewissermaßen neutral sind, wechseln sich ab mit anderen, die durchaus dezidierte Vorstellungen von echter oder unechter Existenz vertreten. Im ersten Fall wird die Rede, im zweiten das Verfallen als drittes Moment angesetzt. (Zur methodischen Zweigleisigkeit in SuZ vgl. auch die Hinweise von P. Fürstenau 15 f.) Eine ähnliche Ambivalenz haftet dem Begriff der Alltäglichkeit an. Relativ ‚neutral' ist er noch dort, wo er zuerst eingeführt wird (vgl. 43); auch die Umweltanalyse enthält keinerlei negative Wertung des durchschnittlichen Lebens. Im Gegenteil: bezüglich des Seins zum Zuhandenen ist das ‚normale' Leben gerade das ursprünglichere (nämlich gegenüber dem theoretisch-wissenschaftlichen). Erst innerhalb der Analyse des Mit- (und Selbst-)Seins — und auch da erst von einer bestimmten Stelle an — erhält der Begriff ‚Alltäglichkeit' eindeutig pejorativen Charakter: das alltägliche Mit- und Selbstsein ist Verfallen. Zwar wird abstrakt das Verfallen als „Sein bei . . ." überhaupt (192), das Woran des Verfallens also als die „Welt" überhaupt (nicht nur die Mitwelt) bestimmt. Konkret jedoch meint die Verfallenheit an die „Welt" „das Aufgehen im Miteinandersein, sofern dieses durch Gerede, Neugier und Zweideutigkeit geführt wird" (175). Der Terminus ‚Verfallen' bestimmt also nur das alltägliche Verhalten des Daseins zum anderen und zum eigenen *Dasein*, nicht aber das alltägliche Verhalten zu den Dingen. Daraus folgt: ‚Verfallen' ist eine Kategorie zum Zwecke der Abwertung gesellschaftlichen Seins. (Weitere Hinweise zu diesen Fragen s. 1.3.2, S. 41 ff.)

153 Vgl. allerdings die differenzierteren Ausführungen zur Frage, ob der ontologischen Interpretation der Existenz ein „faktisches Ideal" zugrundeliegt, § 63 (310 ff.). Zur gleichen Frage vgl. auch Löwith IX 55 ff.

154 Vgl. Adorno IV 81: „Die Philosophie der Eigentlichkeit braucht ihre Vorbehaltsklauseln, um sich gelegentlich darauf herauszureden, daß sie keine sei . . ."

155 Bei den folgenden Zitaten sind alle Hervorhebungen, falls nicht anders gekennzeichnet, von mir.

156 Gewisse Ähnlichkeiten mit der Terminologie Arnold Gehlens kann hier nicht nachgegangen werden.

157 Vgl. Rosenmayr 24.

158 Ausdrücklich als „Anti-Zivilisationstheorie" wird Heideggers Philosophie von Anders bezeichnet (vgl. Anders II 267); er sieht den Grund für Heideggers Zivilisationsfeindlichkeit u. a. in dessen Provinzialität (vgl. ebd. 266 und Anders I 356 ff., 365) und trifft damit zweifellos Richtiges. Vgl. auch Minder Ia, der auf

Heideggers alemannische Heimat abhebt, und Hühnerfeld, 1. Kap. sowie 101 f., der Heideggers kleinbürgerliche Herkunft betont, ferner auch Adorno 44 ff. Daß die Heideggersche Gesellschaftskritik aus spezifisch kleinbürgerlicher Perspektive erfolgt, haben marxistische Interpreten meist moniert, vgl. exemplarisch Michailow 14 (vgl. auch unten Anm. 160 zu diesem Teil). Übrigens hat Heidegger selbst später ausdrücklich Privinzialität für sich in Anspruch genommen; vgl. die 1934 geschriebene Motivation für die Ablehnung des Rufes auf den Berliner Lehrstuhl „Warum bleiben wir in der Provinz?"

159 Vgl. bereits oben Anm. 139.

160 Manches davon läßt sich vielleicht auffassen als unausdrückliche Kritik an bestimmten Zügen der Weimarer Republik, etwa am Parlamentarismus und am Parteiensystem. Überhaupt erklärt sich der Rigorismus der in SuZ artikulierten Gesellschaftsfeindlichkeit zum Teil wohl aus einer politischen Resignation, zu der die desolaten Zustände der Weimarer Republik in der Tat verführen konnten.

161 Das haben vor allem Marxisten und ‚Kritische Theoretiker' immer wieder gegen Heidegger vorgebracht. „Sein und Zeit' " – so etwa Lukács – „war doch ein Zeitdokument aus der Periode des Präfaschismus von Gewicht und Rang." (Lukács III 182) Denn: „Das, was Heidegger beschreibt, ist die subjektiv-bürgerlich-intellektuelle Kehrseite der ökonomischen Kategorien des Kapitalismus . . ." (Lukács I 438); jedoch versucht Heidegger – so Lukács' Kritik – „der Notwendigkeit, gesellschaftliche Konsequenzen zu ziehen, so auszuweichen, daß er jede öffentliche Tätigkeit des Menschen ‚ontologisch' als ‚uneigentlich' diffamiert" (ebd. 440). Georg Mende konstatiert eine auffallende Übereinstimmung von Heideggers Thesen mit dem subjektiven Lebensgefühl einer im Untergang begriffenen Gesellschaftsklasse (vgl. Mende 37). Jedoch: „In ihren Köpfen bilden sie [die Existenzialisten, bes. Heidegger] das kapitalistische Chaos ganz naiv ab und fassen es als die für alle Zeiten gültige Lage des Menschen in der Geschichte." (ebd. 21) Genauso argumentiert (Mendes Schüler) Michailow: „Vom Standpunkt eines Kleinbürgers versucht Heidegger das Bild der bürgerlichen Gesellschaft mit all ihren die Persönlichkeit nivellierenden und zerstörenden Tendenzen darzustellen. Aber erstens läßt ihn seine Begrenztheit nicht in die Tiefe der auf der Oberfläche liegenden Erscheinungen dringen, und das führt zum Fehlen des geringsten Elements der Kritik an dem von ihm selbst dargestellten gesellschaftlichen Sein des Menschen. Zweitens überträgt er unrechtmäßig das Bild, das eine bürgerliche Gesellschaft darstellt, auf die ganze Gesellschaft überhaupt, und das bestimmt den Übergang zu seinen reaktionären Positionen." (14) Vgl. auch die Kritik von Kosik 77. Am einzelnen Beispiel hat Adorno Heideggers Verfahren kritisiert: mit der Analyse des „Geredes" treffe Heidegger sehr viel Richtiges; aber er „bürdet den kritischen Befund einer negativen ontologischen Befindlichkeit, dem ‚alltäglichen Sein des Da' auf, das in Wahrheit geschichtlichen Wesens ist . . . Dies Unwesen ist entsprungen und abzuschaffen, nicht als Wesen des Daseins zu beklagen und zu belassen. Richtig gewahrt Heidegger die Abstraktheit von Geschwätz ‚als solchem', das der Beziehung auf die Sache sich entäußert hat; aber aus der pathischen Abstraktheit von Geschwätz folgert er dessen sei's noch so fragwürdige metaphysische Invarianz." (Adorno IV 86 f.)

162 Vgl. dazu Lieber, der auch auf die Beziehungen Heideggers zur Lebensphilosophie hinweist (vgl. 100 f.).

163 Wenn ich hier an erster Stelle Lukács' ‚Zerstörung der Vernunft' nenne, so nur deshalb, weil es für diese Thematik meines Wissens keine vergleichbar umfassende Gesamtdarstellung gibt, der es gelungen wäre, die Einseitigkeiten und Blickverengungen des Lukácsschen Werkes zu vermeiden. (Zur Einschätzung von Lukács' Darstellung vgl. Marquard II Anm. 2 zu § 10, ferner auch Marquard III 30 Anm. 47.) Aus anderer, obwohl gleichfalls kritischer, Perspektive urteilen über die Problematik etwa Lieber oder auch Ritter III. Hinzuweisen wäre ferner noch darauf,

daß Heidegger durch sein antigesellschaftliches Denken auch eine spezifische Tradition der deutschen Universität fortsetzte; vgl. dazu etwa Abendroth.

164 Der 2. Abschnitt von SuZ ist, wie mir scheint, im ganzen einheitlicher als der 1. Das hängt wohl damit zusammen, daß die Eigentlichkeit eindeutiger bestimmt ist als die Alltäglichkeit (die offensichtlich nicht unbedingt mit der Uneigentlichkeit gleichzusetzten ist, vgl. dazu oben Anm. 152 und unten das Folgende).

165 Freilich enthält bereits der 1. Abschnitt von SuZ einen vorgreifenden ‚Exkurs‘ zur Theorie der Eigentlichkeit, nämlich die Analyse der Angst (§ 40). Von ihr wird gesagt, sie offenbare „im Dasein das Sein zum eigensten Seinkönnen" (188) und hole es „aus seinem Verfallen zurück" (191). Wieso taucht die eindeutig als Eigentlichkeitsphänomen bestimmte Angst bereits im 1. Abschnitt auf, der doch das Dasein im Modus der Alltäglichkeit, d. h. der Indifferenz oder gar der Uneigentlichkeit beschreiben wollte? Die Angst-Analyse gibt Antwort auf die Frage „nach der ursprünglichen Ganzheit des Strukturganzen des Daseins" (Titel von § 39). Die ersten fünf Kapitel des 1. Abschnitts nämlich hatten zwar die einzelnen Strukturmomente des Daseins expliziert (Existenzialität, Faktizität, Verfallen), jedoch nicht deren „ontologische Einheit" (181) aufgewiesen. Dies sollte im 6. Kapitel geschehen, jedoch nicht durch ein bloßes „Zusammenbauen der Elemente" (ebd.), sondern „in einem Durchblick *durch* dieses Ganze *auf ein* ursprünglich einheitliches Phänomen" (ebd.). Als ein solches Phänomen bot sich die Angst an (vgl. die nähere Begründung 191). Innerhalb der Alltäglichkeits-Analyse hatte also der Aufweis des Phänomens ‚Angst‘ eine *rein methodische Funktion;* inhaltlich stellt er jedoch einen Vorgriff auf die Eigentlichkeits-Theorie des 2. Abschnitts dar, wo infolgedessen auch mehrfach aufs Phänomen der Angst zurückgegriffen wurde (vgl. 254, 266, 277 f., 296, 310, auch 342 f.).

166 „Das Dasein soll im Ausgang der Analyse gerade nicht in der Differenz eines bestimmten Existierens interpretiert ... werden." (43)

167 Vgl. zum Problem bereits oben Anm. 152.

168 ‚Neutral‘ war die Analyse noch in den §§ 25 und 26 (vgl. dazu oben 36 ff.); dezidiert pejorativ wurde sie erst im § 27 (vgl. dazu oben 38 ff.).

169 Zwar spricht Heidegger des öfteren allgemein vom Verfallen als von einer „Verfallenheit an die ‚Welt‘ " überhaupt (175); konkret jedoch ist diese als Verfallenheit an die Welt des *Man* bestimmt (vgl. dazu oben Anm. 152). Es muß also nochmals betont werden: das Verfallen ist eine Seinsweise des Daseins, sofern es sich zur ‚Welt‘ des Selbst und der Anderen verhält, *nicht aber,* sofern es sich zur ‚Welt‘ der (zuhandenen) Dinge verhält. Das schließt allerdings nicht aus, daß auch das Verhalten zu den Dingen durchs Verfallen an das Man betroffen wird: die schlimme Alltäglichkeit des Man gefährdet oder verhindert sogar die echte Alltäglichkeit im Verhalten zu den Dingen (vgl. 127, 168, 172). Erst durch Uneigentlichkeit im Selbstsein und Mitsein kann auch das — von sich her gegenüber Eigentlichkeit und Uneigentlichkeit neutral-indifferente — Sein zu den Dingen uneigentlich werden. Es scheint mir wichtig, dies ausdrücklich festzustellen, etwa gegenüber jenen Interpretationen, die in Heidegger so etwas wie einen ‚Neugnostiker‘ sehen. H. Jonas etwa versteht den Existenzialismus, unter den er gerade auch Heidegger subsumiert, als einen „anthropologischen Akosmismus" (Jonas 9; vgl. zum Thema auch S. A. Taubes). Diese Kennzeichnung scheint mir problematisch zu sein; Weltfeindlichkeit gibt es *so generell* bei Heidegger jedenfalls nicht. Intendiert ist bei ihm nicht eine Flucht vor der Welt schlechthin, sondern nur vor der öffentlich-gesellschaftlichen ‚Welt‘, die im Begriff des Man denunziert wird. Auch die von Jonas (ebd. 22) bemühte „existenzialistische Entwertung der Natur" kommt bei Heidegger so generell nicht vor. (Warum ‚Natur‘ in SuZ nicht thematisiert wurde, hat Heidegger WdG 36 Anm. 55 angedeutet; vgl. auch SuZ 65.) Spätere Schriften Heideggers (‚Warum bleiben wir in der Provinz?‘, ‚Der Feldweg‘, ‚Aus der Erfahrung des Denkens‘, um die in dieser Hinsicht auffälligsten zu nennen)

scheinen sogar eine ausgesprochene Naturaffinität zu belegen. Der Vorwurf von Löwith, Heidegger habe den Menschen der Geschichte ausgeliefert und so der Natur entfremdet (vgl. Löwith IIc, IId und VIII), ist in dieser Form also gleichfalls nicht haltbar. Für den späten Heidegger scheint mir sogar eher das Gegenteil zuzutreffen. Andererseits behalten Löwith und andere Kritiker allerdings recht: das Heideggersche Denken ist zwar nicht durch Ferne von der außermenschlichen Natur gekennzeichnet, wohl aber dadurch, daß es in seiner ‚Sicht des Menschen‘ denjenigen Aspekt ausklammert, demzufolge der Mensch *auch* Naturwesen ist. Von Leiblichkeit, realer Bedürfnisnatur, Triebstruktur etc. ist bei Heidegger fast überhaupt nicht die Rede. (Das macht übrigens auch seine Ontologie des Todes so ‚unrealistisch‘.)

170 Zwischendurch stellte sich die Analytik wieder auf den neutral-indifferenten Standpunkt. Vor allem im ersten Teil (A) des 5. und im letzten Teil (§§ 43 f.) des 6. Kapitels des 1. Abschnitts war das alltägliche Zunächst und Zumeist gerade nicht das Negativ-Andere zur Eigentlichkeit, also gerade nicht Uneigentlichkeit, sondern das Positiv-Andere zu Theorie und Wissenschaft.

171 Wohlwissend, daß er damit in Gefahr geriet, seine Bestimmung der Existenz als ‚In-der-Welt-sein‘ zu gefährden, erläuterte Heidegger allerdings sogleich: „Dieser existenziale ‚Solipsismus‘ versetzt aber so wenig ein isoliertes Subjektding in die harmlose Leere eines weltlosen Vorkommens, daß er das Dasein gerade in einem extremen Sinne vor seiner [!] Welt als Welt und damit es selbst vor sich selbst als In-der-Welt-sein bringt." (188) Mit dieser Bemerkung ist, wie mir scheint, der radikale Solipsismus bestenfalls modifziert, jedoch kaum eingeschränkt. Die im zitierten Satz durch die Präposition ‚vor‘ ausgedrückte Beziehung zwischen dem ‚solus ipse‘ und seiner ‚Welt‘ läßt sich zwar, wie so oft in Heideggerschen Texten, nicht genau bestimmen; aber möglich wäre es immerhin, daß sie im Sinne einer Frontziehung gedacht ist: das Dasein wird (in der Angst) *vor* seine Welt gebracht als vor sein ganz Anderes, ihm — in der radikalen Vereinzelung — abstrakt Gegenüberstehendes, *gegen* das es sein Selbst zu behaupten hat. — An späterer Stelle finden sich Ausführungen, die dem oben zitierten Satz entsprechen: „Die Entschlossenheit löst als *eigentliches Selbstsein* das Dasein nicht von seiner Welt ab, isoliert es nicht auf ein freischwebendes Ich", sondern „aus dem eigentlichen Selbstsein der Entschlossenheit entspringt allererst das eigentliche Miteinander" (298). Hier wird offensichtlich der nur dialektisch zu begreifende Bezug ‚Individuum und Gesellschaft‘ um die eine seiner Dimensionen beschnitten: Eigentlichkeit ist vorrangig beim radikal vereinzelten Selbst, dann erst beim Miteinander; die andere, umgekehrte Richtung ist gesperrt. Obwohl also die Analyse im 1. Abschnitt das Mitsein als konstitutiv fürs In-der-Welt-sein bestimmt hat (vgl. oben 36 ff.), rekurriert sie, sobald sie vom ‚neutralen‘ Standpunkt auf den der Eigentlichkeit umschwenkt, letztlich doch auf die Fiktion, besser: auf das Postulat, des isolierten Ich.

172 Zur Heideggerschen Todesontologie vgl. die Untersuchung von Sternberger, ferner auch Löwith IX 61 f. und Adorno IV 120 ff., deren Kritik nicht mehr viel hinzuzufügen ist. Abgesehen davon, daß Heidegger die Realität des Sterbenmüssens unterschlägt, wäre gegen ihn einzuwenden, daß sich der Tod gerade umgekehrt, als die existenziale Analyse es meint, als Ende jeglichen Selbstseins verstehen läßt. Vorlaufen-in-den-Tod wäre dann die — sei's auch nur in der Reflexion vollzogene — Selbstdestruktion des Ich. Darin läge dann allerdings die Wahrheit des radikalen Subjektivismus: seine Unmöglichkeit. Als Diskrimen eigentlicher Existenz könnte der Tod nur dem gelten, für den er nicht wahrhaft Tod, also nicht Ende der individuellen Existenz, wäre. Aus der Theologie jedoch hat Heidegger nur gewisse Themen und Reflexionsstrukturen übernommen, nicht aber die religiösen Positionen.

173 Die folgende Aufzählung von Belegstellen ist noch nicht einmal vollständig: 251, 253, 263, 264, 265, 277, 279, 287, 288, 289, 295, 296, 297, 302, 306, 307, 325, 330.

174 Es kommt hier nur darauf an zu zeigen, daß auch in den einzelnen Schritten der Analyse des 2. Abschnitts immer das *Man* als das Andere zur Eigentlichkeit verstanden ist. Daß Heidegger etwa mit der Beschreibung des alltäglichen Verhaltens zum Tode z. T. Richtiges trifft, ist nicht zu bezweifeln; vgl. dazu wiederum die Zustimmung, aber auch die Kritik bei Adorno IV 126 ff.

175 Fürstenau 12; im Hinblick aufs Methodische hat Fürstenau diesen Umschlag treffend charakterisiert: „Die Analyse der Alltäglichkeit hat mit Hilfe der Existenzidee die Daseinserscheinungen zur Offenbarung ihres strukturalen Grundes genötigt. ‚Ganzheit des Daseins' bezog sich auf diese von den zunächst vorfindlichen Erscheinungen verschiedene ‚Fundamentalstruktur' des Daseins (SZ 41) . . . Die Ganzheitsidee, die dem zweiten Abschnitt von ‚Sein und Zeit' zugrundeliegt, ist hingegen dadurch gekennzeichnet, daß sie Ganzheit des Daseins *in der Phänomenalität selbst, nicht erst in der Fundamentalstruktur meint.*" (ebd. 12 f., Hervorhebung von mir.)

176 Vgl. die Kennzeichnung des Todes als „unbezüglicher Möglichkeit" (263 f.).

177 Zum Ganzheitsbegriff des 2. Abschnitts von SuZ vgl. auch Adorno IV 120 f.

178 Die folgenden Bemerkungen wollen nur das gegen Ende von 1.3.1.2 Gesagte (s. o. 39 ff.) ergänzen.

179 Zum Problem vgl. wiederum Ritter III, etwa 192 f.

180 Vgl. den Titel der Untersuchung von Heise; zu Heidegger vgl. 470 ff.

181 Um Mißverständnissen vorzubeugen, sei folgendes festgestellt: Die hier vorgebrachte Kritik an Heideggers Eigentlichkeitstheorie als einer, die falsche Subjektivität bzw. Subjektivität falsch zur Geltung bringt, will keinesfalls jener Theorie und Praxis der östlichen kommunistischen Gesellschaften das Wort reden, die insbesondere in der Zeit des Stalinismus umgekehrt Subjektivität mehr oder weniger unterdrückten und es zum großen Teil bis heute tun. Zur Subjektivität außerhalb bzw. gegen die Gesellschaft, wie sie Heidegger postulierte, ist eine Gesellschaft ohne garantierte Subjektivität sicherlich keine Alternative. – Die nachstalinistischen Bemühungen um einen ‚demokratischen Sozialismus' in einigen osteuropäischen Ländern entsprangen unter anderem auch der Forderung, die gewaltsam verdrängte Subjektivität wieder mehr zur Geltung zu bringen. Für unseren Zusammenhang ist dabei von Interesse, daß in den entsprechenden ideologischen Diskussionen der Name Heideggers erstaunlich oft auftaucht (übrigens auch derjenige Husserls), so etwa – worauf schon hingewiesen wurde – bei Kosik und in der Gruppe um die Zagreber Zeitschrift ‚Praxis'; vgl. den von Petrović herausgegebenen Sammelband. (Der Autor, auf den im Register am häufigsten verwiesen wird, ist – zusammen mit Lukács – Heidegger!) Wie weit sich die Heidegger-Diskussion in diesen Ländern von der (vor allem durch Lukács vertretenen) uneingeschränkten Polemik gegen Heidegger entfernt hat, zeigt sich symptomatisch an der Tatsache, daß in der Festschrift zu Heideggers 80. Geburtstag (‚Durchblicke') je ein Beitrag eines jugoslawischen und eines teschechischen Marxisten zu finden ist (vgl. Petrović und Patočka). Patočka bestreitet ausdrücklich der Lukácsschen Heidegger-Kritik das Recht (vgl. bes. 398 ff., 402 ff.). Die Wirkung Heideggers in Jugoslawien und in der CSSR ist immerhin verständlich: das Arsenal seiner Philosophie läßt sich gut für die neu zu gewinnende Subjektivität einsetzen – so scheint es jedenfalls auf den ersten Blick. Bei näherem Hinsehen wäre freilich doch zu fragen, ob jene neuen Tendenzen im Marxismus gut beraten sind, sich ausgerechnet Heidegger zuzuwenden. Auch die phänomenologischen Methode mag zwar bis zu einem gewissen Grade geeignet sien, über die Erstarrungen des orthodoxen Dogmatismus hinwegzuhelfen. Inhaltlich aber läßt sich an SuZ marxistisch nur anknüpfen auf der Grundlage von

Mißverständnissen und Fehlinterpretationen der Heideggerschen Philosophie. Daß es sich – wie etwa Patočka gegen Lukács argumentiert – bei Heidegger „nicht um das Verlassen der Sozialität und der Geschichte handelt, sondern im Gegenteil um eine ursprüngliche Aufgeschlossenheit, Offenheit für sie" (Patočka 402), erweist sich schlicht als unzutreffend, sobald man nicht nur auf einzelne Textstellen sieht, sondern die Grundtendenz der Heideggerschen Philosophie durchschaut. Vielleicht erklären sich diese – nach meiner Ansicht unrichtigen – Heidegger-Deutungen teilweise auch aus der Situation einer gewissen ‚Erstfaszination‘, unter der die in Osteuropa lange tabuierte Beschäftigung mit Heidegger noch leidet. Daß z. B. Kosiks Buch mit den frühen Schriften H. Marcuses, der den Sinn der Heideggerschen Philosophie zunächst gleichfalls falsch einschätzte (vgl. seinen entschiedenen ‚Abgesang‘ auf den Existenzialismus in dem Aufsatz von 1934 (Marcuse IV)), erstaunliche Ähnlichkeiten aufweist, dürfte kein Zufall sein.

182 Andererseits war aber das Thema ‚Geschichte‘ – was auch immer darunter verstanden wurde – im Gefolge Diltheys, überhaupt der Lebensphilosophie, ferner der Wissenschaftslehre der ‚Südwestdeutschen Schule‘ in den ersten Jahrzehnten des 20. Jahrhunderts durchaus akut. Das heute z. T. vergessene Material hat G. Bauer registriert und ausgewertet, vgl. dort 73–118. Daher wäre an SuZ nicht etwa bemerkenswert, daß hier das Geschichtsproblem *überhaupt* wiederaufgenommen, sondern nur, daß es *auf dem Boden der Phänomenologie* in den Blick genommen wurde.

183 Marquard II 39. – Offenbar hat – um das vielleicht markanteste Beispiel zu nennen – der junge H. Marcuse SuZ so verstanden; vgl. besonders den Schluß des Vorworts zur Hegel-Untersuchung von 1932: „Was diese Arbeit etwa zu einer Aufrollung und Klärung der Probleme beiträgt, verdankt sie der philosophischen Arbeit Martin Heideggers." (Marcuse I 8)

184 Vgl. zum folgenden das bereits oben in 1.3.1.1 und besonders in 1.3.1.2 Gesagte sowie folgende Literatur: Adorno II 132 ff., Bauer 119 ff., Habermas Ic 306 ff., bes. 308 f.,· Landmann 86 ff., Lukács I 446 ff., Müller-Lauter II 234 ff. Im Gegensatz zu diesen durchweg kritischen Äußerungen gibt es bis heute Versuche, Heideggers Denken als die wahre Geschichtsphilosophie zu interpretieren; vgl. u. a. Pugliese, auch Wiplinger. Löwith begreift zwar auch Heideggers Philosophie als ausgesprochenes Geschichtsdenken, leitet aber gerade daraus den Vorwurf ab, Heidegger bewege sich – wie Hegel – „in derselben Verstiegenheit eines geistes- und seinsgeschichtlichen Historismus" (Löwith IIc 175, vgl. 177 f. und Löwith IIIa 266 f.).

185 So Müller-Lauter II 254 Anm. 1.

186 Die Zeitlichkeit taucht gewissermaßen, nach schon weit zurückliegender Ankündigung im ‚Prolog‘ (Einleitung) und im ‚Zwischenspiel‘ (§ 45), fast wir ein ‚deus ex machina‘ auf, der die langgezogene Iteration von exitenzialen Strukturen nun endlich zum Abschluß bringt.

187 Die sehr vielschichtige Zeitproblematik etwa unabhängig von Heidegger zu erörtern, verbietet sich im Rahmen dieser Arbeit.

188 So stelllt auch Bauer (119) fest, die Geschichtlichkeit sei „dasselbe, was Heidegger vorher viel breiter, aber auch weniger genau als ‚Zeitlichkeit‘ dargestellt" habe.

189 Vgl. wiederum Bauer ebd.

190 Ähnlich Adorno VI 133, Landmann 86, auch Plessner II 21.

191 Vgl. auch Horkheimer II 10.

192 Wohlgemerkt, ‚das Moderne‘ steht im Heideggerschen Text selbst *nicht* in Anführungszeichen.

193 Als Exempel für ‚welt-geschichtliches Geschehen‘ dient „ein Ring, der ‚überreicht‘ und ‚getragen‘ wird"! (389)

194 Vgl. SuZ § 10, S. 45 ff.

195 Marquard kommt zu dem Ergebnis, daß in SuZ – der Intention auf eine „Wiederkehr des Geschichtsproblems" (Marquard II 39) zum trotz – letztlich doch eine
„ ‚ungeschichtliche Weise des Geschichtsdenkens' " vorliege (ebd. 43); denn (der
frühe) Heidegger lasse – wie auch Jaspers – das Geschäft eigentlicher Geschicht-
philosophie „ ‚wegen Eröffnung geschlossen' " (ebd.). Marquard kritisiert also
einerseits zwar den Mangel an konkreter Geschichtstheorie, hält aber offensichtlich die Explikation der *Struktur* der Geschichtlichkeit, wie sie von Heidegger
vorgenommen wird, immerhin für den möglichen Ausgangspunkt einer – in SuZ
nur eben nicht realisierten – Geschichtstheorie. Nun ist es klar, daß auch eine
Formaltheorie der Geschichte, also eine Explikation der ‚Geschichtlichkeit' sinnvoll ist und daß wohl keine Geschichtstheorie ohne dergleichen auskommt. Nur:
genau das, so scheint mir, wurde gerade nicht, besser: *noch nicht einmal das*
wurde in SuZ geleistet, wie ich im vorstehenden Kapitel hoffe gezeigt zu haben.
Das Geschäft eigentlicher Geschichtsphilosophie blieb in SuZ deshalb ‚wegen Eröffnung geschlossen', weil es von vorneherein sich einen falschen, zumindest irre-
führenden Namen zugelegt hatte. Die Ware, die es anbot, hieß nicht ‚Geschichte',
sondern ‚Sein' und ‚eigentliche Existenz', ‚Innerlichkeit' und ‚Vereinzelung'. – Es
mag hier noch ein mögliches Argument gegen meine Interpretation geprüft werden, welches etwa lauten würde: ‚Man tut Heidegger unrecht, wenn man nur das
heranzieht, was von SuZ erschienen ist. Der ganze 2. Teil, der nicht mehr (jedenfalls nicht im Rahmen von SuZ) erschienen ist, hätte genau jene historische
Konkretion gebracht, die man vielleicht im ersten vermißt.' In der Tat sollte der
2. Teil historisch sein; er sollte „Grundzüge einer phänomenologischen Destruktion der Geschichte der Ontologie am Leitfaden der Problematik der Temporalität" bringen (SuZ 39). Wie aber hätte diese Destruktion ausgesehen? Der erste
Teil von SuZ ging davon aus, daß der Sinn von Sein bisher entweder ungefragt
geblieben oder unangemessen bestimmt worden sei. Ziel der Untersuchung war es,
nun endlich den wahren Sinn von Sein herauszustellen. Die für den 2. Teil
geplante Destruktion läßt sich infolgedessen interpretieren als das Vorhaben, die
bisherigen Auskünfte über das Sein als unwahr und uneigentlich zu entlarven. Da
nun aber der Seinsbegriff von SuZ ‚Sein' primär als Entwurf des Daseins (als
durchs Subjekt konstituiert) kannte, hätte jene Destruktion eine solche bisheriger
Sein*entwürfe* sein müssen. Wäre diese dann wenigstens in einem konkreteren
Sinne geschichtlich gewesen? Auch daran läßt sich zweifeln. Zum ersten nämlich
sollte jene geschichtliche Destruktion dem ungeschichtlichen Zweck der Bestäti-
gung des wahren und eigentlichen Sinnes von Sein dienen. Zum zweiten hätte sie
ihrerseits auf die ungeschichtlichen, konstanten Daseinsstrukturen rekurrieren
müssen. Denn wenn es Sein nur als Entwurf des Daseins und abhängig vom
Daseins gibt (s. o. 1.2.3.2), dann können unterschiedliche Seinsentwürfe einzig
und allein den verschiedenen Existenzweisen des Daseins entspringen. Nun steht
nach SuZ der Mensch jeweils – und d. h. immer – vor den Möglichkeiten eigentlicher und uneigentlicher Existenz. Im ersten Fall entspricht er der ursprünglichen
Zeitlichkeit, im zweiten verdeckt er sie sich. Die ‚vulgäre' Zeitlichkeit, die der in
der Daseinsstruktur je schon angelegten Verfallstendenz entspringt, impliziert nun
die uneigentlichen und unwahren Seinsentwürfe, diejenigen nämlich, die Sein nur
als Anwesenheit, d. h. nur aus der Gegenwart verstehen. Demgegenüber kann nur
ein eigentliches Dasein, d. h. ein solches, das aus der durch Zukünftigkeit, Gewesenheit und Gegenwart konstituierten Einheit der ekstatischen Zeitlichkeit exi-
stiert, wahres Sein entwerfen. Damit reduziert sich das geschichtliche Vorkommen wahren und unwahren Seinssinns auf die ungeschichtlichen, weil zur Struktur des Daseins gehörenden, Möglichkeiten eigentlicher und uneigentlicher Existenz. – Diese Deutung ist natürlich eine Konstruktion; gleichwohl erscheint sie
mir plausibel, weil sie das, was im erschienenen Teil von SuZ gesagt ist, beim Wort
nimmt und daraus die mutmaßlichen Konsequenzen zieht, die sich für den 2. Teil

hätten ergeben müssen. Außerdem läßt sich diese Deutung stützen durch denjenigen Abschnitt jener Destruktion, den Heidegger – wenn auch nicht mehr im Rahmen von SuZ – noch geliefert hat, nämlich durch das (erste) Kant-Buch; Kant – so Heidegger – kam dem eigentlichen Sinn der Zeit recht nahe (und d. h.: er kam damit auch irgendwie dem wahren Sinn von Sein nahe). Aber: „Er mußte zurückweichen." (KPM 153; vgl. insgesamt § 31, später noch 194) Der Gehalt des Wortes ‚Zurückweichen' paßt nun ‚haargenau' in die Kategorie der Uneigentlichkeit, welche eine konstante Existenzmöglichkeit des Daseins bezeichnet. Kant – so Heidegger – verschloß die Augen vor dem „Abgrund" (ebd. 153), der sich vor ihm aufgetan hatte – darin nicht unähnlich dem ‚Man'. Die Destruktion der Geschichte der Ontologie, so kann man schließen, arbeitet ihrerseits – wenn auch vielleicht sehr versteckt – mit der Differenz von ‚eigentlich' und ‚uneigentlich', sie arbeitet also mit ungeschichtlichen Existenzmöglichkeiten. (Zum Kantschen ‚Zurückweichen' in Heideggerscher Sicht vgl. auch Marquard I 39 f.)

196 Ferner ist der 2. Teil insgesamt nicht erschienen; vgl. dazu die vorige Anmerkung.

197 Nach Hühnerfeld (58) kursieren Teile des Manuskripts des 3. Abschnitts unter bevorzugten Schülern. Es scheint demnach zumindest einen Entwurf für diesen Abschnitt gegeben zu haben, und zwar – wie aus M. de Gandillacs Unterhaltung mit Heidegger zu entnehmen ist – bereits zum Zeitpunkt des Erscheinens von SuZ. Daraus ist zu schließen, daß der Versuch, den Weg von SuZ unter Beibehaltung des ursprünglichen Ansatzes fortzusetzen, nicht einfach unterlassen wurde, sondern daß er bei seiner Durchführung scheiterte. Auf der Basis von nicht überprüfbaren Hinweisen ‚bevorzugter Schüler' läßt sich über den mutmaßlichen Inhalt des Abschnitts ‚Zeit und Sein' nicht rechten. Das gilt auch für die entsprechenden Bemerkungen Müllers (66 f.), der, aufgrund einer „eigenen Mitteilung" Heideggers, von einem ursprünglichen Plan für den 3. Abschnitt zu berichten weiß: Heidegger habe darin eine dreifache Differenz entfalten wollen: 1. Seiendes – Seiendheit 2. Seiendes/Seiendheit – Sein selbst 3. Seiendes/Seiendheit/Sein – Gott. Dieser Hinweis ist u. a. von Wiplinger aufgegriffen worden (111 ff.), der daraus die Berechtigung ableitet, Heidegger für die Theologie zu reklamieren (vgl. ebd. 124 f.).

198 Im folgenden kann ich mich teilweise auf die Ergebnisse der Untersuchung von Herrmanns stützen (vgl. bes. das Schlußkapitel 264 ff.).

199 Vgl. Hum 17; über Heideggers Selbstinterpretation ist weiter unten noch zu reden (vgl. 4.3).

200 Von Herrmann 266.

201 Inwiefern hätte sich die ‚Zeitlichkeit' im Sinne des Titels für den 2. Abschnitt einerseits von der ‚Zeit' im Sinne des Titels für den 3. Abschnitt andererseits unterschieden? In der Einleitung wurden beide voneinander abgehoben: Die Bestimmtheit des Seins aus der Zeit sollte „temporal" heißen, weil der Terminus ‚zeitlich' innerhalb der Analytik für eine besondere Bedeutung, nämlich zur Bezeichnung des Seins des Daseins, in Anspruch genommen wurde (vgl. 19). Diese terminologische Unterscheidung kam in SuZ aber kaum zum Tragen. Mehr noch: da die Zeitlichkeit des Daseins mehrfach als „ursprüngliche Zeit" bezeichnet wurde, ist nicht anzunehmen, daß diejenige Zeit, von der aus das Sein bestimmt worden wäre bzw. bestimmt werden sollte, gegenüber jener erneut ‚ursprünglicher' gewesen wäre. Vielmehr sollte ein Modus der Zeitlichkeit, eine „Zeitigungsweise", „den ekstatischen Entwurf von Sein überhaupt ermöglichen" (437; ebd. gebrauchte Heidegger übrigens die Ausdrücke „ursprüngliche Zeit" [= Zeitlichkeit] und „Zeit selbst als Horizont des Seins" so gut wie synonym). Daraus folgt doch wohl: die Zeitlichkeit des Daseins war grundsätzlich bereits *die* Zeit, die Heidegger ‚meinte', diejenige also, die den Horizont für die Frage nach dem Sinn von Sein abgeben sollte. Im Ganzen (vielleicht nicht im Detail) war die Zeitlichkeitsanalyse des 2. Abschnitts also endgültig; der 3. Abschnitt hätte sie nur noch

modifizieren, nicht mehr revidieren können. Und das aus guten Gründen: konnte doch für ein Sein, das als durchs Dasein konstituiert galt (vgl. oben 1.2.3.2), nur eine *solche* Zeit den Horizont abgeben, die ihrerseits Zeit des *Daseins*, sprich: Zeitlichkeit, war.

202 Die fragliche Wiederholung nannte Heidegger eine „erneute" (333), weil im 2. Abschnitt bereits eine erste notwendig geworden und auch durchgeführt worden war; denn nach der Explikation der Zeitlichkeit mußten „die vordem [nämlich im ersten Abschnitt] freigelegten Strukturen des Daseins ... rückläufig auf ihren zeitlichen Sinn freigelegt werden" (234). Das geschah im 4. Kapitel des 2. Abschnitts (§§ 67—71).

203 Vgl. dazu unten den 2. und 4. Teil.

204 Man könnte höchstens durch Analogie von der im 2. Abschnitt durchgeführten ersten Wiederholung (s. o. Anm. 202) auf die nicht mehr durchgeführte erneute Wiederholung schließen. Aber auch damit kommt man – falls überhaupt – nur zu formalen Bestimmungen. So könnte man vermuten, daß die erneute Wiederholung genau wie die erste „scheinbare ‚Selbstverständlichkeiten' " der vorhergehenden Analyse aufgehoben, den „Zusammenhang der früheren Betrachtungen deutlicher" gemacht, einen „anders gerichteten Gang" befolgt und „eine andere Gliederung" gewählt hätte (so 332 über die erste Wiederholung).

205 Vgl. oben 1.2.3.2.

206 Von Herrmann 275.

207 Vgl. ebd. 275 ff.

208 Vgl. 1.2.3; die dort angeführten Belege werden hier nicht wiederholt.

209 Vgl. insbes. 1.2.1.

210 Die hier vorgelegte Interpretation kommt – trotz der Verschiedenheiten im Ausgangspunkt, im Verfahren und in der Position – einer der ‚klassischen' Heidegger-Deutungen im Befund sehr nahe, nämlich derjenigen von W. Schulz. Beim Nachidealisten Heidegger sieht Schulz eine ähnliche Bewegung sich vollziehen wie beim Idealisten Schelling: die Bewegung von der Übersteigerung der Subjektivität zu ihrer Überwindung (vgl. insgesamt Schulz II, 4. Teil, 1. Kapitel c ‚Die Selbstvermittlung der Existenz bei Heidegger im Vergleich mit der Selbstvermittlung der Vernunft bei Schelling', 287 ff.). SuZ wird von Schulz eindeutig als „ein Werk der Philosophie der Subjektivität und zwar deren Endwerk" gekennzeichnet (Schulz I 79), und weiterhin als ein Werk, in dem das Subjekt gerade seine „Ohnmacht" erfahre (ebd. 90; vgl. Schulz II 295 Anm. 1). Schulz hat zweifellos recht, wenn er in dieser Ohnmachtserfahrung den Grund für die Notwendigkeit der ‚Kehre' im Denken Heideggers sieht. Nicht zustimmen kann ich dagegen seiner Bewertung dessen, was Heidegger nach dem Scheitern des frühen Ansatzes gedacht hat.

Zum zweiten Teil

1 Immerhin war Heidegger zum Zeitpunkt der ersten Konzeption seines ‚späteren Denkens' erst 40 Jahre alt.

2 Bekanntlich hat Heidegger nach SuZ und KPM kein – im engeren Sinne – echtes Buch mehr geschrieben. Stattdessen hat er Vorträge, Vorlesungen, Aufsätze einzeln oder in Sammelbänden veröffentlicht, z. T. erst Jahre oder Jahrzehnte nach der Niederschrift (vgl. dazu die Übersicht bei Richardson I 678 ff.). Von 1930 bis

zum Ende des Krieges hat Heidegger nur sehr wenig publiziert (i. e. Linie die Hölderlin-Deutungen). So konnte vorübergehend der Eindruck entstehen, Heidegger habe erst gegen oder nach dem Ende des Krieges — etwa erst im Humanismus-Brief — die Position von SuZ zugunsten eines andersartigen Denkens verlassen.

3 Es geht ja auch im wesentlichen auf eine Vorlesung im Wintersemester 1925/26 zurück (vgl. Vorwort zur ersten Auflage).

4 Jedenfalls sind die ‚Symptome‘, die eventuell schon auf die ‚Kehre‘ hinweisen, in diesen Schriften noch so schwach, daß ich auf ein näheres Eingehen glaube verzichten zu können. Der jüngst veröffentlichte Vortrag über ‚Phänomenologie und Theologie‘ von 1927 und die Leibniz-Interpretation ‚Aus der letzten Marburger Vorlesung‘ von 1928 (in: Wegmarken 373—395) enthalten jeweils noch den Stand des Denkens von SuZ. Dasselbe gilt auch für die von Heidegger auf den Davoser Hochschulkursen vertretene Position (vgl. das Protokoll bei Schneeberger II, Beilage IV, 17—27).

5 Vgl. auch die ‚Nachweise‘ in den ‚Wegmarken‘ 397. Die Angabe in der Bibliographie von Sass, PLW sei 1940 entstanden, ist also zu korrigieren.

6 Einigkeit der Heidegger-Interpreten über die Datierung der Kehre konstatiert bereits Sinn 83 f. Den Vortrag WW halten die meisten für die eigentliche Übergangsschrift (vgl. Müller 278 f., Schulz I 87, von Herrmann 8, Richardson I 211 ff., Tugendhat I 275, 363 ff.).

7 Vgl. SuZ 212 f., 230.

8 Im folgenden stütze ich mich häufig auf die Detailuntersuchung von Tugendhat I. (Übrigens war die Quintessenz von Tugendhats Heidegger-Deutung bereits in einer Anmerkung seiner Dissertation enthalten, vgl. Tugendhat II 9 Anm. 10.) — Zum Vortrag WW ist noch eine philologische Anmerkung zu machen: er entstand 1930, wurde aber bis zur ersten Veröffentlichung (1943) überarbeitet. Ob der veröffentlichte Text gegenüber der Erstfassung nur „mehrfach überprüft“ wurde, wie Heidegger selbst feststellt (vgl. WW 4), oder ob es sich um eine regelrechte Umarbeitung handelt, kann ich nicht entscheiden. Schulz II (88 f.) scheint aufgrund eines ihm zur Verfügung stehenden Stenogramms der Originalfassung vom Dezember 1930 der zweiten Auffassung zuzuneigen. Aus den Passagen des Stenogramms, die Schulz zitiert, kann ich jedoch, im Gegensatz zu Schulz, keine Position entnehmen, die vorrangig noch dem Stand von SuZ zuzurechnen wäre; vielmehr scheinen mir die Unterschiede zum 1943 veröffentlichten Text eher geringfügig zu sein. Daher ist anzunehmen, daß auch die Urfassung von 1930 den Vortrag bereits eindeutig als Übergangsschrift erscheinen läßt. Heideggers eigene Hinweise bekräftigen diese Auffassung: vgl. außer dem Vorwort zu N I (s. o. 80 f.) noch Hum 17 sowie die beim ersten Druck von WW hinzugefügte und bei der 2. Auflage (1949) erweiterte Schlußanmerkung (26 f.).

9 Etwa das Realitätsproblem, vgl. SuZ § 43.

10 Das Korrelat dazu ist die Seinskonstitution (vgl. oben 1.2.3.2 und SuZ 230).

11 Tugendhat I 3; vgl. die ganze Einleitung, dann 281 ff. Tugendhat versteht Heideggers Wahrheitsbegriff als notwendiges Korrektiv zur rein logisch-wissenschaftstheoretischen Behandlung des Wahrheitsproblems, die — wie etwa bei Tarski — „den Wahrheitsbegriff auf einen Minimalbestand fixiert, so daß nicht einmal das theoretische Verhalten im ganzen auf Wahrheit bezogen werden kann“ (ebd. 3). Diese Konfrontation von Existenzialontologie und Szientismus ergibt sich allerdings erst aus der Retrospektive, denn die neuere Wissenschaftstheorie auf analytischer und szientistischer Grundlage dürfte Heidegger in den 20er Jahren kaum zur Kenntnis genommen haben, ganz zu schweigen vom Wiener Kreis, der ja erst von sich reden machte, als SuZ bereits entstand bzw. sogar schon erschienen war. Die Gegner, die Heidegger im Visier hatte, standen ihm — geographisch und persönlich — viel näher. Es war nämlich — worauf Brelage (vgl. 44, auch 225 ff.) hingewiesen hat — die 1921 in erster Auflage erschienene ‚Metaphysik der Erkenntnis‘ des

zeitweiligen Marburger Kollegen Nicolai Hartmann, an der sich die Polemik von SuZ entzündete. Ungenannt wie Hartmann blieb in SuZ auch — jedenfalls als Konrahent — Edmund Husserl, der Freiburger Lehrer und Kollege, gegen dessen ‚Logische Untersuchungen' sicherlich viele der Ausführungen von SuZ und besonders des Wahrheitskapitels gerichtet waren. Was Heidegger beispielsweise über den Skeptizismus sagte (vgl. SuZ 228), läßt sich als Antwort auf das 7. Kapitel des 1. Bandes der ‚Logischen Untersuchungen' („Der Psychologismus als skeptischer Relativismus") verstehen, wie Heidegger überhaupt die generelle Verdammung des Psychologismus durch Husserl in SuZ (im Gegensatz zu seiner Dissertation ‚Die Lehre vom Urteil im Psychologismus') nicht akzeptiert (vgl. SuZ 217). Auch Heideggers Polemik gegen die „ewigen Wahrheiten" (SuZ 227, 229) geht — nicht nur gegen theologische Theoreme, sondern auch — gegen Husserls Idee einer reinen Logik. Für die Theorie schließlich, die Heidegger zufolge einen abkünftigen Wahrheitsbegriff vertritt, indem sie Wahrheit als adaequatio versteht, hat Husserl gleichfalls ein Musterbeispiel geliefert (vgl. Husserl I, 2. Band, 2. Teil, 5. Kapitel „Das Ideal der Adäquation. Evidenz und Wahrheit.").

12 Am meisten gewirkt freilich hat der Heideggersche Wahrheitsbegriff wohl in der Theologie und in der Hermeneutik-Diskussion; vgl. besonders Gadamer I (dessen unmittelbarer Ausgangspunkt, was Heidegger angeht, allerdings eher die Theorie des Verstehens, des hermeneutischen Zirkels etc. ist, vgl. Gadamer I 250 ff.; freilich hängt dies alles eng miteinander zusammen).

13 Tugendhat I 4 f.

14 Ebd. 359 et passim.

15 Ebd.

16 Ebd.

17 Das führt zu dezisionistischen Konsequenzen, wie sie am deutlichsten im Begriff des Entwurfs zum Ausdruck kommen; vgl. dazu Tugendhat I 380.

18 Im folgenden gehe ich über Tugendhat hinaus; vgl. auch unten 1.3.1.1.

19 Im übrigen faßt Heidegger die ‚Emanzipation' der Aussagewahrheit gar nicht als einen realen historischen Prozeß. Vielmehr wird der ‚vulgäre' Vorrang der Aussagewahrheit *existenzial* erklärt, nämlich wiederum aus der Seinsart des Man; vgl. die subtilen Ausführungen SuZ 223–225. Sie sind ein weiteres Beispiel dafür, daß die Theorie des Man bis in die feinsten Verästelungen hinein die existenziale Analyse auch dort bestimmt, wo man zunächst nicht damit rechnet.

20 Daß Heidegger so nicht nur das ‚Positive' der Wissenschaften denunziert, sondern zugleich auch deren eigentliche Problematik und Gefahren nicht zu sehen vermag, braucht hier nicht mehr gezeigt zu werden; vgl. unten 1.3.1.1.

21 Die Grenzen von Tugendhats Untersuchung scheinen mir eben darin zu bestehen: sie betont zwar, daß Heidegger „das Grundverhältnis des Menschen von vornherein als geschichtlich-praktisches" ansetzt (Tugendhat I 404), unterläßt es aber, die von der existenzialen Analyse gemeinte ‚Praxis' (und übrigens auch die Geschichtlichkeit) ihrerseits der Prüfung zu unterziehen. Infolgedessen muß Tugendhat sich der Kategorie des Zufalls bedienen: „Daß in Heideggers Durchführung seines Ansatzes der spezifische Wahrheitsbegriff ausfiel, ist also, prinzipiell gesehen, ein Zufall." (ebd. 405) Vom Wahrheitsproblem allein her betrachtet, könnte man Tugendhat vielleicht noch zustimmen. Prüft man jedoch die gesamte fundamentalontologische Intention von SuZ samt der existenzialanalytischen Durchführung, so kann die — vorsichtig gesprochen — unbefriedigende Lösung auch des Wahrheitsproblems nicht mehr als Zufall erscheinen.

22 Für die Wahrheitstheorie von SuZ, die ja noch im 1. Abschnitt entwickelt wird, ist der Gegensatz von Eigentlichkeit und Uneigentlichkeit noch relativ bedeutungslos (siehe allerdings oben Anm. 19 zu diesem Teil). Zentral dagegen ist der Gegensatz von Lebenswelt einerseits, Theorie- und Wissenschaftswelt andererseits. Freilich gilt auch von der *ursprünglichen* Wahrheit, daß sie erst im Modus der Eigentlichkeit

„*ursprünglichste* Wahrheit" ist (SuZ 221, Hervorhebung von mir). Ob es im Bereich der ursprünglichen (d. h. der der Aussagewahrheit vorausliegenden) Wahrheit auch noch eine solche im Modus der Uneigentlichkeit gibt, also eine uneigentliche (aber doch noch ursprüngliche?) Wahrheit, die von der auf dem Verfallen beruhenden Unwahrheit (vgl. 221, unter Ziffer 4) unterschieden wäre, läßt sich aus dem Absatz 3 auf S. 221 nicht eindeutig ersehen.

23 Tugendhat 376.

24 Ebd.

25 Ebd.

26 Ebd.; vgl. auch das Folgende.

27 Vgl. ebd. 364.

28 Ebd.

29 Es ist hier wohl überflüssig, das gesamte seinsgeschichtliche Denken des späten Heidegger eigens *darzustellen;* vgl. dazu die Arbeiten von Pöggeler I und Richardson I, die die allmähliche Entwicklung dieses Denkens anhand von Heideggers einzelnen Schriften nachgezeichnet haben, und die Darstellung von O. Laffoucrière, die einen Überblick über die von Heidegger angesetzten seinsgeschichtlichen ‚Stationen‘ von Parmenides und Heraklit bis Nietzsche bietet.

30 Genaueres darüber s. u. 4.1.1 und 4.1.2.

31 Daß hinter den Titeln ‚das Offene‘, ‚Offenbare‘ oder auch ‚die Wahrheit‘ im Grunde das Sein selbst steht, wird an einigen Stellen deutlich, etwa WW 20, wo von der „Wahrheit des Seins" die Rede ist (vgl. auch 23, 25).

32 Vgl. besonders die letzten drei Stücke des 2. Bandes.

33 Vgl. dazu unten 4.1.3.

34 Aus diesem Grunde erscheint die Seinsgeschichte bei Heidegger selbst kaum im direkten Sinne als Verfallsgeschichte; denn der Mensch ist nicht, jedenfalls nicht primär, für sie verantwortlich. Dem Sein aber ist es anheim- und freigestellt, sich zu entziehen oder zu offenbaren (vgl. dazu unten 4.1.3.1 und 4.1.3.2).

35 Die bei der Publikation des Vortrags (1943) hinzugefügte (und 1949 erweiterte) Schlußanmerkung (WW 26 f.) kann uns hier nicht interessieren, weil sie einem bereits weiter entwickelten Stand des Heideggerschen Denkens entstammt, einer Phase, in der Heidegger die eigene Entwicklung reflektiert und interpretiert.

36 Vgl. oben 57 und Anm. 5 zu diesem Teil. — Ob bezüglich des Verhältnisses von Erstfassung und veröffentlichtem Text ähnliche Bedenken gelten wie für WW (s. o. Anm. 8 zu diesem Teil), läßt sich nicht feststellen; in den Nachweisen der ‚Wegmarken‘ (wo PLW erneut abgedruckt ist) findet sich jedenfalls kein Hinweis auf eine Überarbeitung des Textes zwischen 1930/31 und 1942.

37 Kritik der Heideggerschen Platon-Interpretation findet sich etwa bei Krüger.

38 Heideggers Interpretation von a-letheia, besonders seine Betonung des privativen Moments (vgl. schon SuZ 222, auch WW 15) hat viel Anlaß zur Nachfolge gegeben; die wichtigste Literatur verzeichnet E. Heitsch 24 f. Anm. 4, der selbst mit philologischen Mitteln Heideggers Deutung zu stützen versucht. Als Gegenposition vgl. die interessante „Anmerkung zu ‚Aletheia‘ " bei Kamlah-Lorenzen 128.

39 Bei Platon gibt es also noch so etwas wie eine ‚Koexistenz‘ von Ursprünglichkeit und Abfall. Daher spricht Heidegger später von der „notwendigen Zweideutigkeit" der Lehre Platons (PLW 42).

40 Eben das hat Tugendhat bereits in seinem Aristoteles-Buch bezweifelt: es lasse sich „bei Platon nicht . . . ein ‚Wandel des Wesens der Wahrheit‘ von der ἀλήϑεια zur ἰδέα feststellen", vielmehr sei „die ἰδέα . . . nichts anderes als der schlechthin adäquate Ausdruck der ἀλήϑεια" (Tugendhat II 9 Anm. 10).

41 In *diesem* Zusammenhang, d. h. in der Gegenüberstellung mit der Degeneration der Wahrheit zu einer „Auszeichnung des menschlichen Verhaltens" (PLW 42) ist es also von sekundärer Bedeutung, ob die *ursprüngliche* Wahrheit als Grundzug des Seienden oder als solcher des Seins gilt. Die Trennungslinie verläuft *hier* nicht

zwischen Sein und Seiendem, sondern zwischen diesen beiden auf der einen und dem Menschen auf der anderen Seite.

42 Vgl. oben Anm. 19 zu diesem Teil.

43 Mit einer Ausnahme: im Platon-Vortrag ist noch nicht von der Technik die Rede.

Zum dritten Teil

1 So — in anderem Zusammenhang — Marquard III 35 Anm. 74.

2 Es handelt sich dabei fast ausschließlich um den östlichen Marxismus.

3 Vgl. besonders Lukács I.

4 Vgl. etwa die Arbeiten von Mende, Michailow, Beyer. Daß man sich in einzelnen Punkten von Lukács absetzte (vgl. etwa Beyer II 191 f.), erklärt sich wohl durch die innermarxistischen Auseinandersetzungen.

5 Vgl. Beyer II 192 Anm. 3.

6 Das dürfte zum Teil auch an dem ungenauen und historisch nicht ganz haltbaren marxistischen Faschismus-Begriff liegen; vgl. dazu Fetscher.

7 Es war höchstens noch möglich, Heideggers NS-Engagement zu verharmlosen. Dies geschieht, wie mir scheint, etwa bei Towarnicki, Lewalter und auch bei Fédier (dessen Bemühungen um historische Objektivität allerdings als Korrektiv gegen Übertreibungen nach der anderen Seite legitim sind).

8 Vgl. Weil, Waelhens I und II, Towarnicki, Gandillac, Löwith IV und V.

9 Vgl. Löwith IV 343.

10 Übrigens hatte Löwith bereits 1935 auf Übereinstimmungen zwischen Heideggers Philosophie und C. Schmitts politischer Theorie hingewiesen (vgl. Löwith IIb 197).

11 Unter den Heidegger-Schülern dürfte Löwith zu jenem Zeitpunkt (und wohl bis heute) der einzige gewesen sein, der dem Thema ,Heidegger und der Nationalsozialismus' nicht auswich.

12 Vgl. Lewalter und Habermas Vb.

13 Vgl. Krockow.

14 Vgl. Hühnerfeld.

15 Vgl. Schneeberger I und II.

16 Vgl. Adorno IV.

17 Vgl. Schwan.

18 Der Untersuchung Schwans verdankt dieser Teil der vorliegenden Arbeit manches, obwohl er methodisch und auch inhaltlich teilweise andere Wege geht.

19 Schwan 89. Konsequenzen aus den Resultaten Schwans sind in der neueren Heidegger-Literatur bisher allerdings kaum festzustellen. Ludwig Marcuse sah sich durch eine Besprechung des Schwanschen Buches im ,Spiegel' (,Mitternacht einer Weltnacht', 7. 2. 1966, 110—113) zu einer Leserzuschrift veranlaßt, in der er feststellte: „Jener Sündenfall [sc. Heideggers Eintreten für den Nationalsozialismus] hat aber nichts zu tun mit dem außerordentlichen Buch ,Sein und Zeit' (1927)" (L. Marcuse 10), und: „ ,Sein und Zeit', die Freiburger Schändlichkeiten der Dreißiger und die trüben orphischen Plattheiten der Hölderlin- und Trakl-Essays dürfen nicht zusammengemanscht werden." (11) Andererseits konnte aber 1969, in dem zu Heideggers 80. Geburtstag von Pöggeler herausgegebenen Sammelband, immerhin ein Beitrag über ,Heidegger und die Politik' erscheinen (vgl. Allemann II), der allerdings nur eine wiederum in Frankreich geführte Kontroverse zusammenfassend referierte (vgl. i. e. L. Fédier I und II, Faye I bis III, ferner Patri und Minder II).

20 Erst nach dem Abschluß des Manuskripts ist mir die Untersuchung von Palmier zugänglich geworden. Sie enthält allerdings so gut wie nichts, was nicht schon durch die bisherige Literatur bekannt wäre. Im übrigen vertritt Palmier in etwa den − gemäßigt apologetischen − Standpunkt Fédiers (vgl. oben Anm. 7 zu diesem Teil) und polemisiert dementsprechend gegen die kritischen Arbeiten von Löwith und Schwan (vgl. Palmier 146 ff. bzw. 150 ff.). Heideggers Verhalten von 1933/34 ist für Palmier „une erreur tragique" (76). − Übrigens enthält auch das Heideggerkapitel bei Grossner (123−135) keine Neuigkeiten zum Thema ‚Heidegger und der Nationalsozialismus'.

21 Vgl. zum folgenden bereits oben 1.1, bes. 7 f..

22 Das gilt gerade auch für das Bildungsbürgertum und für die akademische Intelligenz; vgl. dazu Sontheimer I.

23 Heideggers Analyse des Angstphänomens (in SuZ und WiM) hat des öfteren die Polemik herausgefordert; vgl. etwa Bloch I 307 und Bloch II 123 f., 1365 f.; ferner Adorno IV 32 f., Heise 472. Hartwig (182 f.) deutet den Rekurs auf die Angst als Infantilismus, Kuhr als neurotisches Phänomen.

24 Vgl. zu dieser Tradition der deutschen Universität Abendroth und Sontheimer I.

25 Man sollte sich allerdings hüten, allzu leichtfertig Parallelen zur heutigen ‚großen Weigerung' zu ziehen. Die Theorie Marcuses ist nicht so ohne weiteres „der angewandte Heidegger", wie es R. Maurer offensichtlich wahrhaben will. Wohl dagegen ist gerade das bei Marcuse problematisch, was seine Abhängigkeit von Heidegger (und zwar nicht nur vom frühen) nicht verleugnen kann. Vgl. dazu die Kritik bei Habermas IVa 53 ff.

26 Vgl. dazu Löwith I (bes. Abschn. I) und IV, Hühnerfeld 72 ff., Krockow 28−43 et passim, ferner auch Adorno IV sowie Gründer (s. o. Anm. 33 zum ersten Teil).

27 Das ganze Problem wäre natürlich − was hier nicht getan werden kann − in einem weiteren Horizont zu sehen. Erklärungsversuche zur Vorgeschichte des deutschen Faschismus und besonders zur Rolle, die das (Bildungs-) Bürgertum darin spielte, arbeiten mit verschiedenen Theorien, so etwa mit der von der zurückgebliebenen kapitalistischen Entwicklung (vgl. Lukács I 37−83) oder der verspäteten Nation (vgl. Plessner I) oder der verzögerten Moderne (vgl. Dahrendorf; vgl. auch die Besprechung der genannten Theorien bei Habermas Ve und Vf, ferner Vg).

28 Zu Jünger vgl. Krockow 44−54.

29 Lukács I 10; vgl. das gesamte Vorwort 9−35.

30 Vgl. dazu Kotowski.

31 Vgl. oben 1.3.1.1.

32 Wohlgemerkt: die NS-*Weltanschauung*; daß die politische *Praxis* des Nationalsozialismus dann z. T. ganz anders aussah, steht *hier* nicht zur Debatte; wohl dagegen ist diese Tatsache für Heideggers spätere Abkehr vom Nationalsozialismus von Belang. − Zum Widerspruch zwischen der Ideologie des Nationalsozialismus einerseits und seiner Praxis andererseits vgl. Dahrendorf Kap. 26, 431−448.

33 Im übrigen erlangte der Nationalsozialismus ja auch − jedenfalls was die Vertretung in politischen Gremien anging − erst ganz am Ende der 20er Jahre massive politische Bedeutung (Sitze im Reichstag 1924: 32, 1928: 12, 1930: 107).

34 Es handelt sich im wesentlichen um die Rektoratsrede (SddU) und die bei Schneeberger I abgedruckten Texte Nr. 57, 114, 129, 132, 158, 170.

35 Ich kann mich dabei größtenteils nur auf Quellen aus zweiter Hand berufen, deren Objektivität sich schwer beurteilen läßt. Die Dokumentationen von Schneeberger sind in *dieser* Hinsicht wenig ergiebig. Was Heidegger in Gesprächen mit − übrigens sehr wohlwollenden − französischen Besuchern kurz nach dem Krieg äußerte (vgl. Gandillac und Towarnicki), ist bisher nicht nachprüfbar, dürfte aber − wie mir scheint − zum größten Teil den Tatsachen entsprechen. Die Biographie von Hühnerfeld arbeitet leider ohne jeden Beleg. Die bisher vollständigste (in der Deutung allerdings anfechtbare) Zusammenstellung der Fakten liefert Fédier I

899 ff. (in voller Länge in deutscher Übersetzung zitiert bei Allemann II 252 ff.).
— Zum Verhalten der Intellektuellen, besonders der akademischen, während der
NS-Zeit vgl. auch die Dokumentation von Poliakov und Wulf.

36 Gandillac (714) will von Freunden erfahren haben, ,,que ces jeunes gens [sc. die
beiden Söhne Heideggers], avec Ernst Jünger et quelques autres fanatiques qui
faisaient du ski l'hiver près de la cabane rustique du philosophe sur le Feldberg, ont
joué vers 1933 un rôle décisif dans l'adhésion de leur père au nationalsocia-
lisme".

37 Es dürfte feststehen, daß Heidegger bei seiner Wahl zum Rektor selbst wenig Initiative entfaltet hat. Das Rektorat wurde ihm angetragen, und zwar zunächst von dem
bereits gewählten, aber noch nicht amtierenden (vgl. Allemann II 260 Anm. 2)
Rektor Möllendorf (Mitglied der SPD), der sein Amt nicht antreten wollte (vgl.
dazu und zu den näheren Umständen Towarnicki 717 f., Fédier 899 f., Allemann
II 252).

38 So in etwa Towarnicki 717 ff., Fédier 899 f.

39 Vgl. Schneeberger II Nr. 10 (24. April 1933), S. 16.

40 In die NSDAP trat Heidegger am 1. Mai 1933 ein, vermutlich mit erheblichen
Vorbehalten und nach langem Zögern (vgl. Towarnicki 718, Fédier 900, Allemann
252). Auch der Eintritt in die NSDAP erfolgte wohl nicht aus eigener Initiative,
sondern auf Drängen von Parteifunktionären und Kultusbürokratie. — Das bei
Poliakov und Wulf 548 abgedruckte Dokument — es handelt sich um einen Brief,
in dem die Reichsleitung des NS-Ärztebundes gegenüber dem Außenpolitischen
Amt der NSDAP Bedenken über Heideggers Position äußert — ist leider nicht
datiert (vor oder nach Heideggers Rücktritt?) und auch sonst ziemlich unklar.

41 Der Vorwurf, Heidegger habe sich auch an antisemitischen Aktionen — etwa dem
Boykott jüdischer Dozenten — beteiligt, muß allerdings zurückgewiesen werden —
ja, mehr als das: nach Fédier 900 (entsprechend Allemann 252 f.) war Heideggers
erste Amtshandlung als Rektor das Verbot antisemitischer Propaganda im Universi-
tätsbereich.

42 Der konkrete Anlaß dafür war das Verlangen des Kultusministeriums, zwei antina-
zistische Professoren (Möllendorf und Wolf) von ihren Dekansämtern zu entbin-
den. Heidegger weigerte sich und trat zurück (vgl. Towarnicki 719 f., Fédier 900 f.,
Allemann II 253). Nach eigenen Angaben hatte sich Heidegger bereits Anfang
Januar 1934 zum Rücktritt entschlossen (vgl. Towarnicki 720).

43 Vgl. Fédier 901, Allemann 253.

44 Der Untersuchung von Krockows liegt, wie mir scheint, letztlich dieses Interpreta-
tionsschema (auch auf C. Schmitt und E. Jünger angewandt) zugrunde, allerdings
mit sehr vielen Modifikationen; vgl. etwa die Vorbemerkung zum 3. Kapitel,
S. 92 f. — Übrigens scheint auch Habermas Heideggers ,,Enttäuschung an dem, was
zunächst als deutscher Aufbruch den Einbruch des Gewalt-tätigen ins Ungedachte
verhieß" für ,,das zeitgeschichtliche Motiv der ,Kehre' " zu halten (Habermas Vc
82).

45 Dies ist etwa auch von Tugendhat (361 und 380) festgestellt worden, allerdings
ohne Blick auf die politische Perspektive. — Bezüglich des Dezisionismus-Begriffs
halte ich mich an die beiläufige Definition von Marquard: ,,Nicht die Entscheidung
als *Thema*, sondern die Entscheidung als *Instanz* ist das Kennzeichen des Dezisionismus." (Marquard II Anm. 24 zu § 8.) Zu Heidegger vgl. neuerdings auch den
Aufsatz von Beat Sitter, dessen Ausführungen mir allerdings nur teilweise plausibel
zu sein scheinen.

46 Genau das wäre gegen Deutungen wie etwa die von Habermas (s. o. Anm. 44 zu
diesem Teil) einzuwenden.

47 Hühnerfeld 98.

48 Auch diese Feststellung klingt blasphemisch; es ist aber kaum möglich, sie *nicht* zu
machen.

49 Hinsichtlich des Dezisionismus-Problems muß beachtet werden, daß die Kategorien ‚Entscheidung' und ‚Entschlossenheit' *hier* zur emotionalen Legitimation einer *bereits gefallenen* Entscheidung herangezogen werden.

50 Das wird weiter unten noch ausgeführt (vgl. insbes. 4.1.3.2 und 4.3).

51 So etwa die Argumente von Waelhens und Weil.

52 S. o. S. 80.

53 Ähnlich auch Lieber (104 f.), der allerdings vom Irrationalismus (statt vom Subjektivismus) spricht; gemeint ist jedoch dasselbe Phänomen.

54 Hier ist natürlich nur die emphatische Verwendung von ‚Gemeinschaft' gemeint, soweit sie im politischen Bereich als Antithese zu ‚Gesellschaft' intendiert war (und wird). In diesem Sinne ist sie wohl vor allem durch Ferdinand Tönnies inauguriert worden, dessen Buch ‚Gemeinschaft und Gesellschaft' (zuerst 1889) 1935 bereits die achte Auflage erreichte. (In der Form allerdings, wie sie später auch von den Nationalsozialisten in Gebrauch genommen wurde, lag die Gemeinschaftsideologie sicherlich nicht in der Absicht von Tönnies, worauf Lieber 104 hinweist.) Im übrigen gibt es natürlich auch einen durchaus unproblematischen Gebrauch des Begriffs ‚Gemeinschaft'.

55 So sind denn gewissermaßen Innerlichkeit und Esoterik bei Heidegger 1933 vom Einzelsubjekt auf das national definierte Kollektivsubjekt übergegangen.

56 Auch der Begriff des ‚Volksgenossen' findet sich zuweilen bei Heidegger (vgl. etwa Nachlese Nr. 132, S. 148 und Nr. 170, S. 199, 200).

57 Übrigens bediente sich auch Heidegger des Begriffs ‚Nationalsozialistische Revolution' (vgl. Nachlese Nr. 132, S. 150).

58 Auch die Verstoßung der „vielbesungenen ‚akademischen Freiheit' aus der deutschen Universität" (SddU 15) ist als Angriff auf die bürgerlich-liberale Garantie von Freiheitsrechten zu verstehen.

59 Die Polemik gegen „Verstädterung" setzt sich zugleich für ländlich-dörfliches Leben ein (Nachlese Nr. 170, S. 200). – Übrigens darf nicht unerwähnt bleiben, daß Heideggers Vorstellungen auch in diesen Punkten i. e. L. den Ideen der NS-*Weltanschauung* recht nahe kamen, nicht jedoch der dann alsbald sich durchsetzenden politisch-gesellschaftlichen Praxis des NS-Staates (vgl. dazu Anm. 32 zu diesem Teil und insbes. wiederum Dahrendorf 431 ff.). Die in den Texten von 1933/34 zum Ausdruck kommenden sozialen Vorstellungen Heideggers stehen manchmal oder sogar durchweg denen der politischen Romantik wohl näher als den ausgesprochen nationalsozialistischen.

60 Es handelt sich dabei um eine Ansprache vor Arbeitern; vgl. auch noch den Text Nachlese Nr. 158.

61 Vgl. dazu wiederum Kotowski.

62 Hitler 480.

63 Ebd. 374 f.

64 Es handelte sich um Arbeitslose, die durch das Arbeitsbeschaffungsprogrmm der Stadt Freiburg wieder erwerbstätig geworden waren und nun in die von Universitätsangehörigen durchgeführte ‚Nationalsozialistische Wissensschulung' (so auch der Titel von Heideggers Ansprache) einbezogen werden sollten.

65 Horribile dictu oder nicht: auch Hitlers Sätze über die Stellung und das Selbstverständnis der Intellektuellen waren schließlich nicht vollkommen aus der Luft gegriffen.

66 Heidegger spielt hier offensichtlich auf Lehren der neueren Anthropologie an. (Einem ihrer Hauptvertreter, Max Scheler, hatte Heidegger sein Kant-Buch gewidmet.)

67 Im übrigen billigte Heidegger der ‚geistigen Tätigkeit' letztlich doch höheren Rang zu: sie sei gegenüber der (Hand-)Arbeit „die *strengere* und damit *verantwortungsvollere* Weise desjenigen Wissens, das das ganze deutsche Volk für sein eigenes geschichtlich-staatliches Dasein fordern und suchen muß, wenn überhaupt dieses

Volk noch seine Dauer und seine Größe sicherstellen und künftig bewahren will." (Nachlese Nr. 170, S. 201) An anderer Stelle hieß es: „Die sogenannte ‚geistige Arbeit‘ ist solche nicht, weil sie auf ‚höhere geistige Dinge‘ bezogen ist, sondern weil sie als *Arbeit* tiefer zurückgreift in die Not des geschichtlichen Daseins eines Volkes und unmittelbarer − weil wissender − bedrängt ist von der Härte der Gefahr menschlichen Daseins." (Nachlese Nr. 158, S. 181) Der Intellektuelle, der sich mit den Arbeitern solidarisiert, behauptet also gleichsam durch die Hintertür seine privilegierte Stellung, indem er − ausgerechnet − erklärt, mehr als jene von der Härte des Daseins betroffen zu sein.

68 Es soll hier freilich nicht geleugnet werden, daß der Klassenbegriff des orthodoxen Marxismus durchaus problematisch geworden ist.

69 Allerdings ließ sich der Faschismus sehr bald vor den kapitalistischen Wagen spannen (und umgekehrt) und wurde so objektiv zum Garanten der kapitalistischen Wirtschaftsordnung.

70 Die hier diskutierten Texte Heideggers dürften stark durch Ernst Jüngers Abhandlung ‚Der Arbeiter‘ (1932) beeinflußt worden sein. Auch hier gibt es nämlich die Apotheose des Arbeiters jenseits aller ökonomisch bedingten Gegensätze. (Vgl. auch Krockow 49 Anm. 17, wo auf Vorläufer solcher Theorien − etwa Spengler, Moeller van den Bruck, Niekisch − verwiesen wird.)

71 Daß Heidegger dies in der Tat glaubte und daß er später selbst eben darin seinen Irrtum erblickte, bestätigt seine Bemerkung im Gespräch mit Towarnicki nach dem Krieg: „Je compris très vite, dit Heidegger, que ç'aurait été une grave erreur de croire qu'il me serait possible d'avoir une influence directe sur l'orientation intellectuelle, ou mieux, non intellectuelle du national-socialisme." (Towarnicki 718 f.)

72 Bereits im September 1933 hatte Karl Vossler in einem Brief an Croce vorausgesagt: „Ich glaube nicht, daß Heidegger in der Politik viel wird machen können. Unsere Diktatoren pfeifen auf Theorien; sie sind reine Dilettanten ohne Hemmungen von seiten der Reflexion . . ." (zitiert nach Schneeberger II Nr. 93, S. 111.)

73 Vgl. dazu Heideggers Selbstäußerungen im Gespräch mit Towarnicki 720 ff., ferner Fédier 901 f., Allemann 253 f. Daraus geht u. a. hervor, daß Heideggers Vorlesungen vom Sicherheitsdienst und der SS überwacht wurden, daß ihm verboten wurde, an Kongressen im Ausland teilzunehmen, daß er zunächst nur mit Schwierigkeiten, später so gut wie gar nicht mehr publizieren konnte u. a. m.

74 Der Hauptwortführer der nationalsozialistischen Polemik gegen Heidegger war Ernst Krieck. In der von ihm herausgegebenen Zeitschrift ‚Volk im Werden‘ wurde Heidegger regelmäßig angegriffen. Dafür zwei Beispiele: a) Krieck polemisiert gegen die von Hans Naumann (‚Germanischer Schicksalsglaube‘, 1934) − übrigens in durchaus NS-konformer Absicht − vorgenommene Deutung der germanischen Mythologie mit den Kategorien der Heideggerschen Daseinsanalytik und bezeichnet dabei Heideggers Philosophie als „Nihilismus" (Krieck I 228). b) Bei anderer Gelegenheit denunziert Krieck Heideggers Philosophie als End- und Höhepunkt der bei den Griechen beginnenden Fehlentwicklung, die den Mythos durch den Logos ersetzte (vgl. Krieck IV 229 ff.; dazu s. u. Anm. 101 zu diesem Teil).

75 Diese Aufgabe bleibt künftiger detaillierter Quellenforschung vorbehalten.

76 Vgl. Habermas Vb.

77 Ebd. 68.

78 Vgl. Towarnicki 720.

79 Vgl. den bei Fédier 903 f. abgedruckten Brief eines (namentlich nicht genannten) Heidegger-Schülers sowie die bei Fédier II 680 f. Anm. 3 zitierten Stellen aus einem Brief Walter Biemels (der 1942−45 Heidegger gehört hatte). Hans Giese, der seit 1943 Heidegger gehört hat, bestätigte 1968 im Gespräch mit dem Journalisten Ben Witter: „Heideggers Vorlesungen waren reinster intellektueller Widerstand gegen den Nazismus, und wir bekamen es mit der Angst, wenn ein Kolleg beendet war." (‚Mit Hans Giese im Klinikgelände‘, ‚Die Zeit‘ vom 11. Okt. 1968, S. 78.)

80 Bei Towarnicki 720. Allerdings ließ es Heidegger nach eigener Aussage (vgl. ebd.) auch nicht an *direkten* Anspielungen fehlen.

81 Hinsichtlich der philologischen Fragen darf man wohl davon ausgehen, daß der 1953 publizierte Text von EiM authentisch ist, d. h. inhaltlich genau das enthält, was Heidegger 1935 sagte (vgl. die Vorbemerkung zu EiM).

82 Es ist zu beachten, daß der *Titel* ‚Metaphysik‘ bei Heidegger zwischen 1930 und etwa 1940 nicht immer eindeutig verwendet wird (ähnlich übrigens der Begriff ‚Philosophie‘). Im Platon-Vortrag von 1930/31 ist ‚Metaphysik‘ (genauso wie ‚Philosophie‘) bereits pejorativ gemeint (im seinsgeschichtlichen Sinne) (vgl. PLW 48 f.). *Diese* Bedeutung setzt sich aber erst voll in den Arbeiten der letzten 30er und dann der 40er Jahre durch (vgl. etwa ‚Überwindung der Metaphysik‘ in VA). In der Vorlesung von 1935 dagegen ist ‚Metaphysik‘, wie aus dem Zusammenhang eindeutig hervorgeht, durchweg *positiv* gemeint, d. h. als Titel nicht für den Verfall, sondern für die Möglichkeit seiner Überwindung. (Wohlgemerkt: diese Bedeutungsschwankung betrifft nur den Tiel, nicht die Sache selbst.)

83 Was in (runden) Klammern steht, wurde – nach Auskunft der Vorbemerkung – „gleichzeitig mit der Ausarbeitung“ geschrieben.

84 Vgl. Lewalter und Habermas Vb, auch Hühnerfeld 105 f.

85 Vgl. ‚Die Zeit‘ vom 24. 9. 1953, S. 8. In der genannten Kontroverse ging es vor allem um die Frage, ob es nicht problematisch sei, im Jahre 1953 ohne jede zusätzliche Bemerkung einen Satz von 1935 zu drucken, der, wenn kein positives, so immerhin doch ein recht ambivalentes Urteil über den Nationalsozialismus enthielt. Diese Frage ist für unsere Zwecke nicht von Interesse; es geht hier nur um die inhaltliche Interpretation des betreffenden Satzes.

86 Vgl. Lewalter 6.

87 Daß es i. e. L. der Biologismus der NS-Philosophie war, der Heidegger abstieß, geht auch aus dem Gespräch mit Towarnicki hervor (vgl. 720).

88 Bäumlers (nach ‚Bachofen und Nietzsche‘, 1928, und ‚Nietzsche als Philosoph und Politiker‘, 1931) dritte Nietzsche-Schrift ‚Nietzsche als politischer Erzieher‘ erschien in demselben Jahr (1935), in dem Heidegger seine Vorlesung hielt.

89 Lewalter 6.

90 Das hat Heidegger de facto durch seine Zustimmung zu Lewalters Deutung selbst bestätigt, denn auch Lewalter geht davon aus, daß der fragliche Satz ernst gemeint war.

91 Lewalter 6.

92 Vgl. dazu unten 97 ff.

93 Zur seinsgeschichtlichen Stellung Rußlands und Amerikas einerseits und Deutschlands andererseits vgl. auch EiM 32, 34 ff., 38. – Die „geschichtliche Sendung unseres Volkes der abendländischen Mitte“ (ebd. 38) bekundet sich nach Heidegger auch in der Auserwähltheit der deutschen Sprache (vgl. 43).

94 Während also der usrprüngliche Sinn der NS-Bewegung, Heidegger zufolge, darin lag, das deutsche Volk auf einen Weg zu bringen, der demjenigen Rußlands und Amerikas entgegengesetzt sein sollte, unterscheidet sich der *faktische* Nationalsozialismus gerade nicht mehr von dem, was in Amerika und Rußland geschieht. Vgl. dazu folgenden Satz: „Der . . . zur Intelligenz umgefälschte Geist fällt . . . herab in die Rolle eines Werkzeugs im Dienste von anderem, dessen Handhabung lehr- und lernbar wird. Ob dieser Dienst der Intelligenz sich nun auf die Regelung und Beherrschung der materiellen Produktionsverhältnisse (wie im Marxismus [der Ideologie Rußlands]) oder überhaupt auf die verständige Ordnung und Erklärung alles jeweils Vorliegenden und schon Gesetzten (wie im Positivismus [gewissermaßen dem ideologischen Pendant zu Amerika]) bezieht oder ob er sich in der organisatorischen Lenkung der Lebensmasse und Rasse eines Volkes [wie im Nationalsozialismus] vollzieht, gleichviel, der Geist wird als Intelligenz der machtlose Überbau zu etwas Anderem, das, weil geist-los oder gar geist-widrig, für das eigent-

lich Wirkliche gilt." (EiM 35 f., Einfügungen in eckigen Klammern — wie auch sonst — von mir.)

95 Es ergibt sich hierbei noch ein interessanter Aspekt. In einem Aufsatz vom Januar 1934 stellte J. Harms Heideggers Sprache als — im Sinne der Reinerhaltung der deutschen Sprache — vorbildlich hin (vgl. Harms bei Schneeberger I). Das erregte den heftigen Widerspruch von Ernst Krieck in ‚Volk im Werden' (vgl. Krieck II und III; vgl. auch den bei Schneeberger II abgedruckten Beitrag von O. Streicher, der Harms verteidigt hatte). Krieck argumentierte: nur derjenige könne Heideggers Sprache als vorbildlich hinstellen, der glaube, die deutsche Sprache durch bloße „Ausmerze des Fremdwortes" (Krieck II 182) und „durch einen laut klappernden und sektenhaft aufgezogenen Sprachpflegebetrieb" (Krieck III 228) retten zu können. „Die wirkliche große Gefahr, in der die deutsche Sprache heute in einer Zeit des Umbruchs" stehe, sei damit gar nicht erkannt (Krieck II 182). Vonnöten sei vielmehr eine „große Sprachschöpfung und Spracherneuerung" (ebd.), eine durch „Denker und Dichter" zu vollziehende „Sprachschöpfung aus dem Gehalt, den sie zur Darstellung zu bringen haben, aus dem lebendigen und zeugenden Gedanken, nicht aber aus formaler Pflege einer vermeintlichen Sprache an sich" (Krieck III 228 f.). — Läßt sich der zitierte Satz von Heidegger nicht gleichfalls als Polemik gegen die ‚Sprachbastler' auffassen? Haben nicht Heideggers Vorbehalte gegen die organisierte Sprachreinigung eine gewisse Ähnlichkeit mit den entsprechenden Auffassungen Kriecks? Wenn man bedenkt, daß Heidegger sicherlich die Kontroverse zwischen Harms/Streicher und Krieck kannte (da sie ihn selbst betraf) und auch wußte, daß SD- und SS-Spitzel bei Krieck über seine Vorlesungen Bericht erstatteten (vgl. Towarnicki 720): war dann seine Bemerkung vieleicht gedacht als verstecktes Solidarisierungsangebot an Krieck, gemeinsame Front gegen die läppischen Sprachreinigungsvereine zu machen und darauf zu bestehen, daß die Rettung der deutschen Sprache nur durch einen tiefgreifenden Wandel möglich sei (für den auch nach Heidegger — und zwar bereits in EiM — die Denker und Dichter in besonderem Maße zuständig sein sollten, vgl. unten 4.2.2.2)? Freilich sind der Interpretation hier Grenzen gesetzt. Man könnte ja auch das Umgekehrte annehmen, daß Heidegger nämlich *gegen* Kriecks Verdammung den fraglichen Sprachvereinen wenigstens ein gewisses Recht zubilligte („sie verdienen Beachtung").

96 Auf einige weitere Stellen aus der Vorlesung sei noch hingewiesen. S. 36, 41 und 81 f. wird der nationalsozialistischen ‚Universitätspolitik' zwar teilweise ein gewisses Recht eingeräumt; zugleich läßt Heidegger aber keinen Zweifel daran, daß diese Politik keinen grundsätzlichen Wandel im Selbstverständnis der Universität herbeiführen kann, sondern die bestehende Misère so läßt, wie sie ist, wenn nicht gar verschlimmert. — S. 110 stellt Heidegger fest, der Mensch sei nicht in erster Linie „ein ‚Ich' und ein Einzelner" und scheint damit den antiindividualistischen und -subjektivistischen Vorstellungen der NS-Ideologie entgegenzukommen; gleich darauf jedoch betont Heidegger, der Mensch sei primär genausowenig „ein Wir und eine Gemeinschaft", und polemisiert damit gegen NS-Gemeinschaftsideologie und Kollektivismus. — *Exkurs.* Zwei weitere — übrigens zusammengehörige — Stellen aus der Vorlesung sind von zentraler Bedeutung für die hier besprochene Problematik. Es ist jedoch schwierig, ihren Sinn zu bestimmen. Daher werden sie nur anmerkungsweise behandelt, wobei auch nur verschiedene Interpretationsmöglichkeiten gegeneinander gehalten werden können.
1. Stelle: „Wenn jetzt zwei verschiedene Auffassungen der Wissenschaft sich scheinbar bekämpfen, Wissenschaft als technisch-praktisches Berufswissen und Wissenschaft als Kulturwert an sich, dann bewegen sich *beide in der gleichen* Verfallsbahn einer Mißdeutung und Entmachtung des Geistes. Nur darin unterscheiden sie sich, daß die technisch-praktische Auffassung von Wissenschaft als Fachwissenschaft noch den Vorzug der offenen und klaren Folgerichtigkeit bei der heutigen Lage beanspruchen darf, während die jetzt wieder aufkommende reaktio-

näre Deutung der Wissenschaft als Kulturwert die Ohnmacht des Geistes durch eine unbewußte Verlogenheit zu verdecken sucht." (EiM 36 f.) Es ist klar, daß Heidegger hier u. a. die nationalsozialistische Wissenschaftsauffassung angreift, die ja in der Tat Wissenschaft durchweg nur als ‚technisch-praktisches Berufswissen' gelten lassen wollte. Nicht so klar ist dagegen, auf was für Kontroversen Heidegger anspielt. Worauf bezieht sich das ‚jetzt' zu Beginn der zitierten Stelle? Offenbar doch aufs ‚tagesphilosophische' Geschehen, d. h. auf Theorien, die auch noch nach 1933 der nationalsozialistischen Wissenschaftsauffassung entgegentraten, indem sie die Wissenschaft als ‚Kulturwert an sich' verteidigten. Hierbei wäre i. e. L. wohl an die Vertreter der klassischen kulturphilosophischen Tradition seit dem Ende des 19. Jahrhundert zu denken, etwa an die Dilthey-Schule (z. B. Spranger), vor allem aber an die ‚Südwestdeutsche Schule'. Vielleicht spielte Heidegger sogar ganz konkret auf das im Jahre zuvor (1934) erschienene Buch ‚Grundprobleme der Philosophie' von Heinrich Rickert an. Heidegger hatte nämlich schon deshalb einen Grund, gegen seinen früheren Lehrer zu polemisieren, weil dieser seinerseits im Vorwort seines neuen Buches Heidegger — ohne freilich seinen Namen zu nennen — wegen seiner Lehre vom Nichts kritisierte (vgl. Rickert II, S. V; übrigens hatte Rickert auch schon vorher an Heideggers ‚Was ist Metaphysik?' ausführlich Kritik geübt, vgl. Rickert I 227—236). Vor allem aber vertrat Rickert mit zwar vorsichtig formuliertem, jedoch ganz deutlichem Akzent gegen die Wissenschaftsauffassung des Nationalsozialismus (vgl. Rickert II Vorwort S. VI f.) die Idee einer Wissenschaft als eines autonomen ,,Eigenwerts des Kulturlebens" (vgl. ebd. § 46, dort auch mehrfach ,,Kulturwert', z. B. 184). Wissenschaft — so Rickert — gehöre (mit der Kunst) zu den ,,asozialen" (ebd. 186), d. h. vom sozialen Leben ablösbaren (vgl. 185) und ,,kontemplativen" (187) Kulturwerten. Es ist also sehr gut möglich, daß Heidegger unter anderen Rickert im Auge hatte. Vielleicht meinte er aber auch noch Auffassungen wie die von Freyer, dessen ‚Theorie des objektiven Geistes' (zuerst 1922) 1935 in dritter Auflage erschien. (Freyer zählte die Wissenschaft zu den relativ eigenständigen ‚Sphären des Kulturlebens' bzw. ,,Kultursystemen", vgl. S. 26.) Im Rahmen seines generellen Angriffs auf die ,,Mißdeutung und Entmachtung des Geistes" gibt Heidegger also der — in seinem Sinne — konsequenteren Mißdeutung, nämlich der nationalsozialistischen, den Vorzug, während er die Auffassung von der Wissenschaft als einem Kulturwert an sich als verlogen denunziert. Bemerkenswert ist dabei, daß Heidegger sich der Vokabel ‚reaktionär' in einem ähnlichen Sinne bedient, wie es die Nationalsozialisten taten, die sie als Bezeichnung (besser: als Schimpfwort) für den politischen und auch weltanschaulichen Konservativismus gebrauchten (der ja sehr bald erkennen mußte, daß er der Entwicklung seit 1933 nicht mehr gewachsen war). Bemerkenswert ist also, daß Heidegger auch da, wo er die NS-Ideologie kritisiert, zugleich Auffassungen angreifen kann, die auch den Nationalsozialisten höchst suspekt waren.

2. Stelle: ,,Die Beschneidung der Auswüchse des heutigen Intellektualismus ist wichtig. Aber seine Stellung wird damit nicht im geringsten erschüttert, sie wird nicht einmal getroffen. Die Gefahr des Rückfalls in den Intellektualismus besteht gerade für diejenigen fort, die ihn bekämpfen wollen. Eine nur heutige Bekämpfung des heutigen Intellektualismus führt dazu, daß die Verteidiger eines rechten Gebrauchs des überkommenen Intellekts mit dem Schein des Rechts auftreten. Sie sind zwar nicht Intellektualisten, aber mit diesen von der gleichen Herkunft. Diese Reaktion des Geistes in das Bisherige aber, die teils aus natürlicher Trägheit, teils aus bewußter Betreibung stammt, wird jetzt der Nährboden für die politische." (EiM 93) Ich versuche folgende Interpretation: Mit den Bekämpfern des Intellektualismus ist der nationalsozialistische Antiintellektualismus gemeint, mit den ,,Verteidigern eines rechten Gebrauchs des überkommen Intellekts" diejenigen, die den falschen Gebrauch des Intellekts vom rechten unterscheiden, also gewissermaßen einen moderierten Intellektualismus wie auch Antiintellektualismus vertre-

ten. Heidegger kritisiert also den nationalsozialistischen Antiintellektualismus deshalb, weil dieser „nur heutig", d. h. oberflächlich ist und nicht an die Wurzel geht und weil er dadurch ungewollt diejenigen ins Recht setzt, die mit Differenzierungen (falscher und rechter Gebrauch) arbeiten. Eben diese werden von Heidegger aber als reaktionär bezeichnet. Das heißt: Heidegger wirft dem bloß heutigen Antiintellekutalismus der Nationalsozialisten vor, daß er faktisch bloß die Reaktion unterstützt (‚Reaktion' im Heideggerschen Sinne, der aber wohl auch hier dem nationalsozialistischen ziemlich nahekommt; gemeint ist also vermutlich der moderierte Intellektualismus des Konservativismus). Bis dahin scheint mir diese Leseart am plausibelsten. Sie erklärt jedoch nicht, was Heidegger mit der politischen Reaktion meint, für die jener moderierte Intellektualismus „jetzt" zum Nährboden wird. ‚Jetzt', d. h. im Jahre 1935, war die Reaktion (im nationalsozialistischen Sinne) doch bereits völlig machtlos; ein Jahr nach dem Röhmputsch gab es keinen irgendwie wirksamen Widerstand gegen die NS-Herrschaft, auch nicht von konservativer Seite. Dieselben Interpretationsschwierigkeiten ergeben sich aber auch, wenn man den Ausdruck „Diese Reaktion des Geistes . . ." syntaktisch nicht auf die „Verteidiger eines rechten Gebrauchs des überkommenen Intellekts" bezieht, sondern auf die (‚Voll'-)Intellektualisten. Es bleibt noch die Möglichkeit, daß mit ‚jetzt' die politische Entwicklung seit Anfang 1933, mit der (politischen) Reaktion also die NS-Herrschaft selbst gemeint ist. Entsprechend müßte dann mit der geistigen Reaktion nicht nur, und nicht einmal primär, der offene und der moderierte Intellektualismus, sondern auch, und sogar i. e. L., der oberflächliche Antiintellektualismus gemeint sein. In diesem Falle wäre die NS-Ideologie — Heidegger zufolge — deshalb reaktionär, weil sie statt eines konsequenten, gewissermaßen (im verfallsforcierenden Sinne) ‚progressiven' Intellektualismus bloß einen oberflächlichen Antiintellektualismus, will sagen: verschleierten, inkonsequenten Intellektualismus vertritt. Das wiederum würde bedeuten, daß Heidegger die Vokabel ‚reaktionär' verschieden anwendet: in der 1. Stelle zur Bezeichnung des konservativen Antinationalsozialismus, in der 2. Stelle zur Bezeichnung des Nationalsozialismus selbst. Schließlich ergibt sich noch eine letzte Interpretationsmöglichkeit: Heideggers Kritik am Nationalsozialismus (genauer: an dessen äußerer Wirklichkeit) bedient sich einer Doppelstrategie: als *Ganzes* — so könnte man interpretieren — gehört der Nationalsozialismus zur Fortsetzung der abendländischen Verfallsgeschichte und ist in dieser Hinsicht manchmal *wenigstens noch konsequent*; im einzelnen aber ist der Nationalsozialismus auch in dieser Hinsicht *noch nicht einmal konsequent*. Vielleicht läßt sich der Sinn der Heideggerschen NS-Kritik als Vorwurf (von seiten Heideggers gegen den Nationalsozialismus) formulieren: Wenn der Nationalsozialismus schon seine innere Bestimmung, nämlich den Verfall zu beenden bzw. zu überwinden, nicht verwirklichte und stattdessen selbst zum Fortsetzer des Verfalls wurde, dann hätte er *darin* wenigstens *konsequent* sein sollen. — Es konnten, wie gesagt, nur verschiedene Interpretationsmöglichkeiten angeboten werden. Vielleicht läßt sich der Sinn mancher Stellen aus Heideggers Vorlesungen heute tatsächlich nicht mehr oder nur noch von denen rekonstruieren, die ‚dabeigewesen' sind. Vielleicht auch war die Vieldeutigkeit von Heidegger voll beabsichtigt.

97 Da die Aufzeichnungen erst einige Jahre nach dem Ende der NS-Herrschaft publiziert wurden, geben sie (bzw. die relevanten Stellen in ihnen) keinen Aufschluß darüber, wie sich Heidegger in den Jahren 1936 ff. *öffentlich* zum Nationalsozialismus gestellt, sondern nur darüber, was er damals *privat* über ihn gedacht hat.

98 *Ein* richtiges Moment mag freilich Heideggers seinsgeschichtliche Deduktion der Führer (d. h. des Faschismus und Totalitarismus) enthalten: Faschismus und Weltkrieg sind nicht nur — wie die Vergangenheitsbewältigung es teilweise wahrhaben wollte — das Werk einiger weniger verbrecherischer, gottloser oder geisteskranker Einzelner gewesen. Von der in solcher Erklärung ausgelassenen oder verdrängten

Dimension, in der allein der Faschismus erklärbar wird, nämlich der Dimension der konkret-historischen, politisch-gesellschaftlichen Entwicklung, ist bei Heidegger allerdings gleichfalls keine Rede.

99 Die Worte ‚Menschentum' und ‚Führernatur' gehören jedenfalls derselben sprachlichen Ebene an.

100 Übrigens gibt Heidegger selbst einen — allerdings wiederum mehrdeutigen — Hinweis darauf, daß sich seine Beurteilung der Bestimmung des deutschen Volkes seit 1933/34 bzw. auch 1935 geändert hat. Der Wille zum Willen — so heißt es — könne nicht „als die Anarchie der Katastrophen, die er ist, erscheinen" und müsse sich daher noch „legitimieren" (VA 90): „Hier erfindet der Wille zum Willen die Rede vom ‚Auftrag'. Dieser ist nicht gedacht im Hinblick auf Anfängliches und dessen Wahrung, sondern als das vom Standpunkt des ‚Schicksals' zugewiesene und den Willen zum Willen dadurch rechtfertigende Ziel." (ebd.) Aus dem letzten Satz geht wohl klar hervor, daß Heidegger sich (nicht nur auf Proklamationen aus nationalsozialistischem Munde, sondern auch) auf seine eigenen Reden und Aufrufe von 1933/34 (und vielleicht auch noch auf die Vorlesung von 1935) bezieht, in denen er z. T. massiv vom Auftrag des deutschen Volkes gesprochen hatte. Allerdings glaube ich oben (vgl. 3.2) gezeigt zu haben, daß dieser Auftrag 1933/34 und 1935 sehr wohl „im Hinblick auf Anfängliches" gedacht war, daß also Heidegger in jenen Texten dem deutschen Volk die Bestimmung zuwies, der entfesselten Technik Einhalt zu gebieten zugunsten einer anfänglichen Wiederkehr der Wahrheit. Sollte Heidegger nun mit den oben zitierten Sätzen aus den Aufzeichnungen zur ‚Überwindung der Metaphysik' behaupten wollen, solches *schon damals* (1933/34) *nicht* gemeint zu haben, so wäre er durch die bloße Auskunft der Texte widerlegt. Es scheint mir aber, daß in jenen Sätzen aus den Aufzeichnungen eher eine Kritik am eigenen Verhalten von 1933/34 enthalten ist. Es liegt nämlich darin Heideggers Eingeständnis, sich damals geirrt zu haben, d. h. dasjenige für einen Aufbruch ins Anfängliche gehalten zu haben, was in Wirklichkeit gerade zunehmende Entfernung vom Anfänglichen, also gesteigerte Seinsverlassenheit bedeutete. Die Rede vom ‚Auftrag' — so könnte man interpretieren — erweist sich als vom Willen zum Willen inszeniertes Täuschungsmanöver: um nicht — was seinen Intentionen schaden würde — als das zu erscheinen, was er wirklich ist (nämlich „die Anarchie der Katastrophen"), gibt sich der Wille fürs Gegenteil aus (nämlich als Wahrung des Anfänglichen). Der Autor Martin Heidegger ist ein Opfer dieser List des Willens zum Willen geworden.

101 Schließlich sei noch ein Hinweis darauf erlaubt, daß die Position, von der aus Heidegger zwischen 1936 und 1946 den Nationalsozialismus kritisiert, nach wie vor große Ähnlichkeiten mit gewissen Grundelementen der NS-Weltanschauung selbst aufweist. Das hat Faye am Beispiel des schon erwähnten, 1940 in ‚Volk im Werden' erschienenen Aufsatzes von Krieck über die ‚Geburt der Philosophie' gezeigt (Krieck IV, dazu Faye II, bes. 145 ff.). Wie für Heidegger so ist auch für Krieck die abendländische Geschichte (und insbesondere die der Philosophie) ein einziger Verfallsprozeß, der bei den Griechen (i. e. L. bei Parmenides, vgl. Krieck IV 229, 232) begonnen hat. Die Schuld daran schreibt Krieck, wiederum wie Heidegger, der Herrschaft des Logos und der Ratio zu (vgl. ebd. 229 f. et passim). Und zwar begreift Krieck den Abfall vom Mythos als den entscheidenden Sündenfall der abendländischen Geschichte (vgl. ebd. 230 ff.) und feiert die Rückkehr zu ihm als nationalsozialistische Errungenschaft („Der Mythos ist in unserer Weltanschauung sieghaft aufgestanden gegen den Logos . . ." ebd. 234). Nun enthält zweifellos auch die Heideggersche Antithese zur Rationalität gewisse Anklänge an Mythologisches; von einer offenen Apotheose des Mythos kann man bei Heidegger allerdings nicht sprechen. Auch in anderen Punkten zeigen sich Unterschiede (nicht nur des Niveaus, sondern teilweise auch des Inhalts) zwischen Kriecks Position und derjenigen Heideggers. Die Gemeinsamkeiten sind jedoch auffälliger.

Dafür zwei Beispiele von Sätzen Kriecks, die Heidegger geschrieben haben könnte: „... der gesamte autonome Rationalismus der letzten Jahrhunderte ist in letzter Instanz nihilistisch." (ebd. 230) „Läßt man die Logik und ihre angebliche Gesetzlichkeit noch gelten zum Behuf des analytisch-synthetischen Denkprozesses sowie der analytischen Mathematik, so muß doch ihre Alleinherrschaft und Alleingeltung mit aller Entschiedenheit schon im Erkenntnisbereich selbst bestritten werden." (ebd. 233) Angesichts der Ähnlichkeit solcher Formulierungen mit Heideggerschen Sätzen stellen sich einige Fragen, die man wiederum kaum eindeutig beantworten kann. Liegt hier vielleicht direkte Beeinflussung vor, in einer Richtung oder gar wechselseitig? Hat Krieck sein Schema von Heidegger übernommen? (Der oben zitierte Satz Kriecks über die Logik erinnert an Heideggers ‚Was ist Metaphysik?', manches andere an die ‚Einführung in die Metaphysik'.) Dem widerspricht jedoch, daß Krieck Heideggers Philosophie ausdrücklich in die schlimme Geschichte des Rationalismus und Nihilismus miteinbezieht (vgl. Krieck IV 229, 230, 232, 233). Oder ist umgekehrt Heidegger, im Bewußtsein philosophischer und sogar persönlicher Bedrohung, auf gewisse Positionen Kriecks eingeschwenkt? „On est tenté de dire" – meint Faye – „que, devant la menace de l'idéologue policier, Heidegger aurait sacrifié la métaphysique pour sauver l'être ..." (Faye II 149). Das könnte aber höchstens für die öffentlichen Vorlesungen zutreffen, nicht aber für die privaten Aufzeichnungen. Außerdem läßt Heidegger in den Aufzeichnungen zur ‚Überwindung der Metaphysik' seinerseits keinen Zweifel daran, daß er den Nationalsozialismus für die konsequenteste Fortführung der Seinsverlassenheit hält. – 1942 veröffentlicht Heidegger den um 1930 entstandenen Platon-Vortrag. Die Schlußpassagen, die einen Grundriß des Seinsverfalls seit Platon enthalten, könnten als öffentliche Antwort auf Kriecks Angriff von 1940 gemeint sein. Dann könnte man vielleicht zwischen den Zeilen lesen: ‚Was Krieck darstellt, ist in Wirklichkeit etwas anderes, nämlich die vom Sein selbst ereignete Seinsvergessenheit, und zu ihr gehört gerade auch Krieck selbst.' Aber dieselben Passagen am Schluß des Vortrags könnten auch ein stillschweigendes Angebot an Krieck enthalten: ‚Auch ich, Heidegger, halte die bisherige abendländische Geschichte für ein Verhängnis und einen Irrweg. Im Grunde sind wir einer Meinung.' Beide Lesarten sind auch im Fall des 1943 veröffentlichten Nachworts zur 4. Auflage von WiM möglich. Von Interesse ist vor allem eine Stelle dieses Nachworts (vgl. dazu wieder Faye II 148 f.); auf S. 45 referiert Heidegger „die vorwiegenden Bedenken und Irrmeinungen zu dieser Vorlesung [‚Was ist Metaphysik?' von 1929]", nämlich erstens den Nihilismus-Vorwurf, zweitens den Vorwurf, eine Philosophie der Angst lähme den Willen zur Tat, drittens den Vorwurf, die Vorlesung verstoße gegen die Logik. Mit dem ersten Vorwurf sind zweifellos Kriecks Angriffe gegen Heidegger gemeint. Der zweite Vorwurf dürfte sich i. e. L. auf Bollnows Buch ‚Vom Wesen der Stimmungen' (1941) beziehen (das geht aus dem Folgenden, WiM-N 46 f., hervor), wobei zu beachten ist, daß Bollnows Argumentation der nationalsozialistischen z. T. sehr nahekam. Über alle diese Vorwürfe hatte Heidegger kurz vorher gesagt: „Auch grobe Irrmeinungen fruchten etwas, selbst wenn sie in der Wut einer verblendeten Polemik ausgerufen werden." (WiM-N 44) Das dürfte sich – jedenfalls *auch* – auff Kriecks Polemik von 1940 beziehen; sie wird von Heidegger eindeutig als Irrmeinung und als verblendet bezeichnet. Andererseits wird ihr aber eingeräumt, daß auch sie noch ‚etwas fruchtet'. Sollte das wiederum ein verstecktes Angebot an Krieck sein? Wahrscheinlicher allerdings ist, daß es sich hierbei um eine Konzession handelt, zu der Heidegger aus purem Selbsterhaltungstrieb gezwungen war. Was Heidegger schließlich als dritte Irrmeinung referiert, dürfte sich auf positivistisch-logistische Angriffe beziehen (vielleicht konkret auf Carnaps Aufsatz von 1931; vgl. dazu unten Anm. 70 zum ersten Teil). Diesem Vorwurf begegnet Heidegger mit einer Infragestellung der Logik überhaupt (vgl. WiM-N 47 f.), d. h.

mit Argumenten, wie sie ähnlich oder genauso 1940 von Krieck vorgebracht worden waren. Sollte Heidegger sich dessen etwa *nicht* bewußt gewesen sein? – Sicherlich muß in vielen Fällen die wohlwollende, d. h. Heidegger entlastende, Lesart gewählt werden. Aber selbst wenn man es generell täte: Heideggers Stellung zum Nationalsozialismus bleibt auch in den 40er Jahren ambivalent; sein Versuch, sich von der NS-Philosophie und –Weltanschauung zu distanzieren, enthält zuweilen, wie mir scheint, ein Moment von Vergeblichkeit.

Zum vierten Teil

1 Zu anderen Möglichkeiten der Darstellung vgl. die Angaben in Anm. 29 zum zweiten Teil.
2 Daß es gerade die Jahre sind, die das Ende der unmittelbaren Nachkriegszeit bezeichnen (Währungsreform, Ende der Militärregierungen etc.), dürfte kein Zufall sein. Während für die erste Phase der Heideggerschen Spätphilosophie akute politisch-geschichtliche Ereignisse (Expansion der NS-Herrschaft im Innern und nach außen, Weltkrieg, Chaos der ersten Nachkriegsjahre) den Hintergrund bilden, zwingt die relative Konsolidierung seit etwa 1950 zur Revision bestimmter geschichtlicher Erwartungen.
3 Mit gewissem Recht läßt sich sagen, daß Heideggers Philosophie sich im letzten Jahrzehnt nicht mehr weiterentwickelt hat. Das wenige, was nach 1962 entstanden ist (vgl. etwa ‚Das Ende der Philosophie und die Aufgabe des Denkens‘ in SD) enthält gegenüber den früheren Schriften kaum etwas Neues. Mit dem 1962 gehaltenen Vortrag ‚Zeit und Sein‘ schließt sich gleichsam der Kreis der Heideggerschen Philosophie: unter dem Titel, der ursprünglich für den (nicht mehr erschienenen) 3. Abschnitt des 1. Teils von SuZ vorgesehen war, dokumentiert sich, wie weit Heidegger sich vom existenzialanalytischen Ansatz entfernt hat, zugleich aber auch, wie sehr die treibenden Motive seiner Philosophie sich – in *letzter* Instanz – durchgehalten haben.
4 Das hier befolgte Verfahren – etwa verschiedene Textstellen gegeneinander zu halten und nach ihrer Konsistenz zu fragen – ist sicherlich dem von Heidegger und seinen Anhängern beanspruchten Niveau des seinsgeschichtlichen Denkens unangemessen. Es dürfte aber neben der Heideggerschen Philosophie kaum eine zweite geben, dergegenüber nüchtern-analytische Kleinarbeit so sehr am Platze ist.
5 Vgl. Haag I 72, Adorno VI 76 f. („anstelle jeglicher kritischer Instanz fürs Sein rückt die Wiederholung des bloßen Namens"), auch 83 f. Kuhn bezeichnet Heideggers Philosophie als „negative Ontologie" (256), weil sie letztlich ungesagt lasse, was denn das Sein nun sei.
6 Bereits in WiM wird statt ‚Dasein‘ wieder öfter ‚Mensch‘ gesagt (vgl. 32, 38 et passim).
7 Vgl. oben 1.2.1 und 1.2.3.
8 Zuerst hat Müller auf die fragliche Umformulierung aufmerksam gemacht (vgl. 43 ff., in der ersten Auflage noch in der Anmerkung 3, S. 50 f.). Löwith besteht darauf, daß der Widerspruch der beiden Formulierungen – und damit die Zweideutigkeit der ontisch-ontologischen Differenz – nicht hinwegzudiskutieren sei (vgl. Löwith I 40 ff.). Lotz meint, Heidegger habe durch die Änderung in der 5. Auflage wohl „einer voreiligen und falschen Gleichsetzung des Seins mit Gott vorbeugen" wollen (191); vgl. auch die Überlegungen bei Pugliese 29.
9 So Schulz, der bei seiner Interpretation, auf die noch näher einzugehen ist, zu dem Ergebnis kommt: „Die vierte und fünfte Auflage besagen dasselbe" (Schulz I 213).

10 Alle Zitate Müller 43; vgl. das Folgende.

11 Vgl. ebd. 44. Sowohl Heidegger selbst als auch Pöggeler haben Stellen aus bisher unveröffentlichten Texten der 30er Jahre zitiert, wo bereits vom „Seyn" die Rede ist, vgl. BaR XXI (Zitat aus einem Vorlesungsentwurf von 1937/38) und Pöggeler I 161 f. (Zitate aus Heideggers unveröffentlichten ‚Beiträgen zur Philosophie' von 1936–38). Auch in den Aufzeichnungen zur ‚Überwindung der Metaphysik' (1936–46) schreibt Heidegger bereits mehrfach „Seyn" (vgl. VA 92), massiv dann EdD (zuerst 1954) 7, 9, 17, 19, 23, 25. Orthographiegeschichtlich gesehen handelt es sich übrigens einfach um die Wiederaufnahme der alten Schreibung ‚Seyn', der Heidegger besonders bei seinen Hölderlin-Interpertationen begegnet sein dürfte.

12 Dies war übrigens sozusagen eine Deutung ‚pro domo', insofern als Müller in der Heideggerschen Problemstellung die eigene wiederzuerkennen glaubte: „Den so wichtigen Gedanken, daß ‚Gründung' immer Einheit von Vorgründung (Gründung des Seienden durch Nichtseiendes: Wesen und Sein, ontologische Gründung als Entbergung) und Rückgründung (das Seiende als der Wesen und Sein tragende und bergende Grund, ontische Gründung) sei, habe ich bereits 1929 zusammen mit Daniel Feuling OSB durchgedacht und durchgesprochen und 1940 in meinem Buch ‚Sein und Geist' ausführlich dargestellt." (45)

13 Die folgenden Überlegungen decken sich teilweise mit Huch 21–43; vgl. bes. 41 ff. (zu der Stelle ID 62).

14 Vgl. dazu etwa VA 92: „. . . ‚Welt' im seynsgeschichtlichen Sinne . . . bedeutet die *ungegenständliche* Wesung der Wahrheit des Seyns für den Menschen, sofern dieser dem Seyn wesenhaft übereignet ist." (Hervorhebung von mir.)

15 Über diese Umkehrung ist weiter unten noch zu reden (vgl. 4.1.2).

16 Darüber, daß das Sein selbst zum Subsistierenden, ja zu einer Art Subjekt wird, vgl. wiederum unten 4.1.2.

17 Huch 41. So wird, wie vorher vom Sein, nun von der Differenz gesagt, daß sie z. B. „vergibt" (ID 61, vgl. 70).

18 Zu Heideggers Sprachphilosophie s. u. 4.2.2.1.

19 Denn auch die mögliche Konsequenz, über das zu schweigen, wovon man nicht sprechen kann (Wittgenstein), hat Heidegger nicht gezogen, sondern nur selbst wiederum beredet. Es ist geradezu erstaunlich, mit welchem Wortreichtum die Apologie des Schweigens auftritt (vgl. etwa Hum 30, USp 262, auch EHD 66 f. und bereits SuZ 164 f., 273, 277, 296 f., 322 f.). Gleichwohl konstatiert Heidegger, daß „das Reden und Schreiben über das Schweigen" verderblich sei (USp 152) und folgert daraus, nur „das eigentliche Sagen" „vermöchte es, einfach vom Schweigen zu schweigen"! (ebd.)

20 Über die Inhaltslosigkeit des Begriffs ‚Sein' waren sich Kant und Hegel, in verschiedener Weise und in verschiedenem Zusammenhang, einig, wenn sie ‚Sein' als „kein reales Prädikat", sondern als „bloße Position" (Kant A 598) bzw. als „die reine Unbestimmtheit und Leere" (Hegel II 66) begriffen. – Die an Dialektik, zumal an Hegelscher, orientierte Kritik faßt ‚Sein' als Resultat, als höchstes und letztes Produkt der Abstraktion (gewissermaßen als Korrelat zur Unmittelbarkeit des Anfangs) und sieht in Heideggers Seinsbegriff eben dies eingeschlagen; vgl. Haag I 73 und – mit Betonung der historischen Genese des Heideggerschen Seinsbegriffs – Huch 8, 39. (Teilweise ähnlich argumentiert übrigens auch Schulz I 231 f.)

21 Das bestätigt auch ein von Heidegger selbst gegebener Hinweis: bereits 1937/38 habe er, im Zusammenhang mit der Wahrheitsfrage, in einem Entwurf geschrieben: „Der Mensch steht hier zur Frage in der tiefsten und weitesten, der eigentlich grundhaften Hinsicht: der Mensch in seinem Bezug zum Sein – d. h. in der Kehre: Das Seyn und dessen Wahrheit im Bezug zum Menschen." (BaR XXI)

22 Grundsätzliches dazu wurde bereit bezüglich der Umkehrung im Heideggerschen Wahrheitsbegriff gesagt (s. o. 2.1).

23 Die zitierten Sätze werden hier nur noch als Aussagen des seinsgeschichtlichen Den-

kens verstanden. Heideggers Anspruch, damit auch SuZ zu interpretieren, kann – wie gesagt – nicht akzeptiert werden.

24 Brelage 210.

25 Vgl. oben Anm. 43 zum ersten Teil.

26 Vgl. Schulz I 212: „Es ist schlechthin widersinnig, über das Sein und das Dasein so zu reflektieren, als wären sie zwei Größen, zwischen denen ein commcercium waltet."

27 Darauf hat besonders Löwith I 41 Anm. bestanden, indem er sich auf eine Stelle berief, wo Heidegger selbst das Geschick als „Gegeneinanderüber von Sein und Menschenwesen" bezeichnete (SvG 158).

28 So Gründer 330.

29 Heidegger betont, daß er bereits „seit mehr als fünfundzwanzig Jahren das Wort *Ereignis* in seinen Manuskripten" gebrauchte (USp 260); rechnet man zurück – 1. Aufl. von USp: 1959 – so kommt man also auf die Mitte der 30er Jahre.

30 Schulz geht dabei übrigens von der – durchaus fraglichen – Voraussetzung aus, daß an den zur Frage stehenden Stellen ‚Seiendes' immer als ‚Dasein', d. h. als Seiendes ‚Mensch' verstanden werden müsse (vgl. Schulz I 214).

31 Alle Zitate Schulz I 212.

32 Ebd. 213.

33 Ebd. 212.

34 Ebd. 213.

35 Ebd. 214; seine Interpretation faßt Schulz dann so zusammen: „Wir halten fest: das, woraus sich das Dasein versteht, steht nicht in seiner Verfügung: das Sein west ohne das Seiende, aber dies Woraus kommt nie für sich vor: das Sein west nie ohne das Seiende." (ebd.)

36 So scheint mir etwa die Heidegger-Deutung von Ott weitgehend von Schulz abhängig zu sein.

37 Der Zustimmung von Heidegger selbst kann sich Schulz allerdings nicht erfreuen: seine Interpretation ist dialektisch und versteht auch den Gang und die Strukturen des Heideggerschen Denkens ausdrücklich als selbst dialektisch (vgl. etwa Schulz I 88, Anm. 7, 90). Heidegger jedoch hat der Dialektik mehrfach eine unzweideutige Absage erteilt, und zwar deshalb, weil sie „in ihrem Wesen Logik ist" (WhD 101), d. h.: nur eine Form der technischen Interpretation des Denkens (vgl. auch HW 168, SvG 149, andeutungsweise auch schon SuZ 22). In den folgenden Sätzen ist über Schulz' Interpretation bereits zu einem Zeitpunkt (1951/52), als sie noch gar nicht vorlag, das Urteil gesprochen: „ . . . das hier genannte Verhältnis zwischen Sein und Menschenwesen [verstattet] in keiner Weise ein dialektisches Manöver, das ein Beziehungsglied gegen das andere ausspielt. Dieser Sachverhalt, daß hier alle Dialektik nicht nur scheitert, sondern daß hier gar kein Ort mehr bleibt für ein Scheitern dieser Art, ist wohl das Anstößigste, was die heutigen Vorstellungsgewohnheiten und die Akrobatenkünste ihres leeren Scharfsinns aus der Fassung bringt." (WhD 74)

38 Das zeigt sich insbesondere in der neueren Hermeneutik-Diskussion. In Sätzen wie dem folgenden spricht die Grundposition der Heideggerschen Spätphilosophie: „Wir sind als Verstehende in ein Wahrheitsgeschehen einbezogen und kommen gleichsam zu spät, wenn wir wissen wollen, was wir glauben sollen." (Gadamer I 465) Dem Anspruch auf die ‚Universalität des hermeneutischen Problems' entspricht nach Gadamer „die Aufgabe der Rückbindung der . . . verfügbar gemachten und in unsere Willkür gestellten gegenständlichen Welt, die wir Technik nennen, an die unwillkürlichen und nicht mehr von uns zu machenden, sondern zu ehrenden Grundordnungen unseres Seins." (Gadamer IV 101)

39 Löwith I 41 (Anm. 1 zu 40).

40 Gründer 330.

41 Einschlägige Stellen verzeichnet etwa Gründer 329.

42 Vgl. bes. Adorno VI 93, 119, Gründer 330, auch Fürstenau 182.

43 Vgl. wiederum Adorno VI 76, 110, Haag I 83.

44 Wo es um *Interpretation* dessen geht, was in den Texten steht, ist dieses Verfahren einigermaßen bedenklich – wie alle Versuche, die Kompromittierungen, denen sich eine Philosophie aussetzt, dadurch zu umgehen, daß man das Kompromittierende (hier: Heideggers Affinität zu Mythischem) als quantité négligeable abtut oder einfach unterschlägt.

45 An diesem Punkte hört etwa auch – um nur zwei Beispiele zu nennen – die Heidegger-Abhängigkeit Gadamers oder Müllers auf. Bei Bröcker dagegen scheint sie da erst richtig anzufangen: aus Heideggers immerhin noch moderierter Affinität zum Mythos wird bei Bröcker dessen offene Apologie (vgl. Bröcker II, dazu kritisch Habermas Vd).

46 So Spaemann 300.

47 Die Analogie Sein – Gott hat Gründer 330 f. gezogen: „Es läßt sich pünktlich zueinander stellen: Daß das Sein sich schickt, ist christlich Schöpfungsgeschehen und Heilshandeln. Das Geschick ist die Vorsehung. Die Huld des Seins ist die Gnade, sein Grimm der Zorn Gottes. Das Sein lichtet sich: Offenbarung – es verbirgt sich: der deus absconditus . . .“ usf. Gründer hält daher Heideggers mythisierten Seinsbegriff für ein weiteres Glied in der „Kette des Surrogats des christlichen Glaubens“ (330).

48 So etwa – wohl vor allem unter dem Eindruck des Nachworts (1943) zu WiM – Welte.

49 VA 178 wird „das ereignende Spiegel-Spiel“ der „Einfalt von Erde und Himmel, Göttlichen und Sterblichen“ mit der Welt gleichgesetzt. Bedenkt man, daß schon beim frühen Heidegger (insbes. in WdG, auch in SuZ) ,Sein‘ und ,Welt‘ oft nahezu gleichbedeutend verwendet werden, so scheint es nicht ungerechtfertigt, davon auszugehen, daß Heidegger mit dem ,Geviert‘ tatsächlich das auslegt, was er mit dem ,Sein‘ meint. – Heideggers Begriff des „Spiegel-Spiels“ (vgl. insgesamt VA 178 f., zum „Spiel“ auch SvG 186 ff.) ist übrigens ein weiterer in der Reihe der Ersatzbegriffe fürs Sein. Es ließe sich fragen, warum es nach ihm und neben dem anthropologischen ,Ins-Spiel-bringen‘ des Spiels (exemplarisch Huizingas ,Homo ludens‘ 1939) nun auch ein *ontologisches* gibt. Warum wird Spiel zum *Welt*symbol (vgl. Fink I)? (Vgl. auch Gadamer I 97 ff. und 462 ff.) Das Plädoyer fürs Spiel entstammt offensichtlich dem Bedürfnis, der Welt der Zwänge und Festgelegtheiten zu entkommen. Wo es indessen nicht gelingt, über die bloße Bestimmung des ,homo ludens‘ hinaus als wirklich Spielenden sich zu erfahren, bleibt nur die Möglichkeit, die Welt selbst oder das Sein zum Spiel zu stilisieren, zu einem Spiel, dessen Subjekt nicht mehr – jedenfalls nicht mehr primär – der Mensch ist (so ausdrücklich Gadamer I 98 f., 464, vgl. auch Heidegger selbst SvG 168 f.), sondern eben das Sein oder die Welt oder gar das Spiel selbst (so wiederum Gadamer I 464). Zum Thema vgl. auch den ausführlichen Überblick von Ingeborg Heidemann, zu Heidegger ebd. 278 ff.

50 Das sagt ja im Grunde auch die schon zitierte Stelle Hum 36 f.

51 In seiner Interpretation von Parmenides Fr. VIII, 34–41 hat Heidegger jedenfalls ,moîra‘ als „Geschick des Seins“ gedeutet (vgl. VA 252).

52 S. u. 4.2.2.2; vgl. auch wieder die Belege bei Gründer 330.

53 Vgl. die Rede von der „Frömmigkeit“ des Denkens (VA 44).

54 Vom Standpunkt der ,rechtgläubigen‘ christlichen Theologie her gesehen, wäre eine Position, derzufolge nicht nur der Mensch auf Gott, sondern auch umgekehrt Gott auf den Menschen angewiesen ist, häretisch. Solche Positionen finden sich wohl vor allem im Umkreis gewisser mystischer oder mystisch beeinflußter Anschauungen, im Bereich der Dichtung z. B. bei Angelus Silesius; vgl. dessen Verse aus dem ,Cherubinischen Wandersmann‘: „Ich weiß, daß ohne mich Gott nicht ein Nun kann leben, werd ich zunicht Er muß vor Not den Geist aufgeben.“ Dieser

Hinweis ist deshalb nicht aus der Luft gegriffen, weil Heidegger sich offensichtlich mit dem ‚Cherubinischen Wandersmann' befaßt und sogar einen Vers daraus ausführlich gedeutet hat (vgl. SvG 68 ff.). Freilich wird man nicht sagen können, daß Heidegger von Angelus Silesius gewisse Motive einfach übernommen hätte. Interessant sind aber eben die Analogien: daß Heideggers Spätdenken gewisse mystische Züge aufweist, ist wohl nicht zu bestreiten.

55 *Dieser* Position — so ist mit Bezug auf die vorige Anmerkung festzustellen — würde nun wieder innerhalb der Theologie der rechtgläubige (insbes. der augustinische) Standpunkt entsprechen, demzufolge der Mensch in allem und jedem auf die Gnade Gottes angewiesen bleibt.

56 So Krockow 127.

57 Blumenberg 160. — *Exkurs*. Am Schluß dieses Abschnitts seien noch einige Bemerkungen zum Thema ‚Heidegger und die Theologie' erlaubt. Nur einige Bemerkungen — denn dieses Thema ist so vielschichtig — und die Literatur dazu inzwischen so umfangreich —, daß seine erschöpfende Behandlung eine eigene Untersuchung erfordern würde. (Die folgende knappe Bestandsaufnahme der Probleme, die dabei anstehen würden, übernimmt manches von Gründer 330 f., bes. Anm. 86 und fügt einiges hinzu.) Da gibt es erstens die Frage nach dem Einfluß, den die Theologie auf Heideggers Philosophie ausgeübt hat. Heidegger war eine Zeitlang Theologe (Theologiestudent); als er es nicht mehr war, hat er sich dennoch weiter mit Theologie befaßt, vor allem während seiner Marburger Jahre, als Bultmann sein Kollege war; an theologischen Texten (Bibel, Luther, Augustinus, vgl. die Hinweise SuZ 199 Anm., auch 190 Anm. und 249 Anm.) hat Heidegger bestimmte Kategorien der existenzialen Analytik entwickelt; deren Grundbestimmungen lassen sich z. T. als ehedem theologische identifizieren. Für Heideggers Spätphilosophie gilt Ähnliches, obwohl in stark gewandelten Formen. — Es gibt zweitens die expliziten Äußerungen Heideggers zur Theologie. In SuZ wird die „dogmatische Systematik" kritisiert, weil sie „auf einem ‚Fundament' ruht, das nicht primär einem glaubenden Fragen entwachsen ist und dessen Begrifflichkeit für die theologische Problematik nicht nur zureicht, sondern sie verdeckt und verzerrt" (SuZ 10). Allerdings sei die gegenwärtige Theologie — gemeint sein dürften i. e. L. wohl Karl Barth und Bultmann — auf der Suche „nach einer usprünglicheren, aus dem Sinn des Glaubens selbst vorgezeichneten und innerhalb seiner verbleibenden Auslegung des Seins des Menschen zu Gott" (ebd.). Diese neuen Tendenzen bewertet Heidegger offensichtlich positiv. Die philosophischen Reserven gegenüber der Theologie bleiben nichtsdestoweniger entscheidend; von der christlichen Dogmatik könne man nicht sagen, „daß sie das Sein des Menschen je ontologisch zum Problem gemacht hätte" (ebd. 49, vgl. KPM 214). Im neuerdings veröffentlichten Marburger Vortrag von 1927/28 wird der absolute Unterschied zwischen Philosophie und Theologie so stark wie irgendmöglich betont (vgl. PhänTheol 15), und zwar zunächst ‚wissenschaftstheoretisch': Theologie sei positive Wissenschaft und stehe als solche der Chemie oder Mathematik näher als der Philosophie (vgl. ebd.). Gleichwohl sei Philosophie „das mögliche, formal anzeigende ontologische Korrektiv des ontischen, und zwar vorchristlichen Gehalts der theologischen Grundbegriffe" (32) — allerdings auch nur das *mögliche* Korrektiv; denn: „Philosophie kann . . . sein, was sie ist, ohne daß sie als dieses Korrektiv faktisch fungiert." (ebd.) Bei all dem bleibe der Glaube als spezifische Existenzmöglichkeit der „Todfeind" der zur Philosophie gehörigen Existenzform; zwischen Gläubigkeit und „freier Selbstübernahme des ganzen Daseins" bestehe ein „existenzieller Gegensatz"; christliche Philosophie — ein „hölzernes Eisen" — sei unmöglich (ebd.). Von dieser Position her wird auch klar, warum Heidegger in SuZ die Autonomie der philosophischen Problematik (hier: bezüglich der Wahrheitsfrage) forderte und die „längst noch nicht radikal ausgetriebenen Reste von christlicher Theologie innerhalb der philosophischen Problematik" denunzierte (SuZ 229). Der frühe Heideg-

ger kritisiert also (a) die herkömmliche (dogmatische) Theologie, behauptet (b) einen absoluten Unterschied zwischen Philosophie und Theologie und versteht (c) die Philosophie als die gegenüber der Theologie fundamentalere Wissenschaft (vgl. dazu auch WdG 39, Anm. 56). – Beim späten Heidegger wird die traditionelle Theologie womöglich noch schärfer kritisiert, indem sie nämlich unter das Verdikt fällt, das Heidegger über die Metaphysik insgesamt als seinsvergessene Onto-Theologie verhängt (vgl. bes. ID 50 ff.). Für diese Theologie ist Gott – Heidegger zufolge – nur das höchste Seiende und der letzte Grund (vgl. z. B. VA 50, HW 179). Andererseits wiederum scheint Heidegger die Theologie für eine ‚echte‘ Möglichkeit zu halten, vorausgesetzt, daß sie sich der Metaphysik entzieht und auf ihre biblischen Ursprünge zurückbesinnt. Das heißt etwa, daß eine solche Theologie mit dem Paulus–Wort von der Torheit der Weltweisheit (und d. h. der Philosophie) Ernst machen müßte (vgl. WiM-E 20). Daraus ergibt sich, daß auch eine echte (nicht-metaphysische) Theologie grundsätzlich von der Philosophie getrennt bleibt. Christliche Philosophie ist unmöglich (vgl. EiM 6), ist „noch widersinniger . . . als der Gedanke eines viereckigen Kreises" (N II 132). Entsprechend „lehnte Heidegger [in einem Gespräch in der Evangelischen Akademie Hofgeismar] 1953 auch jede Bedeutung der Philosophie für die Theologie ab" (vgl. das Protokoll von Noack 34). Dagegen stehen jedoch Sätze wie der bereits mehrfach zitierte (s. o. 157) aus dem Humanismus-Brief (vgl. Hum 36 f.) oder aus dem Vortrag ‚Die Kehre‘: „Ob Gott Gott ist, ereignet sich aus der Konstellation des Seins und innerhalb ihrer." (TK 46) Demnach hätte das Denken des Seins doch immerhin einige Bedeutung für die Gottesfrage. Oder ist *dieser* Gott grundsätzlich ein anderer als der der christlichen Glaubenserfahrung? Steht er vielleicht den Göttern des Mythos näher? Das paßt aber wiederum nicht zu zwei Äußerungen Heideggers, die vielleicht den ‚intimsten‘ Einblick in sein Verhältnis zur Theologie gewähren: Im Hofgeismarer Gespräch sagte Heidegger: „Innerhalb des Denkens kann nichts vollzogen werden, was vorbereitend oder mitbestimmend wäre für das, was im Glauben und in der Gnade geschieht. *Wenn ich vom Glauben so angesprochen wäre, würde ich die Werkstatt schließen.*" (bei Noack 33, Hervorhebung von mir.) Damit ist also zunächst wieder die Differenz von Glauben und Denken bzw. von Theologie und Philosophie betont. Aber spricht sich in diesen Sätzen zugleich nicht so etwas wie ein *Bedauern* über den Verlust der Glaubenserfahrung aus und vielleicht sogar das Bewußtsein, daß das Denken solcher Erfahrung letztlich unterlegen bleibt? Zu noch weiter gehenden Vermutungen gibt dann schließlich die berühmte Stelle aus dem Gespräch mit einem Japaner Anlaß, wo Heidegger sagte: „Ohne diese theologische Herkunft wäre ich nie auf den Weg des Denkens gelangt. Herkunft aber bleibt stets Zukunft." (SUp 96) Kann man diesen Satz so interpretieren, daß in ihm die Scheidung von Glauben und Denken – jedenfalls in ihrer Grundsätzlichkeit – zurückgenommen ist? Läuft das Denken, welches die Philosophie hinter sich gelassen hat (vgl. ‚Das Ende der Philosophie und die Aufgabe des Denkens‘ in SD und unten 4.2.2.2) einst vielleicht doch auf dasselbe hinaus wie der Glaube, der die (herkömmliche) Theologie hinter sich gelassen hat? Wie auch immer: im Ganzen der Heideggerschen Spätphilosophie läßt sich implizit wie explizit eine gewisse Annäherung an theologische Positionen konstatieren. – Drittens gibt es im Rahmen des Themas ‚Heidegger und die Theologie‘ die Frage nach dem Einfluß Heideggers auf die Theologie. Er ist sicherlich sehr groß, und zwar sowohl in bezug auf den frühen als auch auf den späten Heidegger. Die Literatur darüber ist inzwischen auch schon beträchtlich. Für die Zwecke dieser Arbeit ist dieser Punkt jedoch relativ unerheblich; es sei daher wiederum nur auf Gründers Anmerkung (330 f.) verwiesen. – Schließlich gibt es – viertens – die Frage, wie die Affinitäten des Heideggerschen Philosophierens zur Theologie zu beurteilen sind. Ich zähle nur einige von sicherlich vielen möglichen Positionen auf. Für Nicht-Theologen bzw. ‚religiös Neutrale‘ erregt das Theologische in Heideggers Philosophie durchweg Anstoß, sei es in der moderierten Form wie bei Löwith, sei es in der radikalen Form wie etwa bei Beyer, der Heideggers „Katholizität" denunziert (vgl. Beyer II). Die Zwischenformen sind zahlreich. Innerhalb der Theologie selbst ist die Frage, wie man es mit Heideggers Philosophie halten solle, durchaus kontrovers. Die Fraktion, die für ein positives Verhältnis zu Heidegger stimmt und es auch vollzieht, ist allerdings größer und auffälliger, sei es daß sie die partiell kryptotheologischen Strukturen der Daseinsanalytik sich ihrerseits zunutzemacht, sei es daß sie bei Heidegger die Situation des modernen Menschen genau beschrieben findet und als Konsequenz aus dieser Situation – nun allerdings nicht, wie Heidegger selbst in der frühen Phase seiner Philosophie, auf dem Selbstbehauptungswillen des Subjekts, sondern – auf der Angewiesenheit des Menschen auf Gott besteht, sei es daß sie ganz allgemein in Heidegger einen Bundesgenossen sieht im Kampf für jene Dimension des Transzendenten, ohne die der Mensch nicht wahrhaft Mensch sein könne. Diese Richtung in der heutigen Theologie, die an Heidegger höchstens auszusetzen hat, daß er nicht theologisch *genug* ist, ist durch sehr prominente Namen – i. e. L. Bultmann im protestantischen, Rahner im katholischen Raum – vertreten. Die andere Richtung, die Heidegger gegenüber skeptisch bis feindselig ist, fällt dagegen weniger ins Gewicht; als Beispiel als jüngster Zeit nenne ich Sladeczek. Von der von ihm vertretenen Position traditioneller Theologie aus (die zumindest im Falle der katholischen Kirche mit der des Lehramtes weitgehend noch identisch ist) verfällt Heidegger dem Modernismus-Verdikt. Dabei ist das Säkularisierungsargument mit im Spiel (die folgenden Hinweise verstehen sich auf dem Hintergrund von Blumenbergs Untersuchungen, vgl. bes. deren 1. Teil): die Strukturen, z. T. auch Inhalte des Heideggerschen Denkens gehören zur ursprünglich theologisch-christlichen, dann von der Philosophie illegitimerweise usurpierten Substanz. So ist etwa die Heideggersche Seinsgeschichte ein weiteres Glied in der langen Reihe der Säkularisate christlicher Heilsgeschichte etc. Das Säkularisierungsproblem – um damit die Hinweise dieses Exkurses abzuschließen – ist im Falle der Heideggerschen Philosophie allerdings nicht so eindeutig zu bestimmen wie vielleicht anderswo, und zwar dann nicht, wenn man aus dem Säkularisierungsbegriff das Moment „geschichtlichen Unrechts" (Blumenberg 1. Teil) zugunsten seiner rein deskriptiven Verwendung wegläßt. Während sich die existenzialen Strukturen von SuZ noch teilweise – keineswegs vollständig – als ‚Umbesetzungen' (im Blumenbergschen Sinne, vgl. etwa 42) verstehen lassen, erweisen sich die in der Tat zunächst ebenfalls wie Säkularisate aussehenden Grundzüge der Heideggerschen Spätphilosophie als so affin zu gewissen genuin theologischen Lehren, daß man fast von einer bereits weider *zurückgenommenen* Säkularisierung, also einer Art ‚Entsäkularisierung', zu sprechen geneigt ist.

58 Jedenfalls in diesem Teil der Untersuchung; vgl. jedoch den zweiten Teil, besonders 2.2.

59 S. o. 1.3.1.

60 In diesem Sinne und unter der Voraussetzung, daß jede Theorie des Geschichtsverlaufs bereits als solche den Namen ‚konkret' verdient (nämlich im Gegensatz zur Theorie bloß abstrakter Geschichtlichkeit) ist Marquard II 39 f. und 42 ff. zuzustimmen, wenn er Heideggers Spätphilosophie als konkret-historisch bezeichnet.

61 Natürlich unterscheidet sich dieser Vortrag inhaltlich und methodisch erheblich von dem, was vermutlich im ebenfalls unter dem Titel ‚Zeit und Sein' geplanten, aber nicht erschienenen 3. Abschnitt des 1. Teils von SuZ gestanden hätte; vgl. auch die diesbezüglichen Bemerkungen Heideggers SD 91.

62 Wenn man es sehr genau nimmt, ist die These, daß das Sein zeitlich sei, erst in Heideggers Spätdenken anzutreffen. In SuZ nämlich ist die Zeit nur das *Woraufhin* bzw. *Woher* des Sinnes von Sein; Sein wird aus der Zeit her konstituiert. Heidegger hat im Kant-Buch darauf hingewiesen, daß im Tiel ‚Sein und Zeit' „das ‚und' das zentrale Problem in sich birgt" (KPM 219). Auf der einen Seite scheint sich nun –

wie Oeing-Hanhoff II 8 feststellte — ein gewisser Widerspruch zu ergeben, insofern das Sein einerseits auf Zeit hin gedeutet werden soll, andererseits aber als das Umfassendste verstanden wird, außerhalb dessen es nichts anderes mehr geben kann. Auf der anderen Seite ist aber stets zu bedenken, daß in dem Verhältnis von Sein und Zeit immer noch ein dritter Bezugspunkt von Bedeutung, sogar von ausschlaggebender Bedeutung ist: das Dasein. Dasein, Sein, Zeit verhalten sich (in SuZ) zueinander wie Konstituens, Konstitutum, Konstitutionshorizont.

63 Vgl. insbesondere SuZ § 70: „. . . die spezifische Räumlichkeit des Daseins muß in der Zeit gründen" (367). Zwar könne — fügte Heidegger hinzu — „der Nachweis, daß diese Räumlichkeit existenzial nur durch die Zeitlichkeit möglich ist, nicht darauf abzielen, den Raum aus der Zeit zu deduzieren, bzw. in pure Zeit aufzulösen" (ebd.). Nichtsdestoweniger wurde an der These festgehalten: „Nur auf dem Grunde der ekstatisch-horizontalen Zeitlichkeit ist der Einbruch des Daseins in den Raum möglich." (369)

64 Vgl. auch die Bemerkung im Vortrag ‚Zeit und Sein': „Der Versuch in ‚Sein und Zeit' § 70, die Räumlichkeit des Daseins auf die Zeitlichkeit zurückzuführen, läßt sich nicht halten." (SD 24)

65 Zum Zusammenhang von Zeit-Raum und Geviert vgl. etwa USp 214 f., zum Verhältnis von Raum, Ort, Gegend vgl. ebd. 209 ff., VA 145 ff., neuerdings auch ‚Die Kunst und der Raum'.

66 Vielleicht ist mit der Bemerkung, daß die „eigentliche Zeit . . . vierdimensional" sei (SD 16) vage auf gewisse Theoreme der modernen Physik angespielt (das vierdimensionale Raum-Zeit-Kontinuum der Relativitätstheorie). Allerdings werden die ersten drei Dimensionen (anders als in der Relativitätstheorie, wo es sich um die drei Dimensionen des Raumes handelt) von der Zeit gestellt; es sind die in SuZ als Ekstasen bezeichneten Modi „Zukunft, Gewesenheit und Gegenwart" (15). Die vierte Dimension ist auch nicht (etwa in umgekehrter Analogie zum Kontinuum der Relativitätstheorie) der Raum — obwohl auch hier wieder vom „Zeit-Raum" die Rede ist (14) —, sondern „die Einheit der drei Zeitdimensionen in dem Zuspiel jeder für jede" (16), eben „das eigentliche, im Eigenen der Zeit spielende Reichen" (16). — Im übrigen hat Heidegger der Versuchung, sich auf Analogien zur Physik zu berufen, durchweg widerstanden. (Eine Ausnahme bildet die Stelle VA 156 f.)

67 Für das Raumproblem bietet der Aufsatz ‚Die Kunst und der Raum' immerhin einige Perspektiven. So ist etwa die Behauptung „Profane Räume sind stets die Privation oft weit zurückliegender sakraler Räume" (ebd. 9), obwohl sie in dieser Allgemeinheit sicherlich nicht zutreffen dürfte, wenigstens konkret (in diesem Fall historisch) diskutierbar. (Es handelt sich hier übrigens um eine Art Säkularisierungsargument, was im Zusammenhang des am Schluß von Anm. 57 zu diesem Teil Gesagten interessant ist.)

68 Zum Problem der Etymologien bei Heidegger vgl. Schwarz 58 ff. — Was eine anhand der Sprache durchgeführte Behandlung des Zeitproblems auf methodisch-wissenschaftlicher Grundlage einbringen kann, zeigt die Untersuchung von Harald Weinrich.

69 Im Gegensatz zur Zeittheorie von SuZ, die unmittelbar in die Literaturwissenschaft gewirkt hat; vgl. i. e. L. Staiger.

70 Im Grunde tauchen hier strukturell ähnliche Probleme auf wie schon in SuZ. Der epoché entspricht dort das Existenzial des Verfallens. Wie im Spätdenken die epoché so ist in SuZ das Verfallen ‚schuld' an der ‚eindimensionalen' Zeitlichkeit und damit an der Vorherrschaft der Prägung des Seins als Anwesen. ‚Wahre' (ursprüngliche) und ‚unwahre' (vulgäre) Zeit verhalten sich in SuZ zueinander wie Eigentlichkeit und Uneigentlichkeit (Verfallen). Es taucht noch auch hier die Frage auf, ob die Differenz von Eigentlichkeit und Uneigentlichkeit einerseits und die Zeitlichkeit andererseits zwei nicht mehr aufeinander zurückführbare Phänomene sind oder ob das erste im zweiten fundiert ist. Was etwa bedeutet es, daß das

Verfallen (im wesentlichen gleichbedeutend mit ‚Uneigentlichkeit') zeitweilig als drittes Moment in jener Sorgestruktur auftaucht, als deren Sinn später die Zeitlichkeit – und zwar die *ursprüngliche* – herausgestellt wird (vgl. SuZ 191, dann 328 und 346)? Entspringt auch noch das Verfallen (die Uneigentlichkeit) letztlich der eigentlichen Zeit? Das könnte auch gemeint sein, wenn Heidegger davon spricht, daß die uneigentliche Zeitlichkeit aus der eigentlichen entspringt (ebd. 331), und dann feststellt: „Der vulgäre Zeitbegriff verdankt seine Herkunft der Nivellierung der ursprünglichen Zeit." (405) Woher kommt aber diese Nivellierung? Auch noch aus der ursprünglichen Zeit? oder aus einem sozusagen ‚quer' zur Zeitlichkeit ‚wirkenden' anderen Phänomen (eben der Uneigentlichkeit bzw. der Differenz dieser zur Eigentlichkeit)? Diese Vermutung legt sich nahe, wenn man bedenkt, daß es neben der uneigentlichen Gegenwart (= dem zeitlichen Sinn des Verfallens, vgl. 346) auch eine eigentliche gibt (in der Form des „Augenblicks", vgl. 338). Auch Zukunft und Gewesenheit sind jeweils als eigentliche oder uneigentliche möglich (vgl. 336 f. und 339). Wenn es demnach sowohl die Zeitlichkeit als auch ihre drei Ekstasen jeweils im Modus von Eigentlichkeit und Uneigentlichkeit gibt, so kann die Differenz zwischen diesen Modi nicht durch die Zeitlichkeit selbst konstituiert sein. – Es zeigt sich also: die im Felde von Sein, Zeit, epoché sich ergebenden Schwierigkeiten des Heideggerschen Spätdenkens sind in SuZ bis zu einem gewissen Grade präformiert.

71 Die Sätze aus BaR bieten noch eine zusätzliche Schwierigkeit. Im allgemeinen ist beim späten Heidegger mit ‚Anwesen' die während der Epoche der Seinsvergessenheit herrschende Prägung des Seins gemeint. An der Stelle BaR XXI sieht es dagegen fast so aus, als ob ‚Anwesen' auch die noch nicht oder nicht mehr seinsvergessene, also die ursprüngliche und wahre Prägung des Seins bezeichnet (ähnlich auch im Vortrag ‚Zeit und Sein', SD 12 ff.). Dieses Schwanken in der Terminologie bringt zusätzliche Verwirrung.

72 Weitere Belege dafür vgl. SvG 109, 114, HW 311, 336. Gelegentlich spricht Heidegger davon, daß das Sein (noch) schläft (SvG 97); die Geschichte wäre demnach als ‚Schlaf des Seins' zu verstehen.

73 Diese Stelle steht im ‚Protokoll zu einem Seminar über den Vortrag ‚Zeit und Sein' ' (in SD); es handelt sich also möglicherweise nicht um eine direkte Äußerung von Heidegger selbst, auf jeden Fall aber wohl um eine Interpretation *im Sinne* Heideggers.

74 Vgl. die vorige Anmerkung.

75 Allerdings hat Heidegger, entsprechend dem unsystematischen Charakter seiner Schriften nach 1930, nie einen zusammenhängenden Gesamtüberblick über das gegeben, was er ‚Seinsgeschichte' nennt. Diese Arbeit haben seine Interpreten inzwischen geleistet (vgl. die Angaben in Anm. 29 zum zweiten Teil).

76 Der üblichen Entgegensetzung von Parmenides und Heraklit widerspricht Heidegger (vgl. EiM 74).

77 Vgl. oben 2.2.

78 Auch die immerhin 250 Seiten lange Darstellung von Laffoucrière – übrigens von Heidegger selbst durch eine Vorbemerkung legitimiert – sieht sich infolge von Materialmangel (in den Heideggerschen Texten) gezwungen, die Darstellung der Zeit zwischen Aristoteles und Descartes auf ganze zehn Seiten zu beschränken (106–115). Richardson geht sogar *unmittelbar* von Aristoteles zu Descartes über (vgl. Richardson I 321, zum Problem auch die Anm. 27 auf S. 320).

79 Beispiele für solche Übertragungen werden etwa HW 13, 342, VA 50, 54, WhD 66, 127, Wegmarken 356 angeführt oder auch ausführlich behandelt.

80 Vgl. den Exkurs in Anm. 57 zu diesem Teil, bes. das unter dem zweiten Punkt Gesagte.

81 Am augenfälligsten in dieser Richtung ist, Heidegger zufolge, die Umdeutung des biblischen Gottes zum actus purus und summum ens (vgl. N II 415), die der

christlichen Theologie nur möglich war, weil sie die durch die griechische Philosophie begründete Seinsauslegung (Sein als Anwesen) sich zu eigen machte.

82 Näheres dazu s. u. in 4.2.1.

83 In den Ausführungen des ‚Protokolls zu einem Seminar über den Vortrag ‚Zeit und Sein' ' (vgl. dazu oben Anm. 73 zu diesem Teil) wird die Frage, „ob die Einkehr in das Ereignis das Ende der Seinsgeschichte bedeute" (SD 53), nicht ganz eindeutig beantwortet. Zwar gebe es auch *nach* jener Einkehr noch Schickungen; von Seinsgeschichte – als einer Geschichte der *verbergenden* Schickungen – könne dann aber wohl keine Rede mehr sein (vgl. SD 53 f.). In der Tat: wenn Seinsgeschichte als ‚Sein in der epoché' definiert ist, dann kann in dem Augenblick, wo das Sein aus der epoché heraustritt (d. h. mit oder nach dem Eintreten des Ereignisses) von einer Seinsgeschichte im strengen Sinne nicht mehr gesprochen werden.

84 Aus dem früher Gesagten (vgl. oben 3.2) ergibt sich, daß es bei Heidegger auch eine ausgesprochene ‚Naherwartungs'-Phase gab, da nämlich, wo er noch glaubte, den Aufbruch des deutschen Volkes als politische Artikulation jener erhofften Wende im Seinsgeschick verstehen zu können. Auch später noch, vor allem wohl unter dem Eindruck des 2. Weltkrieges, scheint Heidegger mit einer nicht mehr allzu fernen Wende gerechnet zu haben. In den ‚apokalyptischen' Aufzeichnungen zur ‚Überwindung der Metaphysik' heißt es etwa, daß „die Wüste der Verwüstung der Erde . . . ein Zeichen dafür sein [könnte], daß . . . die Überwindung der Metaphysik als Verwindung des Seins sich ereignet" (VA 72; vgl. jedoch auch andere Passagen, wo mit einer langen Dauer gerechnet wird, etwa VA 71). Später hat Heidegger die Erwartung , daß die Wende durch eine katastrophale Zuspitzung und einem daraus erfolgenden plötzlichen Umschlag eintreten könnte, als illusorisch abgetan, so etwa hinsichtlich der Weltkriege (vgl. ZSF 14 f., 43; vgl. andererseits jedoch die oben S. 124 oben zitierte Stelle SD 67).

85 Es sei noch erwähnt, daß auch die Heideggersche Geschichtstheorie zahlreiche Analogien zur Theologie (etwa zur theologischen Eschatologie) enthält.

86 Vgl. dazu Sontheimer II.

87 Vgl. oben 1.3.3.

88 Vgl. dazu oben 3.3, bes. 97 ff.

89 Vgl. oben 4.1.1 und 4.1.2. – Rohrmoser I 47 sieht die Schwierigkeit, die in Heideggers Rede vom Ereignis liegt, „in dem Versuch, das Sein als reinen Vollzug ohne Vollzieher zu denken".

90 Habermas Ic 309.

91 So spricht Heidegger etwa von dem „verborgenen Geschenk des Seins an die *Seltenen*, die auf den Pfad des Denkens gerufen werden" (N II 484 f., Hervorhebung von mir). An anderer Stelle heißt es: „. . . die Spur zum Heiligen, das Heile, scheint ausgelöscht zu sein. Es sei denn, daß noch *einige* Sterbliche vermögen, das Heillose als das Heillose drohen zu sehen." (HW 272, Hervorhebung von mir.) (Vgl. auch die unten 217 zitierte Stelle Feldweg 5.) Es sind also *wenige Einzelne*, denen es nach Heidegger zukommt, die geschichtliche Entscheidung – nicht zu vollziehen, denn das bleibt dem Sein selbst vorbehalten, aber doch – zu denken.

92 Mit Bezug auf Anm. 60 zu diesem Teil.

93 Ohne Zweifel hat Heidegger der philosophie- und geistesgeschichtlichen Forschung manchen zuvor verschlossenen Weg eröffnet, vielleicht am augenfälligsten hinsichtlich des Bereichs der griechischen Ontologie.

94 Hegel IV 16.

95 Vgl. auch die kritischen Hinweise bei Oeing-Hanhoff II 19 f., Fürstenau 176.

96 Das ist auch von Heidegger sehr nahe stehenden Interpreten moniert worden, vgl. Müller 84, 271.

97 Am weitesten getrieben hat Heidegger diese Konstruktion wohl in den Vorlesungen über den ‚Satz vom Grund'; vgl. dazu wiederum Oeing-Hanhoff II. – Auch hier wieder haben Interpreten, die der Heideggerschen Philosophie durchaus verpflich-

tet sind, Kritik geübt; so hat etwa Rombach 195 ff. Heidegger zwar darin zuge-stimmt, daß das griechische Denken an die Auslegung von Sein als Anwesen gebunden sei; andererseits jedoch stellt er gegen Heidegger fest, daß nicht alles Denken griechisch und unser Denken nicht nur durch das griechische bestimmt sei (sondern etwa auch durch das hebräische, welches gerade nicht an die Prägung des Seins als Anwesen gebunden sei).

98 Zum Vorwurf der Gewaltsamkeit vgl. Heidegger selbst KPM Vorwort zur 2. Aufl., 7 f.

99 Vgl. die von W. Marx 171 aufgeworfenen Fragen, auch die kritischen Bemerkungen bei Fürstenau 177.

100 Der ausschließlich auf Philosophiegeschichte fixierte historische Blick läßt die (Welt-)Geschichte erst mit den Griechen beginnen. Anders Hegel, für den zwar „Europa . . . schlechthin das Ende der Weltgeschichte, [aber] Asien der Anfang" war: „Die erste Gestalt des Geistes ist daher die orientalische." (Hegel III 243 und 244)

101 Es handelt sich hier freilch um ein verbreitetes Vorurteil, dem Heidegger − seiner Absicht zum trotz, dergleichen ‚Vormeinungen' zu hintergragen − aufgesessen ist. Blumenberg, dessen Untersuchung ja u. a. solche philosophiegeschichtlichen bzw. geschichtsphilosophischen Vorurteile aufdecken und korrigieren will, charakterisiert Heideggers Verfahren am Beispiel des Problems der Genese der Neuzeit folgendermaßen: „Was vor dem Cogito des Descartes, in dem er sich als der Funktionär der heraufziehenden Seinsverlassenschaft erweist, an genetischen Voraussetzungen liegt, interessiert den Eingeweihten der ‚Seinsgeschichte' nicht, weil es für den Einfall des epochalen Sinnes aus der Vertikalen . . . gleichgültig bleibt . . ." (Blumenberg 160). Darüberhinaus scheint mir auch genau zuzutreffen, was Blumenberg allgemein zum späten Heidegger feststellt: „*Seinsgeschichte* schließt aus, daß die Signaturen einer Epoche aus der dialogischen Struktur der zwar nicht mit der Geschichte identischen, auch in ihr nicht ständig spontan ‚aktiven', aber doch durch Not und Nötigung, Aporie und heteronome Überspannung ‚aktivierbaren' Vernunft erklärt werden können." (ebd. 159)

102 Zum gleichen Ergebnis kommt z. B. auch Fürstenau 176: „Indem Heidegger die Geschichte der abendländischen Ontologie aus der Universalgeschichte der Kultur produzierenden Gesellschaft des Abendlandes herauslöst, verdeckt er sich nicht nur den jeweiligen gesellschaftlichen Boden der Seinsauffassung, sondern verschüttet sich darüber hinaus die Dynamik der Geschichte und damit ihr Geschehen im eigentlichen Sinne. Denn die Isolierung verhüllt die jeweils treibenden Mächte des Geschehens. Eine morphologische Geschichtsauffassung, die *einen* Aspekt des Geschehens zu einer *für sich* stehenden Gestalt emporstilisiert und nur ihn zur Geltung bringt, muß unhistorisch sein." (176)

103 Zur allgemeinen Kennzeichnung der Verfallstheorien vgl. den Lexikonartikel von Gründer und Spaemann.

104 In Umkehrung von Adornos Satz: „Fortschritt ist so wenig zu ontologisieren, dem Sein unreflektiert zuzusprechen, wie, was freilich den neueren Philosophen besser behagt, der Verfall." (Adorno III 34)

105 Ebd. 41. − Nebenbei bemerkt zeigt sich u. a. auch an solchen Sätzen die Differenz zwischen der Adornoschen und der Heideggerschen ‚Theorie des gegenwärtigen Zeitalters'. Versuche wie neuerdings wieder der von Rohrmoser (III, vgl. bes. 37 f.), der mit nur sehr geringen Einschränkungen (vgl. ebd. 49 f.) die Koinzidenz von Adornoschem und Heideggerschem Denken behauptet, sind wohl doch etwas voreilig. Im übrigen soll gar nicht bezweifelt werden, daß − vor allem auf hoher Abstraktions- oder Typisierungsebene − Übereinstimmungen zwischen Adorno und Heidegger zu konstatieren sind (vgl. etwa auch Marquard II 42 ff.).

106 Geschichte nur noch als etwas verstehen zu können, wozu der Mensch *verurteilt* ist − mag den zur Resignation Neigenden freilich zugestanden werden − unter der Voraussetzung, daß solches Urteil akzeptiert wird.

107 Die Behauptung, daß in SuZ die Technik nicht vorkommt, bedarf allerdings der Differenzierung. Sie trifft ohne Einschränkungen nur dann zu, wenn man ‚Technik' – im engeren Sinne – als Beherrschung und Ausbeutung der Natur versteht. Davon ist in SuZ in der Tat noch keine Rede. In einem weiteren Sinne jedoch kann man unter ‚Technik' den neuzeitlich-modernen Vorgang der (vor allem von Max Weber so genannten) ‚Rationalisierung' verstehen. Legt man *diesen* Sinn von ‚Technik' zugrunde (wie es dann ja auch der spätere Heidegger durchweg tut), so ist natürlich klar, daß auch schon in SuZ – zwar nicht dem Begriff, wohl aber – *der Sache nach* die Technik mit zur Debatte steht. Eine ausgeführte thematische Reflexion aufs ‚Phänomen' der Technik gibt es in SuZ jedoch nicht.

108 Heidegger behauptet sogar, „daß die moderne Naturwissenschaft in der Entwicklung des Wesens der modernen Technik gründet und nicht umgekehrt" (ID 72).

109 Im Platon-Vortrag war zwar noch nicht von der Technik die Rede; dafür gibt es aber bereits in ‚Vom Wesen der Wahrheit' eine Stelle, wo Heidegger von der „technischen Beherrschbarkeit der Dinge" spricht, die sich „grenzenlos gebärdet" (WW 18).

110 Ein dritter Vortrag (‚Das Ding') erschien in VA.

111 Vgl. dazu Oeing-Hanhoff II.

112 Eine Folge davon ist u. a., daß es nachgerade unmöglich geworden ist, beim Reden und Schreiben über die Technik seit langem gebräuchliche Gemeinplätze auch nur halbwegs zu vermeiden. Die im folgenden vorgetragenen Argumente bilden in dieser Hinsicht wohl kaum eine Ausnahme.

113 F. G. Jüngers (1939 entstandene, aber erst 1946 erschienene) Abhandlung weist viele Ähnlichkeiten mit Heideggers Schriften auf, sowohl im Befund und in der Tendenz als auch in der Diktion und im Vokabular. Trotzdem scheint Heidegger gerade Ausführungen wie die Jüngerschen im Auge gehabt zu haben, wenn er die Dämonisierung der Technik als unangemessen zurückwies – jedenfalls verbal (vgl. die Zitate oben 187). Jünger hatte nämlich in der Tat im Zusammenhang mit der Technik vom „Dämonischen" gesprochen (vgl. etwa 172 in der 4. Aufl.). Offensichtlich weiß Heidegger sich also auch noch von denen abzusetzen, die im Grunde seiner Meinung sind.

114 Darin unterscheidet sie sich denn auch von den ihrerseits kritischen oder skeptischen Technik-Theorien etwa der ‚Frankfurter Schule'. Es gibt hier allerdings gewisse Abstufungen: am wenigsten ist wohl Adorno, am meisten Habermas vom antitechnischen Affekt, wie er das Denken Heideggers beherrscht, entfernt. Bei H. Marcuse gibt es teilweise widersprüchliche Äußerungen (vgl. dazu Habermas IVa, bes. 52 ff.). Insgesamt gesehen läßt sich aber doch sagen, daß die ‚Kritische Theorie' die Technik (im weitesten Sinne) dann und dort kritisiert, wo diese und wenn diese *Emanzipation* gerade verhindert, statt sie zu ermöglichen.

115 Die diesbezüglichen Antworten, die Heidegger während der oben in 3.2 und 3.3 besprochenen Phase seines Denkens gab, bleiben hier außer Betracht.

116 Auch hier ist natürlich wieder auf Analogien zur christlichen Eschatologie hinzuweisen.

117 Allerdings sehen Marcuse und andere die Schwierigkeit gerade darin, daß es zur Funktionsweise der als ‚eindimensional' apostrophierten modernen Industriegesellschaft gehört, daß sie eben solche Einsichten in die Notwendigkeit *und auch Möglichkeit* von Veränderungen ‚permanent' verhindert oder aber nur zum Zwecke der ‚Systemstabilisierung' sich zunutzemacht. An diesem Theorem haben die Gegner Marcuses und auch viele seiner Sympathisanten zurecht Kritik geübt (vgl. etwa Offe). Es ist nicht zu verkennen, daß es in einigen Bereichen der ‚Neuen Linken' ähnliche Fatalismen und übrigens auch Romantizismen gibt wie bei Heidegger. So enthielt etwa der zeitweilig vorherrschende naive Revolutionsbegriff der ‚Protestbewegung' jenes Moment von Unmittelbarkeit bzw. Vermittlungslosigkeit, welches auch in der Heideggerschen Kehrerwartung eine Rolle

spielt (vgl. oben 194 die Zitate aus TK 42). Umgekehrt finden sich auch bei Heidegger Argumente, die dem zuweilen von der radikalen Linken gegen Reformbestrebungen erhobenen Vorwurf der ‚Systemstabilisierung‘ ähneln (vgl. etwa die oben 194 zitierten Sätze aus ID 33). Zum Problem vgl. Maurer; zum Vergleich von konservativ-restaurativer und progressiver Zivilisations- und Gesellschaftskritik vgl. neuerdings den informativen Überblick bei Grebing und zwar besonders den 3. Abschnitt ‚Anti-industriegesellschaftliche Kultur-, Zivilisations- und Kapitalismus-Kritik‘ 21—29.

118 Es gibt genügend Anzeichen dafür, daß die Öffentlichkeit in den westlichen Industriegesellschaften zu begreifen beginnt, daß nicht alles, was technisch machbar ist, allein deshalb auch schon realisiert werden sollte (Ein — um ganz konkret zu werden — ins Gewicht fallendes Beispiel dafür, daß solche Einsichten auch politisch durchsetzbar sind, hat unlängst der amerikanische Kongreß geliefert, als er — im Mai 1971 — dem Entwicklungsprojekt eines Überschallpassagierflugzeuges die Zustimmung verweigerte.)

119 Heideggers abfällige Bemerkung zur Frage der Entwicklungshilfe (SD 7) setzt sich souverän über die Probleme des Hungers, des Elends, der Unterdrückung eines großen Teils der Weltbevölkerung hinweg.

120 Oeing-Hanhoff III 255.

121 Vor Illusionen sollte man sich allerdings genauso hüten wie vor übertriebenem Pessimismus. Die Idee eines restlos glücklichen Lebens bleibt wohl auch auf lange Sicht utopisch. Problematisch wird sie dort, wo sie zu völlig unrealistischen —auch politischen — Maximalismen führt. Gewisse Richtungen der ‚Neuen Linken‘, vor allem die Marcusesche, können vom Vorwurf des Illusionismus nicht verschont bleiben. Das gilt beispielsweise auch bezüglich der von Marcuse zeitweilig vertretenen Idee einer ‚neuen Wissenschaft‘ und — als deren Folge — einer neuen Technik. Habermas hat zurecht gegen Marcuse eingewandt, daß die Technik, „wenn sie überhaupt auf einen Enwurf zurückgeht, offenbar nur auf ein ‚Projekt‘ der Menschen insgesamt zurückgeführt werden kann und nicht auf ein historisch überholbares" (Habermas IVa 55); es sei daher — so Habermas weiter — „nicht zu sehen, wie wir je . . ., solange wir . . . unser Leben durch gesellschaftliche Arbeit und mit Hilfe von Arbeit substituierenden Mitteln erhalten müssen, auf Technik, und zwar auf *unsere* Technik, zugunsten einer qualitativ anderen sollten verzichten können." (ebd. 57)

122 Wisser ging im Gespräch mit Heidegger sogar noch weiter: „Betrachtet man . . . Ihren Versuch, die bisherige Philosophiegeschichte als eine Verfallsgeschichte im Blick auf das Sein zu durchschauen und deshalb zu ‚destruieren‘, ist mancher vielleicht versucht, Martin Heidegger das schlechte Gewissen der abendländischen Philosophie zu nennen." (Wisser 70)

123 Papalekas 241. — Wenn Papalekas feststellt: „. . . Gesellschaften mit zerschlagenen bzw. entfunktionalisierten Institutionen klammern sich mit größerer Vehemenz an die Technik . . ." (ebd. 243), so ist damit zumindest die eine Seite der Situation im Nachkriegsdeutschland zutreffend gekennzeichnet.

124 Hofstätter 209 f.

125 Zu Heideggers ‚Kunsttheorie‘ s. u. Anm. 162 zu diesem Teil.

126 Zur Sprache vgl. einige Passagen in EiM 62 f., 67; zum Denken: ebd. Abschn. IV, 3, S. 88 ff.; zum Dichten: ‚Hölderlin und das Wesen der Dichtung‘ (entstanden 1936, in EHD), ‚Der Ursprung des Kunstwerks‘ (entstanden 1935, in HW). Die Tatsache, daß Heidegger sich Mitte der 30er Jahre mit Kunst und Dichtung zu befassen begann, läßt sich vielleicht als durch politische Resignation erzwungene ‚Wende zur Ästhetik‘ auffassen. Der Frage, ob hier möglicherweise Analogien zu bestimmten philosophischen Erscheinungen um die Wende vom 18. zum 19. Jahrhundert vorliegen (etwa zu Schelling), kann hier nicht nachgegangen werden (vgl. nur die Anm. 168 zu diesem Teil).

127 Die (bildende) Kunst hat Heidegger allerdings seit dem Kunst-Vortrag vernachlässigt. (Vgl. erst wieder in jünster Zeit ‚Die Kunst und der Raum'.)

128 Die Rede von der Sprache als dem Haus des Seins will Heidegger übrigens nicht im übertragenen Sinne verstanden wissen (vgl. Hum 43). Verschiedenen Hinweisen läßt sich entnehmen, daß das Sein der Stifter und Erbauer, der Mensch der Bewohner des Hauses sein soll (vgl. Hum 5, 13, 21 f., 45).

129 Bezüglich der Literatur über Heideggers Sprachphilosophie beschränke ich mich auf folgende Hinweise: Neben den Sprache-Kapiteln in den verschiedenen Heidegger-Monographien (etwa Pöggeler, Marx, Richardson, von Herrmann, Allemann u. a.) gibt es zwei Dissertationen: die eine – von I. Bock – rein darstellend-umschreibend und sich erklärtermaßen (vgl. das Vorwort) jeder kritischen Beurteilung enthaltend, die andere dagegen – von H. Schweppenhäuser – äußerst kritisch (auf der Linie von Adornos Heidegger-Kritik). Am wichtigsten erscheinen mir jedoch die Arbeiten von Apel I (Einl.), II, ferner auch III–V. Daß Apels Ausführungen zumindest in ihrer Funktion als Heidegger-*Deutungen* allerdings nicht unproblematisch sind, ist noch später zu zeigen. Hier sei nur schon grundsätzlich gesagt, daß Apel, wie mir scheint, die Tragfähigkeit des Heideggerschen Begriffs von Geschichte erheblich überschätzt (und übrigens auch, was das Verhältnis Heideggers zu Wittgenstein angeht, das weitgehende Fehlen der historischen Dimension bei letzterem unterbewertet).

130 Die Arbeit von Jäger konnte ich erst nach Abschluß des Manuskripts zur Kenntnis nehmen. Sie beschränkt sich aber, ähnlich wie die Untersuchung von Bock (der sie sich auch verpflichtet weiß) fast ausschließlich auf Darstellung und Umschreibung und verzichtet auf jede kritische Beurteilung.

131 Das gilt jedenfalls für die Zeit bis etwa zur Mitte der 60er Jahre. Inzwischen hat auch die (west-) deutsche Philosophie wenigstens teilweise den Anschluß an die angelsächsische Sprachphilosophie gefunden. Damit ist der – im weitesten Sinne – von Heidegger beeinflußten Sprachphilosophie (und -wissenschaft, vgl. J. Lohmann) eine Alternative entgegengestellt, die in zunehmendem Maße an Bedeutung gewinnt. Allerdings ist die Kluft zwischen beiden Arten der Sprachphilosophie (und des Philosophierens überhaupt) nicht so tief, wie es auf den ersten Blick scheinen mag. Darauf hingewiesen zu haben, ist i. e. L. Apels Verdienst; der Unterschied zwischen Heidegger und Wittgenstein – so Apel – sei „nicht so tief begründet . . ., wie die gegenseitige Abkapselung und Perhorreszierung der von beiden Denkern ausgehenden Schulrichtungen der Philosophie vermuten läßt" (Apel II 81). Allerdings scheint mir Apels ‚Konvergenztheorie' trotz ihrer Plausibilität in manchen Punkten ihrerseits übers Ziel hinauszuschießen. Daß sie zur *Sache* gegenwärtiger sprachphilosophischer Problematik einen gewichtigen Beitrag leistet, steht zwar unzweifelhaft fest, als Heidegger- (und wohl auch als Wittgenstein-) *Interpretation* jedoch ist sie in mancher Hinsicht anfechtbar. (Wenn Apel „zunächst einmal unabhängig von der Zielsetzung Heideggers und Wittgensteins" gewisse Probleme bei beiden miteinander vergleichen will – vgl. ebd. 77 –, so mag das für die sachlichen Ziele seiner Untersuchung nützlich und legitim sein; eine Heidegger-Interpretation – jedenfalls eine dem Anspruch nach umfassende – muß jedoch auf die Frage nach den ‚letzten Zielsetzungen' selbstverständlich großen Wert legen.)

132 Heideggers Gegenüberstellung von Rede und Sprache entspricht vielleicht nur in formaler Hinsicht der de Saussure'schen Unterscheidung zwischen ‚parole' und ‚langage'.

133 Die widersprüchliche Einordnung der Rede in die existenziale Struktur zeigt sich auch daran, daß später nicht mehr die Rede, sondern das Verfallen als das dritte Moment der existenzialen Gesamtstruktur erscheint (vgl. SuZ § 41; zu diesem Problem s. o. Anm. 152 zum ersten Teil und Müller-Lauter I 54 ff.).

134 Apel hat einem solchen Verständnis von der Funktion der Sprache bzw. Rede in

SuZ widersprochen und zu zeigen versucht, daß auch die existenziale Analyse bereits — wenn auch vielleicht mehr implizit als explizit — der Sprache eine ganz fundamentale (und das heißt: eine vor- oder außersprachliche Verständlichkeit weitgehend *ausschließende*) Funktion zugebilligt habe (vgl. bes. Apel I 52 ff.). Gegen diese Auffassung sprechen neben den bereits angeführten Zitaten noch andere Gründe: Die ausdrückliche Behandlung von Rede/Sprache umfaßt in SuZ ganze sieben Seiten; nimmt man den Paragraphen über das Gerede (167 ff.) und die Passage über die Zeitlichkeit der Rede hinzu (349 f.), so kommt man auf etwa 12 Seiten. Innerhalb der Theorie des Verstehens oder der Verständlichkeit oder ganz allgemein des In-der-Welt-seins — und diese Theorie ist schließlich im Grunde Thema des ganzen ersten Abschnitts von SuZ — kommt der Sprache bzw. Rede also offenbar nur eine durchaus begrenzte Funktion zu. (Übrigens ist auch die *methodische* Funktion des Passus über Rede/Sprache in SuZ äußerst begrenzt, vgl. 166.) Nun könnte man einwenden, daß in SuZ *explizit* zwar nur in geringem, *implizit* aber in erheblich größerem Umfang die Sprache behandelt würde, und könnte dafür i. e. L. Heideggers Analyse von Umweltlichkeit, Zuhandenheit, Zeug etc. (§§ 15—18) anführen, innerhalb derer ja der Begriff der *Bedeutsamkeit* — also, wie es scheint, eine sprachlich-semantische Kategorie — eine große Rolle spielt (vgl. bes. § 18). Das Vorkommen dieses Begriffs innerhalb der ‚Lebenswelt-theorie' von SuZ scheint mir aber keinesfalls zu beweisen, daß hier die Sprachlich-keit eines jeden Weltverständnisses behauptet worden sei. Im Gegenteil: die frag-lichen Bedeutungen und Bedeutsamkeiten scheinen mir gerade noch starke Züge jener idealen (übersprachlichen, durch Sprache nur — und zwar meist unzuläng-lich — *ausgedrückten*) Bedeutungen zu tragen, wie sie sich die klassische Phäno-menologie dachte, nur daß Heidegger diese Bedeutungen — und darin liegt dann allerdings ein erheblicher Fortschritt gegenüber Husserl — am lebensweltlichen Kontext ‚festmachte'. Die erschließende Funktion der Sprache hat Heidegger dabei ganz offensichtlich unterschätzt; es geht aber nicht an, in Heideggers Frühphilosophie hineinzulesen, was nicht — noch nicht — drinstand. Apel über-schätzt ganz offensichtlich die Rolle, die Sprache und Rede faktisch in SuZ spielen. — Erst nach Abschluß des Manuskripts habe ich den Aufsatz von Kuno Lorenz und Jürgen Mittelstraß: Die Hintergehbarkeit der Sprache. In: Kantstu-dien 58 (1967) 187—208 gelesen und dabei feststellen können, daß meine Kritik an Apels Überbewertung der Rolle der Sprache in SuZ mit derjenigen von Lorenz und Mittelstraß nahezu identisch ist (s. 196—199).

135 Diesen Wandel hat von Herrmann als „Übergang von der existenzialen zur aletheiologisch-eksistenzialen Sprachauslegung" (188) des näheren beschrieben und interpretiert (vgl. insgesamt das 7. Kap. des 3. Teils, S. 181 ff.).

136 Aus einem Hinweis in der Anaximander-Abhandlung der ‚Holzwege' kann man vielleicht entnehmen, daß nicht nur das Reden über die Sprache letztlich tauto-logisch ist, sondern im Grunde auch das Wesen der Sprache selbst: „denn die Sprache" — so Heidegger — müßte, „um das Wesende des Seins zu nennen, ein einziges, das einzige Wort finden" (HW 337).

137 Heidegger glaubte sogar, das *Wort* ‚Sprache' durch ein anderes ersetzen zu müssen, nämlich durch „Sage" (USp 145); der Sinn von ‚Sage' wurde dann näher durch „Zeige" erläutert (ebd. 254).

138 Die Positionen, die Heidegger bekämpft, sind unschwer als die Disziplinen der modernen Sprachwissenschaft und benachbarter Wissenschaften zu identifizieren (Semiotik, Semantik, Pragmatik, Soziolinguistik, Grammatik, Logistik, Informa-tionstheorie, Kybernetik etc.). — Kaum weniger verdächtig als die Sprach*wissen-schaft* erscheint Heidegger auch die Sprach*philosophie*: „. . . die Besinnung auf das Wesen der Sprache . . . kann nicht mehr bloße Sprachphilosophie sein." (Hum 9, vgl. WhD 100)

139 Apel II 92 f.

140 Schweppenhäuser (Archiv 7) 283.
141 Ebd. 283.
142 Apel geht auf Heideggers Thesen zur Sprach*geschichte* und zur Geschichte der Sprachphilosophie kaum ein. Würde er es tun, so müßte er zu einer ähnlichen Kritik kommen, wie sie hier angedeutet wurde. Denn gerade Apel unterscheidet deutlich mehrere — in ihrer Tendenz z. T. stark voneinander abweichende — sprachtheoretische Stränge, etwa die im Zusammenhang mit der Idee einer mathesis universalis stehende Sprachtheorie (i. e. L. Leibniz) von der Tradition des ‚Sprachhumanismus', zu der auch von Humboldt zu rechnen wäre (vgl. Apel I 17 f.).
143 Heidegger selbst hat einmal beiläufig seine eigene Position und diejenige Carnaps als die „äußersten Gegenpositionen" der heutigen Philosophie gekennzeichnet (vgl. PhänTheol II 39).
144 Vgl. in dieser Richtung etwa die Wittgenstein-Kritik von Schulz III, bes. das 3. Kap., S. 90 ff.
145 In SuZ war dieser Zusammenhang noch nicht preisgegeben.
146 Schweppenhäuser (Archiv 7) 283.
147 Apels vorsichtige Heidegger-Kritik moniert eben diesen Punkt: daß nämlich der Heideggersche Sprachbegriff die Reflexionsfähigkeit der Sprache praktisch ausschließt. In einer übers reine Sprachphänomen hinaus erweiterten Problemstellung macht Apel geltend, „daß die Philosophie nicht allein aus der ‚Hörigkeit' des Hörens auf den ‚Zuspruch' des Seins im geschichtlichen ‚Kairos' die Legitimation ihres Denkens und Sagens empfängt, sondern auch zugleich in der ständig zu erneuernden Selbstaufstufung der Reflexion bis zum Denken des Denkens in totaler intersubjektiver Allgemeingültigkeit" (Apel II 75 mit Bezug auf bestimmte Theorien von Theodor Litt); es komme nämlich auch darauf an — so Apel weiter —, „eine kritische Gegeninstanz zur Geltung zu bringen angesichts der geschichtlichen Eröffnung der Wahrheit, die als dogmatisch-einseitig stets auch die Unwahrheit der Verdeckung möglicher Wahrheit implizieren muß" (ebd. 93 f. mit Bezug auf die Theorie der ‚dogamtischen Denkform in den Geisteswissenschaften' von Erich Rothacker); eine Philosophie — so Apel schließlich —, die dies nicht beachtet, „liefert den Menschen dem geschichtlichen Schicksal aus und gibt die im Zeichen der philosophischen Aufklärung schon errungene Emanzipation des Menschen vom Schicksal wieder preis" (ebd. 94). Ähnlich hat auch Anz — nach langen Seiten der Heidegger-Apologie — am Ende doch sich zu der Frage gezwungen gesehen, ob Heidegger „durch die Schärfe der Gegenstellung von Zeitigung und Vernunft . . . das Moment der Vernunft in unserem Sprechen nicht über Gebühr zurückgedrängt hat" (317 f.). Vgl. in diesem Zusammenhang auch die subtile Heidegger-Kritik bei Simon 199—227.
148 Zur Frage nach der ‚Universalität' oder nach den Grenzen des ‚Sprachlichen' kann hier nicht Stellung genommen werden. Wesentliche Gesichtspunkte dieser Problematik werden in der Krontoverse zwischen Gadamer und Habermas über die Universalität der Hermeneutik vorgebracht (vgl. i. e. L. Gadamer IV und Habermas III).
149 Vgl. dazu Apel I 199: „. . . auch das Denken Heideggers, insbesondere seine Sprachkonzeption, ist m. E. nicht ohne die Tradition der deutschen Logosmystik denkbar, die von Eckart, Cusanus und Böhme her in den deutschen Idealismus und die Romantik mündet . . ." (vgl. auch ebd. 78, Anm. 91). Übrigens ist die theologische Sprachkonzeption von Heidegger gleichfalls als metaphysisch gekennzeichnet worden (vgl. USp 14 f.). Das ändert aber nichts daran, daß in Heideggers Sprachauffassung wiederum die Analogien zur Theologie oft mit Händen zu greifen sind.
150 Von Dichtung und Kunst war in Heideggers Schriften bis 1929 praktisch keine Rede. Der Begriff ‚Denken' wurde in SuZ nicht nur nicht verwendet, sondern

sogar bewußt vermieden. Heidegger übersetzte das griechische noeîn nicht mit
‚Denken‘, sondern mit ‚Vernehmen‘; noeîn (und légein) – so Heidegger – bedeu-
teten für die Griechen „das schlichte Vernehmen von etwas Vorhandenem in
seiner puren Vorhandenheit" (SuZ 25; dabei komme unter den verschiedenen
Modi des noeîn der aísthesis, dem „schlichten sinnlichen Vernehmen", sogar ein
gewisser Vorrang zu, vgl. ebd. 33). Da nun aber, der existenzialen Analytik zufolge, bereits das Vernehmen ein bestimmter *fundierter* Modus des In-der-Welt-
seins ist, so muß erst recht und noch mehr das Denken als etwas Abgeleitetes
gelten; es gehört mit der Anschauung zu den „entfernten Derivaten des Verstehens" (ebd. 147, vgl. 96).

151 Es handelt sich in der Rektoratsrede um eine lockere Aufzählung „aller welt-
lichen Mächte des menschlich-geschichtlichen Daseins", darunter auch „Dichten,
Denken, Glauben" (SddU 13).

152 Seine Polemik gegen die Logik hatte Heidegger ja bereits 1929 vorgetragen (vgl.
WiM 28, 30, 36 f.).

153 Über den politischen Sinn dieser Bestimmung vgl. oben die zweite Hälfte der
Anm. 96 zum dritten Teil.

154 Von der klassisch zu nennende Position der ‚Überwindung der Metaphysik‘, wie
sie Heidegger mindestens ein Vierteljahrhundert lang vertrat, ist er später teilweise
und in einem bestimmten Sinne wieder abgerückt. In dem ‚Protokoll zu einem
Seminar über den Vortrag ‚Zeit und Sein‘‘ (vgl. dazu Anm. 73 zu diesem Teil)
heißt es am Schluß: „Sein ohne Seiendes denken, heißt: Sein ohne Rücksicht auf
die Metaphysik denken. Eine solche Rücksicht herrscht nun aber auch noch in der
Absicht, die Metaphysik zu überwinden. Darum gilt es, vom Überwinden abzu-
lassen und die Metaphysik sich selbst zu überlassen." (SD 25)

155 Es steht wohl außer Zweifel, daß Heidegger für sich beansprucht, diesen Schritt
getan und so das Ende der Philosophie vollzogen zu haben.

156 Diese Degeneration der Dichtung zur Literatur entspricht derjenigen des Denkens
zur Wissenschaft. – In seinen Interpretationen (zu Hölderlin, Hebel, Trakl.
George, Rilke) erhebt Heidegger folgerichtig „keinen Anspruch auf Wissenschaftlichkeit" (USp 162). Zur Frage der Legitimität der Heideggerschen Interpretationen und zum Thema ‚Heidegger und die Literaturwissenschaft‘ vgl. etwa die
kritischen Überlegungen von Schrimpf, auch die Polemik von Minder Ia. Von
Interesse ist in diesem Zusammenhang die Kontroverse ‚Zu einem Vers von
Mörike‘ zwischen Heidegger und Staiger in: Trivium 9 (1951) 1–16) (Heideggers
Beiträge 3 f. und 7–14; vgl. auch noch den Beitrag von Leo Spitzer 133–146).

157 Bei vielen Sätzen Heideggers ist nicht zu entscheiden, ob es sich um Interpretation oder Periphrase der Texte einerseits oder um ‚eigene‘ Feststellungen andererseits handelt. Das spielt aber insofern keine große Rolle, als die Dichterworte,
besonders diejenigen Hölderlins (des „Dichters des Dichters" EHD 32), ja gerade
als einzigartige Wesensbestimmung der Dichtung gelten sollen.

158 In Heideggers Bestimmung der Dichtung spielt der Begriff der Schönheit so gut
wie keine Rolle. Eine Ausnahme bildet die Stelle WhD 8, wo ‚Schönheit‘ als die
dem dichtenden Wort eigene Wahrheit verstanden wird. Weiter heißt es: „Schön
ist nicht das, was gefällt, sondern was unter jenes Geschick der Wahrheit fällt, das
sich ereignet, wenn das ewig Unscheinbare und darum Unsichtbare in das er-
scheinendste Scheinen gelangt." (ebd.) Vgl. dazu auch die erwähnte Kontroverse
zwischen Heidegger und Staiger, wo es um die Auslegung des Mörike-Verses ging
„Was aber schön ist, selig scheint es in ihm selbst."

159 Dem widerspricht allerdings an anderer Stelle die Bemerkung, daß „das Denken
nicht dichtet" (WhD 155).

160 Diese Erklärung – nämlich, daß die griechische Philosophie Entfernung vom
Mythos *und* vom Logos ist – versteht sich natürlich als Antithese zu der unter
dem Titel ‚Vom Mythos zum Logos‘ (Nestle) stehenden Auffassung vom Gang der
griechischen Geistesgeschichte.

161 Heidegger bedient sich einmal, um das Verhältnis von Dichten und Denken zu veranschaulichen, des Bildes von zwei Parallelen, die sich im Unendlichen schneiden (USp 196).

162 Auf ein eigenes Kapitel zu Heideggers Theorie der (bildenden) Kunst wird hier verzichtet, und zwar in erster Linie aus sachlichen Gründen. Der bildenden Kunst kommt nämlich nach Heidegger wenig Spezifisches zu, wodurch sie von anderen Arten der Kunst abgehoben wäre. Das zeigen die folgenden Sätze aus ‚Der Ursprung des Kunstwerks‘: „Alle Kunst ist als Geschehenlassen der Ankunft der Wahrheit des Seienden als eines solchen im Wesen Dichtung.“ (HW 59) „Wenn alle Kunst im Wesen Dichtung ist, dann müssen Baukunst, Bildkunst, Tonkunst auf die Poesie zurückgeführt werden.“ (ebd. 60) „. . . die Poesie ereignet sich in der Sprache, weil diese das ursprüngliche Wesen der Dichtung verwahrt. Bauen und Bilden dagegen geschehen immer schon und immer nur im Offenen der Sage und des Nennens. Von diesem werden sie durchwaltet und geleitet. Aber gerade deshalb bleiben sie eigene Wege und Weisen, wie die Wahrheit sich ins Werk richtet. Sie sind ein je eigenes Dichten innerhalb der Lichtung des Seienden, die schon und ganz unbeachtet in der Sprache geschehen ist.“ (61) Das Postulat, das im vorletzten Satz impliziert ist, hat Heidegger allerdings nicht erfüllt; es gibt bei ihm keine Ansätze zu einer Theorie der spezifischen Differenz zwischen ‚Bildkunst‘ und ‚Sprachkunst‘. Vielmehr erschöpft sich die Bestimmung des Wesens der bildenden Kunst im wesentlichen in der Wiederholung dessen, was über die Dichtung gesagt wird, nämlich daß sie Stiftung der Wahrheit sei. – Heideggers These von der ‚Sprachlichkeit‘ auch der bildenden Kunst – Konsequenz seines ‚Sprachabsolutismus‘ – wäre dann zuzustimmen, wenn damit nur gemeint wäre, daß auch die bildende Kunst immer schon sprachliche Erschlossenheit voraussetzt. Offensichtlich meint Heidegger aber mehr, nämlich daß es aufgrund dieser Sprachlichkeit keinen ins Gewicht fallenden Unterschied zwischen Sprachkunst (Dichtung) und bildender Kunst gibt. Sprachlichkeit ist jedoch zwar die notwendige, nicht aber die hinreichende Bedingung der Möglichkeit von bildender Kunst. In gewisser Weise scheint Heidegger selbst später diese Einsicht geltend gemacht zu haben, in dem er der Beziehung zwischen Kunst und *Raum* nachging. (Freilich enthält auch die kleine Schrift ‚Die Kunst und der Raum‘ kaum Ansätze zu einer spezifischen Theorie der bildenden Kunst.)

163 Daß es in der Tat vielfache Beziehungen zwischen Denken (Philosophie, Wissenschaft) und Dichten (Literatur) gibt und die Grenze zwischen beiden fließend ist, ist natürlich nicht zu bezweifeln. Heideggers Gleichsetzung von beiden intendiert aber etwas durchaus anderes.

164 Die folgenden Ausführungen ergänzen praktisch nur das, was bereits im Kapitel über die Technik (s. o. 4.2.1) gesagt wurde.

165 Spaemann 301.

166 Vgl. Habermas II.

167 Darum – so Löwith – „kann Heideggers Anspruch auf die Notwendigkeit seines Denkens nur die überzeugen, die mit ihm glauben, daß sein Denken vom Sein selbst zugeschickt, ein Seinsgeschick ist und so das ‚Diktat der Wahrheit des Seins‘ sagt. Darüber läßt sich vernünftig nicht rechten.“ (Löwith I 59)

168 Natürlich kann Dichtung bzw. Literatur unter Umständen einen Beitrag zur Veränderung einer als schlimm empfundenen Wirklichkeit leisten, indem sie beispielsweise eine kritische Funktion erfüllt. Dergleichen ist allerdings dem Heideggerschen Dichtungsbegriff fremd: Die Stiftung der Wahrheit, als welche die Dichtung bestimmt wird, ist – so Heidegger – „nur in der Bewahrung wirklich“ (HW 62). – Die Überforderung des ‚Ästhetischen‘ in der Spätphilosophie Heideggers weist viele Ähnlichkeiten mit der Verabsolutierung der Kunst (bzw. der Philosophie der Kunst) bei Schelling auf. (Zum Problem vgl. etwa Marquard III, D. Jähnig: Schelling. Die Kunst in der Philosophie I (1966), II (1969), sowie H. J. Sandkühler:

Freiheit und Wirklichkeit. Zur Dialektik von Politik und Philosophie bei Schelling (1968), bes. 108 ff.; ders.: Schelling et l'aporie d'une théorie non esthétique de l'art, in: Archives de Philosophie 33 (1970) 29—43; ders.: Friedrich Wilhelm Josef Schelling (1970), bes. 90 ff., dort auch eine Zusammenstellung der Belege, aus denen man die Ähnlichkeit mit Heideggers Begriff von Dichtung und Kunst unmittelbar entnehmen kann.) Diesen Zusammenhängen und den Konsequenzen, die sich daraus möglicherweise für die Heidegger-Interpretation ergeben könnten, kann hier nicht nachgegangen werden. Es sei nur darauf hingewiesen, daß für einen Vergleich des Heideggerschen Denkens mit den Positionen der klassischen idealistischen Philosophie i. e. L. nicht Hegel, sondern in der Tat Schelling relevant ist. Der Deutung von Schulz (vgl. oben Anm. 210 zum ersten Teil) ist in dieser Hinsicht voll zuzustimmen. Zum Thema ‚Heidegger und Hegel' vgl. bei Heidegger selbst das ‚Protokoll zu einem Seminar über den Vortrag ‚Zeit und Sein'' in SD, ferner ID 37 ff. et passim sowie Heideggers Hegel-Deutungen ‚Hegels Begriff der Erfahrung' (in HW) und ‚Hegel und die Griechen' (in ‚Wegmarken'); sodann Gadamer III, van der Meulen und zahlreiche Hinweise bei Pugliese. Übrigens hat man auch Analogien zwischen Heidegger und Fichte konstatiert, so Mougin, der Parallelen zwischen Positionen wie der Sartres und des frühen Heidegger einerseits und dem frühen Fichte andererseits sieht, oder bei Rohrmoser I, der andeutungsweise von Analogien zwischen dem späten Fichte und dem späten Heidegger spricht (vgl. Rohrmoser I 47). In der Tat weist Heideggers Spätphilosophie manche Ähnlichkeiten über die ‚Grundzüge des gegenwärtigen Zeitalters' auf (etwa mit der Unterscheidung zwischen apriorischer und aposteriorischer Geschichte oder mit der Ansetzung der verschiedenen Stadien der Geschichte). Eine genauere Untersuchung zum Thema ‚Heidegger und der deutsche Idealismus' bleibt ein dringendes Desiderat der Heidegger-Forschung.

169 Auf die gerade erschienene Schelling-Vorlesung Heideggers aus dem Jahre 1936 konnte ich in dieser Untersuchung leider nicht mehr eingehen.

170 Allerdings benutzt Heidegger dann an anderer Stelle einige Goethe-Verse, um aus ihnen die mögliche Alternative zur Herrschaft des metaphysischen Denkens abzuleiten (vgl. SvG 206 ff.).

171 So Rohrmoser während eines Heideggerseminars in der Evangelischen Akademie Hofgeismar im Juni 1970.

172 In einer Festrede zur 700-Jahr-Feier seiner Heimatstadt Messkirch sagte Heidegger, daß es darauf ankomme, der ,,Gewalt des Unheimischen" (der Technik etc.) ,,die spendenden und heilenden und bewahrenden Kräfte des Heimischen" entgegenzusetzen (in: ‚Martin Heidegger. Zum 80. Geburtstag von seiner Heimatstadt Messkirch' S. 38). Weiter hieß es: ,,Solches bleibt am ehesten dort möglich und am nachhaltigsten dort wirksam,wo die Kräfte der umgebenden Natur, wo der Nachhall der geschichtlichen Überlieferung, wo das Herkommen und die von altersher gepflegte Sitte das menschliche Dasein bestimmen. Dieser entscheidenden Aufgabe vermögen heute nur noch die ländlichen Bezirke und kleinen Landstädte zu genügen . . ." (ebd. 38; vgl. zum Problem solcher Positionen Ritter III).

173 Glocke und Läuten sind bei Heidegger anscheinend Symbole fürs Ursprüngliche, Heile, Geborgene; vgl. auch Feldweg 2, EHD 7, USp 30 (,,Geläut und Stille").

174 Auf die Stellen, an denen in dieser Untersuchung bereits von Heideggers Selbstinterpretation und von der Kehre die Rede war, sei vorweg verwiesen.

175 Formale und semantische Überlegungen zum Wort ‚Kehre' im allgemeinen und bei Heidegger im besonderen finden sich bei Pugliese 30 f.

176 Einmal heißt es sogar: ,,Das ‚Geschehen' der Kehre . . . ‚ist' das Seyn als solches." (BaR XXI)

177 Von Herrmann 9.

178 Genau genommen verwendet Heidegger also den Ausdruck ‚Kehre' in dreifacher Bedeutung: a) Kehre im Sein selbst, b) Kehre vom frühen zum späten Denken, c) Kehre vom zweiten zum dritten Abschnitt des 1. Teils von SuZ. Schon früher (s. o. 52 ff.) wurde gesagt, daß es mir ratsam erscheint, im Gegensatz zu Heidegger die zweite und dritte Bedeutung klar auseinanderzuhalten: die *tatsächlich vollzogene* Kehre ist etwas anderes, als es die für SuZ *geplante, aber nicht durchgeführte* Kehre gewesen wäre.

179 Die Radikalität, mit der sich Heidegger in den 30er Jahren von SuZ distanzierte, hat er allerdings später wieder aufgegeben. Die Umdeutung der Existenzialien hat ja gerade den Sinn, die These von einem förmlichen Bruch zwischen SuZ und dem späteren Denken zu widerlegen.

180 Der Abhandlung ‚Vom Wesen des Grundes', in der noch die Position von SuZ vertreten wird, hat Heidegger selbst später „falsche Gründlichkeit" vorgeworfen (SvG 85).

181 Vgl. Scholtz, zu Heidegger 234 ff.

182 In der Vorlesung ‚Der Satz vom Grund' charakterisiert Heidegger den Übergang von der einen Tonart des Satzes (‚*nichts* ist *ohne* Grund') zur anderen (‚nichts *ist* ohne *Grund*') als einen Sprung, in dem sich jener Satz als ein Satz vom Sein – nicht mehr bloß vom Seienden – erweist (vgl. SvG 91 ff.); ‚Satz' kann dann schließlich so verstanden werden, wie wenn man sagt: ‚er war mit einem Satz zur Tür hinaus'. Der Satz vom Grund erscheint so als „Satz in das Sein" (ebd. 96; ähnlich ID 24 f.).

183 Die ‚klassischen' Heidegger-Interpreten – Müller, Löwith, Schulz – haben sich in dieser Beziehung noch zurückgehalten.

184 Fürstenau 167 f.

185 Wiplinger 318.

186 Vgl. Pöggeler I 163 ff.

187 Ebd. 161.

188 Pöggeler II 617.

189 Ebd. 625.

190 Vgl. Ott 73 ff., 95; von Herrmann 275 ff.

191 Vgl. Pugliese 48. Schon Allemann hatte die Meinung abgelehnt, bei der Kehre handle es sich um ein „einmaliges Vorkommnis" im Denken Heideggers (Allemann I′ 70 f., vgl. auch 72, 113, 122). In den beiden großen Literaturberichten von Pflaumer und Sinn wird die Kehre im Prinzip nicht anders gedeutet als von den Autoren, die hier bereits zitiert wurden. – Übrigens ist es erwähnenswert, daß man der Kehre analoge Erfahrungen auch anderswo gesehen hat, so bei Hegel als Kehre von der Phänomenologie zum reinen Logos (vgl. van der Meulen 18, 167), bei Hölderlin als vaterländische Umkehr (vgl. Allemann I), sowie innerhalb der jüngeren Neuscholastik als Wende von der Transzendentalmetaphysik Maréchalscher Prägung zur Partizipationsproblematik (vgl. Müller 217 ff., 222 ff.; gemeint sind i. e. L. die Arbeiten von Cornelio Fabro und Louis Geiger).

192 Pugliese 89 und 219. Dies impliziert einen grundsätzlichen Verzicht auf Kritik (vgl. ebd. 89).

193 Vgl. ebd. 28.

194 Apel I 57.

195 So in etwa – allerdings mit Vorbehalten – van der Meulen (s. o. die zweite Hälfte von Anm. 191 zu diesem Teil). – Übrigens hat Heidegger selbst, wie Pugliese 219 Anm. 2 zu berichten weiß, in einer Vorlesung von 1930/31 ‚Sein und Zeit' mit Hegels ‚Phänomenologie des Geistes' verglichen. Angesichts der von Heidegger in der Folgezeit eingenommenen Stellung zu Hegel (vgl. unten die in der zweiten Hälfte von Anm. 168 zu diesem Teil angeführten Texte) erscheint es jedoch höchst unwahrscheinlich, daß Heidegger seinen eigenen ‚Denkweg' in eine solche Analogie zu Hegel würde gebracht sehen wollen.

196 Vgl. Hegel I, Vorrede und Einleitung (Zitate in der Reihenfolge 66, 32, 67), dazu Hegel II, Vorrede, bes. 7.

197 Auf die nationalsozialistische ‚Episode' in der Entwicklung der Heideggerschen Philosophie gehe ich hier nicht mehr eigens ein.

198 Vgl. oben 86.

199 Tugendhat 364.

200 Daß auch Heidegger selbst, freilich in *seinem* Sinne, diesen Satz bestätigen würde, geht aus dem auf sein frühes Denken bezogenen Wort von den „unzureichenden Deutungen des eigenen Vorhabens" hervor (BaR XV). D. h. also: in SuZ war Heideggers Philosophie hinsichtlich ihrer wahren Absichten noch nicht mit sich selbst ins reine gekommen.

201 Genauere Einsicht in die seinsgeschichtliche Position konnte sich das breite philosophische Publikum allerdings erst ein bis zwei Jahrzehnte nach ihren ersten Ansätzen verschaffen.

202 Ürigens enthält diese Feststellung gewisse hermeneutische Implikationen für die Heideggerdeutung: jede Interpretation von SuZ ist spätestens seit dem Ende der 40er Jahre durch die Kenntnis dessen, was Heidegger *nach* SuZ dachte, beeinflußt. Das gilt für die vorliegende Untersuchung genauso wie faktisch für alle anderen auch. Denn die Fortsetzungsgeschichte einer Position kann für die Deutung dieser Position selbst nicht belanglos bleiben.

Literaturverzeichnis

Heideggers Schriften

Die Reihenfolge richtet sich meist nach dem ersten Erscheinen; verzeichnet wird jedoch jeweils die zitierte Auflage. Über Entstehung, Erstveröffentlichung etc. informiert die Bibliographie von Sass. (Für die Schriften bis 1964 vgl. auch das entstehungschronologische Verzeichnis bei Richardson I 678 ff.) Für die bei Sass nicht mehr verzeichneten Schriften nach 1967 gebe ich selbst einige Hinweise in Klammern.

	Die Lehre vom Urteil im Psychologismus. Ein kritisch-positiver Beitrag zur Logik. Leipzig 1914.
Duns Scotus	Die Kategorien- und Bedeutungslehre des Duns Scotus. Tübingen 1916.
	Der Zeitbegriff in der Geschichtswissenschaft. Zeitschrift für Philosophie und philosophische Kritik. 161 (1916), 173–188.
SuZ	Sein und Zeit. 9. Auflage. Tübingen 1960.
WiM WiM-N WiM-E	Was ist Metaphysik? (Mit dem Nachwort der 4. Auflage von 1943 und der Einleitung der 5. Auflage von 1949). 9. Auflage. Frankfurt 1965.
KPM	Kant und das Problem der Metaphysik. 3. Auflage. Frankfurt 1965.
WdG	Vom Wesen des Grundes. 5. Auflage. Frankfurt 1965.
	Arbeitsgemeinschaft Cassirer – Heidegger bei den II. Davoser Hochschulkursen 1929, Protokoll. Abgedruckt bei Schneeberger II (s. u.) Beilage IV, 17–27.
SddU	Die Selbstbehauptung der deutschen Universität. Breslau 1933.
Nachlese	Arbeitsdienst und Universität (20. 6. 1933). Bei Schneeberger I (s. u.) Nr. 57, S. 63 f.
–	Deutsche Studenten (3. 11. 1933). Bei Schneeberger I (s. u.) Nr. 114, S. 135 f.
–	Deutsche Männer und Frauen (10. 11. 1933). Bei Schneeberger I (s. u.) Nr. 129, S. 144–146.
–	Deutsche Lehrer und Kameraden! Deutsche Volksgenossen und Volksgenossinnen! (11. 11. 1933) bei Schneeberger I (s. u.) Nr. 132, S. 148–152.
–	Der Ruf zum Arbeitsdienst (23. 1. 1934). Bei Schneeberger I (s. u.) Nr. 158, S. 180 f.
–	Nationalsozialistische Wissensschulung (1. 2. 1934). Bei Schneeberger I (s. u.) Nr. 170, S. 198–202.
	Warum bleiben wir in der Provinz? Zuerst 1934, neu bei Schneeberger I (s. u.) Nr. 185, S. 216–218.
PLW	Platons Lehre von der Wahrheit. Mit einem Brief über den Humanismus. 2. Auflage. Bern 1954.
WW	Vom Wesen der Wahrheit. 4. Auflage. Frankfurt 1961.
EHD	Erläuterungen zu Hölderlins Dichtung. 3. Auflage. Frankfurt 1963.

Hum	Über den Humanismus. Frankfurt 1949.
HW	Holzwege. 4. Auflage. Frankfurt 1963.
	Der Feldweg. 4. Auflage Frankfurt 1969.
	Brief an Emil Staiger. Abgedruckt in: Emil Staiger: Zu einem Vers von Mörike. Ein Briefwechsel mit Martin Heidegger. Trivium 9 (1951), 1–16.
EiM	Einführung in die Metaphysik. 3. Auflage. Tübingen 1966.
	Leserbrief. ‚Die Zeit' vom 24. 9. 1953, S. 8.
EdD	Aus der Erfahrung des Denkens. 2. Auflage. Pfullingen 1965.
VA	Vorträge und Aufsätze. 2. Auflage. Pfullingen 1959.
WhD	Was heißt Denken? 2. Auflage. Tübingen 1961.
ZSF	Zur Seinsfrage. 3. Auflage. Frankfurt 1967.
WiPh	Was ist das – die Philosophie? 4. Auflage. Pfullingen 1966.
SvG	Der Satz vom Grund. 3. Auflage. Pfullingen 1965.
ID	Identität und Differenz. Pfullingen 1957.
	Hebel – Der Hausfreund. 3. Auflage. Pfullingen 1965.
	Grundsätze des Denkens. Jahrbuch für Psychologie und Psychotherapie. 6 (1958), 33–41.
	Vom Wesen und Begriff der PHYSIS, Aristoteles Physik B 1. Il Pensiero. 3 (1958), 131–156, 265–290.
Gel	Gelassenheit. Pfullingen 3. Auflage o.J.
	Antrittsrede vor der Heidelberger Akademie der Wissenschaften. Wissenschaft und Weltbild. 12 (1959), 610 f.
USp	Unterwegs zur Sprache. 3. Auflage. Pfullingen 1965.
N I, N II	Nietzsche. Zwei Bände, Pfullingen 1961.
	Die Frage nach dem Ding. Zu Kants Lehre von den transzendentalen Grundsätzen. Tübingen 1962.
	Kants These über das Sein. Frankfurt 1963.
TK	Die Technik und die Kehre. Pfullingen 1962.
BaR	Brief an William J. Richardson. Als Vorwort zu Richardson I (s. u.), engl.-dt., S. VIII–XXIII.
	Wegmarken. Frankfurt 1967.
SD	Zur Sache des Denkens. Tübingen 1969. (Entstanden zwischen 1962 und 1966, u. a.: ‚Zeit und Sein', ‚Das Ende der Philosophie und die Aufgabe des Denkens', ‚Mein Weg in die Phänomenologie'.)
	Die Kunst und der Raum. St. Gallen 1969.
	Martin Heidegger zum 80. Geburtstag von seiner Heimatstadt Messkirch. Frankfurt 1969. (Enthält einige kleinere, bis auf eine Ausnahme bereits vorher gedruckte und zwischen 1949 und 1964 entstandene, Schriften Heideggers, u. a. ‚Vom Geheimnis des Glockenturms', ‚Rede bei der 700-Jahrfeier der Stadt Messkirch', ‚Über Abraham a Sancta Clara'.)
Interview mit Wisser	Martin Heidegger im Gespräch. Hrsg. R. Wisser (s. u.). (S. 67–77: Interview von Wisser mit Heidegger in einer Sendung des Zweiten Deutschen Fernsehens vom 24. 9. 1969.)

PhänTheol   Phänomenologie und Theologie. Frankfurt 1970. (Enthält unter I den
PhänTheol II Marburger Vortrag von 1927/28, unter II ‚Einige Hinweise auf Haupt-
           gesichtspunkte für das theologische Gespräch über ‚Das Problem eines
           nichtobjektivierenden Denkens und Sprechens in der heutigen Theolo-
           gie' ', entstanden 1964.)
           Zusammen mit Eugen Fink: Heraklit. Frankfurt 1970. (Protokoll eines
           Seminars vom Wintersemester 1966/67.)
           Schellings Abhandlung ‚Über das Wesen der menschlichen Freiheit'
           (1809). Hrsg. H. Feick, Tübingen 1971. (Vorlesung vom Sommerse-
           mester 1936 sowie Teile aus Manuskripten und Notizen von 1941–43.)

Literatur

    Verzeichnet werden alle Schriften, die in den Anmerkungen ohne vollständige
bibliographische Angaben angeführt sind, ferner einige wenige weitere Schriften, die
für den Zusammenhang dieser Untersuchung von Bedeutung waren, ohne daß sich das
in Zitaten oder Hinweisen hätte niederschlagen können. Zitiert wird in den Anmerkungen normalerweise nur mit dem Verfassernamen; mehrere Titel desselben Autors
werden mit römischen Ziffern (und ggf. kleinen lateinischen Buchstaben) numeriert
und entsprechend auch zitiert.

ABENDROTH, Wolfgang: Das Unpolitische als Wesensmerkmal der deutschen Univer-
    sität. In: Nationalsozialismus und die deutsche Universität (s. u.) 189–208.
ADORNO (I), Theodor W. und Max HORKHEIMER: Dialektik der Aufklärung. Amster-
    dam 1955.
ADORNO (II): Drei Studien zu Hegel. Frankfurt 1963.
ADORNO (III): Fortschritt. In: Helmut Kuhn und Franz Wiedmann (Hrsg.): Die
    Philosophie und die Frage nach dem Fortschritt (s. u.) 30–48.
ADORNO (IV): Jargon der Eigentlichkeit. Zur deutschen Ideologie. Frankfurt 1964.
ADORNO (V): Zur Metakritik der Erkenntnistheorie. Stuttgart 1956.
ADORNO (VI): Negative Dialektik. Frankfurt 1967 (Sonderausgabe).
ALLEMANN (I), Beda: Hölderlin und Heidegger. 2. Auflage. Zürich – Freiburg i. Br.
    1956.
ALLEMANN (II): Heidegger und die Politik. Merkur. 21 (1967), 962–976.
ANDERS (I), Günther: On the Pseudo-Concreteness of Heideggers Philosophy.
    Philosophy and Phenomenological Research. 8 (1947/48), 337–371.
ANDERS (II): Nihilismus und Existenz (zuerst 1946). Auszugsweise bei Schneeberger
    I (s. u.) Nr. 210, S. 265–267.
(anonym): Mitternacht einer Weltmacht (über den ‚Fall Heidegger' anläßlich des
    Buches von Schwan). Der Spiegel vom 7. 2. 1966, S. 110–113.

224

ANZ, Wilhelm: Die Stellung der Sprache bei Heidegger. In: Otto Pöggeler (Hrsg.): Heidegger (s. u.) 305–320.

APEL (I), Karl Otto: Die Idee der Sprache in der Tradition des Humanismus von Dante bis Vico. Archiv für Begriffsgeschichte 8, Bonn 1963.

APEL (II): Wittgenstein und Heidegger. Die Frage nach dem Sinn von Sein und der Sinnlosigkeitsverdacht gegen alle Metaphysik. Philos. Jahrb. 75 (1967), 56–94.

APEL (III): Heideggers philosophische Radikalisierung der ‚Hermeneutik‘ und die Frage nach dem ‚Sinnkriterium‘ der Sprache. In: Oswald Loretz und Walter Strolz (Hrsg.): Die hermeneutische Frage in der Theologie. Freiburg 1968, 86–153.

APEL (IV): Sprache und Wahrheit in der gegenwärtigen Situation der Philosophie. Philos. Rundschau. 7 (1959), 161–184.

APEL (V): Die beiden Phasen der Phänomenologie in ihrer Auswirkung auf das philosophische Vorverständnis von Sprache und Dichtung in der Gegenwart. Jahrb. für Ästhetik und allg. Kunstwiss. 3 (1955–57), 54–76.

APEL (VI): Der philosophische Wahrheitsbegriff einer inhaltlich orientierten Sprachwissenschaft. In: Sprache – Schlüssel zur Welt, Festschrift für Leo Weisgerber (Düsseldorf 1959) 11–38.

AZEVEDO, Juan Llambias de: Der alte und der neue Heidegger. Philos. Jahrb. 60 (1950), 161–174.

BALLMER, Karl: Aber Herr Heidegger! Zur Freiburger Rektoratsrede Martin Heideggers. Basel 1933.

BAUER, Gerhard: ‚Geschichtlichkeit‘. Wege und Irrwege eines Begriffs. Berlin 1963.

BENDA, Julien: Trois idoles romantiques. Le dynamisme – l'existentialisme – la dialectique matérialiste. Genève 1949.

BEYER (I), Wilhelm Raimund: Herr Heidegger und die Friedensfrage. Deutsche Zeitschrift für Philos. 10 (1962), 1533–1553.

BEYER (II): Heideggers Katholizität. Deutsche Zeitschr. f. Philos. 12 (1964), 191–209, 310–324.

BINSWANGER (I), Ludwig: Grundformen und Erkenntnis menschlichen Daseins. Zürich 1942.

BINSWANGER (II): Über die daseinsanalytische Forschungsrichtung in der Psychiatrie. Schweizer Archiv für Psychiatrie und Neurologie. 7 (1946), 209–235.

BLOCH (I), Ernst: Erbschaft dieser Zeit. Erweiterte Ausgabe, Frankfurt 1962 (zuerst 1935).

BLOCH (II): Das Prinzip Hoffnung. Sonderausgabe, Frankfurt 1968.

BLUMENBERG, Hans: Die Legitimität der Neuzeit. Sonderausgabe, Frankfurt 1966.

BOCK, Irmgard: Heideggers Sprachdenken. Meisenheim am Glan 1966.

BOLLNOW, Otto Friedrich: Heideggers neue Kehre. Zeitschr. für Religions- und Geistesgesch. 2 (1949/50), 113–128.

BONDY, François: Zum Thema ‚Martin Heidegger und die Politik‘. Merkur. 22 (1968), 189–192.

BRACHER, Karl Dietrich: Die Gleichschaltung der deutschen Universität. In: Nationalsozialismus und die deutsche Universität (s. u.) 126–142.

BRELAGE, Manfred: Studien zur Transzendentalphilosophie. (Hrsg. Aenne Brelage) Berlin 1965.

BRETSCHNEIDER, Willy: Sein und Wahrheit. Über die Zusammengehörigkeit von Sein und Wahrheit im Denken Martin Heideggers. Meisenheim am Glan 1965.

BRÖCKER (I), Walter: Heidegger und die Logik (zuerst 1953/1954). In: O. Pöggeler (Hrsg.): Heidegger (s. u.) 298–304.

BRÖCKER (II): Dialektik – Positivismus – Mythologie. Frankfurt 1958.

CARNAP, Rudolf: Überwindung der Metaphysik durch logische Analyse der Sprache. Erkenntnis. 2 (1932), 219–241.

DAHRENDORF, Ralf: Gesellschaft und Demokratie in Deutschland. Sonderausgabe, München 1968.

DESSAUER, Friedrich: Streit um die Technik. Frankfurt 1956.

(DILTHEY): Der Briefwechsel zwischen Wilhelm Dilthey und dem Grafen Paul Yorck von Wartenburg 1877–1897. (Hrsg. Sigrid von der Schulenburg) Halle 1923.

Durchblicke. Martin Heidegger zum 80. Geburtstag. Frankfurt 1970.

FAYE (I), Jean Pierre: Heidegger et la ‚révolution'. Médiations. 3 (1961), 151–159.

FAYE (II): Attaques nazies contre Heidegger. Médiations. 5 (1962), 137–154.

FAYE (III): A propos de Heidegger: La lecture et l'énonce. Critique. 237 (1967), 288–295.

FÉDIER (I), François: Trois attaques contre Heidegger (über Schneeberger, Hühnerfeld, Adorno IV). Critique. 234 (1966), 883–904.

FÉDIER (II): A propos de Heidegger: Une lecture dénoncée. Critique. 242 (1967), 672–686.

FEICK, Hildegard: Index zu Heideggers ‚Sein und Zeit'. 2. Auflage. Tübingen 1968.

FETSCHER, Iring: Zur Kritik des sowjetmarxistischen Faschismusbegriffs. In: I. F.: Karl Marx und der Marxismus (München 1967) 218–237.

FICHTE, Johann Gottlieb: Die Grundzüge des gegenwärtigen Zeitalters (Berliner Vorlesungen 1804/05). Hrsg. Fritz Medicus, Leipzig 1908.

FINK (I), Eugen: Spiel als Weltsymbol. Stuttgart 1960.

FINK (II): Welt und Geschichte. In: Husserl und das Denken der Neuzeit. Akten des 2. Internationalen Phänomenologischen Kolloquiums (Krefeld Nov. 1956), Den Haag 1959, 143–159.

FLITNER, Andreas (Hrsg.): Deutsches Geistesleben und Nationalsozialismus. Eine Vortragsreihe der Universität Tübingen. Tübingen 1965.

(Frage): Die Frage Martin Heideggers. Beiträge zu einem Kolloquium aus Anlaß seines 80. Geburtstages. Von Jean Beaufret, Hans-Georg Gadamer, Karl Löwith, Karl-Heinz Volkmann-Schluck. Vorgelegt von Hans-Georg Gadamer. Sitzungsberichte der Heidelberger Akad. d. Wiss., philos.-hist. Klasse 4/1969.

FREYER, Hans u.a. (Hrsg.): Technik im technischen Zeitalter. Stellungnahmen zur geschichtlichen Situation. Düsseldorf 1965.

FREYER: Theorie des objektiven Geistes. Eine Einleitung in die Kulturphilosophie. 2. Auflage Leipzig 1928.

FÜRSTENAU, Peter: Heidegger. Das Gefüge seines Denkens. Frankfurt 1958.

GADAMER, Hans-Georg (Hrsg.): Das Problem der Sprache. (Achter Deutscher Kongreß für Philosophie Heidelberg 1966) Heidelberg 1967.

GADAMER (I): Wahrheit und Methode. Grundzüge einer philosophischen Hermeneutik. 2. Auflage. Tübingen 1965.

GADAMER (II): Einführung zu: Martin Heidegger: Der Ursprung des Kunstwerks (Sonderdruck Stuttgart 1960) 102–124.

GADAMER (III): Anmerkungen zu dem Thema ‚Hegel und Heidegger'. In: Natur und Geschichte. Karl Löwith zum 70. Geburtstag (Stuttgart 1967) 123–131.

GADAMER (IV): Die Universalität des hermeneutischen Problems. In: H.-G.G.: Kleine Schriften I, Philosophie-Hermeneutik (Tübingen 1967) 101–112.

GADAMER (V): Martin Heidegger und die Marburger Theologie. In: O. Pöggeler (Hrsg.): Heidegger (s. u.) 169–178.

GANDILLAC, Maurice de: Entretien avec Martin Heidegger. Les temps modernes. 1 (1945/46), 713–716.

GEHLEN, Arnold: Anthropologische Ansicht der Technik. In: H. Freyer u. a. (Hrsg.): Technik im technischen Zeitalter (s. o.).

GIPPER, Helmut: Bausteine zur Sprachinhaltsforschung. Neuere Sprachbetrachtung im Austausch mit Geistes- und Naturwissenschaft. Düsseldorf 1963.

GOLDMANN (I), Lucien: Mensch, Gemeinschaft und Welt in der Philosophie Immanuel Kants. Studien zur Geschichte der Dialektik. Zürich – New York 1945.

GOLDMANN (II): Dialektische Untersuchungen. Neuwied – Berlin 1966.

GREBING, Helga: Rechts = links, links = rechts. Die falsche Gleichung. Wiesbaden 1971 (Information und Analyse – Materialien zur politischen Bildung Nr. 1).

GROSSNER, Claus: Verfall der Philosophie. Politik deutscher Philosophen. Hamburg 1971.

GRÜNDER, Karlfried: M. Heideggers Wissenschaftskritik in ihren geschichtlichen Zusammenhängen. Archiv für Philos. 11 (1961), 312–335.

GRÜNDER und Robert SPAEMANN: Geschichtsphilosophie. Lexikon für Theol. und Kirche IV (Freiburg 1960) 783–791.

GRZESIK, Jürgen: Die Geschichtlichkeit als Wesensverfassung des Menschen. Untersuchungen zur Anthropologie W. Diltheys und M. Heideggers. Phil. Diss. Bonn 1960.

HAAG (I), Karl Heinz: Kritik der neueren Ontologie. Stuttgart 1960.

HAAG (II) (Hrsg.): Die Lehre vom Sein in der modernen Philosophie. Frankfurt 1963.

HABERMAS (I), Jürgen: Theorie und Praxis. Sozialphilosophische Studien. 3. Auflage. Frankfurt 1969. (Daraus insbes.:)

HABERMAS (Ia): Dialektischer Idealismus im Übergang zum Materialismus – Geschichtsphilosophische Folgerungen aus Schellings Idee einer Contraction Gottes, 108–161.

HABERMAS (Ib): Karl Löwiths stoischer Rückzug vom historischen Bewußtsein, 352–370.

HABERMAS (Ic): Zur philosophischen Diskussion um Marx und den Marxismus, 261–335.

HABERMAS (II): Gegen einen positivistisch halbierten Rationalismus. Neudruck in: J. H.: Zur Logik der Sozialwissenschaften (Neudruck Frankfurt 1970) 39–70.

HABERMAS (III): Der Universalitätsanspruch der Hermeneutik. In: K.-O. Apel u.a.: Hermeneutik und Ideologiekritik (Frankfurt 1971) 120–159.

HABERMAS (IV): Technik und Wissenschaft als ‚Ideologie'. Frankfurt 1968. (Daraus insbes.):

HABERMAS (IVa): Technik und Wissenschaft als ‚Ideologie', 48–103.

HABERMAS (V): Philosophisch-politische Profile. Frankfurt 1971. (Daraus insbes.:)

HABERMAS (Va): Wozu noch Philosophie? 11–36.

HABERMAS (Vb): Martin Heidegger. Zur Veröffentlichung von Vorlesungen aus dem Jahre 1935, 67–76 (zuerst unter dem Titel ‚Mit Heidegger gegen Heidegger denken' in der FAZ vom 25. 7. 1953).

HABERMAS (Vc): Die große Wirkung, 76–85 (aus Anlaß von Heideggers 70. Geburtstag).

HABERMAS (Vd): Ein anderer Mythos des zwanzigsten Jahrhunderts, 85–92 (zu W. Bröcker II).

HABERMAS (Ve): Die verspätete Nation, 222–234 (zu Plessner).

HABERMAS (Vf): Die verzögerte Moderne, 234–238 (zu Dahrendorf).

HABERMAS (Vg): Die deutschen Mandarine, 239–254 (zu: F. K. Klinger: The Decline of the German Mandarins. The German Academic Community 1890–1933, Cambridge/Mass. 1969).

HABERMAS (Hrsg.): Antworten auf Herbert Marcuse. 2. Auflage. Frankfurt 1968.

HARMS, Johannes: Vom Deutsch deutscher Philosophen (zuerst 1934). Neu bei Schneeberger I (s. u.) Nr. 151, S. 171–174.

HARTMANN, Nicolai: Zur Grundlegung der Ontologie (zuerst 1935). 4. Auflage. Berlin 1965.

HARTWIG, Theodor: Der Existenzialismus – eine politisch reaktionäre Ideologie. Wien 1948.

HEGEL (I), Georg Wilhelm Friedrich: Phänomenologie des Geistes. Hrsg. Johannes Hoffmeister. 6. Auflage. Hamburg 1952.

HEGEL (II): Wissenschaft der Logik. Hrsg. Georg Lasson. 2. Auflage. Hamburg 1934, Neudruck 1963.

HEGEL (III): Die Vernunft in der Geschichte. Hrsg. Johannes Hoffmeister. 5. Auflage. Hamburg 1955, Neudruck 1966.

HEGEL (IV): Grundlinien der Philosophie des Rechts. Hrsg. Johannes Hoffmeister. 4. Auflage. Hamburg 1955.

HEIDEMANN, Ingeborg: Der Begriff des Spiels und das ästhetische Weltbild in der Philosophie der Gegenwart. Berlin 1968.

HEISE, Wolfgang: Aufbruch in die Illusion. Zur Kritik der bürgerlichen Philosophie in Deutschland. Berlin (DDR) 1964.

HEITSCH, Ernst: Die nicht-philosophische ἀλήϑεια. Hermes. 90 (1962), 24–33.

HERRMANN, Friedrich Wilhelm von: Die Selbstinterpretation Martin Heideggers. Meisenheim am Glan 1964.

HERZFELD, Hans: Der Nationalstaat und die deutsche Universität. In: Nationalsozialismus und die deutsche Universität (s. u.) 8–23.

HITLER, Adolf: Mein Kampf (zuerst 1925/27). 494.–498. Auflage. München 1940.

HOFSTÄTTER, Peter: Das Stereotyp der Technik. In: H. Freyer u. a. (Hrsg.): Technik im technischen Zeitalter (s. o.) 190–210.

HORKHEIMER (I), Max: Zur Kritik der instrumentellen Vernunft. (Hrsg. A. Schmidt) Frankfurt 1967.

HORKHEIMER (II): Geschichte und Psychologie (zuerst 1931). In: M. H.: Kritische Theorie (hrsg. A. Schmidt) I, Hamburg 1968, 9–30.

HUCH, Kurt Jürgen: Philosophiegeschichtliche Voraussetzungen der Heideggerschen Ontologie. Frankfurt 1967.

HÜHNERFELD, Paul: In Sachen Heidegger. Versuch über ein deutsches Genie. Hamburg 1959.

HUSSERL (I), Edmund: Logische Untersuchungen. Neudruck Tübingen 1968.

HUSSERL (II): Philosophie als strenge Wissenschaft. (Hrsg. W. Szilasi) Frankfurt 1965.

HUSSERL (III): Ideen zu einer reinen Phänomenologie und phänomenologischen Philosophie I. (Hrsg. W. Biemel) Haag 1950 (= Husserliana III).

HUSSERL (IV): Zur Phänomenologie des inneren Zeitbewußtseins. Haag 1966 (= Husserliana X).

HUSSERL (V): Die Krisis der europäischen Wissenschaften und die transzendentale Phänomenologie. (Hrsg. W. Biemel) Haag 1962 (= Husserliana VI).

HUSSERL (VI): Erfahrung und Urteil. (Hrsg. L. Landgrebe) Prag 1939.

JÄGER, Hans: Heidegger und die Sprache. Bern – München 1971.

JONAS, Hans: Gnosis, Existentialismus und Nihilismus. In: H. J.: Zwischen Nichts und Ewigkeit. Zur Lehre vom Menschen (Göttingen 1963).

JÜNGER, Ernst: Der Arbeiter. Herrschaft und Gestalt (zuerst 1932). 4. Auflage. Hamburg 1941.

JÜNGER, Friedrich Georg: Die Perfektion der Technik. 4. Auflage. Frankfurt 1953.

KAMLAH, Wilhelm und Paul LORENZEN: Logische Propädeutik oder Vorschule des vernünftigen Redens. Mannheim 1967.

KANT, Immanuel: Kritik der reinen Vernunft, 1. und 2. Aufl. Hrsg. R. Schmidt. 2. Auflage. Hamburg 1930, Neudruck 1956.

KOSIK, Karel: Die Dialektik des Konkreten. Eine Studie zur Problematik des Menschen in der Welt. Frankfurt 1967.

KOTOWSKI, Georg: Nationalsozialistische Wissenschaftspolitik. In: Nationalsozialismus und die deutsche Universität (s. u.) 209–223.

KRIECK, Ernst: Germanischer Mythos und Heideggersche Philosophie (zuerst 1934). Neu bei Schneeberger I (s. u.) Nr. 191, S. 225–228.

KRIECK (II): Vom Deutsch des deutschen Sprachvereins (zuerst 1934). Neu bei Schneeberger I (s. u.) Nr. 160, S. 182–184.

KRIECK (III): Gegen die Sprachbastler (zuerst 1934). Neu bei Schneeberger I (s. u.) Nr. 192, S. 228–230.

KRIECK (IV): Die Geburt der Philosophie. Volk im Werden. 8 (1940), 229–236.

KROCKOW, Christian von: Die Entscheidung. Eine Untersuchung über Ernst Jünger, Carl Schmitt, Martin Heidegger. Stuttgart 1958.

KRÜGER, Gerhard: Martin Heidegger und der Humanismus. Studia Philosophica. 9 (1949), 93–129.

KUHN, Helmut und Franz WIEDMANN (Hrsg.): Die Philosophie und die Frage nach dem Fortschritt. (Verhandlungen des VIII. Deutschen Kongresses für Philosophie, Münster 1962) München 1964.

KUHN, Helmut: Heideggers Holzwege. Archiv für Philos. 4 (1952), 253–269.

KUHR, Alexander: Neurotische Aspekte bei Heidegger und Kafka. Zeitschrift für Psychosomatische Medizin. 1 (1955), 217–227.

KUSCHBERT-TÖLLE, Helga: Heideggers Ansatz beim griechischen Seinsverständnis als Grundstruktur seines Denkens. Philos. Jahrb. 70 (1962/63), 138—146.

LAFFOUCRIÈRE, Odette: Le destin de la pensée et „La mort de Dieu" selon Heidegger. Den Haag 1968 (Phaenomenologica 24).

LANDMANN, Michael: Die fünf Begriffe der Geschichtlichkeit. In: M. L.: Der Mensch als Schöpfer und Geschöpf der Kultur. Geschichts- und Sozialanthropologie. München — Basel 1961.

LEHMANN, Gerhard: Das Subjekt der Alltäglichkeit. Soziologisches in Heideggers Fundamentalontologie. Archiv für angewandte Soziol. 5 (1932/33), 15—39.

LEHMANN (I), Karl: Metaphysik, Transzendentalphilosophie und Phänomenologie in den ersten Schriften Martin Heideggers. Philos. Jahrb. 71 (1963/64), 331—357.

LEHMANN (II): Christliche Geschichtserfahrung und ontologische Frage beim jungen Heidegger. Philos. Jahrb. 74 (1966), 126—153.

LEWALTER, Christian E.: Wie liest man 1953 Sätze von 1935? Zu einem politischen Streit um Heideggers Metaphysik. Die Zeit vom 13. 8. 1953, S. 6.

LIEBER, Hans-Joachim: Die deutsche Lebensphilosophie und ihre Folgen. In: Nationalsozialismus und die deutsche Universität (s. u.) 92—107.

LÖWITH (I), Karl: Heidegger — Denker in dürftiger Zeit. (zuerst 1953) 2. Auflage. Göttingen 1960.

LÖWITH (II): Gesammelte Abhandlungen zur Kritik der geschichtlichen Existenz. Stuttgart 1960. (Daraus insbes.:)

LÖWITH (IIa): Martin Heidegger und F. Rosenzweig. Ein Nachtrag zu ‚Sein und Zeit' (zuerst 1942/43), 68—92.

LÖWITH (IIb): Der okkasionelle Dezisionismus von C. Schmitt (zuerst 1935), 93—126.

LÖWITH (IIc): Mensch und Geschichte, 152—178.

LÖWITH (IId): Natur und Humanität des Menschen, 179—207.

LÖWITH (III): Vorträge und Abhandlungen zur Kritik der christlichen Überlieferung. Stuttgart 1966. (Daraus insbesondere:)

LÖWITH (IIIa): Diltheys und Heideggers Stellung zur Metaphysik, 253—267.

LÖWITH (IV): Les implications politiques de la philosophie de l'existence chez Heidegger. Les temps modernes. 2 (1946), 343—360.

LÖWITH (V): Réponse à M. De Waelhens. Les temps modernes. 4 (1948), 370—373.

LÖWITH (VI): Heidegger: Problem and Background of Existenzialism. Social Research. 15 (1948), 345—369.

LÖWITH (VII): Heideggers Vorlesungen über Nietzsche. Merkur. 16 (1962), 72—83.

LÖWITH (VIII): Die Natur des Menschen und die Welt der Natur. In: Die Frage Martin Heideggers (s. o.) 36—49.

LÖWITH (IX): Phänomenologische Ontologie und protestantische Theologie (zuerst 1930). In: O. Pöggeler (Hrsg.): Heidegger (s. u.) 54—77.

LOHMANN, Johannes: M. Heideggers ‚Ontologische Differenz' und die Sprache. Lexis. 1 (1948), 49—106.

LOTZ, Johannes Baptist: Sein und Existenz. Kritische Studien in systematischer Absicht. Freiburg — Basel — Wien 1965.

LÜBBE (I), Hermann: Positivismus und Phänomenologie (Mach und Husserl). Beiträge zur Philosophie und Wissenschaft. W. Szilasi zum 70. Geburtstag (München 1960) 161–184.

LÜBBE (II): Husserl und die europäische Krise. Kantstudien. 49 (1957/58), 225–237.

LUKÁCS (I), Georg: Die Zerstörung der Vernunft (zuerst 1954). 2. Auflage. Neuwied – Berlin 1962 (= Werke 9).

LUKÁCS (II): Existentialismus oder Marxismus? Berlin 1951.

LUKÁCS (III): Heidegger redivivus (zuerst 1949). Neu abgedruckt in Lukács II (s. o.) 161–183.

LUKÁCS (IV): Wozu braucht die Bourgeoisie die Verzweiflung? Sinn und Form. 3 (1951) H. 4, 66–69.

MARCUSE (I), Herbert: Hegels Ontologie und die Theorie der Geschichtlichkeit (zuerst 1932). 2. Auflage. Frankfurt 1968.

MARCUSE (II): Über konkrete Philosophie. Archiv für Sozialwiss. und Sozialpolitik. 62 (1929), 111–128.

MARCUSE (III): Beiträge zu einer Phänomenologie des Historischen Materialismus. Philosophische Hefte. 1 (1928), 45–68.

MARCUSE (IV): Kultur und Gesellschaft I. 8. Auflage. Frankfurt 1965. (Daraus insbes.:)

MARCUSE (IVa): Der Kampf gegen den Liberalismus in der totalitäten Staatsauffassung (zuerst 1934), 17–55.

MARCUSE (V): Der eindimensionale Mensch. Neuwied 1967.

MARCUSE, Ludwig: Leserbrief. Der Spiegel vom 7. 3. 1966, 10 f.

MARQUARD (I), Odo: Skeptische Methode im Blick auf Kant. Freiburg – München 1958.

MARQUARD (II): Über die Depotenzierung der Transzendentalphilosophie. Einige philosophische Motive eines neueren Psychologismus in der Philosophie. Habil.-Schrift Münster 1963.

MARQUARD (III): Über einige Beziehungen zwischen Ästhetik und Therapeutik in der Philosophie des neunzehnten Jahrhunderts. Literatur und Gesellschaft. Vom neunzehnten ins zwanzigste Jahrhundert, Festschrift für B. von Wiese (Bonn 1963) 22–55.

MARX, Werner: Heidegger und die Tradition. Stuttgart 1961.

MAURER, Reinhart: Der angewandte Heidegger. Herbert Marcuse und das akademische Proletariat. Philos. Jahrb. 77 (1970), 238–259.

MENDE, Georg: Studien über die Existenzphilosophie. Berlin 1956.

MERLEAU-PONTY (I), Maurice: Phänomenologie der Wahrnehmung (frz. zuerst 1945). (Dt. von R. Boehm) Berlin 1966.

MERLEAU-PONTY (II): Le visible et l'invisible. (Aus dem Nachlaß hrsg. C. Lefort) Paris 1964.

MEULEN, Jan van der: Heidegger und Hegel oder Widerstreit und Widerspruch. 2. Auflage. Meisenheim am Glan 1954.

MICHAILOW, Anatoli: Martin Heidegger und seine ‚Kehre‘. Phil. Diss. Jena 1966.

MINDER (I), Robert: ‚Hölderlin unter den Deutschen‘ und andere Aufsätze zur deutschen Literatur. Frankfurt 1968. (Daraus insbes.:)

MINDER (Ia): Heidegger und Hebel oder die Sprache von Meßkirch, 86–153.

MINDER (II): A propos de Heidegger: Langage et nazisme. In: Critique 237 (1967) 284–287.

MISCH, Georg: Lebensphilosophie und Phänomenologie. Eine Auseinandersetzung der Diltheyschen Richtung mit Heidegger und Husserl. Bonn 1930.

MOUGIN, Henri: La sainte famille existentialiste. Paris 1947.

MÜLLER, Max: Existenzphilosophie im geistigen Leben der Gegenwart (zuerst 1949). 3. Auflage. Heidelberg 1964.

MÜLLER-LAUTER (I), Wolfgang: Möglichkeit und Wirklichkeit bei Martin Heidegger. Berlin 1960.

MÜLLER-LAUTER (II): Konsequenzen des Historismus in der Philosophie der Gegenwart. Zeitschr. für Theol. und Kirche. 59 (1962), 226–255.

Nationalsozialismus und die deutsche Universität (Universitätstage 1966. Veröffentlichungen der Freien Universität Berlin). Berlin 1966.

NESKE, Günther (Hrsg.): Martin Heidegger zum 70. Geburtstag. Festschrift, Pfullingen 1959.

NOACK, Hermann: Gespräch mit Heidegger. Anstöße, Berichte aus der Arbeit der Evangelischen Akademie Hofgeismar. 1 (1954), 30–37.

NOHL, Hubert: Lebenswelt und Geschichte. Grundzüge der Spätphilosophie E. Husserls. Freiburg – München 1962.

NOLLER, Gerhard: Sein und Existenz. Die Überwindung des Subjekt-Objektschemas in der Philosophie Heideggers und in der Theologie der Entmythologisierung. München 1962.

OEING-HANHOFF (I), Ludger: Wesensphilosophie und thomistische Metaphysik (Zu E. Gilson: ‚L'être et l'essence‘). Theol. Revue. 50 (1954), 201–218.

OEING-HANHOFF (II): L'ontologie à l'ère atomique. A propos d'un récent ouvrage de M. Heidegger: Du principe de raison. Archives de Philosophie. 21 (1958), 5–25.

OEING-HANHOFF (III): Metaphysik und Geschichtsphilosophie. In: Gott in Welt. Festgabe für K. Rahner zum 60. Geburtstag (Freiburg – Basel – Wien 1924) 240–268.

OEING-HANHOFF (IV): Über den Fortschritt der Philosophie. Geschichte und Stand des Problems. In: Helmut Kuhn und Franz Wiedmann (Hrsg.): Die Philosophie und die Frage nach dem Fortschritt (s. o.) 73–106.

OFFE, Claus: Technik und Eindimensionalität. Eine Version der Technokratiethese? In: J. Habermas (Hrsg.): Antworten auf Herbert Marcuse (s. o.) 73–88.

OTT, Heinrich: Denken und Sein. Der Weg Martin Heideggers und der Weg der Theologie. Zollikon 1959.

PALMIER, Jean-Michel: Les Ecrits politiques de Heidegger. Paris 1968.

PAPALEKAS, Johannes Chr.: Herrschaft – technisch herausgefordert. In: H. Freyer u. a. (Hrsg.): Technik im technischen Zeitalter (s. o.) 232–246.

PATOČKA, Jan: Heidegger vom anderen Ufer. In: Durchblicke (s. o.) 394–411.

PATRI, Aimé: A propos de Heidegger: Serait-ce une querelle d'allemand? Critique. 237 (1967), 296 f.

PETROVIĆ (I), Gajo: Der Spruch des Heidegger. In: Durchblicke (s. o.) 412–436.

PETROVIĆ (II) (Hrsg.): Revolutionäre Praxis. Jugoslawischer Marxismus der Gegenwart. Freiburg 1969.

PFLAUMER, Ruprecht: Sein und Mensch im Denken Heideggers. Philos. Rundschau. 13 (1965), 161–234.

PLESSNER (I), Helmut: Die verspätete Nation. Stuttgart 1959.

PLESSNER (II): Deutsches Philosophieren in der Epoche der Weltkriege. In: H. P.: Zwischen Philosophie und Gesellschaft (Bern 1953) 9–38.

PÖGGELER (I), Otto: Der Denkweg Martin Heideggers. Pfullingen 1963.

PÖGGELER (II): Sein als Ereignis. Zeitschrift für philosophische Forschung. 13 (1959), 597–632.

PÖGGELER (III): Metaphysik und Seinstopik bei Martin Heidegger. Philos. Jahrb. 70 (1962/63), 118–137.

PÖGGELER (Hrsg.): Heidegger. Perspektiven zur Deutung seines Werkes. Köln – Berlin 1969.

POLIAKOV, Léon und Josef WULF: Das dritte Reich und seine Denker, Dokumente. Berlin 1959.

PUGLIESE, Orlando: Vermittlung und Kehre. Grundzüge des Geschichtsdenkens bei Martin Heidegger. Freiburg – München 1965.

RICHARDSON, William J.: Heidegger. Through Phenomenology to Thought. The Hague 1963 (= Phaenomenologica 13).

RICHARDSON (II): Heideggers Weg durch die Phänomenologie zum Seinsdenken. Philos. Jahrb. 72 (1964/65), 385–396.

RICKERT (I), Heinrich: Die Logik des Prädikats und das Problem der Ontologie. Heidelberg 1930.

RICKERT (II): Grundprobleme der Philosophie. Methodologie – Ontologie – Anthropologie. Tübingen 1934.

RITTER (I), Joachim: Metaphysik und Politik. Frankfurt 1969. (Daraus insbes.:)

RITTER (Ia): Die Lehre vom Ursprung und Sinn der Theorie bei Aristoteles (zuerst 1952), 9–33.

RITTER (II): Über den Sinn und die Grenze der Lehre vom Menschen. Potsdam 1933.

RITTER (III): Die große Stadt. In: Erkenntnis und Verantwortung, Festschrift für Th. Litt (Düsseldorf 1961) 183–193.

ROBINSON, James M. und J. B. COBB (Hrsg.): Der spätere Heidegger und dieTheologie. Zürich – Stuttgart 1964 (= Neuland in der Theologie 1).

ROHRMOSER (I), Günther: Anläßlich Heideggers Nietzsche. Neue Zeitschr. für system. Theol. 6 (1964) 35–50.

ROHRMOSER (II): Humanität und Teechnologie. Studium Generale. 22 (1969), 771–782.

ROHRMOSER (III): Das Elend der kritischen Theorie. Th. W. Adorno, Herbert Marcuse, Jürgen Habermas. Freiburg i. Br. 1970.

ROMBACH, Heinrich: Die Gegenwart der Philosophie. Eine geschichtsphilosophische und philosophiegeschichtliche Studie über den Stand des philosophischen Fragens. Freiburg – München 1962.

ROSENMAYR, Leopold: Gesellschaftsbild und Kulturkritik Heideggers. Archiv für Rechts- und Sozialphilos. 46 (1960), 1–38.

SASS, Hans-Martin: Heidegger-Bibliographie. Meisenheim am Glan 1968.

SCHAEFFLER, Richard: Die Struktur der Geschichtszeit. Frankfurt 1963.

SCHMIDT, Alfred: Existential-Ontologie und historischer Materialismus bei Herbert Marcuse. In: J. Habermas (Hrsg.): Antworten auf Herbert Marcuse (s. o.) 17–19.

SCHNEEBERGER (I), Guido: Nachlese zu Heidegger. Dokumente zu seinem Leben und Denken. Bern 1962.

SCHNEEBERGER (II): Ergänzungen zu einer Heidegger-Bibliographie. Mit vier Beilagen und einer Bildtafel. Bern 1960.

SCHÖFER, Erasmus: Die Sprache Heideggers. Pfullingen 1962.

SCHOLTZ, Gunter: Sprung. Zur Geschichte eines philosophischen Begriffs. Archiv für Begriffsgesch. 11 (1967), 206–237.

SCHRIMPF, Hans Joachim: Hölderlin, Heidegger und die Literaturwissenschaft. Euphorion. 51 (1957), 308–323.

SCHULZ (I), Walter: Über den philosophiegeschichtlichen Ort Martin Heideggers. Philos. Rundschau. 1 (1953/54), 65–93, 211–232.

SCHULZ (II), Walter: Die Vollendung des deutschen Idealismus in der Spätphilosophie Schellings. Stuttgart – Köln 1955.

SCHULZ (III): Wittgenstein. Die Negation der Philosophie. Pfullingen 1967.

SCHWAN, Alexander: Politische Philosophie im Denken Heideggers. Köln – Opladen 1965.

SCHWARZ, Justus: Der Philosoph als Etymologe. Ein Beitrag zum Verhältnis von Philosophie und Sprache. Philos. Studien. 1 (1949), 47–61.

SCHWEPPENHÄUSER, Hermann: Studien über die Heideggersche Sprachtheorie. Archiv für Philos. 7 (1957), 279–324, 8 (1958), 116–144.

SIMON, Josef: Sprache und Raum. Philosophische Untersuchungen zum Verhältnis zwischen Wahrheit und Bestimmtheit von Sätzen. Berlin 1969.

SINN, Dieter: Heideggers Spätphilosophie. Philos. Rundschau. 14 (1967), 81–182.

SITTER, Beat: Zur Möglichkeit dezisionistischer Auslegung von Heideggers ersten Schriften. Zeitschr. für philosophische Forschung. 24 (1970), 516–535.

SLADECZEK, Franz Maria: Ist das Dasein Gottes beweisbar? Wie steht die Existentialphilosophie Martin Heideggers zu dieser Frage? Würzburg 1967.

SONNEMANN, Ulrich: Negative Anthropologie. Vorstudien zur Sabotage des Schicksals. Reinbek bei Hamburg 1969.

SONTHEIMER (I), Kurt: Die Haltung der deutschen Universitäten zur Weimarer Republik. In: Nationalsozialismus und die deutsche Universität (s. o.) 24–42.

SONTHEIMER (II): Der Antihistorismus des gegenwärtigen Zeitalters. Neue Rundschau. 75 (1964), 611–631.

SPAEMANN, Robert: Philosophie zwischen Metaphysik und Geschichte. Philosophische Strömungen im heutigen Deutschland. Zeitschr. für system. Theol. 1 (1959), 190–313.

SPECHT, Ernst Konrad: Sprache und Sein. Berlin 1967.

STAIGER, Emil: Grundbegriffe der Poetik, 4. Auflage. Zürich – Freiburg 1959.

STEGMÜLLER, Wolfgang: Hauptströmungen der Gegenwartsphilosophie. 2. Auflage Stuttgart 1960.

STERN, Günther: s. o. unter Günther Anders.

234

STERNBERGER, Adolf: Der verstandene Tod. Eine Untersuchung zu Martin Heideggers Existenzial-Ontologie. Leipzig 1934.

TAUBES, Susan Anima: The Gnostic Foundations of Heidegger's Nihilism. The Journal of Religion. 34 (1954), 155—172.

THIELEMANS, H.: Existence tragique. La métaphysique du nazisme. Nouv. revue théol. (1936), 561—579.

TOPITSCH, Ernst: Zur Soziologie des Existenzialismus. Kosmos — Existenz — Gesellschaft. In: E. T.: Sozialphilosophie zwischen Ideologie und Wissenschaft. 2. Auflage. Neuwied —Berlin 1966, 97—117.

TOWARNICKI, Alfred de: Visite à Martin Heidegger. Les temps modernes. 1 (1945/46), 717—724.

TUGENHAT (I), Ernst: Der Wahrheitsbegriff bei Husserl und Heidegger. Berlin 1967.

TUGENDHAT (II): Ti Kata Tinos. Eine Untersuchung zu Struktur und Ursprung aristotelischer Grundbegriffe. Freiburg 1958.

TUGENDHAT (III): Die sprachanalytische Kritik der Ontologie. In: H.-G. Gadamer (Hrsg.): Das Problem der Sprache (s. o.) 483—493.

WAELHENS, Alphonse de: La philosophie de Heidegger et le nazisme. Les temps modernes. 3 (1947/48), 115—127.

WAELHENS (II): Réponse à cette réponse (zu Löwith V). Les temps modernes. 4 (1948), 374—377.

WEIL, Eric: Le cas Heidegger. Les temps modernes. 3 (1947/48), 128—138.

WEINRICH, Harald: Tempus. Besprochene und erzählte Welt. Stuttgart 1964.

WEISCHEDEL, Wilhelm: Der Gott der Philosophen. Grundlegung einer philosophischen Theologie im Zeitalter des Nihilismus. I: Wesen, Aufstieg und Verfall der philosophischen Theologie. Darmstadt 1971.

WELTE, Bernhard: Remarques sur l'ontologie de Heidegger. Rev. des Sciences philos. et théol. 31 (1947), 379—393.

WIPLINGER, Fridolin: Wahrheit und Geschichtlichkeit. Eine Untersuchung über die Frage nach dem Wesen der Wahrheit im Denken Martin Heideggers. Freiburg — München 1961.

WISSER, Richard (Hrsg.): Martin Heidegger im Gespräch. Freiburg — München 1970.

Namensregister

Die von Eigennamen abgeleiteten Adjektive (z. B. Aristoteles – aristotelisch) werden vielfach mitregistriert. Das Literaturverzeichnis wurde dagegen nicht in die Auswertung einbezogen.

Abendroth, W. 179, 190
Adorno, Th. W. 16, 70, 129, 133, 165, 168, 170, 173, 175, 177 f., 180 f., 182, 189 f., 200, 203, 210 f., 213
Allemann, B. 189, 191, 193, 213, 219
Anaximander 122, 128, 158
Anders, G. 175, 177
Angelus Silesius 203 f.
Anz, W. 215
Apel, K. O. 143, 158, 165, 213 f., 215, 219
Aristoteles 3, 4, 9, 13, 66, 91, 117, 122, 128, 167, 170, 208
Augustinus 3, 117, 165, 204

Bäumler, A. 92, 194
Barth, K. 204
Bauer, G. 182
Bergson, H. 117
Beyer, W. R. 165, 189, 206
Biemel, W. 193
Binswanger, L. 168
Bloch, E. 190
Blumenberg, H. 114, 204, 206, 210
Bock, I. 213
Böhme, J. 215
Bollnow, O. F. 199
Braig, C. 166
Brelage, M. 109, 166, 174, 186, 202
Brentano, F. 3, 165
Bröcker, W. 15, 171, 203
Bultmann, R. 204, 206

Carnap, R. 144, 170, 199, 215
Croce, B. 193

Dahrendorf, R. 190, 192
Descartes, R. 9, 66, 122 f., 208, 210
Dessauer, F. 136
Dilthey, W. 4, 171, 182, 196
Dostojewski, F. M. 6

Eckart 215

Fabro, C. 219
Faye, J. P. 189, 198 f.
Fechner, G. Th. 172
Fédier, F. 189–191, 193
Feick, H. 173 f.
Fetscher, I. 189
Feuling, D. 201
Fichte, J. G. 218
Fink, E. 203
Freyer, H. 133, 196
Fürstenau, P. 45, 156, 177, 181, 203, 209 f., 219

Gadamer, H.-G. 166, 173 f., 187, 202 f., 215, 218
Gandillac, M. de 184, 189 f., 191
Gehlen, A. 133, 177
Geiger, L. 219
George, St. 216
Giese, H. 193
Gipper, H. 170
Goethe, J. W. 151, 218
Goldmann, L. 167
Grebing, H. 212
Grossner, C. 190
Gründer, K. 166, 190, 202 f., 204 f., 210

Haag, K. H. 170, 200 f., 203
Habermas, J. 70, 90, 92, 168, 182, 189 f., 191, 193 f., 203, 209, 211 f., 215, 217
Harms, J. 195
Hartmann, N. 168, 187
Hartwig, Th. 190
Hebel, J. P. 216
Hegel, G. W. F. 5, 9, 123, 127 f., 158, 166, 168, 170, 182, 201, 209 f., 218 f., 220
Heidemann, I. 203
Heise, W. 181, 190
Heitsch, E. 188
Heraklit 122, 142, 146, 188, 208

MONOGRAPHIEN ZUR PHILOSOPHISCHEN FORSCHUNG

Begründet von Georgi Schischkoff

Band

127 Ingbert Knecht
Theorie der Entfremdung bei Sartre und Marx
1975 – VI, 282 Seiten – broschiert 53,– DM – ISBN 3-445-01143-5

128 Bernhard Kopp
Beiträge zur Kulturphilosophie der deutschen Klassik
Eine Untersuchung im Zusammenhang mit dem Bedeutungswandel des Wortes Kultur
1974 – X, 119 Seiten – broschiert 29,– DM – ISBN 3-445-01165-6

129 Bernd Brenk
Metaphysik des einen und absoluten Seins
1975 – ca. 200 Seiten – broschiert ca. 39,50 DM

130 Roberto de Amorim Almeida
Natur und Geschichte
1975 – ca. 188 Seiten – broschiert ca. 39, – DM

131 Peter Sachta
Die Theorie der Kausalität in Kants ‚Kritik der reinen Vernunft‘
1975 – VIII,151 Seiten – broschiert 42,– DM ISBN 3-445-01205-9

132 Winfried Franzen
Von der Existenzialontologie zur Seinsgeschichte
Eine Untersuchung über die Entwicklung der Philosophie Martin Heideggers

133 Jendris Alwast
Logik der dionysischen Revolte
Nietzsches Entwurf einer aporetisch dementierten ‚kritischen Theorie‘
1975 – ca. 284 Seiten – broschiert ca. 58,– DM

134 Eberhard Winterhager
Das Problem des Individuellen
Ein Beitrag zur Entwicklungsgeschichte Paul Natorps
1975 – ca. 256 Seiten – broschiert ca. 48,– DM

Prospekt auf Anforderung

VERLAG ANTON HAIN · 6554 MEISENHEIM